El libro de los SÍMBOLOS

Álvaro Pascual Chenel
Alfonso Serrano Simarro

LIBSA

© 2010, Editorial LIBSA
C/ San Rafael, 4
28108 Alcobendas. Madrid
Tel. (34) 91 657 25 80
Fax (34) 91 657 25 83
e-mail: libsa@libsa.es
www.libsa.es

Textos: Álvaro Pascual Chenel • Alfonso Serrano Simarro
Edición: Equipo Editorial LIBSA

ISBN: 978-84-662-2124-5

Introducción

Nada más comenzar a trabajar en el proyecto que nos llevaría a elaborar este *Diccionario de símbolos* detectamos el primer gran obstáculo en nuestro camino: la magnitud de lo simbólico, lo inabarcable de la tarea a realizar.

Si entendemos como símbolos cualquier objeto o imagen cuyo significado trasciende al obvio, éstos aparecen por doquier, sobre numerosos soportes y bajo diversas formas. Los encontramos en cuadros del siglo XVI y en los nuevos billetes de la Unión Europea. El gorrión en un verso de Machado es un símbolo, al igual que lo es una escena de lucha en un cuadro de Goya, un búho en una película de David Lynch o un reloj en la fachada del ayuntamiento. Existen voluminosas tesis dedicadas, por ejemplo, al ojo y, si pretendiésemos agotar los sentidos ofrecidos por un símbolo, nos veríamos abocados a un maremágnum imposible.

La extensión de los significados simbólicos resulta casi increíble. Para llegar a elaborar una explicación irreprochable, deberíamos entremezclar continuamente conceptos de todo tipo de disciplinas: de la teología a las matemáticas, de la antropología a la física, de la historia a la astronomía. Además, los significados prácticamente nunca son unívocos, lo que unas sociedades interpretan en un sentido, adquiere el contrario para otras. Los lectores encontrarán cómo frecuentemente un pequeño matiz invierte el sentido de una imagen; en el arte cristiano medieval, por ejemplo, un león suele ser un símbolo de Cristo, pero si se le representa rugiendo se convierte en Satanás. Y no olvidemos el tiempo; en la tradición occidental podemos englobar tanto lo que creó un artesano del año 1000 como los productos de un publicista actual. Así nos encontramos con casos como el de la esvástica, conocida por todos como símbolo nazi, pero que ya aparecía en estandartes hititas del segundo milenio antes de Cristo.

Ante estas dificultades, los principales riesgos de la obra se revelaron en un complicado juego, aquel que debía darnos el lugar oportuno para equidistar tanto de un caos informativo en el que nadie podría orientarse, como de una simplificación extrema que obviara cualquier tropiezo. Y quizá lo peor es que esta simplificación, aparte de burda, roza demasiado el terreno de lo esotérico. El zodiaco, por ejemplo, hoy es conocido por todos, sabemos cuál es nuestro signo y, seguramente, a pocos se les escapan las características que se le asocian. Pues bien, podríamos haber descrito esas acepciones sin entrar en mayores problemas, pero no nos pareció oportuno ignorar un trasfondo de gran riqueza conceptual, por mucho que hoy en día se sirva vulgarizado y a la carta.

Por ello, nuestra intención ha sido ofrecer a los lectores, a ustedes, una explicación general para cada símbolo, aportando tantos ejemplos como fuera conveniente, pero buscando, sobre todo, los motivos profundos que subyacen bajo todas las construcciones culturales del hombre. Así, con el mencionado zodiaco intentamos mostrar cómo cada uno de sus símbolos trata de esquematizar las características de una etapa del gran ciclo de muerte y resurrección de la naturaleza, e incluso, cómo ese mismo proceso intenta aplicarse a cualquier otro desarrollo cíclico del universo.

Es posible que algunos de ustedes, al leer una entrada, se planteen preguntas que no hemos podido tratar en esta obra. Aunque cada una de sus respuestas conllevaría un nuevo volumen, puede resultar increíblemente enriquecedor cuestionar conceptos aprendidos o reflexionar con calma ante determinados sucesos. Se encontrarán numerosos símbolos que repiten su sentido en puntos del globo a los que jamás se les supuso contacto alguno. ¿Qué ocurre entonces? ¿Casualidad? ¿Es que hay alguna relación entre ellos que ha quedado oculta en la historia? ¿O es que todos los seres humanos tendemos a reaccionar igual ante los estímulos que nos ofrece el mundo? De igual modo, al contemplar un cuadro conocido bajo la nueva perspectiva de la interpretación simbólica, podremos preguntarnos si el autor realmente concibió el sentido que le intentamos otorgar. Pero y si así fuera, ¿lo hizo conscientemente? ¿Buscó con premeditación todos los detalles que se adecuaran con mayor precisión a lo que quería expresar? ¿O acaso surgió aquella imagen de una forma inconsciente en su mente, reflejando con ello todo el bagaje recibido desde la sociedad?

Sólo nos queda desear que el planteamiento que hemos elegido les resulte estimulante. En cualquier caso, les agradecemos el interés que les ha llevado al menos hasta esta página, interés que ha permitido y justificado que hayamos podido disfrutar dedicando nuestro tiempo a la elaboración de este libro.

ÁLVARO PASCUAL CHENEL
ALFONSO SERRANO SIMARRO

El quitasol, Goya.

Abanico

El abanico, plegable o no, de telas vegetales, plumas o cualquier otro material, es uno de los instrumentos más conocidos y empleados a lo largo de la historia. Del Oriente asiático a las civilizaciones mediterráneas, el abanico se ha convertido en un recurrente alivio contra el calor y tanto su presencia entre los hombres como su relación con el viento le han granjeado un cierto simbolismo.

En la tradición hindú figura entre los atributos de Agni, dios del viento, y, como su principal misión práctica fue la de avivar los fuegos rituales, se empleó como símbolo de las ceremonias en las que intervenía. Para la filosofía taoísta china, el viento es uno de los mayores factores benéficos; acarrea la vida y muestra el camino hacia la mítica isla de los Inmortales. Como consecuencia de ello, la cultura popular tomó el abanico por amuleto contra los malos espíritus y los emperadores lo asumieron como emblema, simbolizando con él los bienes que su autoridad otorga a la sociedad.

Al igual que en la sociedad china, en otros muchos lugares el abanico se asoció a las altas autoridades. El motivo es claro: soberanos de todo el mundo, desde el Egipto faraónico hasta la corte inca, de las autoridades griegas a las de los reinos medievales, cuando su poder alcanzó las cotas necesarias, se hicieron abanicar por sus súbditos. Así, el abanico se convirtió no sólo en símbolo de su poder, sino en muestra de adoración y sumisión. En la corte vaticana, por ejemplo, hasta hace poco el Papa incluía entre su comitiva a escoltas encargados de portar abanicos.

A principios de la Edad Moderna, los misioneros jesuitas que regresaban de Oriente introdujeron los abanicos plegables en el mundo europeo. Su uso ganó popularidad entre los diferentes estratos sociales (especialmente en las zonas más calurosas) y enseguida comenzó a ser empleado en juegos de seducción en los que la mujer velaba y desvelaba continuamente su rostro. Todo ello llegó al extremo de crear un verdadero lenguaje propio, en el que cada gesto o postura tenía su significado. Como meros ejemplos, diremos que abanicarse con sosiego constituía una muestra de indiferencia, hacerlo con la mano izquierda mostraba desagrado, pero pasar el índice por su parte superior era una sugerente invitación al diálogo.

Abanico

Traído desde Oriente por los jesuitas, el abanico plegable generó un lenguaje propio en el arte de la seducción.

Abeja

Amor, elocuencia, inmortalidad, monarquía, laboriosidad... este insecto ha generado una extensa simbología con ecos por todo el mundo.

Abismo

El desconocimiento y las profundidades insondables que el abismo sugiere condujeron a considerarlo como lugar donde habitan poderes ocultos.

Abeja

Aunque *las* sociedades humanas tienen contacto con este insecto desde tiempos inmemoriales y pese a que en muchos lugares se desarrollaron conocimientos apícolas para aprovechar su miel y su cera, ha sido uno de los animales peor conocidos por los hombres. El desconocimiento de sus costumbres reproductivas, del sexo de cada individuo y de su organización social ha generado una prolija simbología y mitología a su alrededor.

Su vida en comunidad y su continuo ajetreo son los aspectos que más interés han despertado. Así, la imagen de la abeja se empleó como símbolo de disciplina, orden y laboriosidad en lugares muy diferentes (en el emblema de la familia corsa de los Bonaparte, por ejemplo). Pese a que no se conocía su sexo, ya en el Próximo Oriente antiguo se supo que estos insectos tenían a uno de ellos como autoridad principal (la reina), por lo que se convirtió en una popular alegoría de la monarquía (es probable que la flor de lis, símbolo de los monarcas borbones, derive de la imagen de una abeja).

En el mundo clásico la identificación entre las aves y el alma de los difuntos (*véase* Aves) se extendió también a las abejas. Por este motivo se creó un cierto vínculo entre ellas y la vida en el más allá, lo que se plasma en el hidromiel (o aguamiel, agua mezclada con miel), bebida de la in-

Bodegón, Osias Beer.

mortalidad y del Paraíso tanto para celtas como para musulmanes. El Egipto faraónico también refleja estas concepciones al hacer de la abeja símbolo tanto del Bajo Egipto como del alma de los muertos.

Todo lo que acabamos de ver, unido a una cierta relación con el renacimiento y los ciclos naturales (las abejas desaparecen durante el invierno y reaparecen tras él), justifica que la tradición griega las representara entre los atributos de Deméter, diosa de la naturaleza y de sus grandes ciclos. También las sacerdotisas de Éfeso y de Eleusis, vírgenes y laboriosas, se identificaron con estos insectos.

Posteriormente, el cristianismo heredaría buena parte de los sentidos que las culturas precedentes habían dado ya a la abeja. Se la empleó como símbolo del Espíritu Santo, de la Iglesia (cuando se representaba toda la colmena) y de la Virgen María (sobre todo a partir de la Edad Media). Durante el Renacimiento, la perfección geométrica de las celdas del panal condujo a identificarla con algunas de las artes principales. Pero además, la confluencia de gran parte de los significados ya vistos (inmortalidad, renacimiento, pureza, elocuencia, amor) condujo a ligar con cierta frecuencia la abeja al mismo Cristo.

■ **Referencias cruzadas**: *véanse* también Aves, Hidromiel y Miel.

Abeto

Véase Navidad, árbol de.

Abismo

Los *grandes* abismos de la naturaleza han sido para los hombres realidades amenazadoras y herméticas. Con un sentido positivo, se ha recurrido a ellos como símbolo de la profundización en una idea o sentimiento. Sin embargo, ésta no es la interpretación más usual, ya que generalmente se les ha tomado como el símbolo opuesto a la montaña. Serían por ello la máxima expresión de los poderes ocultos de la Tierra, poderes recubiertos de un matiz informe, poco definido, ya que del abismo nada se puede conocer. Así, estas realidades geográficas han ocupado un lugar importante en muchas concepciones sobre el universo, haciendo de ellos un mundo de seres míticos o incluso el lugar al que van a parar las almas de los muertos. Pueblos como los celtas han situado los abismos en el interior de su gran antagonista, la montaña.

■ **Referencias cruzadas**: *véase* también Montaña.

Abluciones

La purificación a través del agua es un ritual muy frecuente en diversas religiones. A través de ellas el individuo pretende limpiar el alma, de la misma forma que limpia su cuerpo. Para ello suele crearse un elaborado ritual que determina un lugar específico en el que desarrollarse y una serie de actos con los que el individuo debe cumplir. El bautismo cristiano o las abluciones budistas e islámicas, son sólo algunos de los ejemplos posibles que se pueden aplicar a las abluciones.

■ **Referencias cruzadas**: *véase* también Agua.

Abracadabra

Esta palabra, empleada como talismán durante la Edad Media, tiene su origen en la fórmula hebrea popularizada por los cabalistas: *abreq ad habra* («envía tu rayo hasta la muerte»). El recurso a las palabras mágicas, que se supone evitan males o colocan a la persona bajo la protección de fuerzas supe-

riores, es una costumbre derivada de los abraxas griegos. Para que esta fórmula tuviera el efecto deseado, se escribía varias veces la palabra, eliminándole cada vez una letra, de manera que al final quedara un triángulo invertido, símbolo de las influencias de lo celeste sobre lo terrestre.

■ **Referencias cruzadas**: *véase* también Abraxas.

Abraxas

Durante la Antigüedad Grecolatina y la Edad Media esta palabra fue empleada con cierta frecuencia en talismanes y conjuros. Su origen no es demasiado claro, pero podría derivar de un epíteto de Mitra (divinidad persa que pasó al mundo clásico occidental) como intermediario entre el bien y el mal o de una fórmula hebrea cuyo significado deriva del simbolismo de sus letras (el resultado de sumar su valor numérico equivaldría a 365, los días de un año). Por ello, el sentido dado a esta palabra debe relacionarse con los ciclos y lo absoluto.

Acacia

Este género de árboles y arbustos ha sido muy apreciado desde la Antigüedad, ya que de él se obtiene una madera muy duradera. Dicha propiedad condujo a una identificación simbólica con

Abluciones

Acción ritual de purificación a través del agua.

Abracadabra

Fórmula mágica mediante la cual el individuo pretende situarse bajo la protección de fuerzas superiores.

El bautismo de Cristo, Giovanni di Bartolomeo.

Acacia

La tradición cuenta que la corona de espinas de Cristo estaba hecha con madera de acacia.

Hojas de acanto en un capitel.

Acanto

Símbolo de las artes y del triunfo de la voluntad, presente en toda la trayectoria histórica del arte occidental.

Aceite

El aceite, la uva y el trigo son los productos agrícolas por excelencia de la zona mediterránea, constituyendo el sustento principal de su población durante siglos.

los principios de la inmortalidad y de la vida. Gracias a ello, también las espinas de la acacia aparecen en ocasiones tratadas como si fueran rayos del Sol (otro símbolo de vida). Además, la acacia suele ofrecer la combinación de flores blancas y rojas, por lo que los significados de estos colores condujeron a establecer una cierta relación con el renacimiento y la resurrección.

En Egipto se unieron todos los sentidos mencionados para hacer de la acacia un símbolo de inmortalidad y renacimiento asociado a los poderes solares. El Antiguo Testamento también se hace eco de ello al afirmar que el Arca de la Alianza se había construido con madera de acacia; posteriormente, el Nuevo Testamento emplearía esta madera en otro gran símbolo, la corona de espinas de Cristo. Pese a que esta última imagen puede ser una asociación entre el hijo de Dios y el simbolismo solar de este árbol o arbusto, también es probable que constituya una burla de los romanos hacia los judíos, que ya habían adorado la acacia del Arca de la Alianza.

En el otro extremo del Viejo Mundo, la tradición china también hizo de la acacia un símbolo solar, lo que justificaba que fuera el árbol del Altar del Sol, el correspondiente al solsticio de invierno.

Acanto

L as hojas de este género de plantas ofrecen formas recortadas y espinosas que se han convertido en uno de los motivos ornamentales más frecuentes del arte occidental. La complejidad de sus formas, y quizá también la amenaza que evocan sus espinas, le han otorgado un sentido simbólico que habla del triunfo de la voluntad sobre la adversidad (como la que emplea el artista al representar esta imagen). Sea como fuere, las hojas de acanto fueron convertidas en símbolo

clásico de las artes. En la tradición cristiana, sus espinas se tomaron por alusión al castigo de los pecados. Según la mitología clásica grecolatina, una de las ninfas (espíritus de la naturaleza) fue transformada por Apolo en la primera de estas plantas.

Aceite

E l fruto del olivo, junto con los proporcionados por la vid y el trigo, constituye el producto agrícola más apreciado por los pueblos mediterráneos. Por ello, ya desde el Neolítico, comenzó a recibir una gran carga simbólica.

El aceite, producto de un árbol que crece incluso sobre tierras secas y combustible de lámparas y alimentos, se asoció frecuentemente a ideas de prosperidad, fecundidad e iluminación. Los ritos de purificación que recurren a las unciones con aceite reciben toda esta carga simbólica. Se suponía que a través de estas prácticas se obtenía sabiduría divina, pureza y fecundidad. Como ejemplo, en el judaísmo se ungían tanto los objetos sagrados como las personas bendecidas por Yahvé (Mesías en hebreo significa «el que ha sido ungido»); también la liturgia cristiana empleó unciones de aceite en actos a través de los cuales se pretendía transmitir la gracia divina, como en el caso de la ordenación de sacerdotes o la extremaunción.

■ **Referencias cruzadas**: *véanse* también Lámpara y Olivo.

Acuario

É ste es el undécimo signo del zodiaco, que tiene por elemento al aire y por planetas rectores a Saturno y Urano. Sus representaciones más frecuentes son una figura masculina, generalmente un

anciano, que vierte agua sobre una o dos ánforas; o un símbolo compuesto por dos olas paralelas. El periodo que comprende el signo de Acuario es del 20 de enero al 18 de febrero, es decir, pleno invierno.

Su interpretación simbólica señala que el agua a la que se asocia pretende evocar la fluidez de las sustancias casi etéreas. Pero su sentido profundo deriva de su lugar en el zodiaco; es el penúltimo de los signos que componen el proceso cíclico que intenta esquematizar el zodiaco. Sugiere, por tanto, la disolución de las formas para volver a formar un conjunto unitario, sin diferencias, como lo es el océano (representado por el último de los signos, Piscis). La astrología, a la hora de inferir características psicológicas para los nacidos bajo este signo, les atribuye la elocuencia, el compañerismo y las dotes comunicativas.

■ **Referencias cruzadas**: *véase* también Zodiaco.

Adán

La existencia de una pareja primordial, como la formada por Adán y Eva, de la que desciende toda la humanidad no es una idea exclusiva del Antiguo Testamento, sino que aparece en multitud de religiones. Esa pareja, creada directamente por Dios, ha sido durante milenios la explicación más verosímil de la existencia de la especie humana.

Las sagradas escrituras cristianas tampoco difieren de otras religiones al narrar la pérdida de un Paraíso original o la creación de la dualidad a partir de la unidad (el nacimiento de Eva a partir de Adán). A este respecto, debemos señalar que según el Génesis el primer ser fue creado como hombre y mujer, no sólo como hombre, que es la versión transmitida por la tradición.

Adán simboliza, por tanto, al primero de los hombres, creado directamente por la divinidad a partir del barro (el nombre de Adán deriva de una palabra hebrea que puede traducirse por tierra). También esta idea ya había aparecido previamente en una religión como la egipcia, donde el primer hombre había sido moldeado en barro por el dios Khnum, cuya cabeza, curiosamente, era de carnero (símbolo de las fuerzas de la tierra y de la Iglesia cristiana).

Las representaciones más usuales de Adán le muestran junto a Eva, en torno al árbol y la serpiente. Por lo general, es un ser prácticamente perfecto (ha sido creado a imagen y semejanza de Dios) y en alguna imagen aparece portando espigas y utensilios de trabajo (una alusión a su castigo).

Adivinación

Véase Hígado.

Acuario

El penúltimo signo del proceso cíclico zodiacal anticipa la disolución de todas las formas manifiestas.

Adán

El concepto que representa Adán no es, ni mucho menos, exclusivo de la tradición bíblica.

La creación del hombre (detalle de la Capilla Sixtina), Miguel Ángel.

Las espigadoras, Millet.

Agricultura

La importancia vital de esta actividad en todas las sociedades sedentarias atrajo sobre ella un prolijo simbolismo, relacionado con la vida y resurrección, principalmente.

Agua

Todas las culturas conocidas han hecho del agua uno de los elementos fundamentales de su concepción del mundo y de la vida.

Aerolito

C asi todos los pueblos que han conocido los aerolitos los han considerado una manifestación divina. El motivo es obvio, han llegado a la tierra desde los cielos, la gran morada de los dioses. Una vez realizada esta interpretación, las opciones más frecuentes son tomarlos como mensaje divino o como semilla que los dioses lanzan a la tierra.

El más conocido y reverenciado de todos los aerolitos conservados es el que se guarda en la Kaaba de La Meca.

■ **Referencias cruzadas**: *véanse* también Kaaba y Meteorito.

Agricultura

C asi todas las grandes civilizaciones del mundo antiguo se crearon sobre la base de la agricultura, simbolizada a través de los cuernos de la abundancia, el arado o los dioses a los que se consagró.

Sobre esta práctica recayeron numerosas significaciones místicas, relacionadas principalmente con los procesos de muerte y resurrección (paralelismo derivado de los ciclos naturales).

Además, para intentar explicar la fertilidad de la tierra proliferaron disquisiciones que señalaban cómo esta actividad debía conjugar los elementos que constituyen la esencia del universo (agua, tierra, aire y fuego).

Por último, la agricultura se convirtió en símbolo tanto de las clases sociales que se dedicaban a ella como del dominio del hombre sobre la naturaleza.

Agua

E l *simbolismo* generado por el agua es inmenso, pero gira siempre en torno a unas mismas ideas. En primer lugar, es vida y fecundidad sin la cual ningún animal puede sobrevivir ni la tierra puede ofrecer fruto alguno. Es también purificación y sabiduría, ya que se concibe como capaz de limpiar el espíritu de igual manera que puede hacerlo con el cuerpo. Así mismo, sus gotas, que desde la individualidad componen ríos, lagos y océanos, llevan a hablar del agua como representación de la unidad en la diversidad. Y por último, las aguas aparecen siempre rodeando al mundo o incluso, en algunas tradiciones, sustentándolo.

En las tradiciones orientales los océanos aparecen como un todo que expresa la unidad e indiferenciación del principio vital. Tanto la tradición hindú como la taoísta ven en el agua la esencia de todas las cosas, y por toda Asia, incluyendo India, China y Japón, las abluciones se convierten en una ceremonia fundamental de muchos ritos. La relación entre el agua y lo lunar, tan frecuente en civilizaciones de todo el mundo, se manifiesta en China a través del principio yin. Además, el símbolo del agua, la tortuga negra, refleja una especial relación entre este líquido y las narraciones sobre el origen del mundo, ya que el negro es el color del caos primordial y la tortuga un animal que vive, como debió ser antes de que fueran separadas las realidades del mundo, en dos planos, el terrestre y el acuático.

En Mesopotamia y en el Antiguo Egipto, tierras que vivieron siempre bajo la amenaza del desierto, se imaginó el génesis del mundo como una gestación desde el agua primordial, identificada con la esencia de la vida y del renacimiento. El mundo grecolatino, que casi nunca sufrió carestías de agua, no le otorgó un lugar tan destacado en sus concepciones del universo. Pese a ello, su mitología reservó el gobierno de las aguas a un dios propio (Poseidón para los griegos, Neptuno para los romanos) mientras otras divinidades como Afrodita (la Venus romana) o las ninfas se ligaron íntimamente a este elemento.

La tradición testamentaria, origen de las tres religiones del libro, nació en el Próximo Oriente, entre Egipto y Palestina, donde el agua se convierte en el bien más preciado de todos. Por ello, además de principio vital, es atributo de Dios, que puede dar o quitar la vida a quien lo merece (él salva a los suyos de morir deshidratados en el desierto y envía las aguas del diluvio para borrar el pecado de la Tierra). Como reflejo de esta concepción, las aguas también se comparan (tanto en la Torá como en el Nuevo Testamento) con la sabiduría y conocimiento divino, única fuente verdadera de vida. A través de esa asociación, el cristianismo hizo del agua el símbolo de la vida espiritual y del Espíritu Santo. El propio Jesucristo es comparado continuamente con el agua y, según la Biblia, de su corazón traspasado por las lanzas romanas no brotó sólo sangre sino también agua. Así mismo, se puede mencionar cómo la liturgia cristiana ofrece con el bautismo un ejemplo explícito de renacimiento en el seno de la Iglesia gracias al agua bendita. Por último, en cuanto a representación de pureza y fecundidad, se pueden encontrar varias representaciones que asocian la imagen de la Virgen al agua.

En el Islam, que comparte sus raíces con el cristianismo y el judaísmo, se ofrece un simbolismo muy semejante al expuesto. Así, el agua protagoniza rituales de ablución y buena parte de la descripción del Paraíso; aparece también como don divino, encarnación de sus virtudes y esencia de todo lo manifiesto.

El Gran Canal y la Iglesia de la Salud, Canaletto.

El mundo grecolatino casi nunca sufrió carestía de agua. En la imagen izquierda, el agua recorre los canales de Venecia.

Aztecas e incas hicieron del agua el principio vital que aparece en el caos primordial, asociado a la Luna y la fertilidad de la tierra. Pero el agua también es allí sangre del cielo, vida regalada desde las alturas. Sorprendentemente, tanto mayas como aztecas concibieron una idea del más allá bastante insólita al hablar de un reino acuático al que irían las almas de los difuntos.

■ **Referencias cruzadas**: *véanse* también Abluciones, Diluvio y Lluvia.

Aguamiel

Véase Hidromiel.

Aguardiente

Véase Alcohol.

Águila

*P*or su vuelo, su porte, su fuerza y su precisión implacable en la caza, ésta ha sido considerada la más poderosa de las aves, una verdadera reina entre las de su especie. Así, el águila se ha identificado con toda la simbología propia de los gran-

Águila

La más poderosa de las aves es considerada como símbolo celeste y solar a la vez.

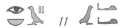

Rapto de Ganimedes, Correggio.

Agujero

Símbolo complejo, relacionado tanto con los cambios de estado como con la fertilidad de la tierra.

des señores de la Tierra y del cielo, convirtiéndose también en atributo de los reyes, dioses y emperadores más poderosos. Todo el Mediterráneo de la Antigüedad recogió este simbolismo, por lo que el ave presidió estandartes aqueménidas, emblemas de legiones y emperadores romanos, y representaciones de dioses como el griego Zeus y el egipcio Horus.

También en la Biblia el águila simbolizó el poder de Dios y, más tarde, el islamismo lo empleó como alegoría de la soberanía de Alá. Igualmente, en Asia se asoció a dioses como Visnú y a guerreros y emperadores de la antigua China.

La tradición occidental heredó esos sentidos y, tomando como referencia el arte romano, hizo del águila el símbolo por excelencia de los imperios. Emperadores germanos, zares rusos, reyes serbios y albanos, todos recurrieron a la identificación ya empleada en el Imperio romano. En estas imágenes se tendió a recurrir al águila bicéfala, símbolo hitita llegado a Europa con las cruzadas, que, al mirar hacia ambos lados, aporta a su poder un carácter casi omnisciente.

Como consecuencia de su asociación con los dioses, el águila se ha convertido en un ave solar, identificada generalmente con el rayo, que cae, como lo hace ella, sobre sus presas desde el cielo. Ejemplos de ello se pueden encontrar en la antigua Siria, donde se identificó con el dios del Sol, y en la tradición griega, que transmitió las afirmaciones aristotélicas de que el águila no sólo podía mirar fijamente a este astro, sino que seguía su curso por el cielo hasta llegar a Delos, el ombligo del mundo, donde descendía bruscamente.

La consideración solar del águila nos permite comprender por qué los indios norteamericanos empleaban sus plumas en rituales en los que pretendían conseguir el poder del astro rey. El componente solar del águila provoca que en ocasiones su simbolismo y el del ave fénix se confundan ligeramente. Cuando esto sucede, las imágenes ante las que nos encontramos constituyen alegorías del renacimiento; y es por ello por lo que la tradición cristiana representó la resurrección del hijo de Dios a través del águila. En el arte de esta religión el águila también puede emplearse como atributo del apóstol Juan o como símbolo de los evangelios, que emanan la sabiduría de Dios.

Pese a que constituye una clara excepción, en alguna representación el águila puede considerarse una imagen de soberbia y desmesura.

■ **Referencias cruzadas**: *véanse* también Fénix, Jaguar, Serpiente y Sol.

Agujero

Dependiendo de la superficie sobre la que aparecen, los agujeros pueden tomar diferentes significados simbólicos. Si se practican de un extremo a otro de un objeto, suele ser una referencia al simbolismo del umbral y del vacío, lo que puede interpretarse como la puerta de paso de lo material hacia lo inmaterial. Sin embargo, cuando aparecen sobre una superficie como el suelo, que evidentemente no se puede traspasar de lado a lado, constituyen un símbolo de fecundidad a través de una alusión tanto al sexo femenino como al regreso al seno de la Tierra.

■ **Referencias cruzadas**: *véase* también Puerta.

Ahorcado

El duodécimo arcano mayor del tarot muestra a un joven con los brazos en la espalda suspendido por un pie de

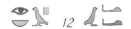

una madera situada transversalmente entre dos árboles. Generalmente se interpreta como un símbolo del idealismo, que hace vivir al sujeto fuera de este mundo, haciendo colgar su cuerpo de la doctrina a la que se ata. Así, desde un punto de vista positivo se puede hablar de honestidad y sacrificio en pos de unas ideas, pero también se puede ver en él un sentido inverso, el del error de las falsas ensoñaciones.

■ **Referencias cruzadas**: *véase* también Tarot.

Aire

El aire es uno de los elementos clave de este mundo y así lo han visto casi todas las sociedades. La visión más extendida sobre la realidad habla de cuatro elementos principales: agua, tierra, aire y fuego, siendo los dos primeros de carácter femenino y pasivo y los otros dos masculinos y activos.

Las ideas asociadas al aire suelen girar en torno a su condición de reino intermedio entre la tierra y el cielo, a través del cual llegan los mensajes que los dioses lanzan a los hombres (como rayos, lluvias, aerolitos, etc.). Pero el aire también es una entidad inasible aunque real y necesaria (no lo podemos coger ni ver, pero es indispensable para nuestra vida), por lo que se identifica con la esencia vital, tampoco visible pero sí real. Así, tanto la tradición china como la cristiana mencionan soplidos místicos que transmiten el espíritu de la vida a los individuos.

■ **Referencias cruzadas**: *véase* también Elementos.

Ajedrez

Es *probable* que éste sea el juego más popular y universal del mundo contemporáneo. Su origen se sitúa en India, donde se creó partiendo de los principios de la estrategia bélica y del simbolismo de la lucha entre los dualismos opuestos.

Dicho combate alegórico se encarna en el blanco y negro, luz y oscuridad, de las piezas y del tablero, compuesto por 64 casillas o escaques. Este número no es casual: derivado de la multiplicación del ocho por sí mismo, en el hinduismo representa la unidad cósmica perfecta, la medida básica del tiempo. También los mandalas místicos de Shiva se dividen frecuentemente en este número de celdas. Al parecer, los tableros más antiguos tenían una estructura circular (como los mandalas ya mencionados), que constituía el escenario eterno de las sucesivas luchas entre los opuestos del mundo.

Cada una de las piezas también guarda un simbolismo específico y complejo, relacionado casi siempre con la forma en que se mueve. El rey personifica al Sol, el orden que rige sobre las cosas, la ley, y sus movimientos, por tanto, aunque puedan dirigirse hacia cualquier lugar, son limitados. La reina, dama o visir es la pieza de mayor valor y representa el

Ahorcado

El idealismo espiritual toma por representación en el tarot esta inquietante carta.

Aire

Junto a la tierra, fuego y agua, es uno de los cuatro elementos del orbe. Al igual que el fuego, es un elemento activo y masculino. Abajo, empleado como símbolo de la vida transmitida por los dioses.

El nacimiento de Venus (detalle), Botticelli.

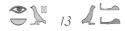

Ajedrez

Los colores del tablero y de las piezas son la muestra más visual del eterno combate entre los opuestos representados en este juego.

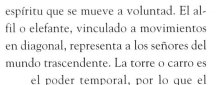

Ajo

El mundo grecolatino no le demostró cariño, recomendado para evitar la infidelidad.

espíritu que se mueve a voluntad. El alfil o elefante, vinculado a movimientos en diagonal, representa a los señores del mundo trascendente. La torre o carro es el poder temporal, por lo que el cuadrado (símbolo casi universal de lo terrestre) compone el esquema por el que puede moverse. El caballo constituiría un estado entre el peón y la reina, un iniciado que ha conseguido un desarrollo de lo espiritual que permite saltar sobre sus limitaciones. Por último, los peones encarnan a los hombres, cuyo objetivo es transitar por el amenazador tablero y alcanzar su última línea, consiguiendo así un desarrollo completo que eliminaría las limitaciones sobre sus movimientos.

Aunque el simbolismo que acabamos de describir subyace de alguna forma en todas las variantes, el ajedrez ha sufrido muchas modificaciones a lo largo del tiempo. El actual, de origen hispanoárabe, ha acabado imponiéndose sobre otras formas que contaban con 100 o incluso 144 casillas y piezas en forma de jirafas, leones, unicornios, etc.

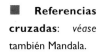 **Referencias cruzadas**: *véase* también Mandala.

Ajo

Los jugadores de ajedrez, Cornelis de Man.

El bulbo del ajo ha sido empleado en muchas culturas para ahuyentar peligros, serpientes y malos espíritus. Buena parte de este simbolismo se explica por una íntima relación con las fuerzas ocultas del mundo subterráneo (este tubérculo se extrae de la tierra), pero tampoco debemos olvidar que su fuerte olor se hace presente sin posibilidad de ser visto o aprehendido, por lo que se asimila a las potencias metafísicas (reales pero no visibles). Ya en el mundo clásico se creía que protegía del mal de ojo y del mordisco de la serpiente. Como se puede imaginar, las leyendas centroeuropeas que señalan al ajo como protección contra los vampiros son una pervivencia lejana de aquellas creencias. Pero en el mundo grecorromano estos alimentos fueron completamente vilipendiados a causa de su olor; esto llegó al extremo de que se recomendase comer ajo para garantizar no romper la fidelidad durante las fiestas más desenfrenadas. Además, este condimento constituyó un elemento clave en la dieta de los soldados, por lo que se llegó a convertir en símbolo de su vida; así, templos como el de Cibeles, diosa de la naturaleza y de la fecundidad, prohibieron la entrada a los que acabaran de comer ajos, que traían el recuerdo de la vida militar y, por tanto, de la muerte.

Alacrán

Véase Escorpión.

Álamo

A efectos de su interpretación simbólica, este árbol se caracteriza por sus hojas, que presentan colores diferentes en el haz y el envés y que provocan un constante murmullo en cuanto sopla el viento. Así, en el taoísmo chino se identificaron con el yin y el yang. En la civilización grecolatina se intentó explicar esa alternancia de colores narrando que cuando Heracles bajó al Hades cubrió su cabeza con una corona de ramas de álamo; du-

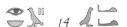

rante ese viaje, los humos del Hades acabaron por oscurecer las caras que miraban hacia fuera, mientras las orientadas hacia el héroe se conservaron blancas y claras. En otros mitos, por el murmullo antes mencionado, el álamo es símbolo de dolor y lamento: son varios los personajes que, condenados por sus faltas, acaban convertidos en álamos por el resto de sus vidas.

Alas

*L*as alas son uno de los símbolos más frecuentes del mundo occidental y del Próximo Oriente. Su significado se explica por ser ellas el motor del vuelo, actividad que pone en contacto lo terrenal con lo celeste (*véase* Vuelo). Por este motivo, las alas son un símbolo clásico de espiritualización, de participación de las características de la divinidad. Así deben entenderse tanto las plumas de los tocados de los indios de Norteamérica como las alas de los ángeles cristianos (resulta significativo que los más divinizados, los querubines, sean los que más alas presentan).

Cuando este símbolo aparece junto a otros, como pueden ser astros o ruedas, nos encontramos ante la voluntad de recalcar la inspiración divina que guía el movimiento de ese objeto. Carros y sandalias aladas no pueden encaminarse en otra dirección, sino en la que marcan los dioses, y los astros flanqueados por alas son la muestra más tradicional de la identificación entre estos objetos celestes y las grandes divinidades. Las mismas razones son las que justifican que las alegorías occidentales del tiempo, el amor, la fama y el éxito se representen aladas.

Por último, las alas pueden presentar un lado oscuro: el vuelo, pese a poder poner en contacto a los hombres con los dioses, es un poder sobrenatural. Y como todo lo que vulnera el orden establecido,

puede haber sido estimulado tanto por los dioses como por los demonios. Esta es la razón tanto del vuelo de las brujas como de las alas de los seres demoníacos.

■ **Referencias cruzadas**: *véase* también Vuelo.

Alcohol

*E*ste *líquido*, inflamable y embriagador, llamado por numerosas culturas «agua de fuego» o «aguardiente», une las simbologías de agua y de fuego, que coinciden en participar profundamente de la esencia de la vida. Este motivo, junto al distanciamiento de la realidad que provoca la ingesta alcohólica, es la razón por la que el alcohol ha sido empleado frecuentemente en ritos y celebraciones que pretendían propiciar trascender más allá de lo individual. No hace falta recordar la fama de las orgiásticas fiestas consagradas al dios griego Dionisos, llamado Baco por los romanos.

■ **Referencias cruzadas**: *véanse* también Agua, Ebriedad y Fuego.

Baco bebiendo, Guido Reni.

Álamo

La hoja del álamo, con haz y envés de diferentes colores, ha despertado más de una interpretación simbólica.

Alas

El vuelo, que hace participar a lo mundano de lo celeste, subyace bajo todas las representaciones aladas.

Alcohol

La unión de agua y fuego está simbolizada por el alcohol, que siempre guarda profundas relaciones con la energía vital.

Alfa y omega

Los extremos del alfabeto griego son también los extremos de la vida de los hombres, el principio y el fin en los que se manifiesta el dios de los cristianos.

Alma

Aves, serpientes y sombras son los símbolos más empleados para reflejar la realidad espiritual del individuo.

Almendro

El bello espectáculo que ofrecen los almendros en flor convirtió a este árbol en anunciador de la primavera.

Amarillo

Prostitutas, herejes, sabios y dioses han recibido la asociación con este color, contradictorio como pocos.

Alfa y omega

La primera y la última letra del alfabeto griego aparecen en el Apocalipsis como símbolo de Jesucristo y, por extensión, de Dios, principio y fin de todas las cosas. A partir de ahí, la tradición cristiana las ha representado frecuentemente con ese sentido, sobre la cruz de Cristo, objetos litúrgicos o junto a otros símbolos duales como el águila y el búho o el día y la noche.

Alma

Las ideas sobre una realidad metafísica del individuo y las diferentes concepciones creadas acerca del alma, presentan una gran diversidad entre las diferentes culturas del mundo. Las características más frecuentes son las relacionadas con la ligereza y movilidad, ya que se supone que tras la muerte (y también antes del nacimiento) las almas superan las limitaciones del cuerpo físico y se desplazan al mundo de los dioses. Como éste suele situarse en el cielo, muchas religiones identificaron aves con almas. Por su parte, cuando se creyó en un mundo de ultratumba ubicado en el interior de la Tierra, serpientes y otros animales terrestres ocuparon el lugar antes señalado para las aves. En otras ocasiones, la realidad metafísica del hombre es una sombra que regresa a la oscuridad tras la vida (recoge con claridad el simbolismo de la luz, esencia vital). Como estamos viendo, el momento en que alma y cuerpo se separan resulta fundamental. La boca, orificio natural que es la sede del hálito vital, suele ser el lugar por el que ésta se desprende de lo físico.

Además, la mayoría de las civilizaciones coincidieron en señalar la existencia de muchas almas, reflejo de las diferentes potencialidades y actitudes de nuestro mundo interior. Por el mismo motivo, incluso las religiones que sólo reconocen un alma hablaron de varios principios o facultades dentro de esa unidad (es el caso tanto de los antiguos griegos como de los primeros cristianos).

■ **Referencias cruzadas**: *véanse* también Aves y Serpiente.

Almendra

Véanse Almendro y Mandorla.

Almendro

La temprana floración del almendro, que ofrece flores blancas y frágiles, constituye el primer anuncio de la primavera, por lo que numerosas sociedades han hecho de él un símbolo de la vigilancia y el renacimiento.

Además, el fruto de este árbol, que se guarda incorrupto bajo la cáscara, ha sido asociado en muchos mitos grecolatinos y cristianos a la virginidad (sentido reforzado por el blanco y la pureza de la flor).

Alminar

Véase Torre.

Amarillo

El Sol, la luz y el oro influyen decisivamente sobre el simbolismo que adopta este color. De ellos va a recibir una asociación a lo divino, al calor y a la energía vital, que justifica que haya sido uno de los colores más asociados a emperadores, grandes soberanos, héroes e incluso santos. Pero es también símbolo de la tierra madura y la cosecha, ya que sus tonos son los que predominan durante el verano y el otoño.

En China, donde fue adoptado por el emperador, se empleó junto al negro como símbolo del dualismo del yin y yang. Así,

las narraciones taoístas cuentan cómo este color, identificado con el yang, nació del negro para personificar la actividad.

Pero pese a todo, el amarillo es un color muy intenso, que suele despertar un cierto recelo entre los hombres. En el Egipto faraónico, por ejemplo, se empleó como símbolo de la envidia y como distintivo peyorativo de judíos, herejes y prostitutas. Todavía hoy en día queda algo de aquella interpretación, ya que el amarillo sigue siendo el color de los celos.

La ambivalencia de este color, sus sentidos positivos o negativos, se manifiesta con fuerza en el Islam, donde es el color tanto de la sabiduría (en sus tonos dorados) como de la traición (pálidos).

Anciano

Las representaciones de personas de edad avanzada pueden estar evocando varias ideas. En primer lugar, su edad constituye una muestra de resistencia al paso del tiempo, una participación profunda de los principios de la vida e incluso de lo eterno; recordemos que hasta hace poco llegar a la senectud era una excepción poco común en la sociedad. Pero esto tiene un lado negativo bien conocido: la cercanía de la muerte, cuya alegoría puede tomar el cuerpo de un anciano.

En otras ocasiones las representaciones de la tercera edad ofrecen un curioso juego que las lleva a relacionarse con el otro extremo vital, el tiempo de la infancia.

Pero, sobre todo, la experiencia del anciano le hace depositario del bagaje cultural de los pueblos y de sus conocimientos ancestrales, a los que personifica. Es, por tanto, un símbolo de sabiduría y, gracias a ella, de justicia y dignidad. No se debe olvidar que en muchas sociedades, los ancianos, como representantes de las tradiciones del común, ocuparon las instancias encargadas de administrar la justicia entre los ciudadanos.

Ancla

Este instrumento de navegación es atributo de divinidades marítimas (muy frecuente en las culturas del Mediterráneo) y, como su fin es ofrecer estabilidad a la nave, símbolo de fortaleza y confianza.

Gracias a su mástil transversal, los cristianos vieron en el ancla una cruz oculta, por lo que, conjugando todo lo visto hasta ahora, se representó como símbolo de la firmeza y esperanza que les otorgaba la fe.

Una escena muy frecuente en el arte occidental es la del ancla y el delfín, que constituye el símbolo conocido como «áncora y delfín»; ésta es una alusión a la virtud de ejecutar las acciones con velocidad (delfín) sin perder por ello la calma (ancla). La famosa divisa del emperador Augusto, *festina lente* («apresúrate lentamente»), tiene en este motivo su representación gráfica.

Áncora

Véase Ancla.

Andrógino

El andrógino, el ser que une en sí mismo los dos sexos, es una concepción habitual en muchas culturas. Ejemplos de ello se pueden encontrar desde la tradición griega (Caos y Erebos) hasta las orientales (Shiva), pasando por el judaísmo

Anciano

Antes que alegoría de la muerte, el anciano es personificación del éxito de la vida y de las tradiciones de un pueblo.

Ancla

Símbolo de fortaleza y seguridad en el que los cristianos quisieron ver la imagen de la cruz.

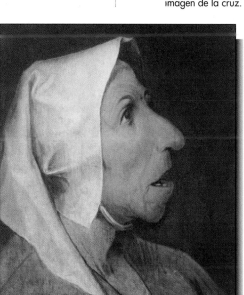

Vieja, Brueghel.

Andrógino

La unión en un mismo individuo de lo masculino y lo femenino aparece con mucha frecuencia en la historia.

Ángeles

Pese a que las alas constituyen su elemento más distintivo, durante buena parte de la Antigüedad, la cristiandad evitó representarlos con ellas para que no se confundieran con seres venerados por los paganos.

(Adán). Su explicación simbólica representa la unión primordial de los principios opuestos que crean el orden del universo. Son, por tanto, símbolos de esa unidad, plena y autosuficiente. Esta concepción es la que ha conducido a que muchas sociedades desarrollasen rituales en los que el travestismo jugaba un papel importante.

Ángeles

El concepto de ángel que se deriva de la tradición testamentaria ha evolucionado mucho a lo largo de la historia. La idea original es la de los *maleachim* del Antiguo Testamento, verdaderas personificaciones de la voluntad divina. Es probable que dicha concepción tuviera una cierta relación con los mensajeros entre dioses y hombres de las religiones indoa-

Cupido tallando su arco, Parmigianino.

rias y con los seres inmortales del zoroastrismo. Sea como fuere, posteriormente se le comenzó a denominar con las palabras griegas y latinas de las que deriva nuestro «ángel» y se hizo de ellos un ejército o corte de Dios. Ya en el Antiguo Testamento su protagonismo es indiscutible, ya que aparecen sobre todo como portadores de las órdenes del Señor. A finales de la Antigüedad, en torno al 500 d. C., se estableció la ordenación jerárquica de los ángeles que iba a configurar la visión cristiana del mundo durante más de un milenio. Así, de querubines (los más elevados) a ángeles (los de menor grado), el movimiento inspirado por Dios se va transmitiendo de una esfera a otra del cielo, siendo la última, la más cercana a la Tierra, la de los ángeles y la Luna.

Durante un tiempo se evitó representarlos como seres alados para que no existiera posibilidad alguna de confusión con otras criaturas divinas de la Antigüedad, pero a partir del siglo V se convirtió en la imagen más usual. Entre sus atributos se consolidaron entonces las espadas y trompetas, símbolo del anuncio y ejecución de los mandatos divinos. Por influencia de las Victorias paganas, predominó su representación en forma femenina, aunque con los rasgos muy indefinidos, casi como si de andróginos se tratase. En ocasiones, intentando resaltar la trascendencia de lo corpóreo, el ángel se ha convertido en tan sólo una cabeza alada. También es frecuente que tomen el cuerpo de niños, símbolo de pureza e inocencia, representación que predomina claramente a partir del barroco. Algunos ángeles, como Gabriel (el de la Anunciación) o Miguel (protagonista de la lucha contra el dragón de Lucifer), han disfrutado de una cierta individualización, visible en sus atributos y escenas.

El popular ángel de la guarda, el ángel custodio, ya era venerado en la Edad Media. Se consolidó gracias a los esfuerzos

de la Contrarreforma y, a partir del siglo XIX, alcanzó su mayor popularidad, relacionándose íntimamente con los niños. En lo que sería una exteriorización de las contradicciones del individuo, este ángel puede tener su opuesto en un demonio personal.

■ **Referencias cruzadas**: *véase* también Alas.

Anillo

Su forma circular, sin principio ni final, hace de él un símbolo de totalidad y eternidad empleado para consagrar un buen número de uniones. Así, el anillo aparece hoy tanto en ceremonias de matrimonio como en la jerarquía cristiana (los anillos episcopales y el del pescador, propio del Papa). Usos muy similares había tenido ya en la antigua Roma, donde se empleó como símbolo de distinción para miembros de grupos exclusivos; los de oro, por ejemplo, se reservaron a sacerdotes de Júpiter, a caballeros y senadores. La misma simbología se refleja en la heráldica, donde el anillo se toma por alusión a la lealtad y constancia. Durante siglos, hasta el final de la Edad Media, aquellos que pretendían una elevación espiritual, podían romper temporalmente sus vínculos adquiridos con la sociedad quitándose los anillos que los habían consagrado.

El simbolismo del agujero, del vacío que se configura en el interior del anillo constituyendo un umbral, es el responsable de las frecuentes menciones a anillos mágicos. Algunos de los ejemplos más conocidos son los del anillo del rey Polícrates, que le otorgaba fortuna y éxito, y el de Salomón, origen de su proverbial sabiduría.

■ **Referencias cruzadas**: *véase* también Agujero.

Animales

Desde los tiempos más antiguos el pensamiento simbólico desarrollado por los hombres ha prestado especial atención a los animales. Ellos son nuestros compañeros en el mundo y de ellos se ha aprendido, con ellos se ha rivalizado y a algunos incluso se les ha domesticado.

El comportamiento y la actitud particular de cada especie ha sido el elemento determinante de su simbología, pero, en general, han personificado tanto las fuerzas del universo como las inquietudes propias de la sensibilidad humana.

También la forma en que los diferentes animales repercutían en las civilizaciones de su entorno ha condicionado las interpretaciones que sobre ellos se creaban. Quizá no sea demasiado aventurado decir que, dentro de la tradición occidental, la sociedad que mejor consideración dio a sus vecinos animales fue la del Egipto faraónico.

Además de todo lo visto, los animales fabulosos han sido una frecuente creación de la imaginación humana. Habitualmente son el producto de una serie de asociaciones de ideas que tienen por objeto personificar los miedos, anhelos o concepciones profundas de los grupos humanos.

Ankh

Esta cruz, también llamada ansada, es un conocido símbolo egipcio de vida y sabiduría. Suele aparecer en re-

Anillo

En muchas ocasiones el umbral que traspasa el dedo constituye un verdadero paso hacia poderes sobrenaturales.

Animales

No existe sociedad humana que no haya volcado sobre los animales consideraciones simbólicas relacionadas con las fuerzas de la naturaleza o del hombre mismo.

Mrs. John Winthrop, Copley.

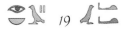

La sagrada familia del pajarito, Murillo.

Ankh

Cruz en forma de «T» con un lazo o asa en su parte superior.

Antorcha

Sabiduría, vida y muerte son los significados más asociados a la antorcha.

presentaciones de dioses y faraones, que muestran así su poder sobre la vida. También las imágenes de los difuntos muestran en su mano el ankh, esgrimido con la esperanza de recibir su ayuda para alcanzar la inmortalidad en el otro mundo. Entre los primeros cristianos egipcios (coptos) se empleó como alegoría de la vida eterna conseguida gracias al sacrificio de Cristo.

Pese a los estudios especializados, no existe una explicación clara de por qué esta forma recibió el simbolismo descrito. Entre las posibles razones se encuentra su similitud con las llaves (se supone que el ankh abriría el reino de los muertos); no en vano también se ha llamado a este símbolo «llave de la vida» o «del Nilo». Otras posibilidades son que represente al Sol saliendo por el horizonte (el círculo sobre el mástil de la cruz), una combinación de símbolos masculinos y femeninos identificados con Osiris e Isis, o una esquematización desde la imagen del Árbol de la Vida.

■ **Referencias cruzadas**: *véase* también Cruz.

Ánsar

Véase Ganso.

Antorcha

Este instrumento, que en su forma más sencilla no es más que una madera con un extremo prendido, tiene un simbolismo muy antiguo, relacionado con el de la luz y el fuego. Puede ofrecer varias interpretaciones, pero en general se emplea la antorcha como alusión a la inteligencia y el conocimiento, por lo que las alegorías medievales de la Verdad la portan en su mano. Con el mismo sentido, en la tradición cristiana es un regalo de Cristo a los hombres, y también con la representación de siete antorchas se quiere simbolizar las siete manifestaciones del poder divino.

Además de lo señalado, la antorcha tiene un importante papel en rituales religiosos de todo el mundo. En tiempo de los romanos se empleó con el sentido ya visto, como iluminación del más allá, pero en otras ocasiones el significado que prima deriva del asociado al fuego (potencia creadora), haciendo de la antorcha una referencia tanto a la vida como a la muerte.

■ **Referencias cruzadas**: *véanse* también Fuego y Luz.

Apocalipsis

El último libro del Nuevo Testamento, atribuido a san Juan, es el de mayor simbolismo de todos ellos. Pretende ser una gran revelación en clave simbólica del futuro del mundo y, pese a que hoy día lo asociamos a catástrofes y desgracias, el Apocalipsis no es más que la prefiguración de la victoria final de la fe. El problema es que su fuerte simbolismo, muy oriental, ha hecho que fuera malentendido por la misma tradición cristiana.

Las representaciones gráficas de las siete epístolas de este libro estuvieron muy condicionadas por las famosas ilustraciones mozárabes de los *Comentarios* del Beato de Liébana. A partir del siglo XVI, la lectura que de ellas hizo Durero fue la que más influyó sobre el arte posterior.

Arabesco

El *arte* islámico se ha desarrollado condicionado por la prohibición de representar figuras humanas y animales (iconoclastia). Esta prohibición, que tenía por objetivo evitar la idolatría, fomentó el recurso a los que serían el mayor elemento decorativo de su arte: los arabescos, figuras creadas por la repetición de un mismo tema (generalmente frases). A pesar de su belleza estética, su sentido no es simplemente ornamental, sino que esconden una simbología similar a la de los mandalas orientales; su objetivo principal es crear un ritmo, un ambiente, que permita escapar al hombre de su entorno para propiciar meditaciones y sensibilidades profundas.

■ **Referencias cruzadas:** *véase* también Mandala.

Arado

Pese a lo que pudiera pensarse, esta herramienta, empleada para horadar la tierra durante los trabajos agrícolas, no ha sido conocida por todas las civilizaciones; la América precolombina, por ejemplo, la desconocía. Pero en los lugares donde fue conocida, enseguida apareció entre los atributos de los grandes dioses de la agricultura.

Aunque las sociedades actuales relacionan agricultura con paz y prosperidad, los pueblos nómadas la consideraron una perversión maligna del estado natural de los hombres, una verdadera violación del cuerpo de la tierra. Así, algunas representaciones del arado pueden esconder paralelismos sexuales, ya que el trabajo agrícola sería una simbólica penetración en pos de la fertilidad.

Araña

La *simbología* que se asocia a este insecto deriva en gran medida de su peculiar tela. La estructura radial y circular de la tela suele ofrecer reminiscencias solares, y cuando se representa a la araña en su interior, debemos entender una alusión al significado del centro. Así, la tradición hindú emplea la imagen de una telaraña con su creadora en el centro como símbolo del orden cósmico, donde la araña rige sobre los sucesos. En otras interpretaciones los arácnidos pueden evocar nociones de fragilidad (así es su tela) o de trabajo meticuloso.

Pero como todo puede ser tratado desde un punto de vista peyorativo, el Antiguo Testamento recurre a la araña para hablar de la inestabilidad e inconstancia y la tradición cristiana emplea la telaraña como símbolo de las trampas del diablo. Con un sentido tampoco demasiado optimista, la mitología griega narra cómo la osada Aracne, tras compararse con la diosa Atenea, fue convertida en araña y condenada a tejer eternamente.

Árbol

Éste *es* uno de los símbolos más extendidos y con mayor trascendencia en casi todas las civilizaciones. Los motivos que lo justifican son varios. En primer lugar, el árbol, de las raíces a la copa, une en sí los mundos subterráneo, terrestre y celeste. Además, su tronco, dividido en ramas que a su vez se subdividen en otras más pequeñas, compone la unidad formada por la diversidad. Tampoco debemos olvidar que las estaciones naturales pasan por el árbol (el de hoja caduca) dejando muestras evidentes, por lo que se asocia a él una fuerte simbología de vida y renacimiento (de aquí deriva el sentido del popular árbol

Apocalipsis

Libro testamentario que narra, pese a lo que se suele creer, la victoria final de la fe.

Arabesco

Los arabescos, elemento distintivo del arte islámico, intentan conducir al creyente a estados superiores de reflexión.

Arado

Por extraño que pueda parecer, se ha llegado a identificar con el acto sexual.

Araña

Símbolo del orden cósmico, de la fragilidad o del trabajo meticuloso, la araña y su tela crean una conocida pareja mítica.

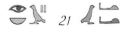

La expulsión del Paraíso (detalle de la Capilla Sixtina), Miguel Ángel.

Árbol

La naturaleza ofrece algunos de los símbolos más complejos y extendidos: los famosos árboles de la Vida, de la Ciencia y del Cosmos.

El árbol del Edén, vínculo directo entre Dios y los primeros hombres, según la tradición testamentaria.

de Navidad). Esa relación con los ciclos vitales conduce a que ocasionalmente sea divinizado y que incluso algunas culturas vean en él a sus antepasados míticos (concepción frecuente en pueblos de Filipinas, Corea, Japón y Australia).

Por otra parte, es muy frecuente que las diferentes sociedades hagan de algún árbol en concreto la máxima expresión de las bondades ofrecidas por los dioses a los hombres. En China fue el melocotonero, en Japón el bonsái, entre los celtas la encina, el tilo para los germanos, el sicomoro entre los egipcios, el fresno para los escandinavos, la higuera en India y el olivo para el pueblo de Israel.

Todo lo mencionado ha hecho del árbol el símbolo más común para representar los míticos ejes del mundo, los lugares donde la comunicación entre los dioses y los hombres es mayor y donde la voluntad divina cobra cuerpo sobre la tierra. Este es el caso del Kien-mu de la tradición china (a través de él los soberanos median entre el cielo y la tierra) y de los árboles de la vida tan frecuentes en las civilizaciones indoeuropeas. Estos árboles, además de los sentidos ya vistos, se consideran dadores de vida, inmortalidad, sabiduría y otros dones divinos. El del Edén y el de la Jeru-

salén celeste son algunos ejemplos sacados de la tradición testamentaria; en el budismo, el árbol en el que Buda alcanzó la iluminación juega el mismo papel.

Por último, tanto el Árbol Cósmico como el Árbol de la Ciencia constituyen un paso más en estas construcciones simbólicas. En ellos se repiten buena parte de las concepciones presentes en el Árbol de la Vida, pero el sentido de unidad sobre la diversidad cobra un valor fundamental.

El Árbol Cósmico, por tanto, se convierte en una representación de todas las realidades presentes en el universo. Sus imágenes se pueden diferenciar por la forma en que sus ramas se cruzan continuamente y se ligan con fuerza al tronco común. En el arte islámico estos árboles suelen acompañarse por representaciones del zodiaco, gran símbolo de los procesos cíclicos.

Una idea muy semejante es la del Árbol de la Ciencia, que pretende ser una manifestación de los principios duales que ofrece el cosmos, un símbolo de todas las posibilidades, buenas y malas, que se abren en el universo. La tradición taoísta emplea para él la imagen de un árbol con dos ramas entrelazadas, el yin y el yang.

■ **Referencias cruzadas**: *véanse* también Acacia, Álamo, Almendro, Boj, Eje del mundo, Encina, Laurel, Melocotonero, Navidad, árbol de, Olivo, Palmera, Peral, Pino, Roble y Vid.

Arca

El *Arca* de Noé, el barco del relato bíblico en el que aquellos que escuchan a Dios salvan sus vidas del Diluvio, es un símbolo de vida resguardada gracias a Dios y a sus preceptos. No es sólo una nave, sino también un cofre que resguarda un tesoro, el de la vida. Por ello, el arca pasó a ser también símbolo de la Iglesia de Cristo (redentor y salvador de la humanidad) y de la Virgen (portadora de Cristo).Este último sentido es el que debe darse a la otra gran arca de la historia de las religiones, el Arca de la Alianza, que fue la reliquia más importante del judaísmo. Según las descripciones que se han conservado, era un cofre de madera incorruptible recubierto de oro; en su interior se guardaban las Tablas de la Ley entregadas por Yahvé a Moisés en el monte Sinaí.

Arco

Hasta la aparición de la pólvora el arco ha sido una de las armas más temidas y efectivas. Llegó a convertirse en símbolo de castas guerreras e incluso de grandes soberanos, por lo que sus representaciones comenzaron a tomarse por alusiones a las supuestas virtudes de esos grupos (fuerza y nobleza principalmente). Un caso significativo es el de las leyendas de Buda y Odiseo (Ulises en Roma), que narran cómo ambos tuvieron que probar su identidad tensando arcos que nadie lograba dominar.

La asociación entre estas armas y los grandes poderes temporales con-

dujo a que se establecieran paralelismos entre el arco y las flechas y los rayos esgrimidos por los dioses. Así, en la Grecia clásica el arco y las flechas de Apolo simbolizaban los rayos y la luz enviados por el Sol. De igual forma, los pueblos precolombinos tenían la costumbre de dibujar líneas rojas zigzagueantes sobre sus flechas. También el Islam, el budismo y el hinduismo emplearon esta arma como referencia al poder de sus grandes dioses. Por los mismos motivos, en más de una ocasión los dioses de la muerte (como el Osiris egipcio) tienen entre sus atributos un arco de flecha ineludible para los humanos.

Pero además de lo señalado, la imagen del arco también evoca la tensión que éste alcanza y, a través de ella, simboliza el amor y las pasiones. Por ello, tanto griegos como japoneses pusieron el arco como atributo de las personificaciones y los dioses del amor.

Una última interpretación es la que hace del arco un símbolo de precisión y control, las mismas cualidades que el buen arquero debe tener para tensarlo y acertar en su objetivo.

■ **Referencias cruzadas:** *véanse* también Flecha y Sagitario.

Arca

Las arcas presentes en los relatos bíblicos encierran en su seno los grandes regalos de Dios.

Arco

Esta arma aparece con frecuencia entre los atributos de dioses, soberanos y castas militares.

El Diluvio Universal (detalle de la Capilla Sixtina), Miguel Ángel.

Aries

Los símbolos asociados a este signo derivan generalmente de esquematizaciones de la cornamenta de su animal, el carnero.

Arma

El arma es un símbolo ambiguo que representa tanto la justicia, como la opresión, la defensa y la conquista.

Arco iris

Véase Escala.

Aries

Primer signo del zodiaco, identificado con el carnero, con Marte, con el Sol y con el fuego. Su periodo anual comprende del 21 de marzo al 20 de abril.

Su posición en el conjunto del ciclo zodiacal constituye el elemento clave a la hora de interpretarlo. Debemos recordar que la voluntad primera del zodiaco es ofrecer un patrón de desarrollo para los procesos de vida y muerte. Por ello, Aries, primera etapa del ciclo, simboliza la energía que se encuentra detrás del impulso inicial, del movimiento original. Se relaciona por ello con el fuego y el carnero, grandes símbolos de poder creador. Como no podía ser de otra forma, el periodo del año en el que se sitúa el inicio del zodiaco es el que abre el renacimiento cíclico de la naturaleza.

La astrología, al intentar asimilar todo esto a la psique humana, habla de caracteres impulsivos, fundamentalmente activos, pero sin demasiado control sobre sí mismos.

■ **Referencias cruzadas**: *véanse* también Carnero y Zodiaco.

Armadura

Véase Armas.

Armas

Empleadas para hacer el bien o el mal, las armas son un indudable símbolo de poder, por lo que simbólicamente son, ante todo, una potencialidad esgrimida por alguien. El sentido concreto de cada representación dependerá tanto del uso que se le dé, como del arma de que se trate y del individuo que la empuñe.

Dioses, demonios, soberanos benevolentes, gobernantes despóticos, todos se representan junto a sus armas, haciendo de ellas un símbolo de su poder. En ocasiones, la mera presencia de las armas de grandes héroes o dioses benevolentes es suficientemente fuerte como para ahuyentar males y amenazas.

■ **Referencias cruzadas**: *véanse* también Arco, Escudo, Espada, Flecha y Lanza.

Arpa

Véase Lira.

Arpías

Estas figuras míticas de la Antigüedad griega, frecuentemente confundidas con las sirenas y las gorgonas, ofrecen un simbolismo muy negativo, puesto que son seres malignos y agresivos dedicados a atormentar y martirizar constantemente a los hombres. Representan una alegoría de los vicios humanos y de los

Las arpías atacan a Fineo.

remordimientos que siguen a la consecución de los deseos.

Suelen aparecer en número de tres y se las asocia a los negros nubarrones de una tormenta que acecha, ya que tanto nubes como arpías sólo pueden ser expulsadas por el soplo del viento, hijo del dios Bóreas.

■ **Referencias cruzadas**: *véanse* también Aves, Erinias y Gorgonas.

Arquero

Véase Arco.

Arroz

*L*as *civilizaciones* agrícolas del sudeste asiático han hecho del arroz su principal fuente de alimentación. Su sentido es por ello semejante al del trigo en Occidente y el maíz en América. Así, es símbolo de abundancia, fecundidad, vida e incluso sabiduría (el alimento del espíritu). Los mismos motivos condujeron a que se considerara dádiva de los dioses, lo que se plasmó en leyendas como la que narra que el mítico y divinizado emperador Shennung introdujo su cultivo en China. La mitología japonesa también trata este tema, pero presenta tres variantes; los benévolos dioses que introdujeron la agricultura del arroz pueden ser Amaterasu, su hijo Nimgi o Inari (a quien se consagran por ello multitud de santuarios por todo el país).

Muchas ceremonias funerarias incluyen el arroz en sus ritos como símbolo de la prosperidad que se desea al difunto en la otra vida. El mismo deseo de prosperidad es el que indican los granos de arroz que se lanzan a los novios de los matrimonios occidentales.

■ **Referencias cruzadas**: *véanse* también Maíz y Trigo.

La Asunción de la Virgen, Murillo.

Ascensión

*L*as *menciones* a personajes que ascienden hasta los cielos son muy frecuentes en la historia de las religiones. Su significado es claro, pues tanto física como espiritualmente este habla de un acercamiento a la divinidad. El trasfondo simbólico coincide pues con el de la elevación, que justifica los sentidos asociados a la montaña, las alas, el altar o el árbol, entre otros.

Todas las connotaciones positivas que puede recoger la ascensión tienen su contrapunto simbólico en los descensos al infierno.

Asno

*E*ste *animal* ha recibido una extensa simbología, tanto en sentido negativo como positivo, ya que ha personificado tanto la estupidez, la tozudez y la lascivia como la humildad, la laboriosidad, la paciencia y la fertilidad. Resulta claro que su comportamiento natural, tranquilo y dócil, se encuentra en el origen de todas estas interpretaciones.

La Asunción de la Virgen María se puede traducir por la completa espiritualidad de todo su ser. Es su entrega absoluta a Dios.

Arpías

Seres monstruosos con cuerpo de ave, cabeza de mujer, grandes garras y olor pestilente.

Arroz

Alimento de vida y también de inmortalidad, el arroz es símbolo de riqueza, abundancia e inocencia. El origen atribuido al arroz es considerado como divino por la mayor parte de las civilizaciones del mundo.

En el antiguo Egipto predominaron los sentidos negativos, ya que se le asoció al maligno dios Seth, convirtiéndose en el sujeto del odio de la diosa Isis. Tampoco la cultura griega clásica hizo de él un gran símbolo; se le empleó como encarnación por excelencia de la necedad. Sin embargo, su valor en la monta y como animal de carga y su asociación a la fertilidad hicieron de él una víctima apreciada para los sacrificios al dios Apolo en Delfos. Por esa relación con los principios de fecundidad, e incluso sexualidad, numerosos testimonios informan de la presencia de asnos en los cortejos de los dioses griegos Dionisos y Príapo y de la diosa romana Ceres, todos ellos vinculados de alguna forma con la fertilidad de la naturaleza.

En la tradición hebrea aparece un caso similar en las menciones a soberanos y profetas sobre asnos blancos, entendido como un verdadero signo de distinción. Recordemos que el Nuevo Testamento describe a Cristo entrando en Jerusalén a lomos de este animal. Otras menciones significativas son la aparición de este équido en el pesebre de Belén y la del asno de Balaam (profeta del Antiguo Testamento), que reconoció la voluntad de Dios antes que los hombres.

La Biblia también se hace eco de la ambivalencia simbólica del animal y, en ocasiones, lo emplea como representación de la lascivia, que será la interpretación que perdure en el occidente cristiano. Como reflejo de ello, en el arte romano el asno figura como imagen de impudicia, pereza y estupidez. Una consecuencia muy terrena de toda esta simbología es un castigo que se popularizó durante buena parte de la Edad Media cristiana, donde los hallados culpables de adulterio eran obligados a pasearse desnudos sobre un asno.

Asno

El asno, que se encuentra tanto en estado salvaje como domesticado, ha ayudado al trabajo de los hombres desde la Prehistoria.

Aureola

Resplandor que envuelve el rostro o cuerpo de algún personaje.

Astas

Véanse Ciervo y Cuerno.

Atlas

Véase Gigante.

Aureola

*E*ste símbolo pretende destacar la luz espiritual o divina que desprende un individuo. La aureola suele rodear la cabeza del personaje, por lo que constituye un reflejo más de las mismas consideraciones que se encuentran en la corona, el tocado y la tonsura (la cabeza como parte de mayor espiritualidad en el hombre). En otras ocasiones este resplandor envuelve todo el cuerpo, tomando generalmente formas almendradas (*véase* Mandorla).

En el arte cristiano la aureola se reserva a las representaciones de Dios, Cristo, el Espíritu Santo y la Virgen, mientras que en el bizantino cualquier difunto digno de los cielos puede figurar con ella. Incluso los vivos, si eran muy virtuosos, podían verse representados con aureolas, eso sí, de forma cuadrada (el cuadrado es un símbolo tradicional de lo terrestre, mientras que lo circular alude al cielo). Por toda la cristiandad también proliferaron, especialmente durante la Edad Media, aureolas con forma de cruz para cada una de las encarnaciones de la Trinidad.

■ **Referencias cruzadas**: *véase* también Mandorla.

Aves

*L*as aves, en general, se han revestido de un significado simbólico muy positivo. La mayor razón para ello es que su lugar natural se encuentra entre la morada de los dioses (allá en los cielos)

Concierto de pájaros, Jan Fyt.

El vuelo de las aves suele estar relacionado con los dioses, por su cercanía al cielo.

Aves

La capacidad de vuelo de las aves es el ejemplo natural más adecuado para la elevación hacia el cielo que siempre buscó el hombre.

y la de los hombres. Por ello han jugado un papel intermedio entre ambas realidades, convirtiéndose en mensajeras por excelencia de la voluntad divina. Las almas, que antes y después de la vida llegan a la tierra desde los cielos, también se han relacionado profundamente con las aves. Esta consideración es muy usual tanto en las religiones nacidas en torno al Mediterráneo como en las orientales. Frecuentemente se concreta señalando que las almas, bajo la forma de aves, descansan sobre la copa del Árbol Cósmico (símbolo del universo; *véase* Árbol). El Islam refleja algo muy similar al narrar cómo el Árbol de la Vida acoge el reposo eterno de las almas (aves) de los fieles; partiendo del mismo simbolismo, el Corán emplea a las aves como alegoría del destino.

El ave es, por tanto, intermediaria entre hombres y dioses, y su vuelo se convierte en el medio por el que llega a entrar en contacto con estos últimos. A partir de ello, resulta sencillo comprender que el vuelo se haya convertido en un símbolo casi universal de elevación, no sólo física, sino también espiritual.

Aparte de lo visto, su piar, realmente llamativo y hermoso en ocasiones, ha despertado la atención de los pueblos. En él, como en tantos otros «lenguajes» animales, se han querido ver revelaciones ocultas que, por la simbología ya vista, constituirían mensajes secretos de los dioses. La voluntad por descifrar augurios también tomó como sujeto usual de sus especulaciones el vuelo de estos animales.

En muy pocas ocasiones aparecen significados negativos asociados a las aves. Un ejemplo puede ser el arte cristiano medieval, que se sirvió de ellas como símbolo de ligereza vana. Además de esto, puede señalarse el caso de algunas aves fabulosas de diferentes narraciones míticas. Estamos hablando de las aves de Stinfal (el demonio de la fiebre) contra las que luchó Heracles o de las temidas Arpías (aves con cabeza y pecho de mujer, personificación de la venganza divina), propias de la mitología griega.

■ **Referencias cruzadas**: *véanse* también Alas, Alma, Ángeles, Árbol, Arpías, Ascensión, Pájaro, Plumas y Vuelo.

Avestruz

La pluma de Maat es el más popular de los símbolos relacionados con el avestruz.

Azufre

Material sólido, inflamable e insoluble que suele jugar un papel fundamental en los grandes procesos alquímicos.

Avestruz

*U*na de las más conocidas simbologías asociadas a este animal es aquella que en el antiguo Egipto hizo de su pluma alegoría de la justicia. La pluma de avestruz se asoció a Maat, diosa de la verdad y la justicia, y por ello, faraones y altos magistrados se hicieron acompañar de abanicos compuestos por estas plumas. Pero ¿por qué se creó esta simbología? En su momento, un egipcio hubiera contestado que todas y cada una de las plumas del avestruz tienen la misma longitud. Siglos después, los cristianos y musulmanes egipcios representaron en sus templos avestruces como símbolo de resurrección; es probable que esto sea una pervivencia lejana del significado de la pluma de Maat, que era el contrapeso empleado para pesar el corazón de los difuntos en el tribunal de Osiris.

La gestación de sus huevos también originó curiosas interpretaciones. En el mundo clásico se dijo que esta ave no los incubaba, sino que sólo los miraba y que ellos recibían su calor del Sol. Esa concepción sugirió tanto ideas de meditación y de virginidad (por lo que se asoció a la Virgen), como comparaciones con los fieles cristianos, nacidos lejos de su Se-

ñor como lo hacen los avestruces de su madre. Otro paralelismo, algo más rebuscado, condujo a hablar del renacimiento de Cristo a través de la figura del huevo de avestruz (simbolizaría a Cristo) que nace como consecuencia del calor transmitido por el Sol (Dios).

Pero el simbolismo del avestruz no finaliza aquí; todos hemos oído sobre su costumbre de introducir la cabeza en la tierra, lo que llevó a que el arte cristiano recurriera de nuevo a él para emplearlo ahora como alegoría de la sinagoga, que se esconde para no reconocer la verdad de Cristo.

Azufre

*E*ste es un elemento inflamable muy presente en la geología y suele hallarse como compuesto de otros sólidos como la pirita o el yeso. Por ello, la alquimia lo tomó como el principio activo y transformador (el fuego tiene ese simbolismo) que se encuentra en el seno de todos los elementos. Pese a ello, su simbolismo más conocido proviene de la asociación popular entre el azufre y el fuego del infierno. Hay quien sostiene que esta idea proviene del recuerdo del olor de un valle cercano a Jerusalén, en el que se quemaban basuras y se hacían sacrificios. En el Antiguo Testamento, la destrucción de Sodoma a través de una lluvia de azufre provocada por Yahvé refleja una antigua relación entre este elemento y la furia (fuego) divina.

■ **Referencias cruzadas:** *véase* también Fuego.

Azul

*E*ste color no se presenta con demasiada frecuencia en el mundo natural, por lo que ha sido el empleado para los seres y animales fantásticos, ya fueran

Paisaje con Aeneas y Delos, Claude Lorrain.

benevolentes o temibles. En China, por ejemplo, tanto el demonio como el dios de la literatura son azules. Además, la creación de tintes azules es un proceso complicado y costoso (algunas civilizaciones, como la china o la celta, ni siquiera tenían un término específico para designar a este color), por lo que su uso se convirtió en un lujo, en un símbolo de distinción. Toda la Antigüedad mediterránea, e incluso los tuaregs del Sáhara, lo trató con ese sentido.

Pero el azul, sobre todo, da color al cielo y al agua, por lo que ha quedado en muchas culturas como símbolo de lo celeste y trascendente y, por tanto, de la verdad y la pureza. Así, el dios Amón de los egipcios, Yahvé entre los judíos, Zeus entre los griegos y Visnú en la tradición hindú se representaron muy vinculados al color azul. El arte cristiano también dio este color al manto de la Virgen, símbolo de pureza. Según la teoría del color, todos estos sentidos vienen favorecidos por las propiedades psicológicas del azul, que aligera y resta materialidad a las formas. Por ello, su asociación con motivos religiosos es un acierto a la hora de propiciar pensamientos trascendentes.

Por último, en muchas representaciones artísticas encontraremos al azul y al blanco en oposición con el verde, rojo o amarillo; el motivo es que los primeros actúan como referencias tradicionales a lo celeste mientras que los segundos se vinculan a lo terreno. Se pueden encontrar ejemplos de ello en las imágenes cristianas de la lucha entre san Jorge y el dragón, donde él, lo espiritual, suele aparecer con colores azules y blancos mientras que el dragón es rojo o verde. Del mismo modo, en el hipódromo de Bizancio las competiciones de carros siempre estaban protagonizadas por la pugna entre el equipo blanco y el rojo o entre el azul y el verde.

Azul

La contraposición entre el azul y el rojo, verde o amarillo, compone una alegoría de la lucha entre lo espiritual y lo mundano.

El azul es símbolo de distinción. Pero en el caso de la Virgen, cuyo manto suele ser azul, significa pureza.

La Virgen del campo, Bellini.

La torre de Babel, Brueghel.

Babel

El relato de la torre de Babel constituye un alegato contra la soberbia de los hombres.

Babilonia

Tanto en el Antiguo como en el Nuevo Testamento, Babilonia es la sede de los pecados capitales.

B

Babel, torre de

El Antiguo Testamento recoge el conocido episodio de la torre de Babel. En él se narra que los descendientes de Noé la construyeron para poder escapar al cielo en caso de un nuevo diluvio, pero Dios, enfadado, castigó el orgullo de los hombres haciendo que se expresaran en diferentes lenguas. Éstos, confundidos, abandonaron su proyecto y se diseminaron por toda la Tierra. Otra versión dice que el castigo les llegó por el desprecio mostrado hacia la vida de los trabajadores. En cualquier caso, la narración también ofrece la solución al castigo, ya que sostiene que la confusión de las lenguas acabará con la llegada del reino de Dios y el milagro que haga entendernos a todos.

Al parecer, como inspiración remota de este relato se encuentra el gran zigurat de Babilonia (recordemos que los judíos estuvieron allí presos), de 50 metros de altura y con siete terrazas. Simbólicamente, el relato, además de una explicación a la existencia de las diferentes razas y lenguas, ofrece una muestra de cuál es el destino que espera al hombre por no reconocer sus límites.

■ **Referencias cruzadas**: *véanse* también Babilonia y Torre.

Babilonia

El nombre de esta ciudad, que fue una de las mayores del antiguo Oriente mesopotámico, significa «puerta del cielo» o «de los dioses» y en el mundo contemporáneo se ha empleado para designar a las grandes metrópolis.

En la Biblia, Babilonia aparece como la antítesis de la Jerusalén celestial y del Paraíso; es la ciudad en la que residen casi todos los pecados (lascivia, idolatría, arrogancia). Pero, ¿qué condujo a tal consideración? La razón se encuentra en la historia del pueblo judío: en el año 598 a. C. el rey Nabucodonosor II de Babilonia saqueó Jerusalén e impuso el cautiverio de los hebreos, que permanecerían esclavizados en Babilonia casi 50 años. Ese hecho, que se quedó grabado en el subconsciente del pueblo judío, justifica la creación de una imagen casi demoníaca. En el Nuevo Testamento las menciones a esta ciudad son alusiones encubiertas a la Roma pagana, enemiga de los cristianos.

Báculo

*E*n la tradición occidental encontramos dos báculos afamados: el empleado por la jerarquía eclesiástica (obispos y abades) y el de Esculapio.

El primero de ellos hereda el simbolismo clásico del bastón como elemento de autoridad, poder y conocimientos superiores. Además, al quedar como distinción de altos cargos de la Iglesia, se convierte en símbolo de toda ella y de su intercesión por los fieles cristianos. Este tipo de báculo termina en un círculo abierto que simboliza la influencia de lo celeste sobre la tierra.

Esculapio es el dios romano (Asclepios para los griegos) que da nombre al otro báculo. Protege y enseña la medicina a los hombres y su símbolo, el citado báculo, une la serpiente y el bastón. Con el reptil (*véase* Serpiente) se alude a la regeneración y a la posesión de conocimientos secretos de la tierra, mientras que el bastón es símbolo de conocimiento y poder. De esta imagen parten las que se emplean en la actualidad para identificar a las farmacias.

■ **Referencias cruzadas**: *véanse* también Bastón, Caduceo, Serpiente y Tirso.

Balanza

*S*ímbolo *casi* universal de la justicia. Su sentido deriva de las numerosas con-

San Ambrosio, Vivarini.

cepciones religiosas que hablan de juicios en el más allá, ceremonias en las que se pesará el alma o los actos del individuo para conocer la bondad de su espíritu.

Por ello, la balanza aparece: en la mitología egipcia, como símbolo del peso del corazón ante el tribunal de Osiris (la pluma de Maat, símbolo de equidad, servía de contrapeso); en la tradición grecolatina, donde Zeus pesa con su balanza de oro las acciones de los hombres para decidir el destino que merecen; en el cristianismo, como atributo de Dios el día del Juicio Final y de san Miguel, que le ayuda en esa labor; en China, como distintivo de los ministros de la administración; en el Islam, como alegoría del peso del alma de los fieles; y en el zodiaco, como símbolo de Libra, signo del equinoccio de otoño, cuando noche y día adquieren el mismo peso en la jornada.

La Justicia, Rafael.

■ **Referencias cruzadas**: *véanse* también Avestruz, Justicia y Libra.

Báculo

Palo o cayado que suele identificarse con Esculapio y con abades y obispos de la Iglesia cristiana, como se observa a la izquierda.

Balanza

El equilibrio de los platos de la balanza es una popular imagen de la justicia.

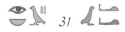

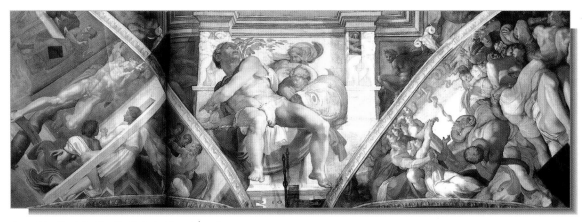

Jonás (detalle de la Capilla Sixtina), Miguel Ángel.

La salida de Jonás del vientre de la ballena, donde ha permanecido un tiempo, es otro símbolo de la resurrección.

Ballena

Este mamífero acuático desciende de un animal terrestre con cuatro extremidades que desarrolló una extraordinaria adaptación a los mares.

Baldaquino

Véase Dosel.

Ballena

C así todas las culturas que conocieron a este mamífero, uno de los mayores del planeta, crearon simbologías inspiradas en el miedo que despertaban los monstruos marinos, reales o imaginarios. Especial atención mereció su inmensa boca, generalmente abierta para capturar peces de todo tipo. Esto, junto a su tamaño, condujo a considerarla como el continente de algo desconocido y temido (¿qué habría en su interior?). Por ello, muchas narraciones míticas recogen historias de personajes que entran y salen de las fauces de la ballena. El mito de Jonás en el Antiguo Testamento y el del rescate de Andrómeda por Perseo en la tradición griega son los más conocidos. Estos episodios deben considerarse como una suerte de muerte y resurrección o incluso como un descenso a los infiernos.

En la cultura cristiana medieval la ballena personificó los peligros y tentaciones demoníacas que amenazaban a la fe. El monstruo marino y sus fauces fueron el destino simbólico de aquellos que se alejaban del camino marcado por la Iglesia.

Al igual que otros animales vinculados a los misterios y poderes del mundo, como tortugas, cocodrilos y elefantes en otras culturas, la ballena aparece como sustento último del mundo en el Islam. Se dice que sobre las tinieblas últimas descansa el aire que sostiene el agua; sobre el agua, la ballena, y sobre ella, el toro de 40.000 cabezas que soporta la roca sobre la que un ángel sustenta el mundo. Los movimientos de la ballena justificarían así los terremotos en la tierra, y por ello, Alá amenaza con introducirle un animalillo por la nariz y hurgarle dolorosamente en el cerebro si se mueve.

Bambú

D esde la Prehistoria, el hombre ha sacado un increíble provecho de esta planta, que crece tanto a nivel del mar como entre nieves perpetuas. Su madera ha sido materia prima de la construcción, para la elaboración de recipientes, instrumentos musicales, conducciones; sus cañas aplanadas pueden tejerse para confeccionar canastos, sombreros, redes; con su pulpa se ha elaborado papel; y endureciendo su madera con fuego se han creado temibles armas. Por tanto, los pueblos que conocieron el bambú recu-

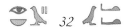

rrieron a él con extrema frecuencia, desarrollando a su alrededor una simbología muy positiva, especialmente en el sudeste asiático.

Sus tallos leñosos, que crecen rectos y siempre verdes hacia el cielo (algunas especies gigantes pueden alcanzar 50 metros), se tomaron como símbolos de perfección espiritual en el budismo y taoísmo. Además, este tallo es hueco, por lo que identificó al corazón modesto y humilde al que deben aspirar los seres humanos (la diosa de la misericordia Kuanyin se representó frecuentemente junto a esta planta). Siguiendo con la simbología señalada, viendo al bambú como alegoría de la elevación espiritual, sus diferentes nudos se interpretaron como peldaños en un camino de perfección. Por último, en la cultura tradicional japonesa, el verdor constante del bambú le convirtió en símbolo del vigor y de la eterna juventud.

Como consecuencia de todo ello, las tradiciones populares de casi todo el Oriente asiático creyeron que las detonaciones secas que produce el bambú al prenderse eran un método eficaz para ahuyentar los espíritus malignos.

■ **Referencias cruzadas**: *véase* también Escala.

Bandera

La bandera no es más que la insignia visible de un grupo de soldados. En principio su función no era sino la identificación del grupo para poder lograr una cierta coordinación de sus movimientos y evitar su desunión en combate.

En la antigua Roma los estandartes de las legiones eran de madera y metal, pero pronto se impuso la conocida forma de mástil con tela. La ventaja principal que ofrecía el cambio era una mayor facilidad para el transporte, especialmente para la caballería. Este motivo es el que ya con

anterioridad había impuesto su uso en el cercano y el lejano Oriente.

Con el paso del tiempo, las banderas que habían identificado a las tropas de soldados se convirtieron en símbolo de grupos sociales e incluso nacionales. Esta identificación también llegó al terreno de los valores, donde la disciplina y el honor de los soldados y las creencias de toda una nación pasaron a representarse a través de su bandera. Incluso religiones como el cristianismo adoptaron este sentido representando a Cristo como portador de la bandera de la fe.

En muchas representaciones, la mera aparición de este símbolo ofrece una supuesta protección a aquellos que con ella se identifican.

■ **Referencias cruzadas**: *véase* también Pendón.

Baño

Casi todas las culturas conocidas han hecho del baño un ritual simbólico por el que no sólo se consigue una limpieza física, sino también una purificación espiritual. Quizá sean las tradiciones

Bambú

Planta leñosa que prolifera en el sudeste asiático y en algunos lugares de América y Asia.

Bandera

De ser una mera identificación soldadesca, la bandera ha llegado a simbolizar los valores de naciones enteras.

La Libertad guiando al pueblo, Delacroix.

Baño

El baño tiene significados muy dispares: cuidado del espíritu y gusto por la sensualidad; purificación y lascivia.

orientales las que más importancia dieron a estas ceremonias. Un ejemplo muy conocido lo ofrece la enorme piscina ritual de Mohenjo-Daro, del tercer milenio a. C. Las tradiciones chinas muestran más ejemplos en los baños rituales de los novios antes de la boda. El budismo, por su parte, tiene uno de los rituales más importantes del año en el lavado de las estatuas de Buda.

Tanto la tradición grecolatina como la cristiana recogieron prácticas similares, como los baños propios de los misterios de Eleusis o el bautismo de los fieles de Dios. En el Islam las abluciones rituales previas a la entrada a la mezquita guardan el mismo sentido.

Las pocas ocasiones en las que alguna narración trata el baño como elemento negativo es para emplearlo como símbolo de olvido, lujo y lascivia.

■ **Referencias cruzadas**: *véase* también Abluciones.

Barba

*E*ste es un atributo característico de los hombres en edad madura. Por ello, se ha empleado como símbolo de las virtudes asociadas a él, generalmente fuerza y virilidad. También, como la barba suele ganar en espesura conforme avanza la edad, la consideración tenida hacia las personas de edad avanzada condujo a asociar este cabello a los hombres sabios.

Como consecuencia de todo lo explicado, los personajes que con mayor frecuencia se representan barbados son los filósofos, los más ilustrados, los grandes soberanos y los dioses (como Zeus, Hefestos, Dios o Yahvé).

En algunas culturas, estas consideraciones llegaron al extremo de concebir la barba como una cuestión de honor,

Moisés (detalle), Miguel Ángel.

por lo que rasurarla constituía una grave ofensa (es el caso de algunos grupos judíos y musulmanes). Sin embargo, en general, afeitarse el bello facial ha estado muy sujeto a las modas de cada momento; así, cuando esta costumbre predominaba, se consideraba un acto aseado, propio de seres civilizados, pero cuando no era lo más usual pasaba a hablarse del hombre afeitado como alguien vanidoso y afeminado.

En China y Sudamérica, pese a que los hombres no suelen ser muy barbados, sí que se representan con ella a algunos de sus dioses (como Quetzalcoatl) y de sus grandes héroes.

Barca

Véase Nave.

Basilisco

*T*anto *las* leyendas orientales como las occidentales se hacen eco de la existencia de este animal fabuloso, híbrido de gallo, serpiente y sapo. En la Edad Media europea se le creyó nacido de un

La Sagrada Familia y san Juan Bautista (detalle), Miguel Ángel.

huevo de gallo viejo, empollado por un sapo sobre estiércol.

Al igual que las gorgonas de la leyenda griega, el basilisco podía matar sólo con la mirada o el aliento, por lo que para acabar con él no quedaba más remedio que emplear un espejo.

En las representaciones artísticas suele figurar personificando el horror a la muerte, el demonio o el anticristo.

■ **Referencias cruzadas**: *véase* también Gorgonas.

Bastón

*E*l *bastón* es tanto un arma rudimentaria (la más antigua conocida; en el mito griego, Edipo mató a su padre con él), como un apoyo para la marcha. Estas dos consideraciones hicieron de él uno de los primeros símbolos de poder conocidos, asociándolo principalmente a la autoridad de los mayores, los que más necesitan su apoyo. Así surgió la simbología que acompaña casi universalmente a los famosos bastones de mando. En muchas ocasiones, éstos recibieron también las connotacio-

El príncipe Baltasar Carlos a caballo, Velázquez.

nes mágicas que ya recaían sobre las ramas (recuérdese el episodio en el que Aarón y Moisés convirtieron sus bastones en serpientes ante el faraón; *véase* Rama).

Los bastones fueron quedando pues como referencia de sabiduría, autoridad y mando y ocasionalmente fueron portadores de poderes mágicos. Por ello aparecieron en manos de divinidades como Visnú o de autoridades terrenas como los jerarcas de la Iglesia cristiana (*véase* Báculo), los monjes budistas o los maestros celestes del taoísmo (con bastones de bambú y un número de nudos apropiado para cada rango). Cargos militares y administrativos de todo el mundo emplearon el bastón con el mismo sentido; enumerarlos sería una labor casi infinita.

Pero aparte de todas estas consideraciones simbólicas, no debemos olvidar que el bastón es el atributo por excelencia del caminante, por lo que mensajeros como el Hermes griego (*véase* Caduceo) o los ángeles cristianos pueden representarse con ellos.

■ **Referencias cruzadas**: *véanse* también Báculo, Caduceo, Rama y Tirso.

Bautismo

Véanse Abluciones y Baño.

Blanco

*L*a *síntesis* de todos los colores es el origen del blanco, que, por ello, evoca casi universalmente nociones de totalidad. Pero este es también el color de la luz, por lo que se identifica con el Sol, con los dioses celestes y con la perfección, pureza e inocencia que ellos personifican. Como consecuencia de ello, el blanco aparece en los vestidos de las vestales romanas, de los ángeles y papas de la Iglesia, de Cristo, de los druidas celtas, y de los individuos que van a ser sacrificados.

Basílisco

Animal fabuloso que tenía el poder de matar con la mirada o el aliento.

Blanco

Color de perfección, inocencia y totalidad; se contrapone al rojo y al negro, si bien en algunas tradiciones simboliza el luto.

Los bastones son una muestra habitual de la autoridad y el mando de los monarcas absolutos.

Venus y Adonis, Botticelli.

Boca

Abertura por donde pasa
el soplo, la palabra y el
aliento.

Boj

Arbusto leñoso de hoja
perenne, pequeña y
ovalada.

Además, por ser totalidad y luz (vida) el blanco se vincula a las concepciones sobre los ciclos de vida y muerte. Por este motivo es el color de fantasmas y aparecidos y de los lutos de algunas tradiciones (en casi toda Asia, en Escandinavia y en la Francia medieval). De la misma forma, el caballo blanco (*véase* Caballo) es un recurrente símbolo de la pureza.

Los ritos de iniciación y tránsito, que suelen conllevar una serie de requisitos para el iniciado (como pueda ser la pureza) y procesos de muerte y resurrección ritual, recurrieron también a este color con mucha frecuencia. Esta es la causa del predominio del blanco en los bautizos, comuniones y bodas de las tradiciones occidentales.

Simbólicamente, el blanco es el antagonista de los significados del rojo y el negro, lo que conduce a que se hayan empleado contrapuestos en numerosas representaciones.

■ **Referencias cruzadas**: *véase* también Caballo.

Boca

*L*a importancia simbólica de este orificio natural radica en ser sede de la palabra y del aliento vital, lo que ha generado interpretaciones y costumbres bastante llamativas. En el antiguo Egipto, por ejemplo, las momias sufrían una ceremonia de apertura de la boca para que pudieran hablar ante el tribunal que juzgaría su vida. Sin embargo, la idea más extendida en relación con la boca y la muerte es que este es el orificio por el que se escapa el alma de los muertos. Esto queda representado gráficamente en algunas pinturas medievales occidentales, donde líneas doradas salen de la boca de los difuntos justos, mientras los pecadores no dejan escapar más que sombras. En el arte cristiano otra imagen frecuente es la de las espadas que saldrán de la boca de Dios el día del Apocalipsis.

Y dado que la palabra es tanto verbo y acción, como vida, existe una tradicional asociación entre boca y fuego, muy visible en dragones, magos, personificaciones del Sol, etc.

Las imágenes que muestran a dioses o animales con sus fauces abiertas suelen considerarse bajo el simbolismo de la puerta, del umbral hacia lo desconocido (recuérdese la expresión de la «boca del infierno» o la «boca del lobo»).

■ **Referencias cruzadas**: *véase* también Umbral.

Boj

La resistencia de la madera que ofrece este arbusto, unida a la perennidad de sus hojas, ha hecho del boj un símbolo de eternidad, constancia y perseverancia. Con este último sentido es como aparece en la simbología masónica. Sin embargo, en el mundo clásico fue su relación con la vida lo que le llevó a ser consagrado a Cibeles (diosa responsable del renacimiento de la naturaleza) y a Hades (señor del más allá), motivo por el que se representó este arbusto sobre algunas tumbas.

Como el origen de esta tradición es recalcar la inmortalidad de los éxitos espirituales, en algunas zonas alpinas las ramas de boj son las blandidas durante el Domingo de Ramos.

■ **Referencias cruzadas**: *véase* también Rama.

Bosque

Para casi todas las civilizaciones, los bosques han sido lugares misteriosos y desconocidos, donde la naturaleza, salvaje y descontrolada, distaba mucho de ofrecer la seguridad tan buscada por los hombres. Además, la espesura de su follaje, que impide avanzar a la luz (conocimiento), estimuló aún más el halo misterioso que los envuelve. Se convirtieron pues en el hábitat de seres míticos y desconocidos, ya fueran positivos, como dioses y ninfas, o malignos, como brujas, animales salvajes y dragones.

Muchos pueblos divinizaron a sus bosques y a las fuerzas que en ellos situaban. Un caso significativo es el de los celtas de la antigua Galia, que hicieron de sus bosques verdaderos santuarios (aunque no construyeron templos de piedra hasta después de la ocupación romana).

Por otra parte, el aislamiento que ofrece el bosque atrajo hacia ellos a

místicos y ascetas de todas las sociedades en busca de retiros espirituales.

Bóveda

Tanto la bóveda como la cúpula constituyen un símbolo que remite a la llamada bóveda celeste. Así, los edificios rematados con ellas pretenden erigirse como verdaderas reconstrucciones del orden del universo. Los grandes templos budistas, islámicos, bizantinos y cristianos, entre otros, deben interpretarse bajo este sentido.

Los motivos representados en la cara interior de bóvedas y cúpulas ratifican lo explicado. El arte cristiano, por ejemplo, suele representar en ellas a los ángeles y seres propios del cielo.

Brazo

Sin duda alguna, esta es la extremidad humana más asociada a la acción, a la ejecución, por lo que se convierte en un símbolo tradicional de actividad, fuerza y poder (entre los antiguos egipcios el brazo servía como jeroglífico de la acción). Las ideas

Bosque

El halo de misterio que envuelve a los bosques los convirtió en sede de fuerzas y seres fantásticos, unas veces de carácter benéfico, pero otras, maligno.

Bóveda

Cubierta arquitectónica formada por la proyección de un arco.

Diana después de la caza, François Boucher.

Brazo

El brazo (sobre todo el masculino) es símbolo de poder, de fuerza y de protección.

Buey

Toro que ha sido castrado para reducir su agresividad y hacerlo más dócil.

El buey se caracteriza por su potencia en el trabajo y por su mansedumbre.

que acabamos de mencionar pueden revestirse bajo tintes protectores o de castigo (recordemos la popular alusión al «brazo de la justicia»).

Como plasmación de esos significados, la imagen de dioses hindúes como Brahma, Ganesha o Shiva, que se representan con varios brazos, constituye una alusión a la omnipresencia de su poder, que alcanza a todas las acciones posibles.

El cristianismo también se hace eco de estos sentidos al representar la influencia de Dios sobre la tierra a través de un brazo que se extiende desde los cielos a la tierra.

Otra imagen muy popular de la historia del arte es la de individuos con los brazos abiertos o extendidos hacia el cielo o alguna persona. Este gesto expresa un estado pasivo en el que el sujeto muestra su deseo de recibir favores de aquel a quien se dirige. Es la representación más usual del orante en todas las religiones.

■ **Referencias cruzadas**: *véase* también Mano.

Buey

El *buey*, el búfalo y el toro comparten un mismo aspecto y, por tanto, un mismo simbolismo relativo a la fuerza y energía creadora. El animal que ahora tratamos no es más que un toro que ha sido castrado para reducir su agresividad y domesticarlo con mayor facilidad (muchas sociedades han tenido en él a una importante fuerza de trabajo). Así, su simbolismo toma aspectos positivos relativos a su bondad, humildad, capacidad de trabajo y nobleza, siempre sin olvidar su estrecha identificación con la fuerza y el trabajo.

Como reflejo de ello, en el arte egipcio aparece asociado a las fuerzas que ordenan el universo, mientras que en el oriente asiático se le llegó a deificar e identificar con las labores agrícolas. Allí su actitud tranquila condujo a emplearle como símbolo de la meditación y concentración, motivo por el que figura en muchos templos y se le menciona como montura de grandes sabios. En China se

Ternero, Paulus Potter.

le llegó a adorar de tal forma que se consideró inmoral comer su carne.

Algo parecido se recoge en una leyenda griega en la que los compañeros de Odiseo perecen en la isla de Trinacia tras haber comido bueyes llevados por el hambre; sólo el héroe, que no probó su carne, sobrevivió finalmente. La tradición griega también le vinculó al dios Apolo y afirmó que el carro del Sol era tirado por estos animales.

Su valor económico para la sociedad provoca que en muchos lugares (como en el norte de África en la Antigüedad) haya sido una valorada pieza de sacrificio. En el zodiaco se corresponde con Tauro, el segundo signo.

■ **Referencias cruzadas**: *véanse* también Tauro y Toro.

Búho

Véase Lechuza.

Buitre

Esta *ave* carroñera, debido a su vinculación (alimenticia podríamos decir) a la muerte, se ha asociado profundamente a las concepciones sobre la vida después de su final. Como consecuencia de ello, en civilizaciones como la maya y la india, el buitre, que vive gracias al cuerpo de los muertos, aparece en multitud de ritos relacionados con los grandes ciclos regenerativos y, a través de ellos, con el agua.

Al sumar a estas consideraciones la forma en la que las aves participan de la esencia divina (*véase* Aves), encontramos al buitre como poseedor de los secretos de la vida y la muerte. Es el caso de la tra-

Ticio, Miguel Ángel.

dición egipcia, donde esta ave se representa junto a aquellos con quien comparte sus conocimientos, el faraón (suele aparecer en su corona) y Nechbet, diosa de los nacimientos. Los mismos motivos condujeron a que en otras culturas se creyera que la mejor forma de garantizar el paso a la otra vida de los muertos era entregarlos como carroña a los buitres; es el caso de íberos, persas y budistas.

En las sociedades grecorromanas su vuelo cobró un cierto protagonismo, diciéndose que aparecían con antelación sobre los lugares en los que grandes batallas dejarían el campo plagado de cadáveres. Evidentemente, ver un grupo de buitres siguiendo a los soldados no inspiraba ninguna confianza en el resultado del combate.

Curiosamente, algunas leyendas del medievo cristiano afirmaban que era el viento del este quien fecundaba a esta ave, lo que llevó a que en alguna ocasión se representara junto a la Virgen.

■ **Referencias cruzadas**: *véase* también Aves.

Burro

Véase Asno.

Buitre

La cabeza desnuda y el pico encorvado constituyen los elementos más distintivos del buitre.

Encuentro entre Atila y León Magno, Rafael.

Caballero

Los caballeros eran considerados como los defensores de la ley y el orden.

Caballero

Bajo *este* nombre se denomina al jinete que pertenece a una casta guerrera. Este grupo social, dada su importancia militar, aparece con cierta frecuencia en las diferentes sociedades. Es el caso de los *equites* romanos, de los míticos caballeros del Occidente medieval y moderno, de los caballeros celtas y de la casta de los *kshatriyas* en India.

Todos esos grupos se preocuparon por crear un cierto sustento ideológico a su actividad, generalmente a través de la exaltación de su función como defensores de la ley y el orden. Por ello las representaciones de estos individuos pueden constituir una alegoría de la defensa de dichos valores. En ocasiones incluso se llega a comparar esa función con una verdadera carrera iniciática en la que se alcanza una progresiva perfección, por lo que el caballero puede representarse como símbolo de los iniciados.

Una concepción fundamental que subyace bajo estas interpretaciones es la simbología del jinete (*véase* Jinete), tradicional imagen del orden y la razón triunfando sobre los impulsos incontrolados.

■ **Referencias cruzadas**: *véanse* también Caballo y Jinete.

Caballo

El *papel* de este animal en el desarrollo de las civilizaciones le ha granjeado un rico y complejo simbolismo.

Los puntos fundamentales a los que aluden sus representaciones son la identificación con las fuerzas de la naturaleza (incluyendo las de la vida), el diálogo que establece con su jinete (en ocasiones am-

Caballo

Este animal, que ha acompañado a los hombres desde la Prehistoria, ha recibido interpretaciones simbólicas muy variadas, estimuladas, sobre todo, por su fuerza natural y aptitud para recorrer largas distancias.

bos comparten actitudes o comportamientos) y su condición de montura (que lo asocia a las nociones de viaje).

Como combinación de todas estas ideas, el caballo protagonizó en diferentes culturas relatos en los que aparecía como portador de la vida y la muerte, y en relación con los simbolismos del fuego y el agua. Así, tanto en el cercano oriente como en Europa se habla de fuentes nacidas de la pezuña de un équido (como sucede con Pegaso; *véase* Pegaso).

Los mismos motivos condujeron a que se le mencionara frecuentemente como aquel que conducía el alma de los muertos a su morada en el más allá. Este caso es muy común entre los pueblos de las estepas asiáticas; en la tradición occidental el caballo guarda alguna reminiscencia de este sentido, ya que desde el mundo clásico hasta hoy en día ha sido empleado como profecía de muerte.

Pero el caballo también es montura de las grandes potencias naturales. En muchas mitologías, por ejemplo, aparece tirando del carro del Sol, como ocu-rre en menciones egipcias, griegas, bíblicas, budistas e hindúes; cuando esto sucede, el animal llega a participar de las propiedades del astro hasta ser manifestación de la iluminación física y espiritual que él provee. Igual que puede tirar del Sol, puede ser montura de los grandes dioses o de sus enviados (como es el caso de los jinetes del Apocalipsis).

Todas estas ideas pueden ser humanizadas en muchos casos, por lo que encontramos al caballo como símbolo de los impulsos y las fuerzas naturales del hombre. De aquí surgen los míticos seres que participan de la naturaleza de equinos y humanos, como sucede con los centauros clásicos. La sublimación espiritual de estos instintos quedaría representada por Pegaso, el caballo alado de la mitología griega (*véase* Alas).

Se debe mencionar también cómo esa humanización del equino conduce a rituales de iniciación, de penetración en los secretos de la naturaleza, en los que el hombre se convierte en un caballo que

Uno de los muchos significados que tiene el caballo le identifica con las fuerzas de la naturaleza.

Paisaje con dos caballos, Nicolaes Berchem.

Cabello

Este elemento del cuerpo humano ha recibido una considerable carga simbólica a través del tiempo, llegando a ser un importante atributo de la imagen de lascivos, salvajes, ascetas, santos, dioses y demonios.

El episodio de Sansón es, sin duda alguna, uno de los ejemplos más conocidos de la simbología del cabello.

espera ser dominado por el espíritu de los dioses. Esta concepción se da con cierta frecuencia en pueblos de África y de Oriente Medio.

Cuando se identifica a este animal con los impulsos humanos puede hacerse desde un punto de vista positivo, haciendo de él la fuerza, vitalidad e impetuosidad, o negativo, como encarnación de la lujuria y el descontrol.

Además de lo mencionado, el valor del caballo, tanto económico como simbólico, le convierten en un preciado animal de sacrificio. En Roma, por ejemplo, se le sacrificó a Marte, dios violento por excelencia.

Por último, queda mencionar cómo la interpretación que deba darse a una representación puede estar condicionada por el color del animal. Así, por ejemplo, el caballo blanco sugiere ideas de pureza y espiritualización, mientras que el negro es el más empleado cuando se relaciona con la muerte.

■ **Referencias cruzadas:** *véanse* también Caballero, Jinete y Pegaso.

Cabello

*E*l *cabello* humano, que refleja en su aspecto la salud del individuo y que se pierde conforme se acerca la senectud, es un tradicional símbolo de la energía vital del hombre. De ahí parte la interpretación que comúnmente se suele dar a la historia bíblica de Sansón y Dalila (relato que tiene sus paralelos en otras culturas, como la china). Pese a ello, algunos estudiosos han señalado que la cabellera de Sansón no constituye un símbolo de su fuerza sino de su relación con Dios. El motivo que lo explica es sencillo: por todo el mundo, los ascetas que buscaban estrechar sus vínculos con los dioses se alejaron de la civilización, dejando de lado el acicalamiento propio de ella y entregándose a costumbres naturales. Así, cabellos largos y ascetismo aparecen unidos en multitud de relatos o representaciones, como las del dios hindú Shiva o las de san Juan Bautista. El mismo sentido guardarían los largos cabellos de los ascetas egipcios y de los nazarenos.

Como estamos viendo, el aspecto de la cabellera tiene una gran importancia simbólica. El sentido positivo del pelo enmarañado es el que se acaba de describir, mientras que las interpretaciones negativas son las que lo emplean como distintivo del salvajismo; este significado sirve también para las cabelleras de serpientes de algunas divinidades malignas (esta imagen añade una relación con las fuerzas oscuras de la tierra; *véase* Serpiente).

En multitud de sociedades el peinado ha sido un elemento de distinción social, hasta el grado de

La captura de Sansón, Couwenbergh.

que muchos cortes de pelo quedaran reservados a grupos determinados. Por poner algún ejemplo, en Egipto los infantes se dejaban un largo penacho en la parte derecha de la cabeza y en la Francia medieval sólo reyes y príncipes podían dejar crecer su cabellera; también los guerreros japoneses y los monjes cristianos emplearon formas distintivas de llevar el cabello (*véase* Tonsura).

El acto mismo de cortar el pelo recibió su carga simbólica. Generalmente se entendió como señal de paso de un estado a otro (en los ritos de iniciación) o como apropiación de la fuerza de una persona. Así, entre los griegos se estilaba cortarse el pelo para preparar ceremonias iniciáticas, como la concesión de ciudadanía, las bodas o los entierros. Los antiguos egipcios, por su parte, dejaban crecer sus cabellos al salir de viaje, y no lo cortaban hasta regresar. Como ya se insinuó, en otros lugares el corte de pelo representó una mutilación del poder del individuo. Por ello, los germanos afeitaban la cabeza a sus esclavos, costumbre que en la Edad Media occidental se empleó para castigar varios delitos.

En China los que habían sido rapados tenían prohibido desempeñar determinadas funciones públicas. Un sentido muy similar adquiere el famoso corte de la cabellera que practicaban algunas tribus de indios norteamericanos.

Pero el cabello, en cuanto representación del individuo, también ha sido un material muy empleado para crear amuletos, conjuros, etc. De las mismas consideraciones parten las numerosas reliquias del pelo de santos cristianos.

Antes de finalizar no se puede ignorar que el cabello también ha sido una poderosa arma de seducción femenina. Por ello, los primeros cristianos prohibieron a las mujeres entrar en las iglesias con el pelo

Salomé con la cabeza de san Juan Bautista, Caravaggio.

descubierto y durante siglos la alegoría de la lascivia se representó con pelo largo.

■ **Referencias cruzadas**: *véanse* también Serpiente y Tonsura.

Cabeza

*J*unto al corazón, esta es la parte del cuerpo humano que recibe una mayor carga simbólica. La inteligencia, la sabiduría y el gobierno del cuerpo entero se sitúan en ella, por lo que numerosas culturas la han señalado como sede del espíritu.

Algunos pueblos, como los celtas, practicaron la decapitación ritual del enemigo con este sentido (*véase* Decapitación).

Un motivo frecuente de la historia de las religiones es el de los dioses de dos o más cabezas (Hécate en Grecia, Juno en la antigua Roma, Brahma en el hinduismo, etc.), lo que constituye un símbolo de las diferentes manifestaciones de su poder.

■ **Referencias cruzadas**: *véanse* también Decapitación y Juno.

Cabeza

La cúspide del cuerpo humano suele representar el poder del individuo.

Cabra

Mamífero rumiante, esbelto, de cola corta y cuernos arqueados hacia atrás, que destaca por su agilidad y adaptación a la montaña.

Cadena

Símbolo de los lazos y las relaciones entre el cielo y la Tierra.

Caduceo

Bastón, generalmente alado, con dos serpientes enroscadas y entrelazadas en su parte superior.

Cabra

Este *rumiante* fue una de las primeras especies en ser domesticadas por el hombre. Son animales ágiles de los que se ha aprovechado su carne, leche, piel, pelo y, aunque parezca extraño, su fuerza como animal de carga. Todo ello convirtió a la cabra en un importante recurso económico para los hombres, que enseguida le adjudicaron un simbolismo vinculado a la fertilidad y a los principios vitales. Tanto estos motivos como la relación entre el animal y la montaña (lugar de contacto con lo divino) posibilitaron frecuentes representaciones junto a los dioses. Sin embargo, los ejemplares macho han sido más asociados a la lascivia y al pecado que a cualquier otra idea.

Las consideraciones generales que acabamos de ver se plasman de diferentes formas a lo largo del mundo. Así, en el Tíbet la cabra es un símbolo de la voluntad divina de proteger tanto la agricultura como la ganadería. En la mitología escandinava aparece tirando del carro de Thor, dios de la fertilidad. Por su parte, los hindúes hicieron de la cabra un atributo de Agni, señor del fuego creador.

También las civilizaciones griega y romana recogieron la relación entre cabra y fertilidad, llegando al extremo de hacer de su cuerno un símbolo de abundancia (el Cuerno de la Abundancia, *cornucopiae*). Pero allí el aspecto lascivo que ya se comentó conduce a que la cabra figure como atributo de Dionisos y Afrodita, dioses muy relacionados con la sexualidad. Además, de la combinación de cabras y hombres surgieron los sátiros, seres incontrolados y lujuriosos. Esta consideración, vista desde la condena, fue la heredada por el cristianismo, que empleó al macho cabrío como personificación de Satanás.

El carnero, de la familia natural de la cabra, recibe un simbolismo muy similar, resaltándose, si cabe, la vinculación con los principios vitales de la tierra.

■ **Referencias cruzadas**: *véanse* también Cornucopia y Capricornio.

Cadena

Este *símbolo* se emplea tanto para señalar las uniones indisolubles entre dos elementos como para destacar la fuerza de un conjunto gracias a sus eslabones.

Siguiendo el primer sentido citado, la relación entre el cielo y la Tierra ha sido expresada desde el mundo clásico como una unión a través de una cadena de oro. En las oraciones cristianas esta misma imagen ha sido comparada con la relación de Dios con sus fieles. Otras uniones voluntarias, como la del matrimonio, han sido representadas ocasionalmente a través de las cadenas.

Pero en general el sentido que inspira es algo más forzado, vinculado sobre todo a uniones en condición de esclavitud o servidumbre. Por ello, los cristianos han representado frecuentemente a Satanás encadenado tras el día del Juicio Final. Como la misma cadena ha servido de símbolo para la esclavitud, cuando aparece rota es una clara alusión a la liberación del esclavo.

■ **Referencias cruzadas**: *véase* también Nudos.

Caduceo

Este *bastón* es uno de los símbolos más antiguos de las civilizaciones indoeuropeas, donde ha sido representado bajo múltiples formas y con variedad de interpretaciones. Su forma más conocida es la que combina en torno al bastón, que suele aparecer alado, las figuras de dos serpientes.

El origen de este símbolo podría encontrarse en el comportamiento sexual

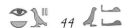

de las cobras, que se aparean irguiéndose sobre la tierra una frente a otra. Así, el caduceo habría surgido de unir esa imagen a la del bastón o el báculo, por lo que su significado podría guardar alusiones fálicas, pero, sobre todo, nos encontraríamos ante un símbolo de sabiduría. Considerando todas estas posibilidades, creemos que lo más acertado es ver en el caduceo un símbolo de equilibrio, de sobria estabilidad lograda gracias a la confrontación dialogante entre dos energías opuestas (en la descripción dada son dos serpientes, pero en otras ocasiones se representan ramas o búhos). Así, esta sería una imagen de paz y de comportamiento mesurado. Las alas que suelen figurar junto al caduceo recalcan el sentido del justo obrar, de la actividad sabia y adecuada.

A todos estos sentidos se debe unir la función del bastón como apoyo del caminante, lo que conduce a que se convierta en el atributo principal de Hermes (Mercurio en Roma), el mensajero de los dioses griegos, que en él se apoya y con él transmite la paz y el equilibrio divino a los hombres. Dentro de la tradición occidental, los comerciantes aprovecharon esta asociación e hicieron del caduceo un símbolo de su actividad.

Pero el caduceo también puede encontrarse en representaciones de otros dioses de la Antigüedad, como el Anubis egipcio, el dios Baal de los fenicios o la mesopotámica Ishtar.

■ **Referencias cruzadas**: *véanse* también Alas, Báculo, Bastón, Serpiente y Tirso.

Caja

*E*stos *recipientes* suelen ponerse en relación con lo femenino; las mujeres guardan en su interior la vida, como una caja puede esconder un tesoro. El significado simbólico de este objeto no puede desentrañarse más que de una forma genérica, ya que siempre queda en relación con aquello que contiene, ya sea algo positivo (los típicos tesoros) o negativo (recordemos la caja de Pandora).

■ **Referencias cruzadas**: *véase* también Arca.

Calavera

*S*us *representaciones* constituyen una clara alusión a la muerte y a la fugacidad de la vida. Por ello son el atributo principal de los dioses que se relacionan de alguna forma a la muerte (Yama en la religión hindú, Cronos y Saturno en la cultura grecolatina). En la tradición occidental la calavera se empleó principalmente en reflexiones sobre la naturaleza de la vida y la muerte, lo que justifica su aparición física en las celdas de monjes de muchos monasterios. Como símbolo artístico suele figurar como contrapunto a valores que se consideran fugaces y poco profundos, como pueda ser la vanidad. Otro motivo cristiano tradicional es el de la calavera y la cruz, que puede ser tanto una alusión a la vida eterna alcanzada por Cristo tras la crucifixión, como una referencia a la creencia de que Adán había sido enterrado en el mismo lugar en el que se crucificaría al hijo de Dios, el centro del mundo, el Gólgota.

Por último, las tradiciones hindú y budista emplearon una imagen muy visual, y sin duda bastante llamativa, para sim-

Caja

Las cajas contienen algo que desconocemos, como si de un secreto se tratara, que puede ser positivo o negativo.

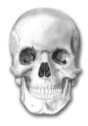

Calavera

La fugacidad de la vida y la muerte es uno de los significados que se suelen atribuir a la calavera.

Hombre joven con calavera, Frans Hals.

Caldero

Las transformaciones que alberga el caldero hacen de él un recipiente prácticamente mágico.

Camello

Las dos jorobas de este rumiante permiten identificarle con claridad en cualquier representación.

bolizar la renuncia a la vida: una calavera cubierta de sangre.

■ **Referencias cruzadas**: *véanse* también Cráneo y Hueso.

Caldero

Este antiquísimo instrumento de cocina alberga las metamorfosis que el cocido o el hervido fuerza sobre los alimentos. De ahí nace un simbolismo que hace de él un elemento regenerador, sede de cambios fundamentales. Con ello aparece una fuerte relación entre el caldero y el agua, que no sólo hierve en su interior, sino que también participa del simbolismo que se acaba de describir (*véase* Agua). Como consecuencia de esta asociación, se han registrado muchos rituales que combinaban de alguna forma ambos elementos. En las zonas celtas, por ejemplo, se han hallado multitud de calderos en el fondo de lagos y cursos fluviales.

El agua hirviente del caldero también sugirió a muchos pueblos un espeluznante tormento, algo ya recogido en las leyendas griegas y con un gran eco en las descripciones del infierno elaboradas por la Europa medieval.

Pese a ello, y por motivos obvios (recuérdense los dichos populares sobre la importancia del puchero lleno), en un buen número de ocasiones el caldero se convierte en símbolo de abundancia y prosperidad.

Por último, todo lo mencionado se reúne de alguna forma para convertir al caldero en el instrumento por excelencia en la preparación de elixires y pociones mágicas.

■ **Referencias cruzadas**: *véase* también Agua.

Camello

Desde la Antigüedad este animal ha facilitado el tránsito de los hombres por los grandes desiertos y estepas de Asia y África. Su buena disposición para la doma y su labor como animal de carga y monta hicieron de él un símbolo de moderación y humildad para la tradición cristiana. Sin embargo, el camello no soporta bien las grandes cargas ni los esfuerzos excesivos, por lo que, visto de una forma positiva, en la Edad Media se le identificó con el buen discernimiento, capaz de juzgar con capacidad el peso que cada uno puede aguantar.

Sin embargo, en otras ocasiones se le juzgó con mayor severidad. El comportamiento que acabamos de ver y su forma de caminar le convirtieron en símbolo de soberbia y obstinación por todo el norte de África, en Asia occidental y también en alguna narración cristiana.

En el arte romano el camello personificó a Arabia y, posteriormente, a partir del medievo europeo, se extendería la identificación a toda Asia. Esta asociación, justificada por la popularidad del animal entre aquellos pueblos, ya se puede percibir en las antiguas tradiciones judías. En ellas se tildó al camello de animal impuro y el motivo último no era otro que el de rechazar una imagen que asociaban profundamente a sus enemigos del cercano Oriente.

Cocina, Campi.

Campana

*A*l igual que los olores o el aire, el sonido de la campana es una percepción real, pero que no puede ser capturada por la vista ni el tacto, las sensaciones que más seguridad y realidad transmiten a los hombres. Por ello, en muchas narraciones tanto olores como sonidos suelen tener la virtud simbólica de comunicar el mundo físico con el metafísico. Como reflejo de ello, ha proliferado la creencia de que el tañer de las campanas afecta a hombres, dioses y espíritus por igual (su sonido, que puede ser musical y alegre, suele emplearse para ahuyentar presencias malignas).

Partiendo de esas consideraciones generales, en China, las leyendas populares hablaban tanto de la capacidad de que su sonido anunciase suertes o desgracias como de la posibilidad de que las campanas volasen como lo hace su sonido. Allí las campanas son un adorno frecuente de jardines y carros, ya que se considera que alejan a los malos espíritus (el budismo repite esta idea, lo que les conduce a identificarlas también con la sabiduría). Siguiendo en la cultura china, una similitud lingüística relaciona la campana con el éxito en los exámenes, por lo que se las representó para intentar traer suerte en dichas pruebas.

En la tradición occidental la campana comenzó siendo empleada en las fiestas egipcias consagradas a Osiris, en las dionisiacas griegas y en procesiones romanas, siempre con un sentido positivo, como símbolo que atrae las buenas influencias y aleja las perniciosas. Fue en el cristianismo donde cobró una mayor importancia. En época paleocristiana ya se empleaba en las catacumbas para llamar a misa y a partir del siglo VI su presencia en monasterios y conventos es algo usual. Se convirtió así en la llamada más eficaz a los fieles, identificando su sonido con la presencia de Cristo y su protección bienhechora.

Este sentido, encontrar lo divino en el sonido de la campana, no constituye una concepción exclusiva de la cristiandad. En el Islam su tañido es reflejo de la revelación coránica, al igual que en India y en China transmiten los principios de orden y armonía que rigen sobre el mundo creado.

Can

Véanse Cerbero y Perro.

Cáncer

*E*l cuarto signo del zodiaco comprende del 22 de junio a 22 de julio y se identifica con el agua y con el cangrejo. Este periodo se sitúa justo después del solsticio de verano, cuando las horas de sol comienzan a descender. El símbolo empleado para el signo, dos espirales en sentidos inversos, intenta representar ese cambio astral.

Como queda de manifiesto a través de la asociación de Cáncer con el cangrejo y el agua, encontramos una clara alusión a la simbología de este líquido. Estamos en un punto del ciclo zodiacal donde se camina hacia la integración de todos los principios en la Tierra y hacia el posterior renacimiento de las formas (los grandes cultivos avanzan hacia la recolecta), lo que se recalca a través del tradicional simbolismo del agua (*véase* Agua). Además, la concepción que acabamos de señalar guarda connotaciones maternales, sede de la vida por excelencia. Es aquí donde juega su papel el cangrejo, ser pequeño y acuático que se protege y resguarda en un caparazón mucho mayor.

Según la astrología, a los nacidos bajo este signo les corresponde una fuerte presencia de lo infantil, con predominio de la imaginación y la fantasía.

■ **Referencias cruzadas**: *véase* también Agua.

Campana

Su sonido es una de las más antiguas vías de comunicación entre lo humano y lo divino.

Cáncer

Su símbolo representa la alternancia de los astros en el cielo.

Candelabro

La menorah, el candelabro judío de siete brazos, aúna tanto el simbolismo del siete como el del Árbol de la Luz babilónico.

La existencia de un caos previo a la creación del universo es un concepto tradicional de numerosas religiones.

Candelabro

*S*u sentido simbólico deriva de la luz que porta. Ella hace que se le identifique con la salvación, vida e iluminación espiritual. Así, el candelabro ha jugado un importante papel en rituales y liturgias de numerosas religiones. Su significado concreto viene matizado por su forma, modo en que se emplea, la persona que lo empuña, etc.

Quizá el ejemplo más famoso sea el del candelabro judío de siete brazos, la menorah, que incluso recibió culto y fue custodiado en el Templo de Jerusalén. En gran medida este símbolo refleja una adaptación de una imagen previa, la del babilónico Árbol de la Luz (esquematización del orden cósmico en un tronco dividido en ramas portadoras de luz). Además, el número siete cobra una importancia fundamental. Es el número por excelencia de la totalidad, del ciclo perfecto, la cantidad de cielos y los planetas que asumía la antigua tradición hebrea. Por todo ello, la menorah puede ser tanto una alegoría de los siete ojos de Dios, cuya omnisciencia ilumina el mundo, como una representación del orden cósmico que da luz al universo, los seis planetas conocidos situados en torno al Sol, el brazo central.

Este símbolo judío fue empleado por el arte cristiano para evocar a los hebreos, aunque en alguna ocasión se identificara con Cristo iluminando al mundo.

Cangrejo

Véase Cáncer.

Caos

*E*ste concepto simbólico hace referencia al estado del universo antes de ser creado. Parte de la asunción de la existencia de un orden creado en el universo, regulado por dioses o fuerzas sobrenaturales. Su estado previo a ese orden sería, por tanto, el caos, una confusión primigenia y totalizadora. Este complicado concepto se plasmó sobre las imágenes más asibles del vacío (así aparece en la tradición griega y en la bíblica) o del

El principio de la creación (detalle de la Capilla Sixtina), Miguel Ángel

océano en el que todos los componentes del universo están aún disueltos e indiferenciados (los egipcios ofrecen un buen ejemplo de esta creencia).

Capricornio

El *décimo* signo del zodiaco, identificado con la tierra, abarca del 21 de diciembre al 19 de enero, el momento en el que comienza el solsticio de invierno. Es el punto final de un ciclo natural (el avance de la noche) que ahora comienza a renovarse, con lo que el Sol vuelve a ganar terreno para propiciar el renacimiento de la naturaleza. Este hecho fundamental hace que en el Extremo Oriente se tomara como el primer signo del ciclo zodiacal, el que da comienzo a todo. En cualquier caso, es el momento en el que en el interior de la tierra invernal comienza a germinar la vida. Pero es también un momento de frío y oscuridad, regido, por tanto por Saturno y su planeta (*véase* Saturno).

La astrología intenta crear un paralelismo psicológico a lo que acabamos de ver describiendo caracteres retraídos sobre sí mismos, que guarda toda su vida en el interior escondiéndose de un exterior que consideran frío e ingrato. Tomado en sentido positivo esto puede conducir a la autorrealización, pero corriendo siempre el riesgo de la melancolía.

La figura que identifica al signo muestra un ser híbrido de pez y macho cabrío, intermediario entre el mar y la montaña, símbolo del dualismo que manifiestan los dos polos de Capricornio, la vida interior y la oscuridad exterior, el principio y el final de la vida.

■ **Referencias cruzadas**: *véase* también Saturno.

Capucha

Esta *prenda* de vestir, frecuente en la Antigüedad, es muy usual en la representación de algunos dioses y magos. Suele tomar dos sentidos simbólicos. En primer lugar, por cubrir la cabeza y cerrar sobre sí mismo al individuo, alude al pensamiento y la meditación íntima (esto justifica su aparición en el hábito de los monjes). El segundo sentido deriva del enmascaramiento que ofrece la capucha, hasta el punto de hacer del individuo algo oculto, casi invisible. Por ello se ha asociado a las evocaciones del no ser, de la muerte, de donde derivan las capuchas que frecuentemente se emplean en los ritos de iniciación, que requieren de una muerte y resurrección ritual.

■ **Referencias cruzadas**: *véanse* también Manto y Túnica.

Caracol

Este *molusco* ha llamado la atención, sobre todo, por su lentitud y por el caparazón que le cubre. Así, diferentes sociedades han visto en él tranquilidad y

Las meditaciones de san Francisco, Zurbarán.

Capricornio

El signo de Capricornio es, ante todo, una muestra de los dualismos que en él se dan.

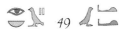

Caracol

El caracol se ha vinculado tradicionalmente a los grandes principios de vida y resurrección.

Como en el cuadro de Zurbarán, los monjes suelen llevar una capucha que debe facilitar su recogimiento y meditación.

El simbolismo del carro siempre ha estado unido al animal que tira de él o el material que transporta.

El recuento en Bethlehem, Brueghel d'Enfer.

Carro

En todas las grandes culturas, dioses, héroes, astros y reyes se han retratado constantemente sobre carros.

capacidad para llevar consigo todo lo que necesita, haciendo de él un símbolo de sobriedad. La forma en que sale de su caparazón o se esconde en él también sirvió como reminiscencia del embarazo femenino, por lo que su concha frecuentemente será símbolo del sexo de la mujer. Ese vínculo se establece, sin posibilidad de duda, con lo fértil y esto se refuerza por la forma en la que los caracoles proliferan sobre las tierras más húmedas y ricas. Siguiendo criterios simbólicos generales, agua, vida y femineidad son siempre principios lunares (*véase* Luna), por lo que civilizaciones como la azteca consagraron el caracol al dios de la Luna (Texiztecatl). Esta asociación no es exclusiva del mundo americano, sino que, al igual que la identificación con partos y embarazos, se puede rastrear por todo el planeta.

Además, algunas especies de caracol durante la hibernación se resguardan en su caparazón para luego romper la tapa de cal que lo cerraba y salir de nuevo. Este curioso comportamiento le hizo recibir vínculos con las ideas de resurrección y renacimiento cíclicos. Diferentes religiones pueden mostrarlo, pero un ejemplo claro es cómo en el cristianismo el caracol ha servido como símbolo de la resurrección de Cristo. Pese a todo, en ocasiones los cristianos lo tomaron como personificación de la pereza y el pecado (casi todos los animales que reptan se calificaron de impuros en el Antiguo Testamento).

■ **Referencias cruzadas**: *véase* también Luna.

Carnero

Véanse Cordero y Oveja.

Carro

Gran parte del simbolismo del carro proviene del de la rueda, asimilada frecuentemente al Sol. Por ello, muchas concepciones del mundo describieron la existencia de carros solares que explicarían el movimiento del astro rey. Ese carro, relacionado a través del Sol con lo divino, también puede ser vehículo para los desplazamientos de los grandes dioses, por lo que se representa junto a Thor, Zeus o Cristo.

Pero el significado del carro siempre puede ser matizado por los animales que tiren de él o por aquello que transporta. Así, el carro tirado por asnos es alegoría de la pereza; el de palomas o cisnes pertenece a Afrodita; si son ángeles quienes tiran de él nos encontramos ante el triunfo de la eternidad sobre el tiempo; el de bueyes negros es el de la muerte; el de unicornios, la castidad; los leones tiran del carro de Cibeles; mientras que los pavos reales lo hacen del de Juno; y los lobos del de Ares.

En más de una ocasión, sobre todo en las tradiciones occidentales, se ha empleado el conjunto del vehículo, conductor y animales de tiro como símil del ser humano, cuyos impulsos naturales deben ser gobernados por la mente como el auriga hace con sus caballos. Partiendo de menciones del Antiguo Testamento, el carro de fuego que se dirije al firmamento es un símbolo de la ascensión espiritual de un individuo hacia los cielos. En la tradición china e india la imagen formada por carro, auriga y tiro simbolizaría al universo entero, que, con diferentes tendencias, es gobernado por el eje que une cielo y tierra.

Por último, a lo largo de todo el mundo, los grandes héroes, generales y soberanos se han representado gobernando carros. De este modo pretendían unir los simbolismos ya mencionados, resaltando así la autoridad y las dotes de mando del retratado.

■ **Referencias cruzadas**: *véanse* también Jinete y Rueda.

Cartabón

Véanse Compás y Escuadra.

Casa

Las comunidades sedentarias dieron un paso fundamental al hacer de sus casas un lugar de residencia permanente a lo largo del año. Su importancia, funcional y simbólica, se hizo así vital y el hogar se convirtió en la ligazón más estable entre los hombres y el mundo. Desde su emplazamiento hasta su disposición interior fueron cuidados atentamente, considerando tanto la influencia de lo divino como las fuerzas de la tierra. La casa, su estructura y orden, pudo tomar entonces dos aspectos, dos referentes básicos: el hombre o el universo. Así cada una de las partes del hogar podría asimilarse a las partes del cuerpo humano o a las que componen el cosmos.

Un lugar primordial lo constituye el centro, que, además, en las construcciones más sencillas coincide con el punto más elevado de la casa. Se suman de esta manera los sentidos dados tanto a la elevación como al centro, por lo que se con-

Casa

El hábitat que ofrece la casa ha sido siempre el vínculo más estable entre el hombre y el mundo que le rodea.

Las diferentes sociedades han tendido a reproducir sus concepciones del universo en la disposición de los elementos que ocupan el interior de sus casas.

Comida en la casa del Burgomaestre Rockox, Frans II Francken.

Castillo Bentheim, Ruysdael.

La protección y aislamiento que caracterizan a los castillos han condicionado claramente su simbolismo.

Caverna

Las cuevas y cavernas han sido hábitat de monstruos, mítico seno de la vida y puerta tanto al cielo como al infierno.

vierte en el lugar de comunicación por excelencia entre lo divino y lo humano. Todo esto se refuerza por la necesidad de dar salida a los humos del hogar, cuya verticalidad hace que en esos puntos centrales y más elevados, se abran vanos a través de los cuales no sólo el humo irá de la tierra al cielo, sino que el sentido inverso recorrerá la lluvia.

Tantas atenciones simbólicas sobre la casa no tienen por objetivo más que crear la anhelada seguridad que el hombre busca en el mundo. Por ello, gran parte de las representaciones o menciones simbólicas a casas se deben interpretar como una referencia a esa seguridad deseada.

Por último, en muchas narraciones la casa se encuentra relacionada con los principios; es algo bastante usual y se explica por ser, tanto la casa como la mujer, continentes de vida.

■ **Referencias cruzadas**: *véanse* también Chimenea y Hogar.

Castillo

*E*stas *construcciones*, enclavadas en lugares elevados, generalmente aislados, tienen por misión proteger y resguardar a sus habitantes. Por este motivo

pueden convertirse en símbolo de protección y fortaleza (alguna representación judía muestra a Yahvé como castillo que protege a los suyos), pero, en general, el sentido que más ha proliferado en mitos, cuentos y leyendas es el que comparte con la isla, el jardín o la torre. Estamos refiriéndonos a las más populares sedes de tesoros o demonios, lugares siempre distantes y de difícil acceso. En esas ocasiones el castillo es tanto símbolo de la dificultad de alcanzar un objetivo como alusión de aquello que en él se guarda. Así encontramos tanto castillos del tesoro, como temidas moradas de monstruos, castillos encantados, etc. Muy comúnmente, estas nociones suelen recalcarse a través del color de la construcción (blanca o negra, para no complicar mucho). Como se puede ver en muchos otros símbolos, se pueden establecer claros paralelismos entre las dificultades, premios y amenazas de la fortaleza con todo aquello que se encuentra en las profundidades de nuestro ser.

Caverna

*L*a *caverna,* sede desde tiempos prehistóricos de todo tipo de cultos, reúne varios simbolismos que inciden en su condición de hendidura en la tierra.

Con bastante frecuencia entrar a la caverna se ha comparado con un regreso a la tierra, al lugar del que viene la vida y que posee sus poderes y misterios. Y esa vuelta a los orígenes puede ser también un retorno al seno de la madre, con lo que la cueva se convierte en símbolo de la matriz femenina.

Las leyendas que relatan el nacimiento de héroes o dioses en el interior de una caverna muestran reminiscencias de este simbolismo. Como ejemplos se puede poner el caso de Lao-Tse y algunos de los Inmortales en la tradición china o de Jesús en el cristianismo. Los egipcios, que deificaban a su gran río, el Nilo, también consideraban que nacía de una cueva. Otra muestra más la ofrecen pueblos turcos e indios norteamericanos, que compartieron la creencia de que los hombres nacían de embriones gestados en cavernas.

Todo lo narrado contribuyó a hacer de algunas grutas lugares perfectos para rituales que implicaran el renacimiento, entrar en contacto con el origen de la vida, como es el caso de las ceremonias de iniciación y los rituales funerarios.

Uniendo estos sentidos con el frecuente desconocimiento de los últimos recovecos de la cueva, hacía pensar que en ellas se situaban las míticas puertas de entrada al otro mundo; pero no sólo al infierno, sino también a los cielos. Es así principalmente en las cavernas propias de la montaña, donde su elevación implica una cierta participación de los principios celestes.

Otro sentido más que recibe la cueva deriva de la ausencia de luz, lo que hace de ella un símbolo tanto de lo desconocido como de la ignorancia. El ejemplo más conocido seguramente sea el de la caverna del mito platónico. Ese mundo desconocido de la caverna también puede ser percibido desde el temor, lo que conduce a convertir a los habitantes naturales de estas grutas en verdaderos monstruos que amenazan a la humanidad, algo muy frecuente en el mundo grecolatino.

■ **Referencias cruzadas**: *véanse* también Luz y Montaña.

Caza

*E*l *símbolismo* de esta actividad nace de la persecución de una pieza y la lucha contra el animal, desde donde se crea una interpretación que habla de los combates contra nuestras amenazas y de la búsqueda en pos de un objetivo. Ese úl-

timo aspecto puede ser tratado de diferentes formas, haciendo de él algo positivo, relacionado con los logros espirituales o con los económicos, o condenándolo como muestra de una obsesión por los bienes más mundanos y frívolos.

Como consecuencia de todo ello, ya desde el antiguo Egipto proliferan escenas de caza protagonizadas por los grandes benefactores de la sociedad, como el faraón. Con ellas, aun cuando la caza no era una importante actividad económica, el soberano se mostraba representando la prosperidad y protección que ofrecía a sus súbditos. En el Egipto faraónico que acabamos de mencionar, la caza del hipopótamo se erigió como un importantísimo ritual; en él el faraón debía acabar con el animal, personificación de Seth, el gran enemigo de Egipto (*véase* Hipopótamo).

Pero las actividades cinegéticas no sólo eran simbólicas; durante siglos, pese a no tener gran importancia económica, constituyeron una preparación para las artes bélicas. Por ello en muchas sociedades quedó restringida a unas pocas manos. En China sólo el emperador podía dedicarse a la caza ritual, mientras que en el norte de África era un privilegio de los

Caza

Esta actividad puede llegar a simbolizar una elevada búsqueda espiritual.

Diana regresa de cazar, Rubens.

Ceníza

Como se puede imaginar, las cenizas son un símbolo que anticipa la muerte, la disolución de las formas físicas.

grandes señores. También en la Europa medieval y moderna se limitó la caza a unos pocos privilegiados.

En las escenas de caza del arte occidental, aparte del simbolismo visto, suelen encontrarse referencias a los mitos griegos de Dionisos y Artemisa. A él se le muestra como un cazador convulsivo, símbolo de la persecución continua de placeres terrenales. Sin embargo, la diosa muestra todo lo contrario, ella caza a las bestias de la misma forma que acaba con todos los impulsos salvajes y descontrolados. Por último, algunas representaciones pueden esconder en la caza una alegoría de la persecución establecida entre el alma de los hombres y Cristo.

Ceníza

L os residuos de la combustión o de la putrefacción de un cuerpo no pueden sino evocar ideas de muerte, recordad la fugacidad de las realidades físicas.

Por ello, en muchas culturas, como la griega, egipcia y árabe, las cenizas eran empleadas en el luto. De forma similar, en China, se consideraba que soñar con cenizas húmedas era anuncio de muerte.

Ese recuerdo de la cercanía de la muerte se ha empleado frecuentemente para propiciar una reflexión espiritual sobre la vida, que, de conducir a la renuncia de lo material, se podía convertir en una purificación (judíos e hindúes la emplearon en este sentido). De ahí proviene el amplio uso que la Iglesia hace de la ceniza (en consagraciones de templos, el llamado Miércoles de Ce-

Venus sobre un sátiro, Dirck de Quade van Ravesteyn.

niza, etc.), que ya en el Antiguo Testamento había aparecido como símbolo de penitencia.

Por último, la ceniza también suele aparecer en los ritos de iniciación y renovación, que requieren de una muerte ritual. Así, los mayas, por ejemplo, empleaban la ceniza para propiciar la resurrección de los ciclos de la naturaleza.

■ **Referencias cruzadas**: *véase* también Gris.

Centauro

E stos seres de la mitología grecolatina son descendientes del abominable Ixión, que mató a su suegro para no entregarle los regalos que le había prometido por la boda. Pese a todo, Zeus le perdonó y purificó su alma, pero como la gratitud no cabía en él, Ixión se propuso seducir a la esposa del dios, aunque fue burlado. Zeus creó una nube con la imagen de su mujer, y junto a ella Ixión engendró a los centauros. Como no podía ser menos, pese a que la mitología griega apenas narra unos pocos casos de castigos en el más allá, este individuo se ganó tal mérito: fue atado a una rueda que debía girar durante toda la eternidad.

Sus hijos, los centauros, constituyen una magnificación del lado salvaje e incontrolado de los impulsos humanos (*véase* Caballo). Son seres apenas capaces de controlar sus instintos, propensos por tanto a la borrachera, la violación y el rapto.

Generalmente se les representa con arcos y flechas, seguramente una reminiscencia del simbolismo de la caza y del temor de los clásicos a los pueblos de jinetes como los escitas. No es descabellado pensar que la visión de los primeros hombres a caballo generara ideas sobre seres híbridos como el centauro; de hecho, está documentado que en la América precolombina los indígenas desarrollaron una

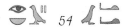

concepción similar al ver a los primeros conquistadores españoles.

Aun así entre los centauros (también llamados hipocentauros) se encuentran Quirón y sus hermanos, que no descienden de Ixión, sino de Filira y Cronos. Ellos son el contrapunto positivo a todas las connotaciones antes vistas. Son seres que han aprendido a dominarse, hasta el grado de que Quirón incluso llegó a ser preceptor de héroes como Aquiles o Jasón.

En los motivos artísticos se pueden recoger todas estas visiones, desde el centauro descontrolado hasta el maestro. En el arte posterior a la Antigüedad perdieron poco a poco su significado simbólico, lo que permitió que durante el románico, Cristo como cazador de almas se plasmara a través de la figura del centauro.

■ **Referencias cruzadas:** *véanse* también Caballo, Caza y Jinete.

Centro

*U*no de los conceptos simbólicos con mayor peso en todo el mundo es este, el del centro. Con él se responde a la necesidad humana de comprender y ordenar aquello que le rodea. Así, la noción de centro se va a construir con connotaciones del centro geométrico, pero sobre todo como identificación con la esencia de las cosas y con el sentido de su existencia.

El centro es el principio y la esencia, es también el lugar donde se reúne la diversidad del mundo para crear la unidad. Por todo ello, al unir este concepto al pensamiento religioso de la influencia de los dioses sobre la Tierra, el centro se convierte en el lugar de comunicación por excelencia entre lo mundano y lo divino, y para recalcarlo los grandes centros serán lugares en altura, cercanos al cielo. La montaña, el templo, el altar y el palacio van a recibir plenamente estas consideraciones. En muchas ocasiones la comunicación que ejercen los dioses en el centro hacen que éste sea más una vertical que un lugar concreto, lo que conduce a la noción de eje del mundo y a los tradicionales árboles de la Vida o del Universo (*véase* Árbol).

Esta organización del mundo también contempla generalmente que la cercanía con el centro conlleva una mayor participación con lo divino, por lo que los pueblos de los confines ganan en salvajismo e inhumanidad.

También los microcosmos creados por el hombre, como sus casas y edificios, van a reflejar la existencia de centros simbólicos, lugares preeminentes en torno a los que todo gira.

El centro cobra manifestación en multitud de símbolos, pero puede destacarse uno de ellos sobre los demás: la cruz, cuyos brazos parten de un único punto (*véase* Cruz). En otras ocasiones un simple punto resaltado de cualquier forma en el centro de una representación puede aludir a su simbolismo.

■ **Referencias cruzadas:** *véanse* también Árbol, Cruz, Eje del mundo y Montaña.

Cepa

Véase Vid.

Cerbero

*L*a mitología griega detalló la existencia de este can, Cerbero, un perro de varias cabezas y con el cuello o cola recubierto por serpientes. Su impresionante presencia era la bienvenida de todos aquellos que querían llegar al Hades. Pese a su aspecto feroz, a los muertos los recibía moviendo la cola; sin embargo, no dejaba pasar a ningún vivo.

Como tantos otros animales monstruosos, puede hacerse de él un símbolo de nuestros temores, en este caso volca-

Centauro

Híbridos de caballo y hombre, los centauros tienen torso y cabeza humanos, pero patas y vientre de equino.

Centro

Quizá el símbolo que manifiesta con mayor fuerza la noción de centro sea la cruz.

Cerbero

Perro de varias cabezas que guardaba la entrada al Hades griego.

dos sobre la muerte. Resulta muy revelador que Heracles, en uno de sus 12 trabajos, no pudiese aplacar a este animal sino con el sonido de la lira.

En el omnipresente fútbol del mundo actual la palabra «can-cerbero» ha pasado a designar al portero que defiende su meta. Este uso constituye una herencia del término con que hasta hace unos años se denominaba a los porteros (de fincas) que mostraban modales bruscos.

■ **Referencias cruzadas**: *véase* también Perro.

Cerdo

La fisonomía del cerdo está condicionada por más de 9.000 años de domesticación humana. En algunas representaciones simbólicas puede confundirse con su pariente salvaje, el jabalí.

Cerdo

*L*a *simbología* de este animal en ocasiones se confunde con la de su pariente salvaje, el jabalí, pero en general podemos decir que el cerdo, por su fecundidad y por el gran provecho económico que ofrece su domesticación, es símbolo de prosperidad, fertilidad y suerte.

Las riberas del Mediterráneo vieron proliferar durante la Antigüedad amuletos y representaciones de cerdos, principalmente amamantando a sus cochinillos. Así, en las tradiciones grecolatinas se consagró a diferentes dioses (como Deméter, responsable de los ciclos naturales) y fue una de las víctimas más preciadas para los sacrificios. Del mismo modo, los habitantes prehispánicos de El Hierro hicieron de él un animal propiciatorio de la lluvia (todos los principios fértiles se asocian a la lluvia; *véase* Lluvia).

También el Oriente asiático consideró al cerdo símbolo de abundancia, incluso protagoniza uno de los signos del zodiaco chino.

Sin embargo, en el Egipto faraónico se manifestó una mayor ambivalencia. Allí se crearon amuletos con su imagen, pero esto no evitó que se identificara con el dios Seth, enemigo de la civilización egipcia. A partir de ahí se desarrolló una simbología negativa, inspirada por la suciedad que acompaña al animal (la costumbre de rebozarse en el barro tiene mucho que ver con la necesidad de cuidar su piel), por sus costumbres alimenticias (puede comer cualquier cosa) y por su fertilidad. Todas estas características naturales, vistas con un ánimo peyorativo, condujeron a identificarlo con la inmundicia, la ignorancia, la gula y la lujuria.

Los hebreos adoptaron y potenciaron esa simbología, ya que cualquier animal que fuera sacrificado o consagrado por los pueblos paganos, debía ser demonizado para evitar cualquier similitud entre la pureza de lo judío y el resto de costumbres inmorales. Con el paso de los años esa concepción se transmitió al cristianismo e islamismo; durante la Edad Media occidental se empleó frecuentemente como símbolo de lujuria e ignorancia.

■ **Referencias cruzadas**: *véanse* también Jabalí y Lluvia.

Cero

*E*ste *es* uno de los números de significado conceptual más complejo. No en vano la sociedad occidental no lo co-

Carniceros, Pieter Aertsen.

nació hasta que fue introducido por las matemáticas árabes. Simbólicamente el cero constituye una representación del no ser, por lo que suele aparecer vinculado a los momentos previos a la vida o a los inicios de un proceso, a la potencia de lo que aún no es.

Es un significado cercano al de la concha, principio generador. Por ello, los mayas (que conocieron este número mil años antes que los europeos) representaron el cero a través de la espiral.

Otro posible significado vinculado a este número es el de aquello que no tiene valor por sí mismo, sino que lo adquiere al mezclarse con otros principios (como lo hace el cero al operar con otros números).

Cetro

*E*l *simbolismo* de este objeto, derivado del que recae sobre el báculo y el bastón, le convierte en un principio de autoridad por parte de aquél que lo posee. El cetro es un atributo común de grandes gobernantes (espirituales o temporales) y dioses; simplificando, podríamos decir que se trata de un pequeño bastón de mando construido, generalmente, con metales preciosos.

Ya entre los egipcios aparecen cetros empuñados por los faraones, al igual que luego lo harían en manos de los dioses griegos y de santos, generales y soberanos del Occidente cristiano. También en China se entregaban cetros como señal de dignidad a los ancianos y, en las bodas, a la familia de la novia.

En muchos casos el remate superior del cetro le aporta un significado especial. Ejemplos significativos son las águilas de los cetros militares y las imágenes de dioses en los empuñados por los poderes religiosos.

■ **Referencias cruzadas**: *véanse* también Báculo, Bastón y Caduceo.

Chacal

*A*nimal *carroñero* que puede llegar a merodear alrededor de los cementerios, por la noche, en busca de cadáveres que comer, razón que explica su consideración como animal nefasto, encarnación del diablo (por ejemplo para los semitas) y símbolo de mala suerte. De igual manera, su condición nocturna y relacionada con la muerte le convierte en guardián de los infiernos con funciones psicopompas (conduce a los difuntos hacia su destino). De ahí que sea el animal emblemático con el que es representado Anubis, dios egipcio de los muertos. Sin embargo, parece que en Egipto nunca existió tal especie. Cabría preguntarse entonces ¿por qué este dios aparece con cabeza de chacal? La respuesta es relativamente sencilla, ya que sí existían varias especies de perros salvajes de características físicas similares a las del chacal (cierto aspecto de lobo, con orejas finas y puntiagudas y hocico afilado). Esta debió de ser la razón que condujo a confundir a parte de la arqueología moderna, que identificó el chacal con este tipo de cánidos. La prueba de que la cabeza que lleva sobre sus hombros Anubis no es la de un chacal, quizá nos la ofrezca el hecho de que el santuario más importante de este dios se encontraba en Cinópolis, etimológicamente, ciudad de los perros.

La similitud con el perro le convierte en partícipe del simbolismo de éste, que en su acepción negativa habla de agresividad, exacerbación de las pasiones, avidez, etc.

■ **Referencias cruzadas**: *véanse* también Cerbero, Perro y Psicopompo.

Charca

*P*equeña *acumulación* de agua, entendida frecuentemente como un

Cero

Más que la falta de valor, este número, desde un punto de vista simbólico, habla del estado previo al ser.

Cetro

Vara de metales preciosos que emplean altas dignidades como atributo de su cargo.

Chacal

Anubis, dios egipcio de los muertos que vela por los ritos funerarios y el viaje hacia el otro mundo, aparece representado siempre con cabeza de chacal.

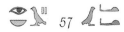

Diana y Acteón, Giuseppe Cesari.

Chimenea

Al calor de la chimenea se celebran innumerables veladas que fortalecen y perpetúan los lazos familiares, así como la tradición oral.

lago a pequeña escala, por lo que recibiría las connotaciones positivas de aquél y del agua, pero en tanto que estancada y sucia, se relaciona más con el pantano.

Actualmente en el lenguaje popular se denomina también así a los depósitos más o menos pequeños de agua de río formados de manera natural, muy apreciados por sus posibilidades lúdicas relacionadas con el baño.

■ **Referencias cruzadas**: *véanse* también Agua y Lago.

Chimenea

El humo, al escapar por la chimenea, marca una clara línea ascensional. Por ello aparece relacionada con el simbolismo de la vertical y eje del mundo, subrayados, a su vez, por el hecho de que el humo que asciende hacia el cielo une de manera tácita éste con la vivienda. El antecedente de la chimenea lo encontramos en el agujero de la zona superior de las tiendas de campaña. En ambos casos el sentido de unión de lo terrestre con las fuerzas celestiales es claro. Incluso se materializa en la leyenda en la que Papá Noel desciende por la chimenea.

De otro lado, al igual que sucede con el hogar, es el lugar por excelencia de socialización familiar, de tal manera que su entorno es el escenario de celebración de las veladas familiares y transmisión de la tradición oral. Por ello, puede considerarse también una muestra de los vínculos de unión familiar.

■ **Referencias cruzadas**: *véanse* también Hogar y Humo.

Cíclope

Hijos de los titanes de la mitología griega, los cíclopes, seres malvados y gigantescos con un solo ojo, suelen habitar en cuevas de las que apenas salen para cazar. Su sentido simbólico proviene de ser individuos inmensos, extremadamente corpóreos y relacionados con la tierra, pero con un solo ojo. Son, en suma, una magnificación de los instintos pasionales en su forma más primitiva (de ahí su relación con la tierra) y su único ojo manifiesta la imposibilidad de que su capacidad intelectual les gobierne (simbólicamente ese ojo reduce a la mitad la

El cíclope Polifemo, Annibale Carracci.

capacidad habitual para discernir y comprender). Esa ausencia de juicio y conocimiento se recalca también a través de su escasa convivencia con la luz (sabiduría).

Sin embargo, su fuerza brutal, primitiva y descontrolada sí puede ser aprovechada por los dioses, por lo que tanto Zeus como Hefestos los emplean como sirvientes.

Polifemo, el cíclope que se enamoró de Galatea, constituye un optimista ejemplo de cómo toda rudeza puede ser aplacada y humanizada a través del amor.

■ **Referencias cruzadas**: *véanse* también Deformidad y Gigantes.

Cíclope

Gigantesco ser de un solo ojo.

Cielo

*E*l *cielo* juega un papel clave en todas las visiones del mundo conocidas. Es la sede de fenómenos naturales maravillosos y misteriosos que determinan la vida en la tierra. Como consecuencia de esa constatación, aparece la separación conceptual entre cielo y tierra. En el cielo se situarán pues las fuerzas que expliquen esos fenómenos meteorológicos, el movimiento de los astros, etc. Se podría decir que de esa idea a la creación de los dioses imaginados hay sólo un paso, pero quizá sea incorrecto pensar que en las primeras concepciones del mundo hubo algo que diferenció lo que hoy podemos entender por fuerza de la naturaleza o por dios.

Como estamos viendo, la imagen del cielo se asoció completamente a las ideas creadas sobre los dioses (en la Biblia «cielo» y «Dios» se emplean ocasionalmente como sinónimos). Por ello, cuando se creyó que tras la muerte existe otra vida en la que los justos serían recompensados

La tempestad, Giorgione.

y vivirían en compañía de sus divinidades benefactoras, se la situó en los cielos. Consecuentemente, los pueblos que, como griegos y romanos, no concibieron la existencia de una vida en la que dioses y hombres vivieran juntos, no la ubicaron en el cielo. Si el que acabamos de narrar era el destino de los justos, para buscar el lugar en el que los pecadores pagarían por sus penas se creó el concepto opuesto, un infierno situado en el interior de la tierra.

Esta divinización de lo celeste también tiene su repercusión simbólica en los significados dados al vuelo y a la elevación. En ambos casos (*véanse* Ascensión, Montaña y Vuelo), la cercanía física con el cielo se interpreta como una participación en su esencia y, por tanto, como una forma de contactar con lo divino. Esta idea no sólo subyace en narraciones míticas, sino también en las más famosas construcciones arquitectónicas, como las pirámides mesoamericanas y egipcias, las catedrales góticas, los templos y palacios chinos, etc.

El dualismo cielo-tierra, la división más importante de las que organizan to-

El cielo es poder, trascendencia y sacralidad, es decir, lo que ningún hombre puede alcanzar en vida.

Cielo

Símbolo casi universal que puede reflejar la creencia en fuerzas sobrenaturales, responsables del génesis del universo.

más alejadas se considera-ron las responsables últi-mas de lo que acontece, ya que su voluntad, traducida en movimiento, se trans-mitiría de una esfera a otra hasta llegar a la tierra.

■ **Referencias cruza-das**: *véanse* también Alas, Ascensión, Caos, Montaña y Vuelo.

Paisaje con animales, Roelandt Savery,

Ciervo

Mamífero rumiante que destaca por su cornamenta ramificada, una acumulación de hueso muerto que mudan cada año.

das las visiones del mundo, se asoció al otro gran dualismo conocido por los hombres, el sexual. Por este motivo las diferentes culturas tendieron a equiparar cada realidad con un sexo. Aunque exis-ten excepciones (como el caso del Egipto faraónico), el criterio más extendido es el de la fertilidad, que identifica a la tierra con la mujer.

Al intentar explicar el origen del mundo, el razonamiento más extendido en la historia de la humanidad fue imaginar que lo que ahora es manifiesto antes se mostró mezclado y confundido en un caos primordial (*véase* Caos). Siguiendo esta creencia, numerosas mitologías narraron actos sexuales entre cielo y tierra, una originaria y fecundado-ra confusión, que dio lugar al mundo co-nocido.

Por último, conforme ganaron en complejidad las interpretaciones del uni-verso, también lo hacen las concepcio-nes sobre lo celeste. Así, muchas civiliza-ciones comenzaron a plantearse la existen-cia de varias esferas celestes en las que se ubicarían las diferentes entidades que componen el cosmos. Generalmente, las

Ciervo

Su *cornamenta*, la im-portancia de su caza para algunos pueblos, la gracilidad de su porte y caminar, la belle-za de sus ojos, su comportamiento benig-no y pacífico, y su relación con el agua han desarrollado una simbología muy ex-tendida, siempre con connotaciones muy positivas.

Pero quizá el elemento que más inte-rés ha despertado ha sido su cornamenta, que se renueva anualmente. Esas astas han recibido una simbología de fertilidad y renovación cíclica y, por sus ramifica-ciones, se asocian también a la imagen del Árbol de la Vida (*véase* Árbol). Al identi-ficarse el ciervo con los grandes misterios de la vida, ha aparecido frecuentemente como intermediario entre dioses y hom-bres, asociado al Sol y la luz (atributos di-vinos). La forma de sus astas, que recuer-da las representaciones más usuales de los rayos, refuerza este sentido. Pero esa aso-ciación también ofrece un lado negativo que le lleva a convertirse en augurio de se-quías e incendios (así lo reflejan leyendas populares del sudeste asiático).

Un motivo frecuente es el que une a la serpiente con el ciervo. En esta imagen ambos comparten el mismo sentido rege-nerador (uno muda las astas, la otra la piel), pero cuando el ciervo pisotea a la

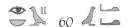

serpiente podemos encontrarnos ante una contraposición de lo solar (el mamífero) con lo terrestre (el reptil). El trasfondo sería, por tanto, el mismo que para las combinaciones de águilas y serpientes.

Como símbolo de renovación aparece en muchas narraciones donde se afirma que sus astas proporcionan la esencia de la inmortalidad (los chinos crearon pociones con ellas). Estos sentidos son los responsables de que en ocasiones la cornamenta del ciervo se tome como señal de prosperidad, algo que favorece el provecho económico que se obtiene del ciervo abatido.

En el mundo clásico toda esta simbología de renovación y vida se acentuó al representar principalmente hembras, no machos. Así, son ellas quienes acompañan a Diana, diosa romana de la caza. Además, se les consideró también alegoría de la pureza y la bondad, ya que son animales pacíficos, gráciles, prudentes (huyen al oír el menor ruido) y se les encuentra frecuentemente en las orillas de ríos y manantiales (el agua identifica tradicionalmente a la pureza).

La tradición cristiana heredó todos los sentidos vistos, empleando al ciervo como personificación de Cristo, que aúna sobre sí concepciones sobre resurrección, pureza y bondad. Algunas imágenes especifican aún más esta asociación entre el animal y el hijo de Dios poniendo en su cornamenta una cruz.

Por último, alguna pintura occidental emplea al ciervo como imagen de fogosidad sexual, ya que este animal, durante el celo, busca con visible ahínco hembras con las que aparearse.

■ **Referencias cruzadas**: *véanse* también Árbol y Gacela.

Cigüeña

*T*odo *el* Viejo Mundo tuvo a la cigüeña como una referencia muy positi-va. Lo más destacable de su simbología proviene de su visible comportamiento familiar, su capacidad para acabar con las serpientes, su renacimiento cíclico con las migraciones, su vinculación al agua y su conocida pose de descanso, sobre una sola pata.

A partir de estos comportamientos, las diferentes culturas generaron variadas interpretaciones. Así, en Asia oriental se convirtió en un símbolo de longevidad e incluso inmortalidad. Mientras tanto, en Egipto su imagen aparecía muy condicionada por la del ibis, por lo que se tomó también a la cigüeña por personificación de la sabiduría y de su dios, Thot. Esta asociación proviene tanto de la forma en que ataca a las serpientes (el conocimiento atacando a las amenazas) como por su relación con el agua y por su postura de descanso, identificada como una actitud reflexiva.

En el Antiguo Testamento, al igual que al ibis y a otros animales adorados por los pueblos vecinos de los judíos, se le calificó de ave impura, pero aun así el cristianismo llegó a comparar la lucha de la cigüeña con las serpientes con la protagonizada por Cristo y Satanás. Las tradiciones populares europeas (gracias a la relación del ave con el agua) la asociaron, igual que vimos en Asia, con los principios de renovación vital. De ahí proviene la archiconocida imagen de esta ave como portadora de recién nacidos, algo que también podría ponerse en relación con la tradicional identificación entre aves y almas.

Queda por mencionar que desde el mundo clásico la cigüeña se consideró un símbolo de amor filial, ya que corrían leyendas en las que se afirmaba que estas aves cuidaban de sus padres ancianos.

■ **Referencias cruzadas**: *véanse* también Aves, Garza e Ibis.

Cigüeña

Ave de la misma familia que la garza y el ibis, del que le diferencia un mayor porte y la forma puntiaguda de su pico.

La cigüeña es también un símbolo de amor filial.

5

Cinco

Este número se identifica con las nociones de centro y de totalidad.

Cinturón

Las implicaciones alegóricas de esta prenda son mucho mayores de lo que podría suponerse en un principio.

El alabardero del cuadro refuerza su aspecto decidido gracias a ese cinturón que, simbólicamente, contiene sus impulsos.

Cinco

Dentro de la compleja simbología de los números, la interpretación del cinco parte de la noción de centro. Es así por dos motivos: este número se sitúa en el punto intermedio de la decena, base de números, sistemas matemáticos; pero, sobre todo, el quinto elemento es el que se suma a las cuatro direcciones posibles para marcar el centro.

Así, el cinco se convierte en manifestación del centro que engloba las concepciones cuatripartitas del mundo (cuatro elementos, regiones, puntos cardinales, etc.) y, por tanto, es símbolo también de su unidad.

En China encontramos una ratificación a esta simbología: el carácter empleado para este número es una cruz de cuatro extremidades con el centro marcado y, en sus tradiciones, el cinco se convierte en un esquema básico de ordenación (cinco libros de la tradición, cinco colores, cinco sabores, cinco sentidos, cinco planetas...). Además, el cinco es el símbolo de la unión armónica del yin y el yang (suma del dos y el tres; explicado más adelante). Otra simbología muy significativa aparece entre sus vecinos hindúes, que concibieron el quinto rostro de Shiva como el eje del mundo.

En Centroamérica el cinco era un punto clave de los ciclos vitales; el primer brote de maíz, por ejemplo, debía aparecer cinco días después de su siembra. Concepciones similares aparecieron en torno a la vida de los infantes y las almas.

En el mundo celta también se organizó la realidad divina en torno a este número (cinco dioses principales). Así mismo, la tradición bíblica le concedió un lugar importante (los cinco libros de Moisés componen la *Torá* judía, cinco panes y cinco llagas de Cristo). Los mismos sentidos continuarían siglos después en el Islam (cinco pilares de la fe, cinco oraciones divinas, etc.).

Pero la tradición pitagórica alude a otra clave que puede tener su importancia y que ya ha sido mencionada en cuanto al yin y el yang. El cinco es el producto de la suma del dos y el tres, y estos números suelen ser los asociados a lo terrestre y femenino y a lo celeste y masculino, respectivamente. Pese a ello, esta interpretación ofrece el mismo resultado que las anteriores, ya que encontramos a este número como imagen de totalidad.

■ **Referencias cruzadas**: *véanse* también Centro, Cruz y Yin-yang.

Cinturón

El cinturón, que se cierra en torno a la cintura (los riñones suelen vincularse a los impulsos) y sustenta aquellas prendas que ocultan la sexualidad, se ha empleado predominantemente como símbolo del dominio y contención de los instintos sexuales. Pero además, la forma en la que se ciñe ha inspirado matices similares a los del nudo y las ataduras (consolidación de un lazo; *véase* Nudo).

Alabardero, Pontormo.

La tradición judeocristiana ha recogido ambos simbolismos en los cinturones mencionados en la Biblia y en aquellos que visten ermitaños, monjes y sacerdotes. Estos últimos se consideran símbolo de control (y anulación) de los instintos sexuales y del lazo que asumen con el Señor. Por ello también los ángeles suelen representarse con esta prenda. Aun hoy en día, esa relación establecida con los actos de voluntad queda patente en expresiones populares como «ceñirse» o «apretarse el cinturón».

En el hinduismo, los rituales de iniciación también conllevan la imposición de un cinturón, que manifiesta la voluntad del iniciado y el nuevo lazo que éste adquiere. Por esta fuerte asociación a la voluntad, que vemos en muy diferentes culturas, el cinturón pasa a ser también alusión a la fortaleza; es el caso del cinturón del dios nórdico Thor.

Pero el cinturón, sobre todo, esconde numerosas referencias sexuales, muy visibles en tradiciones romanas, griegas, chinas e hindúes que tienden a repetir un ceremonial en el que el novio desata el cinturón de su prometida. La interpretación resulta sencilla, debemos ver en esa costumbre una entrega de la sexualidad y, en ocasiones, incluso de la virginidad. Como consecuencia del mismo simbolismo, a las prostitutas medievales se les prohibía llevar cinturón y a las amazonas de la mitología grecolatina, que controlan su sexualidad con frialdad, se las representa siempre con él. También entre griegos y romanos encontramos una curiosa referencia más: según sus narraciones, el cinturón de Afrodita, diosa griega del amor, Venus entre los romanos, ofrecía un poder de atracción irresistible a todo el que lo contemplaba.

Encontramos un último ejemplo de esta simbología entre los pueblos mongoles, donde los hombres que se alejaban de una mujer con la que habían mantenido relaciones sexuales le entregaban su cinturón, que sería símbolo de su matrimonio si llegara a nacer un hijo.

■ **Referencias cruzadas**: *véanse* también Nudo y Riñones.

Ciprés

*G*racías a su hoja perenne, a la longevidad que alcanza y a la forma en la que crece hacia el cielo, se ha vinculado con la inmortalidad y la persistencia de la vida.

Ese sentido justifica que en la antigua China se creyera que comer sus semillas alargaba la vida y que en Japón proliferen los usos litúrgicos de su madera.

La tradición cristiana hizo de él un símbolo de la vida en el más allá, pero el origen de esta interpretación debe situarse en el mundo clásico. Ya entonces el ciprés se identificaba con los dioses de la muerte (como Hades, Plutón o Cronos) y con los de la medicina (Asclepios). Por este motivo comenzó a proliferar su presencia junto a los sepulcros o, como harían los primeros cristianos, en relieves sobre sus sarcófagos.

Círculo

*E*s una de las formas geométricas con mayor simbolismo. Su forma, una unidad sin desigualdades ni rupturas y de continuidad infinita, le ha convertido en la imagen por antonomasia del conjunto perfecto y de la eternidad sin fin. Y como estas caracte-

Ciprés
Árbol de hoja perenne reconocible por su copa esbelta y su forma piramidal.

Adoración del cordero místico (detalle), Jan van Eyck.

Círculo

Figura geométrica adscrita casi universalmente al cielo y a sus fuerzas.

Cisne

Ave acuática de la familia de los patos, reconocible principalmente por el color blanco de su plumaje y por su largo cuello.

rísticas lo son también de los grandes dioses o fuerzas que ordenan el mundo, el círculo se ha identificado con el cielo, lugar en el que se supone residen. Por ello, el círculo va a figurar como imagen de cielo y símbolo del poder de sus dioses, algo muy visible tanto en las culturas del Extremo Oriente como en las de Mesopotamia o la Europa cristiana.

Si el cielo es el círculo, la tierra tomó la forma del cuadrado, opuesto geométrico con quien se puede compartir un mismo centro. Esta asociación viene reforzada por la esfericidad de los grandes astros, el Sol y la Luna. El dualismo simbólico creado por círculo y cuadrado constituye el elemento fundamental de muchas arquitecturas y con él se evoca la interrelación y diálogo entre lo terrenal y lo celeste.

Como ya se ha mencionado, el centro del círculo puede jugar un importante papel; con cierta frecuencia aparecen en él las fuerzas que originan el movimiento de todos los conjuntos. En otras representaciones, la sucesiva proximidad con ese centro simboliza la penetración en la esencia de lo divino.

■ **Referencias cruzadas**: *véanse* también Cielo, Cuadrado y Rueda.

Cisne

L a blancura de su plumaje y la belleza de su porte conduce a una extendida relación entre cisne y luz. Además, el agua en la que vive este animal, conduce a un simbolismo purificador y de participación en la esencia de la vida. A partir de ese significado, las diferencias más notables entre las diversas interpretaciones provienen del sexo al que se asocia.

Entre los griegos, la vinculación con lo solar hizo de él un animal masculino, llegando a aparecer como tiro del carro de Apolo (símbolo de sabiduría). No podemos dejar de mencionar cómo la relación entre el cisne y el dios griego de la música, pone de manifiesto otro aspecto de esta ave, su canto. En él, griegos, celtas y chinos quisieron ver mensajes ocultos; en la cultura grecolatina incluso se creyó que este animal podía conocer su muerte de antemano y la anunciaba cantando (de ahí proviene la popular expresión del «canto del cisne»). Algo parecido se narra en la leyenda germánica sobre los nibelungos, donde unas jóvenes vírgenes, identificadas con cisnes, profetizaban el futuro.

En esa última mención encontramos ya la asociación entre el ave y lo femenino. Esta interpretación, la predominante por todo el mundo, se genera a través del simbolismo del

El cisne amenazado, Jan Asselyn.

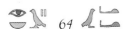

hábitat del cisne, el agua, que da vida al igual que lo hacen las mujeres. Así, el cisne se convierte también en un símbolo de fecundidad, belleza y elegancia femenina muy popular en las civilizaciones asiáticas. Incluso en la antigua Grecia, donde hemos visto al animal asociado a Apolo, las representaciones de las bellas diosas Artemisa y Afrodita se acompañaron de la presencia de esta ave. Como se aprecia en la leyenda de los nibelungos, también la virginidad (en teoría una muestra de pureza femenina) se aludió a través del cisne.

Por último, la doble asociación del cisne con la luz (y por tanto, el fuego) y el agua condujo a los alquimistas a ver en él un símbolo de la mediación entre dichos elementos.

■ **Referencias cruzadas**: *véase* también Ganso.

Ciudad

L os recintos urbanos son el lugar en los que los logros de las diferentes culturas adquieren su máxima expresión; son el lugar en el que todos los poderes de la sociedad se concentran y, por ello, su imagen evoca seguridad, protección y orden. En ese sentido, se asocia a la simbología de la madre, por lo que casi todas las entidades protectoras pueden representarse como mujeres o como ciudades; es el caso de la propia Iglesia cristiana.

La realidad de la ciudad, su fisonomía, resulta vital para sus habitantes, por lo que cuando se pudo diseñar con antelación su aspecto y ubicación se cuidaron todos los detalles. El pensamiento simbólico aprovecha esas ocasiones para mostrarse con su mayor fuerza, volcándose sobre la orientación de las vías, las puertas, los augurios obtenidos, etc. Pero los dos lugares que ofrecen una interpretación más fácilmente legible son la muralla y la

La plaza de San Marcos, Canaletto.

plaza central. La primera constituye el límite de la ciudad y, aun cuando sea pequeña e inservible para la guerra, sirve para dar cobijo a los ciudadanos, separando y protegiendo su espacio de las amenazas del exterior. La plaza se identifica con el simbolismo del centro, convirtiéndose así en el motor generador de la ciudad, en el lugar en el que se hacen representar todos los grandes poderes de la comunidad.

Cocodrilo

E ste reptil presenta una compleja interpretación simbólica. Como animal fiero y poderoso que puede vivir tanto en la tierra como en el agua, puede ser símbolo de las grandes fuerzas naturales o incluso identificarse con ellas. Además, en muchas ocasiones, la confusión de su hábitat sirve para evocar el caos primordial (*véase* Caos), lo que le lleva a ser uno de los protagonistas de las creaciones míticas del mundo.

En Centroamérica todas estas características generales se plasmaron haciendo de él un símbolo de prosperidad y fecundidad. Así mismo, se vinculó pro-

Ciudad

Las representaciones simbólicas de la ciudad hablan de la concentración de poder, seguridad y orden.

Cocodrilo

Pese a que la tradición bíblica sólo lo reflejó como animal infernal y demoníaco, el cocodrilo puede personificar los grandes poderes de la naturaleza, siendo incluso uno de los protagonistas de su creación.

Columna

Elemento vertical que cumple una función sustentante en el conjunto del edificio que, simbólicamente, extiende su misión al universo.

fundamente a las concepciones sobre la tierra primigenia hasta el punto de que los mayas incluso creyeron que era un inmenso cocodrilo quien llevaba la tierra sobre sus espaldas.

También en el Oriente asiático se concede a este reptil un importante papel en el orden del universo, asociándolo a los poderes derivados de la conjunción de agua y tierra.

En Egipto tampoco dejó de desarrollar una importante simbología. El peligro que encarnaban en las pobladas riberas del Nilo y su relación simbólica con el caos condujeron a una identificación con Seth, el dios que acechaba constantemente a la civilización egipcia. Como consecuencia de ello, se narraba que las almas que no superaran el juicio del tribunal de Osiris acabarían engullidas por este reptil, para acabar siendo no más que inmundicia en su vientre. Pero el cocodrilo también fue personificación del engaño y la traición; el motivo, los sonidos que emiten, que puede llegar a confundirse con el llanto de un niño (de aquí proviene aquello de las «lágrimas de cocodrilo»).

Pese a lo que acabamos de describir, en algunas regiones del antiguo Egipto se le reverenció como expresión de los poderes de la tierra, identificándose ocasionalmente con Geb (divinización de la tierra que juega un papel primordial en los relatos sobre la creación del mundo).

Pero lo que pasó a la tradición bíblica fue su carácter demoníaco y amenazador. Así, el caos amenazante de los primeros tiempos se personificó en el Leviatán, representado como un cocodrilo. En otras imágenes este reptil encarna al propio Egipto, enemigo por excelencia de los judíos. El arte occidental, heredero de estas consideraciones, empleó al cocodrilo como monstruo infernal similar al dragón.

■ **Referencias cruzadas**: *véanse* también Caos, Dragón y Leviatán.

Columna

A partir de su función sustentante, la columna evoca ideas de estabilidad y fuerza. Dentro del conjunto arquitectónico que componen los grandes edificios, sobre todo los palacios y templos, la columna adopta el significado simbólico de la verticalidad. Así, al igual que el árbol en la naturaleza, la columna es el elemento que pone en comunicación la tierra (suelo) con el cielo (cúpulas, bóvedas y resto de cubiertas). La comparación con el árbol llega al extremo de la decoración, tomándose las raíces, tronco y copa como motivos para la basa, fuste y capitel. En otras ocasiones es el hombre quien sirve de inspiración, con lo que surgen las columnas de atlantes o cariátides.

Pero las columnas, ante todo, son elementos sustentantes que simbólicamente se equiparan a aquellas fuerzas que cumplen su misma función en el mundo. Por ello, en muchos relatos, la capacidad de derribarlas no está al alcance de los hombres, sino sólo de dioses o grandes héroes (recuérdese el episodio de Sansón recogido en el Antiguo Testamento).

Otra importante función simbólica de las columnas proviene de su frecuente aparición como soporte de dinteles y, por tanto, flanqueando las puertas. Por ello las columnas van a ser un tradicional símbolo del umbral (las columnas de Hércules, puerta del Mediterráneo, son un buen ejemplo).

Sin embargo, en algunos casos, las columnas pueden aparecer exentas, construidas o representadas unitariamente. En esas imágenes, si no constituyen una evocación de un edificio concreto con el que puedan identificarse, deben interpretarse en relación con el eje del mundo, que comunica tierra y cielo. Su altura conduce a que ocasionalmente también puedan ejercer como altares, siendo el lugar elegido para invocaciones o sacrificios. Esta

simbología es el origen de las columnas triunfales que inmortalizan los éxitos de un dios o héroe. Algunas de las mejores muestras las ofrece el Imperio Romano; casi todos tendrán ya en mente la famosa columna de Trajano.

■ **Referencias cruzadas**: *véanse* también Árbol y Eje del mundo.

Compás

*E*sta *herramienta* de dibujo y geometría es un tradicional símbolo de la actividad creadora planificada y controlada por la inteligencia.

Por ello, la tradición occidental ha representado a las personificaciones de muchas ciencias con un compás entre sus atributos. También la justicia o la prudencia, que requieren conocer la justa medida de las cosas, lo muestran en sus alegorías.

Un motivo tradicional es el compuesto por la escuadra y el compás, símbolo de la unión de contrarios que se complementan y evocación del dualismo círculo-cuadrado (cielo-tierra). El simbolismo masón empleó recurrentemente esta imagen, llegando a adjudicarle diferentes significados dependiendo del grado de apertura del compás.

■ **Referencias cruzadas**: *véase* también Escuadra.

Concha

*E*ste *molusco* toma gran parte de su simbología del agua. A partir de ella y de la similitud que se ha establecido entre su forma y la vulva femenina (tanto en latín como en el español de América la misma palabra designa ambas realidades), se ha creado una fuerte asociación entre la concha y las nociones de vida y fecundidad. Tampoco debemos olvidar que en su interior se desarrollan seres vivos, de la misma forma que sucede en el seno de la mujer.

Estas analogías condujeron a que este símbolo se tomara como un principio fe-

Compás

La perfección alcanzada con este útil condujo a asociarlo a ideas de exactitud y rectitud.

Concha

Símbolo casi universal de fecundidad y vida.

Neptuno y Anfítrite, Gheyn.

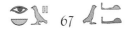

Copa

Al igual que casi todos los recipientes, la copa encierra una cierta relación simbólica con lo femenino y, por tanto, con la prosperidad.

Coral

Lo que solemos denominar con el nombre de coral es el esqueleto protector de un animal marino. Sus famosas colonias apenas crecen unos 20 milímetros por año.

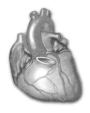

Corazón

Este órgano vital es el centro simbólico del hombre y, por tanto, el lugar donde éste y sus dioses se comunican con mayor facilidad.

menino cargado de referencias a la vida y al sexo. Por ello, diosas de la belleza y la fertilidad como la Afrodita griega (Venus entre los romanos) y la Lakshmi hindú se representan tradicionalmente junto a conchas.

En China esa asociación con lo femenino y lo fértil se traduce en una inevitable identificación con el principio yin y con la Luna (vinculada siempre a la fertilidad femenina; *véase* Luna). También los aztecas representaron al dios de la Luna y al Sol Negro con una concha.

En el arte cristiano este símbolo se ligó a las concepciones sobre resurrección y vida tras la muerte. Por ello se representaron conchas tanto en los sepulcros como junto a los peregrinos (que caminan en busca de un renacimiento espiritual; *véase* Venera). Este sentido es el que evocan las pilas bautismales en forma de concha. Incluso la Virgen aparece en ocasiones con una concha como atributo, estableciéndose comparaciones expresas entre la perla que guarda en su interior y Jesús.

■ **Referencias cruzadas**: *véanse* también Luna, Perla y Venera.

Copa

La copa recibe su sentido simbólico del líquido que contiene (en muchas, narraciones elixires de inmortalidad) y de su función como recipiente (le vincula con la mujer, matriz de la vida, y hace que su presencia evoque la prosperidad y abundancia). Por estos motivos, las ceremonias que celebran la unión de varias personas o la integración en un grupo incluyen el ritual del intercambio de copas. Esta tradición debe interpretarse como una participación recíproca de las esencias de cada uno de los partícipes (representadas por los líquidos de sus copas) y una invocación a la prosperidad de la

unión. Como reflejo de ello, muchos matrimonios del Extremo Oriente se consagran al beber los novios de una misma copa.

Hoy en día casi todos los éxitos deportivos se premian con una copa, lo que constituye una reminiscencia de sus sentidos de prosperidad. Además, todos hemos visto en alguna ocasión cómo el primer impulso de los vencedores es beber en sus copas, participar de la esencia del éxito.

■ **Referencias cruzadas**: *véase* también Grial.

Coral

En general, su tratamiento simbólico ha sido como el de otras piedras preciosas, pero su similitud con el árbol, su color rojo y su relación con el agua (todos símbolos de vida) han hecho de él un popular principio regenerador y remedio contra maldiciones.

La mitología grecorromana narraba cómo la cabeza de Medusa, cortada por certero golpe de Perseo (*véase* Gorgonas), se había petrificado creando los corales bajo el mar.

■ **Referencias cruzadas**: *véanse* también Gorgonas y Joyas.

Corazón

Por motivos obvios, en todas las concepciones sobre el ser juega un papel fundamental, generalmente relacionado con el simbolismo del centro.

En Egipto, al igual que en el taoísmo chino y en la antigua Grecia, pero a diferencia de lo que consideramos hoy en día, el corazón era la sede, no sólo de la vida, sino también de la inteligencia y la voluntad de los hombres. En el tribunal del Osiris egipcio, que debía juzgar la bondad de los hombres, se pesaba el corazón del difunto, que se habría endurecido de haber realizado malas acciones. También la tradición hindú reflejó ideas semejantes, haciendo de él la morada de Brahma (la sabiduría trascendente del individuo).

Bajo todas estas creencias subyace una noción del centro, que justifica que el corazón, centro del individuo, sea el lugar en el que éste y los dioses alcancen mayor comunicación (*véase* Centro). De una forma u otra, esta convicción también puede encontrarse en las tradiciones budista, hebrea, cristiana, islámica y azteca.

Pese a todo, la tradición occidental, sobre todo a partir del final de la Edad Media, ha restringido la función simbólica del corazón a la de sede de las emociones. Pero el origen de esa interpretación sigue siendo el mismo, el simbolismo del centro, ya que es el amor la mayor característica que se pretendió dar al dios cristiano. De estas concepciones derivan las populares imágenes de los corazones en llamas, atravesados por flechas, etc.

■ **Referencias cruzadas**: *véase* también Centro.

Cordero

*E*ste animal, por el color de su lana, por su juventud y por su docilidad, se ha tratado como un símbolo de pureza e inocencia. Resulta muy destacable que ninguna sociedad le haya adjudicado papeles negativos o malévolos, algo que de alguna forma aparece prácticamente siempre en todos los símbolos.

Además, el cordero tiene un gran valor económico (se aprovecha su lana, carne, piel), especialmente importante para pueblos nómadas, como el hebreo. Consecuencia de todo ello es que se convirtiera en una preciada víctima de sacrificio, de lo que tenemos muestras por todo el Mediterráneo. En la tradición grecola-

Los niños de la concha, Murillo.

tina, por ejemplo, el vellocino de oro que buscan los argonautas es una sublimación de los valores que se asocian al cordero.

Como podía entreverse anteriormente, donde mayor fuerza cobró la simbología del cordero es en la tradición judeocristiana. Ya en el Antiguo Testamento aparece la imagen del divino pastor que lleva a sus corderos (fieles) al sacrificio. Además, su sangre, al igual que luego la de Cristo, había servido para salvar a los judíos de Egipto de la maldición del Señor. En el Nuevo Testamento esto se plasma en la imagen de Jesús como buen pastor o como cordero de Dios (*agnus dei*) que soporta sobre sí los pecados de los hombres.

A partir de esas menciones proliferaron las creaciones artísticas en ese sentido. Los primeros cristianos representaron corderos en sus catacumbas, en ocasiones mostrándolos sobre un monte del que fluyen cuatro ríos (adaptación del viejo símbolo del eje del mundo y del Árbol de la Vida; *véanse* Eje del mundo y Árbol). Posteriormente, el arte occidental consagró los motivos tanto del cordero como

Los significados que se otorgan al cordero nunca son negativos. En el cuadro superior, el cordero, representado junto a dos niños, refuerza la sensación de inocencia y pureza.

Es el símbolo fundamental para la economía de los pueblos nómadas.

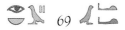

Cordero

Bajo este nombre se denomina a la cría de la oveja.

Corona

Cerco de metal, ramas o flores con el que se distingue a una personalidad relevante.

Baco, Caravaggio.

del buen pastor (sigue el modelo del moscóforo griego, portando al animal sobre sus hombros). En esas representaciones, cuando se halla un grupo de corderos debe entenderse como mención a los mártires de la Iglesia; en las ocasiones en las que figura entre ovejas, constituye una alegoría de Cristo soportando los pecados del mundo; y cuando aparece aislado generalmente lo hace portando la cruz (es el motivo que se suele denominar como *agnus dei*, cordero de Dios).

En el islamismo también se encuentran reminiscencias de toda esta simbología: al final del Ramadán se sacrifica un cordero para evocar así el sacrificio que realizara Abraham.

■ **Referencias cruzadas**: *véanse* también Árbol, Eje del mundo, Oveja, Pastor y Vellocino de oro.

Cornucopía

Véase Cuerno.

Corona

*T*oma sentido por ser un tocado que realza la cabeza (no sólo permite destacar al individuo, sino que propicia su contacto con lo celeste) y por la forma circular que adopta (símbolo de la perfección divina). Así, tanto los significados del círculo como los de la

ascensión hacen que la corona eleve al individuo y le conduzca a compartir la gloria de los dioses. A partir de este origen simbólico, con el paso del tiempo algunas tradiciones hicieron de ella un mero atributo del poder del que la vestía.

Los materiales con que se construye y la forma que toma una corona concreta matizan su significado. Así, la corona de los faraones derivaba físicamente de unir las del Bajo y Alto Egipto. En la tradición grecolatina tenemos más ejemplos significativos: allí cada uno de los dioses tenía un material para sus coronas, generalmente proveniente del árbol que se le consagraba; Apolo vestía una corona de laurel, la de Hades era de ciprés, mientras que Zeus empleaba la encina.

El sentido más espiritual de la corona se hace muy patente en el budismo, donde la que viste Buda alude a la consecución de logros espirituales. Sentidos muy similares aparecen en el hinduismo e islamismo. Algunas tradiciones occidentales también emplearon la corona como símbolo del paso a un nuevo nivel espiritual, como es el caso de las coronas de las novias (en Oriente se manifiestan costumbres similares) y las que se imponían a los difuntos.

Pero no sólo dioses y soberanos las han recibido; en el mundo clásico también aquellos que conseguían la gloria militar o deportiva eran recompensados con ella (la famosa corona de laurel se entregaba a los generales más distinguidos). Encontramos una costumbre similar en la antigua China, donde la corona de olivo se reservaba a los grandes logros literarios.

Por último, también la jerarquía eclesiástica quiso distinguirse con ella, de donde nacen las diademas de los sacerdotes judíos y las tiaras y mitras de la Iglesia cristiana.

■ **Referencias cruzadas**: *véanse* también Ciprés, Encina, Laurel y Tiara.

Crismón

El monograma de Cristo es una constante del arte cristiano de todas las épocas. Proviene de la unión de las iniciales de Cristo en griego, X y P (ji y ro). Una forma antigua, algo diferente, es la que aparece como resultado de la combinación de las iniciales I y X, del griego *Iesous Xristos*.

Suele verse inscrito en círculos y combinado con una cruz, creando una imagen similar a la rueda. También suele acompañarse de las letras griegas alfa y omega, símbolo de Dios padre e hijo. Según algunos autores, esta inscripción en un círculo hace del crismón una invocación a Cristo en su calidad de «sol invicto».

■ **Referencias cruzadas**: *véanse* también Alfa y omega, Mandorla, Pantocrator y Tetramorfos

Cristal

Este mineral traslúcido es un símbolo de pureza, claridad y conocimiento (deja pasar la luz y, por tanto, la sabiduría). Su trasparencia, que en los cristales naturales se traduce más bien en destellos y formas que parecen provenir de su interior, condujo a la proliferación de su uso en amuletos y talismanes (de aquí proviene la popular imagen de la bola de cristal).

Hay que recordar que las piedras preciosas más conocidas son también cristales. En cada una de ellas, su color y propiedades concretas generan diferentes interpretaciones simbólicas.

■ **Referencias cruzadas**: *véanse* también Joyas y Vidriera.

Cruz

Pese a que este símbolo universal adopta formas y sentidos diferentes en cada cultura, su origen es el simbolismo del centro, que se abre gráficamente hacia cada una de las cuatro direcciones posibles. Las interpretaciones pueden ser muy variadas y frecuentemente se ven condicionadas por las combinaciones con otros símbolos gráficos, como el círculo, el cuadrado, el triángulo, etc. Se suele considerar que los números cuatro y cinco pueden representarse a través de este símbolo.

En general, la cruz, el centro que se abre hacia el exterior, es un símbolo totalizador, una manifestación de cómo de ese centro nace el mundo a partir de la acción de fuerzas metafísicas (*véase* Centro).

Desde la más remota Antigüedad hasta hoy en día aparecen cruces por todo el mundo, desde el África subsahariana hasta el extremo norte de América. Entre los hindúes la cruz representa la unificación de los diferentes estados del ser, los espirituales (el tramo vertical) y los terrena-

Crismón

Monograma compuesto por las letras X y P, las iniciales de Cristo en griego.

Cristal

Aparte de la pureza que inspira su aspecto, los brillos que emanan los cristales se han revestido de significados mágicos.

Bodegón con copa dorada, Willem Claesz Heda.

Descendimiento, Rogier van der Weyden.

les (la horizontal). En el taoísmo y en el budismo suele recalcar el simbolismo del centro de la Rueda de la Vida y el de círculos o cuadrados. En Centroamérica las cruces precolombinas se asociaron a las imágenes del Árbol de la Vida y a la unión de los grandes cuaternarios (como los cuatro vientos).

Pero fue en el Mediterráneo donde la cruz manifestó una mayor presencia. En tierras de Mesopotamia proliferaron cruces con diversos matices, asociadas a dioses o astros como el Sol y la Luna, pero siempre conservando la noción del todo central que se abre al exterior. Una de las cruces más extendidas fue la esvástica, cuya forma procede de una cruz en movimiento, girando sobre sí misma. Es un símbolo muy frecuente en todo el mundo indoeuropeo, desde la zona etrusca hasta las estepas mongolas (*véase* Esvástica).

En el antiguo Egipto, dioses y hombres se representaron asiendo la cruz ansada, el ankh, símbolo de la vida eterna y la verdad (*véase* Ankh). Ya allí se practicaron rituales de imposición de la cruz ansada sobre la frente de los faraones y de los iniciados para ponerlos en contacto con la eternidad. Los judíos debieron conocer esas costumbres; quizá un reflejo de ello son las menciones del Antiguo Testamento en las que la cruz se emplea para proteger de los males (con una cruz de sangre de cordero se marcaron las casas de los judíos que no debían sufrir el castigo divino).

Todas estas tradiciones se conjugarían después en el cristianismo, que hizo suyo el símbolo de la cruz, rememorando así el sacrificio del hijo de Dios, la crucifixión de Cristo. Pese a que enseguida la cruz ocupó el lugar que hoy tiene en esa religión, durante los primeros tiempos se tuvo algunos reparos en representarla por la humillación que recaía sobre ese tipo de ejecución. Pese a todo, primero en el Mediterráneo oriental y luego en Europa, la cruz acabó siendo lo que es hoy, un símbolo cristiano de resurrección, vida eterna y revelación.

Las formas que ha adoptado la cruz cristiana a lo largo del tiempo son muy variadas. La cruz patibulada, la común cruz en tau (T del alfabeto griego), quizá sea la

Cruz

El centro, que se abre hacia los cuatro puntos cardinales, constituye el origen del simbolismo de la cruz.

Cruz de altar, Bernini.

forma más antigua, pues ya se menciona en el Antiguo Testamento en la forma del palo de sacrificio que porta Isaac. Se suele ligar al viejo simbolismo del Árbol de la Vida e incluso al del hacha y el martillo (*véanse* Árbol, Hacha y Martillo).

La de un solo travesaño puede presentar dos formas: con los extremos iguales (cruz griega; la más extendida por el Mediterráneo oriental) o desiguales (latina; el extremo superior es el menor; extendida por la zona occidental). Es la cruz por excelencia de la Iglesia. Su forma se tomó como referencia en el diseño de los planos de multitud de iglesias de la cristiandad.

La de dos travesaños, también llamada de Lorena, constituye la forma más frecuente en la Iglesia ortodoxa y suele acompañarse de la palabra *nika* («victoria»). El segundo travesaño alude a la inscripción, llamada *titulus*, que Pilato mandó situar en la parte superior de la cruz de Cristo; en ella se podía leer *INRI* (*véase* INRI), las iniciales de la fórmula latina, irónica y burlesca, de «Jesús de Nazaret, rey de los judíos».

La de tres travesaños, o cruz rusa, añade el madero sobre el que se fijaban los pies del crucificado, generalmente colocado en sentido oblicuo. Su simbolismo, al igual que en la tiara papal, se une al de la Trinidad. En la liturgia cristiana está reservada para uso del Pontífice.

La cruz de san Andrés, cuyo apelativo más apropiado es *decussata*, muestra la forma de una X; en ella se martirizó a este santo.

El mismo origen tiene la cruz de san Pedro, una cruz invertida, pues de esta forma se crucificó al apóstol. Los textos y representaciones esotéricas la emplean como inversión del sentido simbólico de la cruz de Cristo, como imagen, por tanto, del anticristo apocalíptico.

En las zonas célticas proliferaron cruces inscritas en círculos de diámetro menor a los travesaños. Se denominan *quarte* o cruz de queste, aunque popularmente se conocen como cruz celta o irlandesa. En ella se aúna tanto el simbolismo celta como el cristiano y parece aludir al cuaternario (cuatro elementos o regiones del mundo) que confluyen en un todo central que comparten.

Durante las cruzadas, el reino cristiano de Jerusalén tomó por emblema la cruz potenzada (también llamada de Jerusalén o de los cruzados), que muestra cuatro cruces en sus extremos. Al parecer, esta combinación evoca las cinco yagas de Cristo.

A la izquierda, cruz rusa.

Retablo de san Juan, Massys.

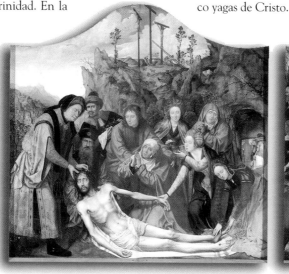

La crucifixión de san Pedro, Caravaggio.

Cuadrado

Los cuatro lados iguales del cuadrado constituyen una referencia a los grandes cuaternarios simbólicos, que componen la visión más sencilla y esquemática del mundo manifiesto.

Pese a que hay muchas más variantes, las que aquí hemos mencionado son las más usuales. Además, el arte cristiano también representó cruces a través de otros símbolos cuya apariencia pudiera recordar su forma; es el caso tanto del crismón como de simples anclas, arados y mástiles.

En muchas imágenes, la cruz de Cristo se acompaña de una calavera, que se puede interpretar como alusión a Adán (la tradición dice que había sido enterrado en el Gólgota, el centro del mundo, donde luego se crucificaría al hijo de Dios) o como símbolo de la vida eterna alcanzada tras la crucifixión.

La arquitectura y la liturgia cristiana han reflejado continuamente el simbolismo de la cruz, y su signo, realizado por los creyentes para invocar a Dios, ha quedado en el Occidente laico como señal de buena suerte.

La identificación de la cruz con Cristo la condujo hasta los estandartes y emblemas de reyes y reinos católicos. Gracias a ello la cruz sobre fondo rojo apareció en la bandera de Suiza, por lo que luego se legó a la institución fundada a finales del siglo XIX por uno de sus ciudadanos: la famosa y benéfica Cruz Roja Internacional.

■ **Referencias cruzadas:** *véanse* también Ankh, Árbol, Centro, Cinco, Cuatro, Eje del mundo, Esvástica, Hacha, INRI y Martillo.

Cuadrado

Esta *figura* geométrica constituye, junto al centro y el círculo, uno de los símbolos más importantes de la historia de la humanidad. Gran parte de su significado proviene del dualismo simbólico entre cielo y tierra, donde la primera realidad se identifica con el círculo (*véase* Círculo); por ello, se elige el cuadrado para la tierra, una forma opuesta a la anterior pero con la que puede compartir un mismo centro, un eje. Con el cuadrado los hombres satisfacen la necesidad de organizar su entorno con un esquema reduccionista, sencillo, compuesto por cuatro regiones y cuatro direcciones fundamentales.

Como consecuencia de ello, el conjunto formado por tierra y cielo suele representarse a través de círculos y cuadrados concéntricos. Por ello, el problema clásico de la cuadratura del círculo no es sólo una cuestión geométrica, sino que equivale a la combinación perfecta entre lo celeste y lo terreno. Además, aquello que se representa en el centro compartido por estas dos figuras recibe un simbolismo especial, influido por las concepciones sobre el centro y el eje del mundo, esto es, lo que allí se representa adquiere la virtud de comunicar el mundo terrestre con el de los cielos.

Pero el cuadrado es también la expresión geométrica del número cuatro y, por ello, se convierte en la expresión de los cuaternarios. Con esta figura se representarán las cuatro regiones de la Tierra, los cuatro elementos del universo, etc. Una curiosidad: la tradición islámica afirmaba que los corazones de los hombres eran cuadrados por la acción de cuatro influencias sobre ellos: divina, angelical, humana y demoníaca.

Las connotaciones simbólicas que estamos viendo están muy presentes en multitud de juegos que la toman como referencia. Es el caso de los escaques (casillas) del tablero de ajedrez o el de las tres en raya, ambos de origen antiquísimo e interpretaciones muy complejas. La mis-

Primavera, verano, otoño e invierno, Abel Grimmer.

ma carga simbólica reciben los cuadrados mágicos que se describen en varias tradiciones. Los más usuales son estructuras cuadrangulares subdivididas en celdas en las que se representan números o letras, cuya suma o lectura en cualquier dirección ofrece siempre el mismo sentido.

Por último, cruz y cuadrado presentan un notable parentesco simbólico, derivado en ambos casos del significado del cuatro y del centro, pero la diferencia fundamental estriba en que la cruz ofrece un matiz mucho más dinámico, una mayor implicación del centro en la creación de las cuatro partes que le rodean.

■ **Referencias cruzadas**: *véanse* también Círculo, Cruz, Cuatro y Eje del mundo.

Cuaternario

Véase Cuatro.

Cuatro

*E*l *sentido* simbólico de este número, que se representa gráficamente a través del cuadrado y la cruz, proviene de la esquematización del mundo que rodea a los hombres entorno a cuatro direcciones posibles. Así surgen los conjuntos de cuatro elementos (cuaternarios) con los que frecuentemente se explica la realidad terrestre; es el caso de los cuatro elementos de la naturaleza, edades del hombre, estaciones anuales, fases lunares, jinetes del Apocalipsis, partes del Veda, verdades del budismo, árboles del cielo azteca, etc.

Al ser un número empleado para definir lo manifiesto, lo creado, alude también a nociones de estabilidad y finitud. Evidentemente, las propiedades físicas de las formas cúbicas refuerzan este sentido. Si lo manifiesto y creado es finito, también puede derivarse que es mortal; este recorrido es el que sigue el mundo japonés al emplear con la misma palabra tanto a este número como a la muerte.

■ **Referencias cruzadas**: *véanse* también Cuadrado y Cruz.

Cuchillo

*L*as *herramientas* cortantes han sido conocidas por los grupos humanos desde los tiempos más antiguos de la Prehistoria. Su simbología suele tomar varios caminos. En primer lugar, por su utilidad como instrumento, puede ser un símbolo del trabajo, de la acción. Por ello, frecuentemente se le representa como alusión a los sacrificios y rituales que con él se efectúan. Así se atestigua con facilidad en la tradición judía y en la cristiana, aunque en esta última el cuchillo es, sobre todo, distintivo de los santos cuyo suplicio se relacionó con él. También es un arma temible, lo que hace que aparezca entre los atributos de dioses amenazantes (muy visible en las tradiciones iconográficas hindú y maya). Sin embargo, ese mismo temor, esa fuerza, en otras ocasiones hace de él un símbolo que aleja los malos espíritus.

Como en tantas otras ocasiones, el color y la forma de cada imagen condi-

Cuatro

Este número ha sido el más empleado para ordenar las realidades del mundo.

Cuchillo

Al igual que sucede con otras armas, el temor que inspira el cuchillo constituye un punto clave de su simbología.

El puesto de pescados, Adriaen van Utrecht.

El cuchillo puede ser una recurrente imagen de acción y trabajo, como sucede en el cuadro de la parte superior.

Cuerda

Conjunto cilíndrico y flexible compuesto por hilos entrelazados.

cionan su significado. En China, por ejemplo, el cuchillo semicircular se interpreta en referencia a las propiedades de la Luna.

Varias representaciones del arte occidental y del budismo han empleado el cuchillo como símbolo de la ruptura de ataduras; en la religión oriental mencionada, evoca concretamente la liberación respecto a la ignorancia y el orgullo.

Cuerda

*E*l *simbolismo* de la cuerda toma dos sentidos generales: el de ascensión y el de unión. El primero de ellos proviene de la ayuda que la cuerda proporciona en la escalada; por ello se ha representado frecuentemente como símbolo de elevación espiritual, de vía de comunicación entre cielo y tierra, de una forma semejante a lo que ocurre con el árbol y la columna (esta similitud simbólica condujo a los mayas a decorar sus columnas evocando la forma de las cuerdas). Este significado abunda en las tradiciones islámicas, hindúes y japonesas (allí llega a ser

amuleto contra los malos espíritus).

Pero la cuerda sirve también para unir, atar, por lo que otra vertiente de su simbolismo hace de ella alusión a las relaciones entre individuos o entes. Por ejemplo, tanto el hinduismo como el budismo y algunos pensadores grecolatinos, emplearon esta imagen como símil de la relación entre alma y cuerpo.

Además, la cuerda que se rompe llegó a convertirse en una metáfora de la vida, que, al igual que sogas e hilos, marca un recorrido que puede romperse en cualquier momento. Esta alegoría se presenta con mucha frecuencia en la tradición occidental, ya desde el Egipto faraónico.

■ **Referencias cruzadas**: *véanse* también Cinturón, Escala, Hilo, Nudos y Tela.

Cuerno

*L*a *cornamenta* es la defensa natural de muchos animales; con ella escarban, atacan o se defienden. La observación de ese comportamiento y el temor que inspiró ser alcanzados por ellas condujeron a crear una simbología de fuerza y poder. Consecuentemente, los individuos y seres más poderosos, ya fueran benévolos o malévolos, se representaron con cuernos. No hace falta más que recordar las representaciones de los diablos y monstruos de casi todas las civilizaciones, desde la occidental a la china o la precolombina. Por los mismos motivos también los vamos a encontrar en los cascos militares por todo el Viejo Mundo (los soldados añadían un cuerno a su casco con cada victoria), junto a personajes como Alejandro Magno y dioses como los griegos Dionisos y Apolo, o el egipcio Amón. En otras ocasiones los cuernos se emplean con el mismo sentido que la corona (*véase* Corona) o como rayos que salen de la cabeza de un individuo (es el caso del famoso Moisés de Miguel Ángel, ya que, según la tradición, bajó del Sinaí iluminado por la luz divina).

Varios elementos relacionan las cornamentas con la fertilidad. En primer lugar, muchos animales, como el ciervo, sufren una muda anual de sus astas (se diferencian del cuerno por estar formadas de hueso muerto, pero el significado de ambas se ha confundido en casi todas las culturas), lo que ya indica una participación en los procesos de resurrección cíclica. Además, como ya hemos visto, el cuerno recibe sobre sí toda la fuerza y vitalidad que se asocia al animal, pero no sólo eso, sino que también constituye un trofeo de caza que evoca el éxito en la búsqueda de alimentos. En último lugar, su forma curvada recuerda a la de la Luna, principio fértil por excelencia (*véase* Luna). La máxima expresión de todos estos sentidos la constituye la cornucopia romana, el Cuerno de la Abundancia (*cornucopiae*), símbolo de prosperidad inagotable.

Hoy en día todos conocemos el significado que se atribuye al individuo «cornudo». Como no podía ser menos, no es una expresión elegida al azar, sino que presenta un curioso origen. Debemos remontarnos a la época final de la Antigüedad Clásica para encontrar una costumbre que en determinados lugares se conservaría durante siglos. Estamos refiriéndonos a los empera-

dores y grandes señores que tenían la potestad de compartir el lecho con las mujeres de sus súbditos sin que esto constituyese una deshonra para nadie. En ocasiones, cuando el señor ejercía su poder, recompensaba a esas familias con derechos de caza que no estaban al alcance de cualquiera; como puede imaginarse, la manifestación física de esos derechos era poner unos cuernos (de ciervo generalmente) sobre la casa de estas personas.

■ **Referencias cruzadas**: *véanse* también Ciervo, Corona y Luna.

Cuervo

Esta es un ave curiosa e inteligente, de graznido pertinaz, que gusta de vivir sola y puede llegar a comer carroña. Todo ello ha generado interpretaciones que parten siempre de la consideración general a las aves (intermediarias entre cielo y tierra, identificadas con las almas; *véase* Aves).

La primera referencia notable la encontramos en la mitología clásica, donde se narra cómo la diosa Atenea era acompañada en principio por un cuervo, pero viéndose incapaz de soportar su charlata-

Cuerno

De la cornucopia a los maridos o mujeres «cornudos», los cuernos han seguido una trayectoria ligada siempre a la fuerza y fertilidad.

Toros, Paulus Potter.

Cuervo

Ave propia del hemisferio norte. Destaca por su inteligencia y sociabilidad y puede reconocerse a través de su plumaje negro, cola en forma de cuña y pico robusto y algo encorvado.

nería, lo sustituyó por una lechuza. También se menciona que en un principio eran blancos, pero por su indiscreción Apolo los convirtió en negros. Posteriormente, algunos exegetas de la Biblia comentaron que los cuervos del Paraíso habían sido multicolores y que ese aspecto original les será devuelto el día en que se imponga el reino del Señor.

Como estamos viendo, la tradición occidental no les ha tratado demasiado bien, resaltando casi siempre su tendencia a la soledad, curiosidad, graznido y su supuesta indolencia y lujuria.

Pese a todo, otras culturas no siempre han tratado de forma tan peyorativa su simbología. Como a tantas otras aves, frecuentemente se la relacionó con el Sol. Esta asociación proviene tanto de la consideración general de las aves, como de la inteligencia que muestra este animal (la luz es sabiduría). Así, en Japón se dijo que era mensajero de los dioses y el cuervo rojo constituye la alegoría más representada del Sol. La mitología china también habló de cuervos de tres

patas como metáfora del astro solar. Una muestra más se encuentra en la antigua Persia, donde se relacionó con Mitra, diosa de la luz y la sabiduría. Incluso alguna tradición griega muestra cuervos blancos como atributo del dios del Sol, Helios. También el Antiguo Testamento ofrece una interpretación favorable, en el episodio en que un cuervo alimenta al profeta Elías en el desierto. Una última y llamativa mención aparece entre pueblos de las estepas norteamericanas; allí se mencionó la existencia de cuervos solares que civilizaron a los primeros hombres.

■ **Referencias cruzadas**: *véase* también Aves.

Cueva

Véase Caverna.

Cúpula

Véase Bóveda.

Lot y sus hijas, Orazio Gentileschi.

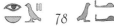

Danza de la Música y el Tiempo, Poussin.

Dados

Símbolo del azar. Era atributo de la diosa romana Fortuna que repartía los bienes de forma caprichosa y arbitraria. Dentro de la tradición cristiana los dados aparecen en el relato de la pasión de Cristo puesto que los soldados romanos los utilizaron para jugarse a suertes su túnica. Hoy son utilizados precisamente en los juegos llamados de azar, en los que, supuestamente, sólo influye la suerte de cada participante.

Danza

La *danza* supone un movimiento rítmico armoniosamente estructurado. Esto implica una relación, que se le atribuye en todas las religiones y culturas, tanto con las fuerzas creadoras como con las del orden. De ahí que en numerosos relatos mitológicos aparezcan los dioses y héroes procediendo a la creación del mundo en actitud danzante. Por ello, las danzas rituales que los hombres realizan son un medio para establecer y mantener la comunicación o la relación entre el cie-

lo y la tierra, es decir, entre los dioses y los hombres. Su intención suele ser propiciar la benevolencia de aquellos materializada en la lluvia, la fecundidad, la victoria, el amor, e incluso lograr la adivinación del futuro, como sucede entre los brujos curanderos y chamanes de algunas tribus.

Naturalmente, la ejecución de la danza supone una serie de movimientos ocasionalmente compulsivos, posturas con el cuerpo, los brazos y las manos que constituyen todo un lenguaje corporal entendible únicamente por los iniciados y, teóricamente, por los dioses a quienes van destinadas.

Los ejemplos de danzas rituales con ese carácter sacro son abundantísimos y los encontramos distribuidos por todo el mundo. En India, la danza tandava, del dios principal, Shiva, es un buen ejemplo de danza cósmica, que simboliza el acto creador por los dioses mientras bailan. Similar sentido ocupan en China, donde el arte de la danza es expresión evidente del equilibrio del universo, pues mediante ella se consigue la pacificación de los animales y se establece la armonía entre el cielo y la tierra. La relación de la danza

Dados

Desde la Antigüedad, representan el azar; incluso la túnica de Cristo se la jugaron a suertes los soldados romanos utilizando unos dados.

Danza

El uso simbólico y ritual de la danza es muy diverso y se halla muy extendido por todas las culturas.

Danza de la muerte

La muerte, sin hacer distinciones de edad, sexo, clase o condición, baila con todos los humanos en una macabra danza que simboliza el carácter igualitario de aquella.

con la divinidad creadora la encontramos también en Japón, donde el baile ritual ante la caverna hace salir simbólicamente a la diosa solar, Amaterasu, para que inicie la creación. De igual manera, en estrecha relación con estas ideas, por todo Extremo Oriente las danzas pretenden propiciar la bendición celeste en forma de lluvias y fertilidad; éste es el sentido de los bailes primaverales.

En el antiguo Egipto, el arte de la danza se encontraba muy desarrollado y existían gran variedad de coreografías de culto en las que participaban activamente personificaciones de las divinidades, contribuyendo a representar y hacer más fácilmente entendibles sus relatos míticos.

La misma idea aparece en el mundo clásico. Mediante las danzas, se imitaban los relatos mitológicos y legendarios en un intento de mantener su recuerdo y reavivar las fuerzas ordenadoras que habían creado el mundo. Esto explica, por ejemplo, los bailes en honor a Apolo, dios de la sabiduría, para celebrar el triunfo del héroe Teseo sobre la fuerza del caos encarnada por el Minotauro. El mismo sentido ofrecen diversas danzas en honor de los dioses (quizá la más conocida es la de las ménades, en la que realizan multitud de movimientos compulsivos en los ritos en torno a Dionisos, dios griego de la energía vital). Incluso en la Biblia aparece esta actividad entendida como tributo a la divinidad y manifestación de la vida espiritual, lo que explicaría la danza del rey David en torno al Arca de la Alianza.

Pero quizá las danzas rituales más conocidas por nosotros sean las realizadas por las tribus africanas, donde las coreografías compulsivas ocupan un determinante papel espiritual como elemento de conexión con los dioses, hasta el punto de convertirse casi en un componente de cualquier actividad cotidiana que se realice.

Encontramos por tanto una característica común a todas las manifestaciones danzantes de los diversos pueblos: implica, de una u otra manera, una relación con la divinidad que ha creado el mundo.

Hoy, sin embargo, estas concepciones han quedado relegadas a un segundo plano en las danzas occidentales. El baile es más bien entendido como elemento lúdico y de diversión, aunque sigue manteniendo las ideas de armonía y ritmo.

Danza de la muerte

R*epresentación popularizada* en Occidente a partir del siglo XIV. En ella la muerte, generalmente figurada como esqueleto, baila con representantes de los seres humanos de todas las edades, sexos, estamentos y categorías sociales: rey, emperador, cardenal, papa, noble, campesino, mujeres, niños, etc. Simboliza, por tanto, el carácter igualitario de la muerte que llega a todos los seres humanos sin distinción de dignidades o riquezas. Lo expresa claramente la frase de Horacio: *pallida mors aequo pulsat pede pauperum tabernas, regumque turres* («la pálida muerte pisa por igual las chozas de los pobres y las torres de los reyes»).

■ **Referencias cruzadas**: *véanse* también Guadaña y Hoz.

Decapitación

E*n varias* religiones primitivas, la decapitación contaba con un ritual y una creencia, de tal manera, que era preceptivo conservar esa cabeza si pertenecía a un ser querido (familiar o amigo) o destruirla si se trataba de un enemigo. Así, entre los celtas existía la convicción de que la curación y la resurrección eran posibles si se mantenían íntegras las partes fundamentales de la cabeza. Esto justifica que al cortar las cabezas a los vencidos en la batalla las conservasen como trofeos, pero sin alguna de sus partes fundamentales, para que los enemigos no pudiesen resucitar.

En el arte cristiano son frecuentes las decapitaciones de santos, convertidos así en mártires. El ejemplo más famoso es el de san Juan Bautista, motivo repetido innumerables veces en la iconografía cristiana. Aquí la decapitación es la acción malvada de los enemigos de la fe cristiana, pero también la expresión máxima de amor de los fieles a la doctrina predicada por Jesucristo, puesto que por ella se llega al martirio.

■ **Referencias cruzadas**: *véase* también Cabeza.

Judit y Holofermes, Caravaggio.

perdición a su hijo Ícaro. Dédalo ofrece, por tanto, un simbolismo de ingeniosidad, de inteligencia creadora que, con sus inventos, conduce al progreso de la humanidad y la saca de las sombras (libra a los hombres del temible Minotauro). Sin embargo aparece también con sentido negativo, como inteligencia demasiado ambiciosa que se extralimita conduciendo inexorablemente a la catástrofe.

■ **Referencias cruzadas**: *véanse* también Hilo, Ícaro y Laberinto.

Dédalo

*P*ersonaje legendario de la mitología griega; es el inventor y constructor del laberinto que habría de convertirse en la cárcel del Minotauro (monstruo con cuerpo de hombre y cabeza de toro), pero también es el constructor de unas alas artificiales sujetas a los hombros con cera que, aunque permiten realizar una de las mayores ambiciones del hombre, volar, llevan a la

Dedos

*C*omo extensión y parte integrante de la mano, juegan un papel fundamental, pues con ellos realizamos las más variadas actividades cotidianas. La capacidad de colocarse en diversas posturas y hacer diferentes gestos, les ha asignado desde antiguo un importante valor simbólico, relacionado con un auténtico lenguaje gestual. Los ejemplos son abundantes y variados.

Decapitación

Muchos santos cristianos prefirieron sufrir el martirio de la decapitación antes que abandonar la fe de Cristo.

Dédalo

Símbolo de la inteligencia e ingenio necesarios para el progreso de la humanidad.

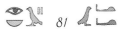

Dedos

A los dedos no sólo se les ha dado un amplio valor simbólico, sino que han construido verdaderos lenguajes gestuales.

Deformidad

La deformidad física se asocia a poderes sobrenaturales, ya sean negativos y atributo de las fuerzas del mal o beneficiosos para la especie humana.

El niño cojo, Ribera.

Ya desde el mundo clásico, la astrología tradicional consideraba que cada dedo correspondía a un planeta determinado, según las asignaciones planetarias del microcosmos. Así, el dedo pulgar se asimilaba a Venus, el índice a Júpiter, el corazón a Saturno, el anular al Sol y el meñique a Mercurio. De igual modo, existía la creencia de que el dedo anular estaba directamente unido al corazón por una vena especial, de ahí que fuese considerado como símbolo de amor y fidelidad. Quizá como recuerdo de esta idea, las alianzas de compromiso y matrimoniales se siguen llevando en la actualidad en el dedo anular.

De igual manera, otros gestos realizados desde antiguo con los dedos han pervivido hasta la actualidad con el mismo o muy similar sentido. Tal es el caso de la «higa», que consiste en meter el pulgar entre el corazón y el índice con la mano cerrada y que venía a simbolizar la defensa contra el mal de ojo; de ahí la gran cantidad de amuletos con la representación de este gesto que podemos encontrar incluso hoy en día.

Como hemos dicho, los diferentes símbolos que se pueden realizar con las manos resultan fundamentales como medio de expresión anímica y espiritual en las danzas rituales de India y numerosas tribus africanas. Particular significación adquieren los dedos en estas últimas, ya que se asigna a cada uno de ellos un claro simbolismo, de tal manera que, por ejemplo, los jefes de algunas tribus suelen llevar en el pulgar un anillo adornado con el signo del rayo, símbolo de poder. El resto de ellos indicarían diversos aspectos relacionados con múltiples actividades vitales y sensaciones corporales como la fuerza vital, el arte de la adivinación, los instintos sexuales, la afirmación de la personalidad, etc.

Hasta hace poco ha sido muy frecuente observar en los hospitales carteles en los que una enfermera aparecía representada con un dedo sobre la boca, lo que, obviamente, todos interpretábamos como un emblema de la necesidad de guardar silencio.

No hay que olvidar tampoco que mediante diversas posturas de los dedos y las manos se construyó un auténtico lenguaje para los sordomudos tan completo que no sólo resulta capaz de expresar conceptos o ideas, sino incluso sensaciones, sentimientos y emociones.

En fin, diversidad de gestos y posturas que adquieren una significación clara para la cultura que los utiliza de una u otra manera; en definitiva, auténticos lenguajes visuales comprensibles por aquellos a quienes afecta.

■ **Referencias cruzadas**: *véase* también Manos.

Deformidad

*E*n *los* diferentes relatos míticos la deformación de una característica humana puede tomar tanto el camino de la reducción como el de la magnificación. Esto es, crear seres imaginarios a través de la eliminación de alguna característica humana (como personas sin cabeza) o gracias a la repetición y magnificación de éstas (seres con multitud de brazos). En ambos casos se suele interpretar que se está jugando con la capacidad del miembro cuya apariencia normal se transforma; así un ser con muchos brazos multiplica el significado simbólico del brazo y el que no tiene cabeza pierde las capacidades que en ella se sitúan.

La deformidad o minusvalía no es sólo un signo maléfico, porque frecuentemente seres con deformaciones corporales o con alguna tara física aparecen dotados de ciertos poderes o capacidades especiales. Tal es el caso, por ejemplo, del ciego, a quien se le supone una capacidad de comunicación con el otro mundo y un extraordinario sentido auditivo; de igual forma al mutilado se le asocian grandes poderes en el miembro o extremidad que le queda. En muchas narraciones los seres deformes suelen tener un gran corazón y una hondura de sentimientos que sólo es posible descubrir tras haber superado el rechazo inicial que su aspecto físico produce.

Delantal

Adquiere significación sobre todo en el contexto de la masonería. Evoca allí nociones tan importantes para dicha sociedad como la del trabajo, para cuya realización es necesario llevarlo como elemento protector. Puesto que aparece muy relacionado con la actividad, es llevado por los iniciados en recuerdo de su obligación de llevar una vida laboriosa y activa. Y, puesto que es precisamente el trabajo lo que ennoblece al hombre, el color del delantal es blanco como señal de pureza de la actividad que se realiza.

Ejemplos de delantales simbólicos se encuentran también en el Tíbet y en las tribus africanas, donde se realizan con huesos humanos y se destinan a los brujos. Encontramos aquí también un simbolismo relacionado con la protección contra las reacciones adversas de los muertos, previniendo las influencias dañinas del submundo; por tanto, símbolo de protección en todo caso. El sentido de elaborar el delantal con huesos humanos no es otro que reforzar así la comunicación con esas fuerzas metafísicas.

Delfín

Las cualidades del delfín, veloz, demostradamente inteligente y amiga-ble con el hombre, llamaron la atención desde antiguo a los pueblos marineros o más o menos ligados con el mar, que los incorporaron a sus relatos míticos. En este sentido las culturas del periodo creto-micénico, así como la grecolatina, lo tomaron como un animal relacionado con la divinidad. Los concibieron como símbolo del conocimiento y, sobre todo, tal vez causado por su «amistad» con los humanos, como animal psicopompo que, de igual manera que acompañaba a los barcos surcando las aguas, lleva sobre su lomo las almas de los difuntos a través del reino de los muertos. Era atributo de Apolo por su relación con la inteligencia, pero además, su evidente relación con el mar le convirtió en atributo de varios dioses: Dionisos, protector de los marineros; Afrodita, que había nacido del mar; y Poseidón, dios de los mares.

Su prestigio se incorporó posteriormente al cristianismo, donde fue aplicado a Jesucristo como conductor de las almas de los elegidos al reino de los cielos.

En el Renacimiento se convirtió en un emblema famoso asociado con el ancla, que venía a significar la virtud de ejecutar las acciones con presteza (delfín), pero sin perder por ello la calma (ancla). De ahí la famosa divisa del emperador Augusto *festina lente* («apresúrate con calma»), que, recogida por el emblemista Alciato, pasó al humanismo renacentista.

■ **Referencias cruzadas**: *véanse* también Ancla y Psicopompo.

El triunfo de Galatea, Rafael.

Delantal

El delantal o mandil es un elemento necesario en el trabajo, por eso se convirtió en un símbolo de éste, al igual que de la protección que ofrece contra los riesgos del mismo.

Delfín

El delfín, debido a su familiaridad con el hombre y a su inteligencia, es un animal muy valorado desde la Antigüedad.

Demonio

l concepto
de demo-

amenazas que pueden
acechar al hombre. En
este punto se hace pre-
ciso establecer una acla-

Demonio

Demonio, Diablo, Lucifer,
Satanás, Príncipe de las
Tinieblas... son sólo
algunos de los nombres de
este ser, que representa la
unión de todos los males
que afectan a la
humanidad.

El arte ha recogido en
numerosas obras la lucha
entre el bien y el mal,
entre el Demonio y Dios.

nio tuvo en el pensamiento griego un sentido amplio, designando a unos seres divinos, superiores, semejantes a los dioses debido a la posesión de ciertos poderes para actuar sobre los hombres y cualquier realidad. De ahí que se hablase de un demonio que cada persona tenía, identificándolo con la voluntad divina que ya de antemano había prefijado un destino para cada ser humano. Posteriormente la palabra pasó a concretarse en seres inferiores que habitan el submundo y finalmente designó a espíritus malignos, acepción con la que se entienden actualmente.

Sin embargo, en otras tradiciones el concepto de demonio conserva la amplitud y vaguedad inicial, designando en este caso tanto las almas de los difuntos como genios favorables o malvados, intermediarios entre los dioses y los hombres, etc. Tal es el caso de algunas culturas primitivas y orientales, que conciben la creación llena de demonios pululantes que se manifiestan en todos los ámbitos y que no son necesariamente enemigos humanos.

El demonio es ampliamente utilizado en la tradición cristiana como antítesis del bien. Los demonios son los ángeles rebeldes, que, por abandonar la fe en Cristo, suponen la personificación por excelencia del Mal, que agrupa todas las

ración: a lo largo de toda la historia de la religión cristiana, se ha utilizado indistintamente el término demonio o diablo tanto en plural como en singular. En general, podemos entender que cuando se habla de demonios o diablos, se hace referencia a la multitud de males que acechan, persiguen y atormentan a los seres humanos, es decir, serían algo así como los secuaces del Demonio (o Diablo). Por el contrario, el término utilizado en singular equivale al rey de lo nefando, cono-

La caída de los ángeles rebeldes,
Luca Giordano.

cido con diversidad de nombres tales como Diablo, Demonio, Lucifer, Satán, Satanás, Príncipe de las Tinieblas, etc. Como soberano de todas las fuerzas malignas, se sitúa en el extremo completamente opuesto del bien, representado, a su vez, por Dios. Además, mientras que aquél es el señor de los infiernos donde son enviados los condenados, éste es el soberano del reino de los cielos, donde las almas de los justos encuentran el eterno descanso.

La iconografía del demonio que se ha perpetuado durante siglos es muy variada, pero presenta rasgos constantes que permiten su rápida identificación. Como manifestación por excelencia del mal, se le representa siempre con un aspecto horrible de carácter bestial, generalmente de color rojo o verde (en alusión al fuego y a su relación con lo terreno), con alas de murciélago, cuernos, grandes garras y cola. Por ello, se le asocian varios animales (fantásticos o no) que rememoran alguna de sus características, tales como el dragón, la serpiente, el murciélago, el macho cabrío y, por extensión, todos los animales considerados sucios, malvados, inmundos, habitantes de las profundidades, etc., en cada cultura y en cada época.

■ **Referencias cruzadas**: *véanse* también Dragón, Genios e Infierno.

Derecha e izquierda

*L*a *constatación* de la simetría del cuerpo humano dividido en dos mitades iguales pero contrapuestas derivó en la asociación simbólica de cada una de las partes con determinados significados, que aparecen en multitud de religiones y creencias.

Generalmente, el lado derecho es considerado como el más positivo, quizá porque la mayoría de los seres humanos son diestros, esto es, realizan las actividades de importancia utilizando preferentemente la mano derecha. Así, el término «destreza» es aplicado a aquellas personas que presentan cualidades especialmente virtuosas en la realización de una labor determinada. Por el contrario, la izquierda se ha cargado siempre de connotaciones negativas relacionadas con la pasividad, la oscuridad, lo satánico, la mala suerte, etc. Los ejemplos son abundantes y resultan clarificadores

En el mundo clásico y entre los celtas el brazo derecho es el que porta las armas y, por tanto, representa el valor, el éxito y la fuerza, mientras que la izquierda es símbolo de mal augurio. La palabra latina *sinister* (izquierda) derivó en el término «siniestro», cargado de connotaciones negativas en relación con lo malvado, oscuro, negativo.

La religión cristiana heredó tales concepciones haciendo de la mano diestra la empleada por Dios padre para bendecir. El lugar a la derecha de Dios es el de máxima jerarquía, entendido, por tanto, como signo de dignidad e importancia (todavía hoy, el que se sienta a la derecha de un gobernante o de la persona de cierta relevancia que preside un acto es el de mayor importancia después de aquella). Incluso, en todas las representaciones iconográficas del día del Juicio Final los elegidos se sitúan a la derecha de Dios, mientras que los condenados aparecen a la izquierda: la derecha es la dirección del Paraíso, la izquierda, la del infierno (recuérdese como ejemplo el Juicio Final pintado por Miguel Ángel en la Capilla Sixtina).

Sin embargo, en China la concepción es diferente. Allí, la distinción entre derecha e izquierda no implica ninguna oposición, sino que son complementarias, puesto que, como todo, se rigen por el yin y el yang, y éstos no se oponen. La izquierda es la parte activa, la creadora del cielo y masculina y asociada al yang, mientras que la derecha se identifica con

Derecha e izquierda

Casi todas las culturas coinciden en señalar los aspectos positivos de la derecha, mientras que a la izquierda se le asignan los valores más oscuros.

En algunas culturas la mano izquierda es utilizada para realizar donaciones y la derecha para recibirlas.

la tierra, la fecundidad, la cosecha y lo femenino (yin). De ahí que la mano izquierda sea la utilizada para las donaciones, y la derecha para recibirlas.

■ **Referencias cruzadas**: *véase* también Yin-yang.

Desierto

*E*l *desierto* se nos presenta con una especial significación simbólica en la tradición judeocristiana, ya que aparece como lugar idóneo para el encuentro pleno con Dios. En este simbolismo debió jugar un papel decisivo la experiencia histórica del éxodo

Desierto

Su alejamiento de la civilización fue visto por los eremitas como el lugar ideal para el conocimiento de Dios.

del pueblo de Israel a través del desierto hacia la tierra prometida, que supuso su liberación tras la esclavitud egipcia y el descubrimiento, a través del maná (alimento que Yahvé proporcionó milagrosamente a los judíos en su camino por el desierto) de la providencia de Dios.

Pero ¿qué es lo que hace del desierto el lugar ideal para el conocimiento verdadero de Dios? En primer lugar, estos espacios implican el alejamiento más extremo de todo lo mundano y de las comodidades. Más bien, comporta la absoluta carencia, abandono y lejanía, aspectos que la ascética consideraba necesarios para llegar a un profundo y verdadero conocimiento espiritual: allí no hay nada que pueda llevar a la contaminación moral y la distracción, sino sólo a la purificación. Por otra parte, el desierto carente de vida representa la negación de la misma, lo que implica la absoluta soledad y desolación. Todas estas condiciones que el desierto reúne fueron vistas en los primeros siglos del cristianismo como las ideales para el recogimiento, la oración y meditación necesarias para llegar a la perfección espiritual y, por tanto, al contacto con Dios. Esto explica que numerosos fieles de los comienzos de la religión cristiana se retiraran al desierto con esa intención. De ahí derivan las múltiples representaciones de santos eremitas que aparecen en la iconografía cristiana.

Conforme avanzó el tiempo, el cristianismo dejó de considerar imperioso retirarse materialmente al desierto para llevar una vida ascética. Tal es el sentido de los monasterios medievales, equiparados al desierto en cuanto lugar apropiado para el recogimiento, meditación y conocimiento de Dios, ya que comparte características de retiro del mundo, aislamiento, frugalidad, etc.

Pero el desierto tendría también un lado oscuro y opuesto a la plenitud, de manera que vagar por él es la imagen de una vida vacía de contenido. De la misma manera, en el islamismo, el desierto es el lugar de extravío del hombre respecto de su religión.

■ **Referencias cruzadas**: *véase* también Maná.

Desnudez

*L*a *desnudez* del cuerpo humano se ha revestido de una significación ambivalente a lo largo de la historia. De un lado aparece con sentido positivo en cuanto exposición sincera y sin artificios que indica pureza, verdad, en contraposición a la mentira o hipocresía que pueden ocultar las vestimentas. Esta es la inicial línea que sigue la Biblia, por cuanto en el Génesis Adán y Eva son concebidos desnudos antes de pecar, es decir, en estado original de inocencia. Sin embargo, la visión cambia tras cometer el pecado original. Es entonces cuando se cubren el sexo con una hoja, apareciendo así la propia desnudez relacionada con el pecado, la

derosos y, sobre todo, de la Iglesia. Recordemos en este sentido las figuras pintadas por Miguel Ángel para la Capilla Sixtina; él las concibió desnudas, pero posteriormente se les aplicó el aberrante «paño de pureza». En relación con el desnudo en el arte, debemos hacer constar que las concepciones religiosas fuertemente arraigadas en las sociedades católicas hicieron que la representación del desnudo, cuando aparecía, se circunscribiera como mucho a las figuras paganas, es decir, los temas mitológicos, pero jamás se aplicaba a los personajes sagrados.

Actualmente el desnudo ha ido perdiendo progresivamente aquellos significados y se ha hecho habitual en el cine y en algunas costumbres sin que casi nadie (siempre aparecen algunos recalcitrantes) se escandalice por ello. Hoy es relativamente habitual la práctica del nudismo y todavía lo es más el *top-less* en las playas de todo el mundo.

■ **Referencias cruzadas**: *véanse* también Adán y Eva.

Día

S u *carácter* cíclico y regular (nacimiento, crecimiento, plenitud y ocaso) le convierte en símbolo de la vida misma que pasa por las mismas fases hasta llegar a la muerte. De igual manera, la Luna, en su ciclo mensual, parece seguir al día en sus diferentes estadios (va creciendo, llega a la plenitud, mengua y pasa por una fase de oscuridad). Las estaciones se asimilan también con el día y sus diferentes momentos: la primavera representa la mañana, el verano el mediodía, el otoño la puesta del sol y el invierno la noche. Pues bien, desde antiguo se impuso la asociación entre el día, el mes (lunar) y el año (estaciones), abarcando de esta manera todos los ciclos astrológicos que marcan el tiempo desde su división

Desnudez

La figura humana desnuda ha sido considerada durante muchos siglos como imagen de desvíos morales relacionados con los pecados de la lujuria y la lascivia.

Día

El carácter cíclico del día fue utilizado como modelo para las fases por las que pasan la Luna y las estaciones, estableciendo una peculiar relación que abarca los ciclos astrológicos que marcan el tiempo.

vergüenza, la culpa. Esto nos lleva a la acepción negativa de la desnudez, en relación con los atractivos sexuales del cuerpo humano, convirtiéndose en símbolo de la lujuria, predominio de las pasiones, libertinaje, pensamientos impuros, etc.

Durante largos siglos esta última fue la visión predominante en la cultura cristiana, de tal manera que fueron prohibidos los desnudos por ser estímulo de desvíos morales. Esta concepción se mantuvo a lo largo de toda la Edad Media, hasta que con la aparición del Renacimiento en Italia, los artistas, conscientes del valor noble del desnudo, intentaron retomarlo no sin la oposición de los po-

Diamante

La belleza, el brillo y la dureza de este mineral le granjearon desde antiguo un importante valor simbólico asociado a valores virtuosos.

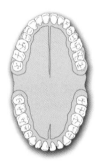

Dientes

Los dientes permiten una función básica para la supervivencia del ser humano: comer. Sin embargo, esto mismo condujo a nociones negativas relacionadas con la fiereza.

Diez

De la filosofía pitagórica a la religión cristiana, el diez ha ocupado un lugar central en las concepciones humanas.

---

más pequeña (día), a la más duradera (año), pasando por la intermedia (mes).

Por otra parte, el día en cuanto luz aparece como símbolo del conocimiento y de la razón, en oposición a la oscuridad de la noche.

■ **Referencias cruzadas**: *véanse* también Luz y Noche.

Diablo

Véase Demonio.

Diamante

Supone la más elevada sublimación del cristal, lo que, unido a sus rasgos geológicos característicos, tales como extrema dureza, brillo y perfección, lo convierten en un símbolo universal de todos los valores nobles: pureza, firmeza, espiritualidad, inmortalidad, incorruptibilidad, sabiduría, soberanía, etc. Esto hace que en el budismo, por ejemplo, el trono de Buda esté construido en diamante, por cuanto este personaje sagrado aparece como inmutable, inalterable y dotado de fuerza espiritual suprema.

En Occidente el diamante aparece más relacionado con su carácter de piedra preciosa, incidiendo entonces en su simbolismo como atributo de majestad y dignidad de los soberanos, que lo incluyen, por ejemplo, como elemento decorativo de sus coronas.

Por otra parte, en las creencias populares se le atribuyeron diversas propiedades sin duda asociadas a todo ese simbolismo de pureza e incorruptibilidad mencionado más arriba. Es así remedio contra todo tipo de enfermedades y venenos, expulsa los malos espíritus, aleja a los animales salvajes, a los fantasmas, las brujas y todos los terrores de la noche. Debido a su dureza, durante el Renaci-

---

miento se le asocia al valor, la fortaleza del carácter, etc.

■ **Referencias cruzadas**: *véanse* también Corona y Joyas.

Dientes

Puesto que los dientes son el instrumento que permite la alimentación del ser humano, se les asignó desde épocas tempranas un simbolismo relacionado con la posesión, el sometimiento y la asimilación; es la fuerza que tritura los alimentos. Esto derivó en un significado negativo en cuanto fuerza dominadora agresiva. Así los considera la literatura védica fijándose en los aspectos de fiereza, asimilando los caninos y colmillos humanos con los de las fieras. Idéntico sentido se observa entre algunas tribus africanas, en las que los caninos son signo de encarnizamiento y odio.

Por otra parte, la costumbre existente en los pueblos primitivos de coleccionar los dientes caídos agujereándolos y formando con ellos collares, podría tener el sentido de trascender un tiempo que ya se ha escapado. Similar costumbre encontramos en la práctica occidental que los niños tienen de coleccionar sus dientes en cuanto se les caen: volvemos a la misma idea, recuerdo de un tiempo ya pasado.

Diez

Adquiere importancia a partir de los pitagóricos griegos (filósofos que basaban buena parte de sus doctrinas en los números, convirtiéndose en padres de la ciencia matemática), que vieron en él un número sagrado que simbolizaba la totalidad, puesto que es la suma de los cuatro primeros números. Además, al emplear sistemas decimales el diez refuerza el mencionado sentido de acabamiento, de retorno a la unidad tras el desarrollo

del ciclo de los nueve primeros números. Por ello se asignó a los grandes conceptos sobre la creación universal. Este número recibió tal carga simbólica que incluso sobre él prestaban juramento. La fórmula comentada (1+2+3+4=10) traspasada a forma geométrica se convierte en un complicado polígono de diez puntos con aspecto de pirámide de cuatro pisos: en el vértice, un solo punto simboliza el principio divino de todo, el ser aún no manifestado (en casi todas las tradiciones y leyendas, la creación es obra de un solo dios principal); en el nivel inmediato, los dos puntos simbolizan la primera manifestación del ser, el desdoblamiento primigenio en pareja del que dependerá el resto de la existencia: lo masculino y lo femenino, el cielo y la tierra, la luz y las tinieblas, el yin y el yang, etc. Los tres puntos que siguen corresponden a los tres niveles del mundo, es decir, infernal, terreno y celeste, y a los tres aspectos de la vida humana, corporal, intelectual y espiritual. Y, por fin, los cuatro puntos de la base de la pirámide simbolizan la tierra con sus cuatro elementos (aire, tierra, fuego y agua), sus cuatro estaciones y sus cuatro puntos cardinales.

La concepción mencionada del diez aparece también en la religión cristiana con los diez mandamientos, expresión global de la voluntad de Dios sobre los hombres. El decálogo simbolizaría por tanto el conjunto de leyes que, en sus múltiples aspectos, no dejan de ser más que una: la Ley de Dios.

Díluvio

C onstituye una catástrofe o cataclismo meteorológico acaecido por voluntad divina, consistente en un largo periodo de lluvias incesantes y de una fuerza y violencia destructora y arrasadora.

Por tanto, el diluvio se vincula indisolublemente al agua, que le confiere su significado regenerador y renovador. Este castigo divino acaece cuando se produce un agotamiento de la realidad existente. Así, el diluvio está siempre asociado a faltas cometidas por la humanidad, pecados, trasgresión de las normas y reglas impuestas por la divinidad, etc. Esto es lo que desencadena la reacción del dios enviando a los hombres la fatal catástrofe; pero tras ella, la vida aparece de nuevo renovada y dotada de mayor fuerza, el diluvio purifica y regenera a la humanidad a través del agua como si se tratase de un bautismo colectivo, decidido por los dioses.

Este es el sentido de los diluvios universales que aparecen en las tradiciones de diversos pueblos y en los que siempre se identifica a uno o varios personajes elegidos por la divinidad para que sobrevivan y reconstruyan la vida tras la

Díluvio

Concebido como castigo divino para purificar las faltas y pecados cometidos por los hombres, supone una regeneración y nacimiento de un nuevo ciclo.

Separación de las aguas de la tierra (detalle de la Capilla Sixtina), Miguel Ángel.

El banquero y su mujer, Marinus van Reymerswaele.

Dínero

El afán por acaparar la mayor cantidad posible de dinero es una aspiración tan antigua como la existencia misma de éste, porque con él se consigue poder y es el garante de la obtención de todo aquello que se desee.

Dísco

Su asociación con el Sol y la divinidad se encuentra presente en las religiones orientales y en Egipto, llegando incluso al cristianismo.

catástrofe. Así, Utnapishtim en la cultura mesopotámica, Decaulión y Pirra en la mitología griega, Fintan en la irlandesa y Noé, su familia y una pareja de animales de cada especie en el relato bíblico.

◼ **Referencias cruzadas**: *véanse* también Agua y Lluvia.

Dínero

En realidad el dinero no es más que un elemento de un sistema simbólico a través del cual se realizan los procesos de compraventa de los objetos más inimaginables e incluso, durante mucho tiempo, también de las personas. Precisamente esa capacidad de adquisición llevó desde su misma aparición a asignarle un tremendo prestigio y a desear su acumulación en el mayor grado posible, puesto que garantiza la obtención de todo lo que se desea. Es perfectamente comprensible entonces que el dinero, más bien su acumulación, pase a convertirse en símbolo, a la vez que causa, de poder, fama, prestigio, felicidad y éxito para quien lo posee, y opresión y ruina para quien carece de él.

Esto último nos conduce al simbolismo negativo atribuido al dinero desde un punto de vista moral, asociado al pecado de la usura y la avaricia. Pero también se interpreta como emblema de los bienes terrenales, que, sin embargo, no duran siempre. De ahí la representación de monedas en muchos cuadros de vanidades recordándonos la fugacidad de los bienes terrenos y la necesidad de contar con valores humanos mucho más profundos que los mundanos.

◼ **Referencias cruzadas**: *véanse* también Moneda y Oro.

Dísco

Generalmente ha sido utilizado en las religiones orientales y en Egipto como símbolo solar por su similitud con la forma del astro y, por tanto, relacionado con la divinidad. En Egipto aparece frecuentemente representado dotado de alas, como alusión al curso solar y a la unión de los faraones con el propio dios sol (Ra). Con el mismo sentido aparece en India, siendo uno de los atributos del dios principal, Visnú, que lo utiliza como arma arrojadiza para destruir la ignorancia y la oscuridad (apreciamos aquí el simbolismo del Sol y de la luz en general asociado al conocimiento que «ilumina»).

En China el disco de jade con un boquete en medio (llamado pi) sería incluso la representación de la perfección celeste.

De manera similar en Occidente se asumió la tradición oriental que identifica el disco con el Sol y, por tanto, indirectamente con la divinidad, concretándose en la forma elegida para representar el cuerpo de Cristo en la eucaristía.

◼ **Referencias cruzadas**: *véanse* también Círculo y Sol.

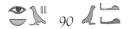

Disfraz

Véanse Máscara y Teatro.

Doce

Número fundamental de los sistemas duodecimal y sexagesimal, empleado por culturas como la babilónica. En este sistema, el 12 es un símbolo cósmico del desarrollo cíclico en el espacio y en el tiempo; es el número de las divisiones espaciotemporales, asignándole, por tanto, valores de totalidad. Así, tenemos que 12 es el producto de los cuatro puntos cardinales por los tres planos del mundo; el cielo, concebido como inmensa cúpula, se divide en 12 sectores que corresponden a cada uno de los 12 signos del zodiaco; 12 meses tiene el año para los asirios, chinos, judeocristianos; 12 son las horas del día y de la noche. En fin, como dijimos, el 12 simboliza el universo en su desarrollo cíclico espacio temporal.

De esta visión del 12 como número de totalidad y perfección absoluta, deriva la importancia del mismo en la tradición judeocristiana. Los hijos de Jacob son 12 y, en consecuencia, también las tribus de Israel; 12 son los apóstoles; 12 las puertas del Jerusalén celestial marcadas con los nombres de las 12 tribus de Israel, y su muralla tiene 12 bases con el nombre de los 12 apóstoles; la mujer del Apocalipsis lleva una corona con 12 estrellas; dos veces 12 son también los ancianos que aparecen en el Apocalipsis; 144.000 serán los fieles elegidos en el fin de los tiempos (12.000 de cada una de las 12 tribus de Israel).

■ **Referencias cruzadas**: *véase* también Jerusalén celestial.

Dodecaedro

Forma geométrica tridimensional de 12 caras pentagonales, aunque también existen dodecaedros estrellados de 12 puntas. Al estar compuesto de caras con forma de pentágono regular, participa del simbolismo de ambos números (el cinco de la forma de las caras y el 12 como el número total de ellas). Por tanto se le considera como un cuerpo geométrico regular perfecto y, por ello, relacionado con la totalidad.

■ **Referencias cruzadas**: *véanse* también Cinco y Doce.

Dólar

El origen de este símbolo es algo confuso, pero todo indica hacia tierras españolas. A finales del siglo XV, con la conquista de los últimos reinos musulmanes de la península Ibérica, las dos orillas del estrecho de Gibraltar quedaron bajo una misma soberanía, la de los Reyes Católicos. Éstos conmemoraron el logro haciendo suyo el escudo que mostraba dos columnas (las míticas columnas de Hércules que flanquean el estrecho) adornadas por sendas bandas con el conocido lema de la Antigüedad *non plus ultra* («no más allá»).

Dicha imagen aún puede verse hoy con suma claridad en el escudo de la España democrática, pero durante la Edad Moderna se perpetuó en el llamado «peso duro», una moneda que alcanzó gran extensión por las colonias españolas de América. A finales del siglo XVIII, con la independencia de las 13 colonias inglesas de Norteamérica, Thomas Jefferson propuso hacer del *spanish silver dolar* su moneda nacional. Por aquella misma época, un emigrante irlandés popularizó el símbolo que desde entonces se le asocia. El origen de los dos pilares resulta obvio, constituyen una alegoría de las columnas de Hércules ya mencionadas, pero la «S» plantea mayores dificultades. Las posibilidades que se abren

Doce

El 12 tiene una importancia fundamental en el desarrollo de la vida humana, es el número elegido para marcar nuestra existencia: 12 horas del día y de la noche, 12 meses del año...

Dodecaedro

La conjunción de números considerados perfectos en la formación de este sólido geométrico condujo a asociarlo con ideas totalizadoras.

Dólar

El dólar pilar, el conocido símbolo formado por una «S» y dos pilares, se ha extendido desde Estados Unidos hasta llegar a ser hoy una imagen casi universal del dinero.

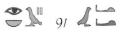

2

Dos

En la creación, el dos significa la aparición de los principios contrarios (masculino y femenino, cielo y tierra, etc.) pero complementarios, que se manifiestan en todas las entidades primigenias.

Dosel

En principio usado sólo por el Papa como manifestación del poder recibido de Dios, por extensión empezó a ser utilizado por los demás soberanos en un intento de sacralizar su poder.

para interpretarla son varias: puede derivar del monograma formado por las letras P y S (abreviatura de «pesos»), del número ocho (la moneda también se denominó, por su valor, «peso de a ocho») o de las bandas que recorrían las columnas mostrando el emblema ya citado.

Sea como fuere, el incuestionable predominio de Estados Unidos en todos los ámbitos del mundo actual ha hecho de este símbolo la imagen más asociada no sólo a su moneda, sino al dinero en general.

Dos

Considerado por los pitagóricos como el primer número en sentido estricto, ya que representa la primara pluralidad posible: si el uno corresponde al ser creador, el dos es la primera y más elemental manifestación de la creación. Es la dualidad la que posibilita la pluralidad, en tanto que dos son los primeros principios contrarios creados que hacen posible el resto: masculino y femenino, el cielo y la tierra, la luz y la oscuridad, etc.

Baldaquino, Bernini.

Relacionado con la dualidad primigenia, encontramos que el dos es el símbolo de la duplicación, de la separación, la discordia, de la oposición, conflicto, movimiento, pero al mismo tiempo es el equilibrio que hace posible que surjan las demás realidades.

■ **Referencias cruzadas**: *véase* también Diez.

Dosel

El *dosel* es una especie de parasol sostenido en cuatro puntos y utilizado por los grandes soberanos y el Papa. Está asociado a la idea de centro (el que se sitúa bajo él es el personaje de mayor categoría) y su forma puede ser rectangular (identificándose entonces con la tierra y los bienes terrenos) o circular (evocación del cielo, bienes celestes). Todo esto nos lleva a su significación como emblema de majestad, dignidad y poder del que se sitúa bajo él, es el centro de radiación de poder terreno, pero recibido del cielo. Por ello, reviste también significaciones de protección. Es decir, el soberano que se encuentra cubierto por el dosel, está protegido por la divinidad y al mismo tiempo se la otorga a sus súbditos, actuando de intermediario entre cielo y tierra.

El uso del dosel era en principio privativo del Papa, cuyo poder deriva directamente del cielo, de Dios, ya que él es el verdadero «pontífice» (hacedor de puentes) o intermediario entre los hombres y el Señor.

Sin embargo, el deseo de los soberanos de revestir su poder de una legitimidad de carácter divino y una mayor magnificencia, condujo a la apropiación de este elemento y del simbolismo asociado.

■ **Referencias cruzadas**: *véanse* también Palio y Puente.

Dragón

Ser *fantástico* de temibles características físicas, que por ello suele encarnar los poderes maléficos o aparece como su servidor. Su morfología es variada pero suele presentar unos rasgos más o menos fijos que lo hacen perfectamente identificable: alado, generalmente con forma serpentiforme e híbrida y con la capacidad de arrojar fuego por las fauces. Suele aparecer como monstruo de las profundidades, representando un obstáculo a salvar para poder lograr el éxito, materializado en la liberación de la princesa, la obtención de un tesoro u objeto precioso como las manzanas de las Hespérides o el Vellocino de Oro. En términos generales, representa el mal que es preciso aniquilar para que el bien se realice. Por ello, en ocasiones se representó a Cristo pisoteando dragones. Análogo significado tiene la iconografía del arcángel san Miguel o de san Jorge luchando con el dragón.

Sin embargo, no para todas las culturas aparece revestido de este sentido tan negativo. En Oriente, particularmente en China, son mejor valorados. En tanto que ser volador y, por tanto, cercano al cielo y los dioses, representa a las fuerzas creadoras y ordenadoras de los cielos. Esta idea se encuentra fortalecida por el hecho de que, como animal acuático (se supone que viven en el agua), se le asocia a la fertilidad porque trae la lluvia y, por otra parte, se relaciona con el trueno y el rayo gracias al fuego que escupe. La conexión con las manifestaciones de los poderes celestiales parece clara. El dragón se asocia también al principio yang, porque él representa la actividad celeste masculina: es el trueno que trae la lluvia fertilizante, la llegada de la vida, la vegetación, la primavera, la renovación cíclica. Pero al mismo tiempo, ese estrecho contacto con las energías del agua lo relaciona también con el principio yin. Por extensión, se convierte en emblema del emperador, manifestando la omnipotencia del hijo del cielo y apareciendo como responsable de los ritmos de vida y la fertilidad.

■ **Referencias cruzadas**: *véanse* también Serpiente y Yin-yang.

Dragón

De carácter malvado en Occidente, es en las culturas orientales donde el dragón adquiere un complejo simbolismo de características positivas, que le convierten incluso en emblema de los emperadores chinos.

El triunfo de san Jorge, Vittore Carpaccio.

El triunfo de Baco, Cornelis de Vos.

Ébano

Su color negro se asoció a los seres y dioses del mundo subterráneo.

Ebriedad

En los rituales de numerosas culturas se provoca la llegada a la embriaguez para superar el estado consciente y lograr así una sublimación que permita un acercamiento más directo a la divinidad.

Ébano

*L*a madera de ébano se caracteriza por su color negro, del que proviene un simbolismo relacionado con el mundo subterráneo y las tinieblas. Por ello, en la mitología griega Plutón, dios del inframundo, aparece sentado sobre un trono construido en ébano.

■ **Referencias cruzadas**: *véase* también Negro.

Ebriedad

*E*n algunas sociedades la embriaguez se asocia con los rituales relacionados con las súplicas a la divinidad con objeto, por ejemplo, de obtener las lluvias necesarias para que madure la cosecha. Así, en múltiples danzas rituales, la mezcla de los movimientos convulsivos con las bebidas alcohólicas e incluso las drogas, produce un estado de embriaguez propicio para llegar a una sublimación que, superando los límites de la consciencia,

permite el contacto con la divinidad. Por ejemplo, entre los griegos, el estado de embriaguez era fundamental en los cultos dionisiacos (Dionisos es el dios griego del vino, Baco para los romanos) como medio de alcanzar la comunión o identificación con ese dios; éste, de hecho, a menudo es representado borracho y uno de sus atributos es una jarra llena de vino.

En la Biblia también se menciona la embriaguez. Los autores cristianos la condenaron porque prestaba la ocasión propicia para todo tipo de desenfrenos y desvíos.

Eclipse

*L*a simbología relacionada con los eclipses aparece con caracteres muy similares en las religiones orientales y en la islámica.

El eclipse es un fenómeno astronómico no muy frecuente, que supone la ocultación accidental del Sol o la Luna. Por ello son interpretados casi unánimemente como suceso catastrófico y signo claramente adverso, puesto que es algo que va contra las leyes cósmicas y naturales, quebrando su armonía. El astro eclipsado se considera muerto, tragado por un monstruo. Ante este desarreglo cósmico los chinos encuentran la explicación en un desequilibrio microcósmico, es decir, causado por culpa del comportamiento del emperador o sus mujeres.

En tanto que suceso dramático, los eclipses anuncian inminentes catástrofes de proporciones cataclísmicas que suponen el final de un ciclo y el advenimiento del siguiente, simbolizado por la reaparición del astro.

En Perú, los eclipses son vistos también como signo de mal augurio. De hecho, la tradición cuenta que fue un eclipse de Sol uno de los signos que anunciaron la nefasta llegada de los españoles (que bien se podría equiparar a una verdadera catástrofe por los innumerables atropellos que cometieron contra aquella gente) y el fin del Imperio inca.

Edades

Bajo este nombre se consignan los periodos de tiempo en que la mente humana dividió el desarrollo de la humanidad. En la cultura clásica occidental se consideró el universo como un todo en evolución a través de sucesivas edades que se iban degradando, perdiendo aspectos positivos a medida que se alejan de los comienzos; un concepto que podríamos llamar de antiprogreso.

La idea de edades sucesivas se encuentra sobre todo documentada en el mundo clásico a partir del relato mítico de Hesíodo: existía una primigenia Edad de Oro, en la que los hombres eran longevos, sabios, vivían en felicidad, paz, armonía, sin trabajo y sin leyes impuestas; a esta edad deseada le sucedió la de plata, en que los hombres habían perdido la fe en sus dioses por lo que fueron aniquilados por Zeus; en la siguiente, la de Bronce, los humanos enloquecieron y se dedicaron a asesinarse unos a otros por lo que fueron condenados a no alcanzar la otra vida; la Edad Heroica, durante la que se sucedieron las guerras de Troya y de Tebas, trajo un aliento de esperanza en for-

ma de renacimiento de las virtudes nobles de los hombres, pero inmediatamente se produjo el advenimiento de la Edad de Hierro que se extendía hasta los tiempos en los que escribía Hesíodo, y que habría de traer la decadencia más absoluta, y la pérdida de todo valor.

Sólo a partir de la Edad Moderna comenzó a concebirse la idea de progreso. Así, positivistas y evolucionistas describieron sucesivos estados de desarrollo por los que el hombre y sus sociedades habrían ido pasando hasta llegar al estado actual, el punto más elevado de ese proceso.

Hoy seguimos utilizando profusamente, por una simple razón funcional, el artificio de la división del tiempo en compartimentos, que de ningún modo deben ser estancos. Así, en el estudio de la Historia de la humanidad, se establecen dos grandes divisiones entre Prehistoria e Historia que, a su vez, se dividen en Edad de Piedra y de los Metales (cobre, bronce, hierro) para la Prehistoria; y en Edad Antigua, Media, Moderna y Contemporánea para la Historia.

Égida

Arma protectora de Zeus y uno de sus atributos por excelencia (también de Atenea por préstamo de aquél). Había sido forjada por Hefestos (el dios herrero de la mitología griega, que pasó a la romana como Vulcano) y en su centro se colocó la cabeza de la terrible Gorgona Medusa (capaz de petrificar tan sólo con su mirada). Junto con el haz de rayos es el atributo de este dios principal de la mitología griega. Sin embargo, contrariamente al rayo, la égida no es un arma destinada a golpear, sino que más bien su función es psicológica en el sentido de inspirar temor a los mortales con objeto de que no se desvíen de la fe en sus dioses. Sería, por tanto, también símbolo de la fuerza soberana que ese dios ejerce, al

Eclipse

La ocultación momentánea del Sol o la Luna fue vista, sobre todo en las culturas orientales, como un signo de mal augurio, que anunciaba la llegada de próximas catástrofes.

Edades

Las diferentes edades en que la mente humana ha dividido el tiempo histórico no son más que artificios útiles para poder comprenderlo mejor.

Égida

En su origen era un simple manto de piel de cabras, pero al ser una prenda que no sólo abrigaba sino que protegía de algunos posible golpes, pasó a convertirse, elaborado de un material más resistente, en una especie de escudo, peto o armadura del pecho.

Egipto

En los textos bíblicos el Egipto faraónico constituye un verdadero símbolo de las amenazas que se ciernen sobre el pueblo de Israel, sus valores y religión.

mismo tiempo que de la protección hacia los mortales.

El sentido de protección o patronato de una persona respecto a otra de inferior escalafón, lo encontramos en la expresión «estar bajo la égida de alguien».

■ **Referencias cruzadas**: *véase* también Gorgonas.

Egipto

*E*n la tradición bíblica Egipto simboliza la tierra de la esclavitud del pueblo de Israel y el país de donde proceden los peligros de la idolatría (sin duda por su religión politeísta) y las amenazas de invasión, por oposición a la tierra prometida.

En otro plano de significación, los mismos egipcios denominaban a su tierra como «el negro y el rojo». El rojo en clara alusión a las grandes extensiones desérticas, y el negro a las zonas fértiles a orillas del Nilo (este río, con sus crecidas, depositaba un manto fértil de color negruzco sobre sus orillas, sobre el que era posible cultivar). Todo ello se combinó

para hacer de Egipto un símbolo de unión de contrarios, la esterilidad del desierto y la fertilidad del valle del Nilo.

El significado que acabamos de comentar, lo encontramos igualmente en su situación geográfica, que representa una encrucijada abierta pero, al mismo tiempo, un oasis cerrado. Es encrucijada por cuanto allí convergen cuatro mundos, a saber, el desierto del Sáhara al oeste, el África negra al sur, el Próximo Oriente al este, y el Mediterráneo al norte. Pero también oasis, porque está rodeado de mares y desiertos, que lo aíslan, lo que le ha valido para conservar una cultura y civilización propia durante 3.000 años.

Eje del mundo

*S*upone la proyección vertical del centro. Sobre esta línea imaginaria se articula la rotación del cosmos, es decir, sería la bisagra del devenir universal, al mismo tiempo que su eje vertebrador. Por tanto, el eje del mundo se entiende como nexo de unión entre los diferentes niveles que lo integran (subsuelo, tierra y cielo). Son numerosos los elementos que aparecen como imagen del eje del mundo: el árbol, la montaña, el pozo, la columna, el humo ascendente, el bastón, el linga hindú (forma con aspecto fálico), etc., todas ellas realidades que asumen una marcada orientación vertical. A través de la trayectoria que marca el eje del mundo, se produce el tránsito entre los diferentes niveles mencionados, lo que indica, nuevamente, su dinamismo. Dicho eje, que se erige sobre el centro simbólico, es el lugar más propicio para conseguir la participación e interacción entre lo divino y lo humano.

■ **Referencias cruzadas**: *véanse* también Árbol, Bastón, Centro, Columna, Humo, Linga, Montaña y Pozo.

La huida de Egipto, Joachim Beuckelaer.

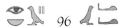

Elefante

*S**e muestra* como animal especialmente simbólico en las religiones asiático-orientales, donde recibe además un importante culto. Su enorme masa fue considerada en India como símbolo de fuerza y poder real. Así, se convierte en la montura de varios dioses hindúes, como Indra, el rey celeste. Por sus características físicas y por la facilidad con la que asume el adiestramiento, se convierte también en símbolo de solidez, permanencia, paz, sabiduría, y estabilidad. Ganehsa, el hijo del dios Shiva, que hace desaparecer todos los obstáculos, es representado con cuerpo de hombre y cabeza de elefante, entroncando así con el conocimiento superior. Alguna reminiscencia de ese sentido la encontramos todavía en la expresión usada en la actualidad «tener memoria de elefante».

La importancia simbólica de este animal la corrobora el hecho de que en algunas concepciones tibetanas e indias se encuentre como soporte del universo, actitud que se hace todavía más evidente cuando aparece representado en la arquitectura como elemento sustentante.

A estos significados nobles que le convierten en un animal sagrado y casi divino se une la significación del elefante de color blanco, añadiendo nuevas concepciones relacionadas con la pureza. En una de las leyendas sobre el origen de Buda, aparece un elefante blanco cuya trompa se habría introducido en la cabeza de la reina Maya, siendo esta la causa de su concepción. Por ello, el elefante blanco se convirtió en uno de los símbolos más populares del budismo.

De igual manera, lejos de Oriente, pero también en zonas donde existen los elefantes, los hombres no han quedado impasibles a la majestuosidad y colosalidad de estos paquidermos. Por ello, en África se le adora también como símbolo de fuerza, prosperidad y larga vida (efectivamente los elefantes suelen tener una gran longevidad).

En Occidente, el elefante también jugó un papel importante a partir de los

Eje del mundo

En casi todas las culturas existen elementos que se asocian al eje del mundo (árbol, columna, montaña, etc.) entendido como una línea imaginaria que une los tres planos que lo integran: subsuelo, tierra y cielo.

Apolo y los continentes (Asia), Tiépolo.

Elefante

Adquiere especial veneración en Asia, donde aparece como símbolo de poder, fuerza, solidez, permanencia, estabilidad, paz y sabiduría.

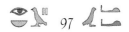

Tierra

Agua

Aire

Fuego

Elementos

Los distintos elementos son los principios básicos que, combinándose, hacen posible que surja la vida y las demás realidades.

escritos de Aristóteles, aunque probablemente la mayoría de las referencias se crearon sobre testimonios indirectos. Así, se habló de un animal que mantiene una actitud de continencia sexual durante los dos años que dura el embarazo de la hembra, por lo que se empleó como emblema de la virtud de la templanza, la castidad y la mesura.

■ **Referencias cruzadas**: *véase* también Blanco.

Elementos

Principios fundamentales que estructuran el mundo y a partir de los cuales se producen otros fenómenos subordinados. En la tradición China, según una división procedente del segundo milenio a. C., los elementos eran cinco: agua, fuego, tierra, madera y metal, cada uno de los cuales estaría relacionado con una estación del año y una dirección o punto cardinal, mientras que la tierra sería el elemento coordinador de todos.

Más corriente es la concepción griega, perpetuada a lo largo del tiempo, que considera los elementos fundamentales en número de cuatro: agua, tierra, fuego y aire. Cada uno de ellos, provendría, a su vez, de dos principios primordiales: el

agua procede del frío y la humedad, el aire de la humedad y el calor, el fuego del calor y la sequedad, y la tierra de la sequedad y el frío; estableciéndose así un movimiento cíclico que une los cuatro elementos. De igual manera, cada uno representa un estado: líquido (agua), gaseoso (aire), ígneo (fuego) y sólido (tierra). Tenemos así, una concepción evolutiva donde el desarrollo del ciclo comienza con el primer elemento (agua) y termina con el último (tierra), pasando por los intermedios (aire y fuego). Todo ello se une para crear una concepción cuaternaria de la que derivan numerosas clasificaciones, como las cuatro edades del hombre (infancia, juventud, madurez y ancianidad). También la doctrina de los temperamentos relacionó los cuatro elementos con los cuatro temperamentos: así, el agua, con el flemático; la tierra, con el melancólico; el fuego, con el colérico; y el aire, con el sanguíneo. Pero además, esta clasificación o división cuaternaria también asimila cada uno de los cuatro elementos con los humores del cuerpo (muy relacionado con lo anterior), con las cuatro fases del día y, al igual que en China, con las estaciones. A partir de Aristóteles se habla también, aunque minoritariamente, de un quinto elemento llamado éter, formado a partes iguales por aire y fuego y entendido como

Bóveda de la Capilla Sixtina, Miguel Ángel.

El nacimiento de María, Doménico Ghirlandaio.

Embrión

Símbolo de la potencialidad, de las diferentes capacidades y posibilidades de un ser.

viento celeste que actuaría sobre la capa gaseosa cercana a la tierra.

■ **Referencias cruzadas**: *véanse* también Agua, Aire, Fuego y Tierra.

Embriaguez

Véase Ebriedad.

Embrión

$\mathcal{U}$n *embrión* es un ser todavía no manifestado. Por ello representa la potencialidad, la posibilidad de llegar a ser. En la mitología hindú se habla del embrión de oro, del que partiría el germen de la vida a partir de las aguas primordiales. Encontramos aquí una estrecha relación con el huevo primitivo o cósmico, entendido también como origen de la vida.

■ **Referencias cruzadas**: *véase* también Huevo.

Enano

$\mathcal{E}$n *primer* lugar, se debe realizar una distinción entre los enanos legendarios o míticos y los reales. En la mitología germana son frecuentes los enanos de apariencia monstruosa considerados como criaturas subterráneas que habitan en las cuevas y se dedican al arte de la herrería, fabricando las armas mágicas de los héroes y dioses germanos.

Por otra parte, los enanos de la realidad están presentes en diferentes cortes donde gozaban de cierta familiaridad con los reyes y eran considerados una especie de bufones de escasa inteligencia pero que hacían reír.

En ocasiones, su aspecto físico (de pequeña estatura y generalmente con alguna deformidad) les convirtió en blanco de burlas y rechazos por parte de la sociedad, que los asimiló a los demonios. Pero otras veces, esa misma tara física les atribuye simbólicamente ciertos poderes sobrenaturales de carácter benéfico.

■ **Referencias cruzadas**: *véase* también Deformidad.

El enano Sebastián de Murra, Velázquez.

Encina

Bajo este nombre se designa a un grupo de árboles y arbustos típicos de la zona mediterránea, que ofrecen como fruto la bellota y presentan una apariencia robusta, con copa muy densa y corteza negruzca.

Encrucijada

Diferentes religiones sostienen que en las encrucijadas no se encuentran sólo los hombres, sino también las realidades metafísicas del orbe.

Encina

Para multitud de pueblos arios, griegos, romanos y celtas fue un árbol que recibió un importante culto (en ocasiones confundido con el del roble). Su impresionante aspecto hizo que se le considerase como símbolo de fuerza, solidez y majestad. Además, la resistencia de su madera asoció la encina con la inmortalidad, lo que condujo a convertirla en atributo de los dioses principales: Zeus entre los griegos (también el arma o maza del héroe griego por excelencia, Heracles, según la leyenda era de encina), Júpiter para los romanos, y Donnar entre los germanos. Esta asociación se ve reforzada por el hecho de que las encinas parecen atraer la caída de los rayos. Y el rayo es precisamente la herramienta o arma de dichos dioses.

El aspecto robusto y fuerte que presenta la encina, lo convierte para estas culturas en árbol por excelencia de la representación del eje del mundo, es decir, sirve de unión y comunicación entre el cielo y la tierra. Algo que está también presente en la tradición judeocristiana cuando Abraham recibe las revelaciones de Yahvé cerca de una encina.

En la religión cristiana la valoración positiva de la encina viene desde antiguo, porque se comentaba que la cruz del calvario de Cristo era de encina. Aquí se manifiesta de nuevo la relación ya vista entre el árbol y la inmortalidad.

De forma similar al laurel, las guirnaldas formadas con hojas de encina fueron utilizadas desde antiguo como reconocimiento de un mérito o triunfo.

■ **Referencias cruzadas**: *véanse* también Eje del mundo, Laurel, Rayo y Roble.

Encrucijada

El cruce de diferentes caminos en un punto determinado se ha revestido generalmente del sentido del centro, puesto que implica la existencia de varias opciones a tomar a partir de un punto. Todo ello provoca el detenimiento y la reflexión, pero también implica miedo, inquietud hacia lo desconocido. Además,

Paisaje montañoso con río y el profeta Oseas, Coninxloo.

son lugares que conllevan el paso de un mundo a otro (opciones), de una vida a otra. En este sentido, se relaciona con el simbolismo del puente y la puerta.

La mencionada identificación con el centro hace que las encrucijadas sean universalmente consideradas con cierto sentido mágico y misterioso, puesto que en ellas se produce la manifestación de fuerzas superiores. Así, son los lugares por excelencia de apariciones o revelaciones de dioses y espíritus a los que conviene mantener contentos. De ahí que se levantaran en los cruces de caminos ofrendas tales como obeliscos, altares, inscripciones, monumentos, etc. En el cristianismo eran consideradas como lugar de reunión de espíritus malévolos y brujas. Por ello en las encrucijadas se colocan cruces o estatuas de santos.

En la mitología griega la diosa de las encrucijadas es Hécate, con aspecto de triple figura, lo que hace referencia a las opciones posibles, pero también se considera relacionada con la magia, los espíritus y el mundo de los muertos. Además, entre los griegos, la encrucijada supone también el encuentro con el destino. Éste es el sentido que parece tener el relato mítico en el que Edipo se encuentra con su padre, el rey Layo, en un cruce de caminos, donde le da muerte. La misma idea aparece de nuevo formulada en la antigua Roma, en que se rendía culto a los dioses domésticos (lares) en las encrucijadas para evitar destinos desgraciados.

Entre algunas tribus africanas se introduce un sentido algo diferente. Son igualmente lugares donde campan espíritus, pero que tienen la peculiar facultad de obtener energías benéficas de las fuerzas impuras de las basuras que allí se depositan.

■ **Referencias cruzadas**: *véanse* también Puente, Puerta y Umbral.

Paisaje con el funeral de Phocion, Poussin.

Enterramiento

L os rituales relacionados con el enterramiento de los difuntos son tan antiguos que se constatan ya en épocas prehistóricas, perviviendo hasta la actualidad. El simbolismo de este acto, revestido siempre de un carácter sacralizado, está en íntima conexión con las ideas de resurrección, renacimiento y prolongación de la vida más allá de la muerte. Efectivamente, es comprensible esta significación en el contexto de sociedades que presentaban un gran apego a la tierra puesto que de ella obtenían lo necesario para la supervivencia. En este sentido, la observación de que bajo la tierra fértil nacen y se desarrollan todas las plantas, condujo a una asociación de ideas que derivó en la creencia de que el cuerpo, depositado bajo esa tierra fértil, regresaba al origen de la vida.

■ **Referencias cruzadas**: *véanse* también Sepulcro y Tierra.

Entrelazos

M otivo ornamental de carácter vegetal muy utilizado en la Edad

Enterramiento

Las formas de enterramiento son tan numerosas y variadas como los pueblos y culturas que existen.

Entrelazos

Los entrelazos se usaron fundamentalmente durante la Edad Media.

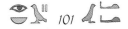

Equidna

Ser monstruoso, mitad mujer mitad serpiente.

Erinias

Temibles seres alados que personifican la venganza divina.

Erizo

La cubierta de espinas de su espalda constituye la característica más reconocible de este pequeño mamífero.

Media, que recibió algunas significaciones simbólicas. Las ondas características de este tipo de decoraciones se podrían semejar al movimiento del oleaje marino, e incluso podría parecer una representación del aire. Aire y agua, dos de los elementos relacionados con el origen de la vida, simbolismo que reciben los entrelazos.

Por otra parte, las curvas y contracurvas de los entrelazos pueden aludir a la íntima conexión entre todos los elementos de la realidad, que impiden al hombre cualquier tipo de escapatoria, de ahí que en muchas representaciones del arte románico aparezcan seres humanos atrapados entre una maraña de entrelazos.

Equidna

Monstruo de la mitología griega con cuerpo de mujer hasta la cintura y serpiente bajo ella. Es esposa de Tifón y madre de diversos monstruos como el perro Cerbero, la Quimera, la Hidra, el león de Nemea, el dragón que guarda el jardín de las Hespérides y la Esfinge. Simboliza el poder maléfico que es capaz de engendrar seres monstruosos que amenazan a los hombres y que es preciso destruir.

La llegada de los animales al Arca, Brueghel el Viejo.

■ **Referencias cruzadas**: *véanse* también Cerbero, Esfinge, Hespérides y Quimera.

Erinias

Seres vengadores de la mitología griega (son las Furias en Roma) de aspecto terrible, alados, con serpientes tanto en el cabello (al igual que las Gorgonas; *véase* Gorgonas) como sus látigos. Serían algo así como los instrumentos de los que se sirven los dioses para castigar a los hombres que han cometido alguna falta o transgresión, a los que persiguen de forma implacable haciéndoles vivir con constante temor.

Son interpretadas generalmente como símbolo de la mala conciencia, de los remordimientos y del sentido de culpabilidad por haber cometido una falta, sentimientos que no dejan de perseguir al hombre culpable, aquel que ha roto su armonía interior. Por ello, se consideraba que el único lugar donde el culpable podía hallar alivio era el templo de Apolo, dios de la armonía.

Pueden transformarse en las Euménides que son, por oposición a las Erinias, benévolas y representan el arrepentimiento conciliador.

■ **Referencias cruzadas**: *véanse* también Euménides, Gorgonas y Látigo.

Erizo

Este animal tiene como característica fundamental el estar recubierto de afiladísimas púas que eriza cuando se siente atacado. Aparece en los mitos mesopotámicos, en los de los pueblos de Asia central y entre algunas tribus africanas como inventor del fuego y, por ello, asociado también al Sol. En varias ocasiones se le concibe como una especie de héroe civilizador (recordemos que el Sol es luz y ésta, sabiduría). Quizá este simbo-

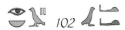

El sueño de Jacob, Ribera.

La escala del sueño de Jacob es la vía empleada por los ángeles para comunicar tierra y cielo.

lismo proceda tanto de la quemazón que producen sus espinas sobre la piel humana como de la comparación de su aspecto con el astro del que emanan los rayos.

Si bien en esas zonas aparece con el sentido benéfico comentado, la Edad Media cristiana vio en el erizo un símbolo de varios de los siete pecados capitales (gula, ira, lujuria, avaricia, pereza, envidia y soberbia). En primer lugar, de la avaricia y la gula debido a su costumbre de revolcarse entre los frutos caídos de los árboles para después llevárselos a su madriguera y amontonarlos para alimentar a sus crías. De igual modo, la rapidez con la que es capaz de erizar sus púas cuando se siente en peligro se interpretó como un claro símbolo del pecado de la ira.

Escala

*E*s un símbolo universal que ofrece a lo largo del mundo significados muy similares. El simbolismo fundamental de la escala, del que derivan otros secundarios, se encuentra en estrecha relación con la comunicación entre el cielo y la tierra. Por tanto, está muy vinculada con la verticalidad e indica una ascensión gradual (peldaños que hay que subir uno a uno) y una vía de unión y comunicación de doble sentido (ascenso y descenso) entre esos planos de la realidad.

La idea de una escala imaginaria que une el cielo y la tierra y que permite subir y bajar a la divinidad es común a casi todas las culturas. De igual manera se establecen siempre una serie de escalones, de diferentes metales o colores (siete generalmente) que están relacionados con la consecución de la perfección espiritual, es decir, cada peldaño, color y metal correspondería a diversos grados de espiritualidad (más elevada conforme se gana en cercanía al cielo).

Así, en el budismo Buda baja del monte Meru a través de una escala que tiene siete colores. En la religión védica, la escala de los misterios del mitraísmo tiene siete peldaños y cada uno de ellos está realizado en siete metales diferentes.

El mismo sentido tiene en la Biblia, donde la escala celestial del sueño de Jacob, por donde suben y bajan los ángeles, simboliza los diversos estados de perfección espiritual que el hombre va adquiriendo poco a poco hasta llegar al cielo y, por tanto, a Dios. Como lugares de recogimiento y perfección espiritual, los monasterios medievales también fueron comparados con escalas porque en su interior el monje podía ascender hacia el

Escala

La relación entre lo divino y lo mundano queda representada por la escala.

Escalera

La escalera comunica los tres planos fundamentales de la realidad: cielo, tierra y mundo subterráneo.

Escarabajo

En la sociedad egipcia estos insectos se emplearon frecuentemente como amuleto propiciatorio de la resurrección.

cielo llegando a la comunión con Dios. Por ello, muchos monasterios cistercienses y cartujos son conocidos con el nombre de *Scala dei* (escalera de Dios). En la Biblia (concretamente en el Antiguo Testamento), aunque la de Jacob es la más famosa, aparecen también otras escalas con idéntico sentido, como los pisos del Arca de Noé o los peldaños del trono de Salomón. La utilización del simbolismo de la escala con diversos peldaños sucesivos por los que debe ascender el alma hacia el reino celestial será una constante en los escritos de la patrística medieval. Es una especie de peregrinación, sembrada de dificultades (de ahí la representación en el arte de la escala de las virtudes, en la que los seres humanos ascienden por los peldaños rodeados de demonios) que hay que vencer para ascender un nuevo escalón.

Una escala especial que sí es visible aunque etérea es la que representa en ciertas concepciones (de los indios americanos, por ejemplo) el arco iris. Comparte las ideas ya comentadas y sus siete colores se pueden interpretar como los clásicos siete escalones o estadios de perfección espiritual que aparecen en otras culturas.

■ **Referencias cruzadas:** *véanse* también Ascensión, Eje del mundo y Escalera.

Escalera

Es evidente pensar que el simbolismo de la escalera se encuentra en algunos puntos en conexión directa con el de la escala, e incluso se identifica con él. Pero introduce una novedad, porque si bien la escala comunica generalmente con el cielo, la escalera se prolonga, pudiéndose descender por ella hasta el interior de la tierra. Es decir, uniría los tres planos de la realidad (subsuelo, tierra y cielo), participando así plenamente del simbolismo del eje del mundo.

Todo ello se une para concretarse en un significado relacionado con el conocimiento. De tal manera, si se concibe en sentido ascendente se trata de una progresión (escalón a escalón) hacia la sabiduría y el conocimiento divino. Por el contrario, si baja hacia las profundidades de la tierra, simboliza el conocimiento de los poderes ocultos y del subconsciente.

En cierto modo, estas ideas se encuentran presentes ya en el Egipto faraónico a través de las pirámides, particularmente las escalonadas, que son una gigantesca representación de la escalera para facilitar al alma del faraón difunto su ascensión hacia el dios Sol (Ra). Similares creencias se encuentran detrás de otras construcciones de apariencia escalonada, tales como los zigurats mesopotámicos o las pagodas chinas.

■ **Referencias cruzadas:** *véanse* también Eje del mundo, Escala, Pirámide y Zigurat.

Escarabajo

Este insecto tiene especial significación en el antiguo Egipto. El escarabajo pelotero construye una bola formada por excrementos que posteriormente entierra para que la hembra deposite sobre ella sus huevos; así, los nuevos escarabajos al nacer salen de la bola. Esto fue interpretado como que los escarabajos se engen-

Bodegón con escarabajo, Georg Flegel.

dran a sí mismos y nacen de manera espontánea (idéntica interpretación se observa en China). Con ello se conformó una concepción simbólica del escarabajo como emblema solar y de la resurrección. Simbolismo reforzado por el hecho de que en la escritura egipcia, una figura de escarabajo corresponde a un verbo cuya grafía es muy similar a Kepri, que precisamente es el dios del Sol naciente.

Esto explica la abundancia de figuras de escarabajos de diferentes formas y tamaños y sobre diversos soportes, que fueron utilizados como amuletos y colocados frecuentemente entre los vendajes de las momias para propiciar la resurrección.

Escoba

*U*n objeto tan simple y sencillo como una escoba se ha revestido desde antiguo de connotaciones simbólicas de naturaleza variable. Por un lado, su función práctica se ha comparado con una limpieza espiritual, que acaba con cualquier tipo de impureza que pueda existir, lo que protege nuestro interior y le otorga al símbolo un papel protector.

En el lado opuesto tenemos la imagen que nos ha transmitido la cultura popular, donde la escoba aparece como la montura por excelencia de las brujas cuando acuden a sus reuniones. Aquí adquiere el sentido maléfico que se aplica generalmente a sus portadoras y constituye casi una sátira del vuelo, pues no es ya elevación hacia los dioses sino simple poder maléfico ejercido a través de algo tan mundano como una escoba.

Escorpio

Véase Escorpión.

Escorpión

*E*ste pequeño animal de la familia de los arácnidos resulta extremadamente peligroso al portar un veneno que en ocasiones puede resultar fatal. Por ello su simbolismo ha basculado entre el rechazo y odio; al mismo tiempo, el carácter poderoso de su pequeñez le ha hecho merecedor de respeto.

En el Egipto faraónico, fueron temidos por su peligrosidad, pero al mismo tiempo respetados, elevándolos a categoría divina, por lo que recibió un importante culto asociado a las figuras de las diosas Isis y Selket (relacionadas con la fecundidad y con los muertos).

Sin embargo, en África el escorpión (o alacrán) es un animal nefasto que encarna las fuerzas maléficas y resulta tan temido que ni siquiera pronuncian su nombre para no verse afectados por su malvada influencia.

Escoba

Por extraño que parezca, hasta la escoba está cargada de simbología.

Escorpión

El veneno del escorpión ha generado sentidos contradictorios que parten siempre del temor y el respeto.

Eolo y Faetón con Saturno y las cuatro estaciones, Poussin.

Escuadra

Simboliza el seguimiento de las normas establecidas y de la rectitud.

Medusa,
Caravaggio.

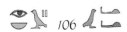

Rinaldo abandona a
Armida,
Tiepolo.

También en la tradición cristiana aparece el alacrán. En la Biblia se entiende como plaga o castigo divino, y es frecuentemente animal demoníaco.

Entre los mayas, su afilado y temible aguijón fue aprovechado como elemento de las prácticas médicas consistentes en las sangrías.

Por otra parte, es el símbolo que representa al octavo signo del zodiaco, en una época de lluvias, el otoño (del 24 de octubre al 22 de noviembre). Sin embargo, aunque éste es su elemento, el temperamento asociado a las personas nacidas bajo este signo suele hacer referencia a las características agresivas y peligrosas del animal que les representa.

■ **Referencias cruzadas**: *véase* también Zodiaco.

Escuadra

Por su función, al permitir trazar cuadros y ángulos rectos perfectos, es concebida como símbolo de la rectitud y adecuación a las normas y reglas establecidas. Esto último es lo que convierte la escuadra en un emblema frecuente en la masonería, pues una de sus máximas es el absoluto respeto a los estatutos, es decir, a

las normas. Su amplio uso en los procesos de diseño arquitectónico ha provocado que aparezca en las alegorías occidentales tanto de la construcción como en representaciones de arquitectos y creadores por todo el mundo.

Algunos han visto en la escuadra un aspecto pasivo por el estatismo de su uso, por oposición al compás, activo debido a su movilidad.

■ **Referencias cruzadas**: *véase* también Compás.

Escudo

El escudo es un arma de carácter defensivo, protectora del guerrero y, por tanto, pasiva, pero de fundamental importancia e incluso mortífera por sí misma. En la Antigüedad, la identificación de un guerrero con su escudo era total, ya que sobre el escudo proyecta su propia individualidad. De hecho, esta arma defensiva solía alcanzar un considerable tamaño, capaz de cubrir por completo a un hombre e incluso servir de medio de transporte, a manera de camilla, para los combatientes muertos o heridos en la batalla.

La concepción defensiva del escudo se aprecia claramente en la costumbre de representar sobre él diversas imágenes de carácter mágico-simbólico con el objeto de potenciar su fuerza y resistencia. Suelen aparecer así representaciones de un cosmos de pequeñas dimensiones, que recibe los golpes del adversario protegiendo sobremanera al guerrero guarnecido tras él. El ejemplo más claro de esta concepción es el escudo que el dios griego de la forja, Hefestos, construye para el héroe Aquiles, con motivos que incluyen todos los elementos del cosmos (cielo, tierra, astros, Sol, Luna, estrellas, ciudades, animales, campos, etc.) para que transmitan su fuerza al escudo.

Otro escudo famoso del mundo clásico es el que empleó el héroe griego Perseo para vencer a la Gorgona Medusa (*véase* Gorgonas). La mirada de este monstruo era tan terrorífica que petrificaba a quien se fijase en ella. El ardid utilizado por Perseo consistió en pulimentar su escudo a manera de espejo para que el poder de Medusa se volviera contra ella y, al verse reflejada, quedara petrificada, como así fue, pudiendo entonces Perseo cortarle la cabeza. La cabeza de Medusa, fue colocada por Atenea en su escudo o égida (*véase* Égida) para petrificar a cualquiera que fuese capaz de enfrentarse a ella. Esta misma apropiación de poderes se registra en las figuras pintadas en los escudos de algunas tribus que han permanecido al margen de los grandes procesos de la historia.

Los escudos continuaron siendo representados a lo largo de toda la Antigüedad y en la Edad Media cristiana como atributo de los caballeros, casta que justifica su posición a través de la supuesta defensa militar que ofrecía a la sociedad.

Durante el Renacimiento, el escudo conserva similares funciones y aparece como atributo de varias virtudes. Así la castidad, lo utiliza para detener las flechas lanzadas por el amor carnal. Igualmente

es emblema de la victoria (atributo guerrero) y de la fortaleza (virtud guerrera).

■ **Referencias cruzadas**: *véanse* también Égida, Gorgonas y Lanza.

Esfera

Su forma circular la hace partícipe del simbolismo del círculo, figura a la que la esfera proporciona tridimensionalidad. Como figura geométrica perfecta, en la que todos los puntos están a la misma distancia del centro, se convierte, junto al cubo, en símbolo de la totalidad del cielo (representado por la esfera) y la tierra (el cubo). En este sentido, el paso de la forma esférica a la cúbica es un símbolo de la encarnación de Dios, que desciende hacia la tierra para hacerse presente a través del cuerpo de su hijo.

La idea de que la esfera es reflejo de la bóveda celeste se encuentra muy presente en la construcción de las cúpulas de numerosos edificios (no sólo en las iglesias cristianas, sino que la misma concepción existe en el arte musulmán).

En numerosas culturas (como la griega), la perfección y el acabamiento que sugiere la esfera se identifica con la plenitud del andrógino (*véase* Andrógino). La

Escudo

Esta arma, que debe soportar las embestidas del enemigo, se ha intentado revestir siempre del poder de fuerzas metafísicas.

Esfera

La esfera comparte la perfección y plenitud que inspira el círculo.

Júpiter, Neptuno y Plutón, Caravaggio.

Esfinge

La tradicional imagen de las esfinges egipcias no es la única forma que cobra este ser, que en otras ocasiones aparece alado y con cuerpo de toro.

misma idea de perfección y totalidad aplicada a la forma esférica, se mantiene en el Renacimiento. Por ello, la esfera aparece como atributo del universo o de saberes universales tales como la astrología, la astronomía y la teología. Idéntico sentido tiene cuando aparece como emblema de varias virtudes como la templanza y la prudencia.

Por otra parte, la inestabilidad que sugiere una esfera sobre un plano la asocia a elementos caracterizados precisamente por esa movilidad o inestabilidad. Así, es también atributo del tiempo, que nunca se mantiene inactivo, y de la fortuna que reparte los bienes de manera arbitraria.

■ **Referencias cruzadas**: *véanse* también Andrógino, Círculo, Cúpula y Globo.

Edipo explica el enigma de la esfinge, Ingres.

Esmeralda

El color verdoso que muestra la esmeralda es el responsable de gran parte de su simbolismo.

Esfinge

*L*a esfinge es un ser fantástico e híbrido (mitad animal, mitad humano) que aparece en varias culturas mediterráneas. En el antiguo Egipto está compuesta de cuerpo de león en actitud sedente y cabeza humana, que generalmente suele pertenecer a un faraón. Ésta era una forma habitual de representar la protección y el poder de los grandes soberanos que permanecen serenos, pero que actúan de manera terrible contra los enemigos.

Los pueblos del Próximo Oriente (como hititas, asirios y fenicios) utilizaron igualmente estos seres, con la diferencia de que allí, el cuerpo podía ser también de toro, añadiéndole unas alas. Pero el sentido es el mismo, se colocaban a la entrada de los palacios para que sirvieran de guardianes y disuadieran a los enemigos de cualquier ataque.

En la tradición griega, la esfinge tiene carácter femenino, de tal manera que la cabeza es de mujer y el cuerpo de leona también con alas. Aquí el carácter no es benéfico, sino que las esfinges son malvadas y crueles. Es famoso el relato mítico de la esfinge que dominaba la región de Tebas mediante el terror, porque planteaba enigmas a los caminantes que pasaban por su lado y, si no eran capaces de resolverlos, los devoraba. Sin embargo, Edipo logró resolver el enigma, y la esfinge se suicidó. Representa entonces, la fuerza salvaje y perversa a la que sólo es posible vencer a través de la inteligencia y la astucia.

Esmeralda

*L*a esmeralda es una piedra preciosa de un bello color verde del que proviene gran parte de su carga simbólica. De este modo, en muchas culturas simboliza la primavera y, con ella, la regeneración y la vida. Los aztecas, por ejemplo, la asociaron al pájaro quetzal, que con sus plumas verdes era tenido, a su vez, por alegoría de la primavera, llegando incluso a sacralizarse (aún hoy es emblema nacional de Guatemala).

En la Europa occidental la esmeralda coincidió en mostrar valores benéficos derivados de ese simbolismo regenerador, pero mezclados con la magia de las supersticiones medievales. Existía la creencia de que una esmeralda colocada sobre la punta de la lengua permitía hablar con los malos espíritus. Tenía también propiedades curativas (se suponía que facilitaba los partos) y clarividentes. De igual manera, se consideró poderoso talismán contra las fuerzas del mal, porque se decía

que una esmeralda se precipitó de la frente de Lucifer cuando éste caía hacia los infiernos.

Aparece en la visión del Apocalipsis relacionada con Dios, puesto que éste se encuentra sentado sobre su trono rodeado de una aureola verde, que no debe entenderse sino como un claro signo de pureza. Según dicho libro sagrado, la esmeralda era una de las piedras fundamentales del Jerusalén celestial, por lo que se asoció a la salvación. De igual manera, el santo Grial (*véase* Grial) se suponía que estaba tallado en una gran esmeralda.

■ **Referencias cruzadas**: *véanse* también Grial y Verde.

Espada

*E*sta arma se liga indisolublemente a todo lo relacionado con la guerra y lo militar. Pero esta asociación abre dos caminos: interpretar la espada como alusión a los resultados funestos y destructivos que conlleva la guerra, o hacer de ella una imagen de la lucha del bien contra el mal. Como consecuencia de ello, puede ser un símbolo tanto de la fuerza y valentía como de la injusticia, el pecado o la ignorancia. En cualquier caso, serán los grandes soberanos los que se vinculen con mayor fuerza a la espada, intentando mostrar con ella la protección que ofrecen a la sociedad. Esa arma, en sus manos, es herramienta de la justicia, la paz y el orden (o así intentan representarlo). Pero los significados concretos pueden variar considerablemente en las diferentes civilizaciones.

En la tradición cristiana, la espada recibió una gran cantidad de significados. Muy relacionado con la idea de justicia, en el Apocalipsis, durante el Juicio Final, se describe una espada de doble filo saliendo del Verbo (Dios), que representa el doble poder del Señor (creador y destructor), que separa a los condenados de los elegidos, es decir, a los buenos de los malos. El brillo de la hoja de la espada la asocia también con el fuego, introduciendo un elemento nuevo que le añade eficacia (el fuego es siempre imagen de poder). Así, los querubines encargados de expulsar a Adán y Eva del Paraíso llevan espadas llameantes. Ese brillo de la hoja, se asocia en otras culturas (como en Japón e India) con el rayo, por eso aparece como atributo de varios dioses principales.

La espada es también atributo de muchos caballeros y héroes cristianos medievales (tanto reales como de los relatos de la epopeya). Aquí esta arma adquiere una importancia fundamental, porque se individualizan hasta el punto de otorgarles nombres propios. Así, Carlomagno, Roldán, Turpin o el Cid Campeador poseyeron espadas con nombres propios que las personifican.

Por otra parte, en algunas culturas, la espada es un símbolo del centro asociado a la idea del eje del mundo. Así, los escitas representaban el centro del mundo mediante una espada clavada en la cima de una montaña.

■ **Referencias cruzadas**: *véanse* también Armas, Eje del mundo y Montaña.

Espejo

*S*uperficie reflectante que refleja tal cual es (aunque invertido) aquello que se le coloca delante. Por ello, se emplea como símbolo de veracidad (ofrece el reflejo exacto), objetividad y sinceridad.

David contra Goliat (detalle de la Capilla Sixtina), Miguel Ángel.

Espada

Inevitablemente, esta arma se vincula a las grandes confrontaciones.

Espejo

La objetividad del reflejo del espejo puede hablarnos tanto de la sabiduría y veracidad como de la fugacidad de la belleza.

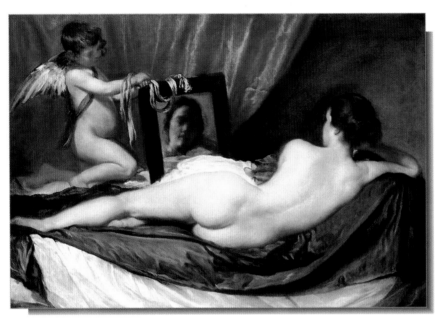

La Venus del espejo, Velázquez.

mito de la diosa solar nipona Amaterasu que, oculta en una caverna, fue obligada a salir a través de un espejo que difundió su luz divina sobre la Tierra.

En algunos pueblos africanos se utilizan con sentido mágico trozos de espejo, con la creencia de que con ellos se pueden propiciar las lluvias. La razón de esta práctica estriba en la semejanza reflectante entre agua y espejo.

En la Edad Media cristiana el espejo se tomó como un símbolo de la virginidad y pureza de María, un «espejo sin mancha» en el que poder fijarse. En el Renacimiento este objeto cambió de sentido y se vinculó a la vanidad, por eso suele aparecer en los cuadros de vanidades recordando la fugacidad de la belleza.

■ **Referencias cruzadas:** *véanse* también Luna y Ojo.

Sin embargo, los espejos sólo muestran la realidad exterior. Esto hizo necesario recurrir a unos espejos de mayor perfección, mágicos, presentes en multitud de culturas y que permiten trascender lo aparente para llegar a un profundo conocimiento de la realidad.

Por tanto, el espejo tiene un doble valor. Por un lado, está relacionado con las ideas de verdad y objetividad porque reflejan lo que se ve, la apariencia. Pero «las apariencias engañan», de ahí que el espejo pueda ser utilizado como símbolo de hipocresía. Pese a ello, en numerosas tradiciones los espejos son símbolo de la sabiduría y del conocimiento de sí mismo, instrumentos de iluminación; además está relacionado con el reflejo de la inteligencia divina y creadora.

El espejo es un símbolo solar por cuanto la inteligencia celeste se refleja en él, pero también es lunar puesto que este astro refleja la luz del sol como un espejo. En cuanto lunar y, por tanto, femenino (*véase* Luna), en China es emblema de la emperatriz. Dentro de los espejos de carácter solar, el más conocido es el del

Espiga

La espiga es un símbolo tradicional de vida en las sociedades agrícolas.

Espiga

*P*ara *todas* las culturas agrarias, la espiga ha sido la concreción de sus principales preocupaciones puesto que es la muestra fehaciente de la fecundidad de la tierra y símbolo de la misma. A menudo se la concibe como fruto de la unión entre cielo y tierra, explicación mítica y simbólica del nacimiento de la vida (*véase* Caos). Así, la espiga de trigo ocupa un papel de importancia en los misterios griegos de Eleusis relacionada con el nexo entre esos dos ámbitos, celeste y terreno. Del mismo modo, la mazorca de maíz desempeña entre los indios americanos el papel de fruto de la unión entre el cielo y la tierra.

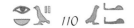

Siguiendo estos sentidos, la espiga es atributo de las diosas griegas de la naturaleza Deméter y Ceres, de la abundancia y la prosperidad, que distribuyen de manera generosa las espigas y los alimentos con ellas confeccionados. Así mismo fue atributo del dios egipcio Osiris, aludiendo al ciclo de muerte y resurrección, cuya manifestación más evidente se encuentra en el propio ciclo vegetal.

En multitud de imágenes del Renacimiento europeo se representa la espiga como atributo del verano, época de la recolección de la cosecha.

■ **Referencias cruzadas**: *véanse* también Cosecha, Maíz, Plantas, Trigo y Vegetación.

La cosecha, Brueghel.

Espina

*L*as espinas constituyen una defensa natural de las plantas que las poseen. De manera general, se interpreta como símbolo de los obstáculos, los sufrimientos, defensa exterior, hostilidad, dificultad, etc. En las tradiciones semíticas y cristianas, la espina evoca la tierra salvaje, virgen, no cultivada. Se contrapone así a la espiga, que atrae y genera fecundidad, mientras la espina ofrece rechazo y dolor. La presencia de las espinas entorno a la más bellas de las flores («no hay rosas sin espinas», dice el refrán popular) ha regalado una clara imagen de la coexistencia de dolor y placer, adversidad y belleza, etc. Estas ideas subyacen en la representación de rosas.

Por otra parte, las espinas son un atributo de la pasión de Cristo, pues con ellas se confeccionó la corona que le ciñeron los romanos; una muestra evidente del simbolismo de las espinas relacionado con el dolor y el sufrimiento.

■ **Referencias cruzadas**: *véase* también Espiga.

Espiral

*G*eneralmente, esta forma geométrica se manifiesta con cierta frecuencia en el reino vegetal. Evoca nociones asociadas al desarrollo y evolución cíclica. La espiral, por su forma, está relacionada con los simbolismos de la Luna, el laberinto, la vulva, la concha, el cuerno, todo lo cual se resuelve en unas significaciones próximas a la fertilidad, la energía femenina, los ciclos naturales de vida, el ca-

Espina

La hostilidad que evocan las espinas compone el contrapunto simbólico de las espigas.

Cristo coronado de espinas, Caravaggio.

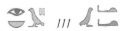

Espiral

Símbolo típico de los procesos evolutivos e involutivos.

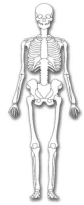

Esqueleto

El que aparece armado con una guadaña constituye la representación más popularizada de la muerte.

Estaciones del año

La personificación de las estaciones son uno de los símbolos representados con mayor frecuencia en las sociedades agrícolas de todo el mundo.

rácter cíclico de la evolución, etc. Es frecuente hallar signos de espiral sobre ciertas figuraciones femeninas paleolíticas, precisamente marcando los órganos sexuales.

El opuesto de la evolución no es otro que la involución, marcada por el recorrido de la espiral en sentido inverso, desde el exterior hacia el centro; significando entonces retorno a los estadios primigenios. En otros contextos simbólicos, la representación del recorrido del alma después de la muerte puede adoptar forma espiral, aproximándose paulatinamente al centro del ser, a la bienaventuranza o a la divinidad.

■ **Referencias cruzadas**: *véanse* también Concha, Cuerno, Laberinto, Luna y Vulva.

Esqueleto

*D*e esta forma queda el cuerpo humano después de la putrefacción total de la carne que lo cubre. Puesto que conserva la forma fundamental del cuerpo, ha sido utilizado reiteradamente como personificación de la muerte, en su acepción dinámica y agresiva, es decir, la

muerte en cuanto ser activo que ataca y derriba. Además, generalmente su aparición asume intenciones premonitorias. En la representación occidental de la muerte, el esqueleto suele llevar una guadaña para segar la vida y un reloj de arena como símbolo de la fugacidad de la misma.

■ **Referencias cruzadas**: *véanse* también Danza macabra, Guadaña, Hoz y Reloj de arena.

Estaciones del año

*L*as estaciones han sido diversa y frecuentemente representadas en el arte a través de personificaciones, sobre todo en forma de figuras femeninas que portan los atributos propios de cada momento del año. Esto es: la primavera aparece con un cordero, cabrito, un arbusto o con coronas de flores; el verano con un dragón escupiendo llamas, una espiga de trigo o una hoz; el otoño con una liebre, un racimo de uvas o cuernos de la abundancia repletos de frutos; y el invierno con una salamandra, un pato salvaje o las llamas del fuego del hogar.

Paisaje invernal, Avercamp.

Por otra parte, en el mundo clásico grecorromano a cada estación del año le correspondía un determinado dios o diosa: la primavera estaba consagrada a Hermes, mensajero de los dioses; el verano a Apolo, dios solar; el otoño a Dionisos, dios de la vendimia; y el invierno a Hefestos, dios del fuego y de las artes de la forja.

La sucesión cíclica de las estaciones del año se asimiló al ritmo de la vida que pasa por las fases de nacimiento, juventud, madurez y muerte. Representan el desarrollo cíclico vital que está en constante devenir afectando a todas las manifestaciones de la vida. Cuando se acaba un ciclo, inmediatamente le sucede otro.

■ **Referencias cruzadas**: *véase* también Edades.

Estanque

Véase Lago.

Estigmas

Señales *laceradas* que aparecen por sí solas sin que medie ninguna acción violenta en el cuerpo de ciertas personas y que corresponden a las marcas dejadas por los clavos de la crucifixión y la lanzada en el costado. El origen de los estigmas, si es que son reales, siempre es de carácter desconocido y misterioso. Vienen a simbolizar la identificación de una persona viva con los sufrimientos del propio Jesucristo, lo que supone ciertos poderes sobrenaturales para quien los muestra. La aparición de estas señales en una persona es ocasión

para que se desate el fervor y la devoción popular, revistiendo a ese individuo de carácter sacralizado como representante en la tierra del propio Cristo.

Estornudo

Para *algunos* pueblos primitivos, el estornudo es producto de la influencia de los espíritus malignos que los provocan cosquilleando la nariz del hombre para intentar expulsar el alma del cuerpo. Los lapones incluso creían que un fuerte estornudo podía provocar la muerte. De similares creencias deriva la antigua costumbre de desear suerte o salud a la persona que estornuda.

Entre algunas tribus africanas, estornudar mientras hay un silencio general es considerado como signo de buena suerte.

Estrella

La *observación* del firmamento nocturno cargado de estrellas debió ser una imagen que impresionó al hombre desde los tiempos más remotos, como lo sigue haciendo en la actualidad. La belleza de esos puntos luminosos y remotos influyó en su pensamiento, lo que cargó a

Estornudo

Los lapones piensan que un estornudo puede conducir a la muerte.

Estrella

Al igual que sucede con todos los grandes fenómenos situados fuera del alcance de la comprensión humana, durante milenios las estrellas se han identificado con fuerzas divinas.

Adoración de los magos (retablo de Bladelin), Rogier van der Weyden.

Venus y Cupido, Alessandro Allori.

Estrella Polar

Está considerada la estrella más importante del firmamento y una verdadera puerta del cielo.

estos astros de un marcado simbolismo. En ella situaron a sus divinidades o las consideraron como manifestación de las mismas. De igual manera, en las concepciones de numerosos pueblos, las estrellas serían algo así como una puerta abierta en el cielo, para que pudieran acceder a él y, por tanto, a las divinidades, los hombres merecedores de tal gracia. También fueron consideradas como los «ojos del cielo», es decir, pequeños agujeros de la bóveda celeste a través de los que los dioses que allí habitaban, pudiesen observar lo que sucede en la Tierra.

Entre algunos pueblos de las altas culturas amerindias, existía la creencia de que cada estrella del cielo correspondía al alma de un difunto.

Las estrellas son también desde antiguo utilizadas para orientarse; incluso una estrella fue la que guió a los Reyes Magos desde Oriente hasta el lugar en donde había nacido Jesús. Posteriormente, desde la Edad Media, las estrellas fueron atributos marianos, por cuanto la Virgen supone una fuente de luz en sí misma y orienta las conciencias hacia Dios, ofreciendo así el contrapunto femenino (y lunar, siguiendo criterios simbólicos generales) a

la iluminación activa y masculina del Sol (el Señor).

Desde el punto de vista geométrico, las distintas formas de estrellas tienen un significado especial según el número de puntas. La que tiene cinco ofrece un símbolo del microcosmos humano. La estrella de seis puntas, que presenta dos triángulos invertidos y entrelazados (*véase* Hexagrama), alude a la unión entre espíritu y materia, principio activo y principio pasivo, dinámica de la evolución. La estrella de siete puntas une el cuadrado y el triángulo participando del simbolismo del número siete; corresponde a la armonía del mundo, el arco iris (siete colores), las siete zonas planetarias, etc.

■ **Referencias cruzadas**: *véanse* también Estrella polar, Hexagrama, Luna y Venus.

Estrella de David

Véase Hexagrama.

Estrella matutina

Véase Venus.

Estrella Polar

*E*n el hemisferio norte desempeña un papel de importancia porque es considerada centro del firmamento, el cual se supone que gira en torno a ella. Toda la bóveda celeste gira en torno a ese punto fijo, evocando así las nociones de primer motor inmóvil de la creación y, por tanto, centro del universo. Durante muchos siglos se guiaron por la estrella polar los caminantes, los marineros y los jefes de las tribus nómadas; así mismo fue punto de mira para los constructores de grandes monumentos. Por todo ello coinciden sobre esta estrella conceptos y sustantivos muy diversos, pero casi siempre relacionados con la noción del centro u ombligo del mundo, puerta del cielo, etc.

■ **Referencias cruzadas**: *véanse* también Ombligo y Puerta.

Esvástica

Este símbolo es uno de los más extendidos por todo el orbe. Aparece principalmente en las civilizaciones de origen indoeuropeo, pero también pueden verse formas análogas en Mesoamérica. La razón que explica esta proliferación es su origen simbólico, que refleja creencias básicas que los hombres han manifestado por doquier. La esvática, que no es más que una cruz en movimiento, da un carácter más dinámico y englobador a la cruz, que se entiende como el centro que se abre hacia el mundo manifiesto, prolongando así el impulso creador que ejercen los grandes poderes del cosmos sobre un punto.

Ese movimiento circular en torno al eje hace de la esvástica un símbolo con connotaciones muy similares al círculo. Por ello, en numerosas ocasiones se le puede encontrar asimilado a los significados de la rueda o el Sol.

La esvástica, también llamada cruz gamada (se puede formar repitiendo cuatro letras gamma del alfabeto griego), ofrece dos direcciones de movimiento, pero no parece que esto modifique sustancialmente su significado. Por lo tanto, el término esvástica (derivado del sánscrito) debería emplearse para aquella que gira de derecha a izquierda, mientras que el sentido contrario, el de las agujas del reloj, sería el de la «esvástica».

Estas concepciones se manifiestan con diversos matices a lo largo de todo el mundo. En China esta cruz originó el signo del número 10.000, el que indica el conjunto total de los seres y lo creado; también allí adquirió cierta relación con conceptos sobre el movimiento cíclico. En la tradición hindú se asimiló a la rueda, haciendo de sus brazos exteriores un reflejo de la apariencia del mundo manifiesto. En el budismo la cruz gamada llegó a ser emblema de Buda, e incluso se la entendió como la llave del Paraíso. Todo el mundo indoeuropeo la empleó en alguna u otra ocasión, por lo que se han encontrado estos símbolos en restos arqueológicos troyanos, itálicos, celtas, hititas, vascos e hispanorromanos, entre otros. La tradición cristiana, sobre todo en los primeros tiempos, asoció la esvástica a Cristo, uniendo así el símbolo tradicional de la cruz con el del Sol (identificado con Dios). Incluso en el Patio de los Mirtos, en la Alhambra, podemos encontrar este tipo de cruces.

Pero, como todos sabemos, el mundo contemporáneo ha sufrido la más sangrienta manifestación vinculada a la esvástica: el nazismo. Ya en 1921 el Partido Nacionalsocialista Alemán hizo de este símbolo su emblema oficial, bajo la pretensión de entroncar con las antiguas tradiciones arias y de reflejar la forma en la que su pueblo se extendería por todo el orbe desde su centro originario. Pese a todo, no debemos permitir que por ello se olvide la amplísima tradición del símbolo, que llevó a que antes de la Segunda Guerra Mundial algunas tropas británicas y estadounidenses lo vistieran o que incluso, antes del periodo comunista, la Cruz Roja china adoptase su forma por emblema.

■ **Referencias cruzadas**: *véase* también Cruz.

Esvástica

La conocida esvástica no es más que una cruz en movimiento, lo que se marca prolongando sus extremos en forma de ángulo recto. Tristemente es famosa porque el régimen nazi empleó una de sus variantes como emblema.

Éter

Véase Elementos.

Euménides

*D*ivinidades *de* la mitología griega completamente opuestas a las Erinias. Su acción es benefactora: liberan al culpable de su angustia. Así, las Erinias significan el sentimiento de culpabilidad, remordimiento por la trasgresión de alguna norma convertido en fuerza castigadora y persecutoria; las Euménides, por el contrario, representan el espíritu de comprensión, de perdón, del arrepentimiento liberador. La obra de Esquilo *Las Euménides* ofrece una maravillosa muestra de los fenómenos interiores que se encuentran bajo la imagen de Euménides y Erinias.

Euménides

Las Euménides son figuras comprensivas y apaciguadoras que otorgan el perdón a los mortales.

Eva

Figura simbólica por oposición a Adán, se identifica con lo mundano y lo terrestre.

■ **Referencias cruzadas**: *véase* también Erinias.

Eva

*L*a pareja primordial que forman Adán y Eva ha sido repetidamente interpretada como símbolo de la dualidad entre espíritu y cuerpo, lo divino y lo mundano. En esta oposición, siguiendo criterios generales que se repiten por todo el mundo (el yin y el yang son una buena muestra), la fertilidad de la mujer se compara con la de la tierra, vinculando así lo femenino a lo terrestre, por lo que lo masculino se vincula al Sol (astro de los dioses). Así, la narración sobre el pecado original muestra el triunfo de las tentaciones mundanas sobre lo espiritual. Tampoco debemos ignorar que la asociación del pecado a la mujer se reforzó a través de una cierta misoginia presente en sociedades sexistas, dominadas, al menos desde un punto de vista fáctico, tradicionalmente por el hombre.

Apoyándose en el texto del Génesis, la teología católica, en un intento de recu-

La creación de Eva (detalle de la Capilla Sixtina), Miguel Ángel.

perar la figura de Eva como madre de la humanidad, ha considerado a María como la segunda Eva, es decir, la mujer que repara el daño cometido por la primera mujer de la creación.

■ **Referencias cruzadas**: *véanse* también Adán, Desnudez y Parra.

Evangelistas

Véase Tetramorfos.

Excrementos

*E*n *numerosos* pueblos existe la creencia de que los excrementos contienen ciertas potencialidades de aquellos que los expulsan. Por ello, estos desechos biológicos incluso han sido objeto de culto y ritos en algunos pueblos. Algo de esto no se encuentra tan lejos de la realidad, pues muchas culturas constataron su valor como abono natural.

Por eso, algunas tribus africanas en estrecha relación con los animales valoran sus excrementos de manera positiva. Por ejemplo, los masai, que basan su vida en el ganado ovino, siguen empleando en nuestros días los excrementos del mismo como materia constructiva de sus viviendas y como combustible. Dichos excrementos revisten, por tanto, una importancia primordial para su cotidianidad.

Esta alta estima que se concede a los excrementos puede llegar a derivar en prácticas de coprofagia, a través de las que se pretende apropiarse de los poderes de otros seres. Siguiendo idéntica simbo-

Los cuatro evangelistas (detalle), Jordaens.

logía los excrementos han sido utilizados en la medicina tradicional de algunos pueblos como elementos con poderes curativos.

No tan alejado de este conjunto de creencias como en principio pudiera parecer, se halla el que relaciona las letrinas con el pecado: tanto en un caso como en otro (poderes o pecados, respectivamente), se trata de la esencia, buena o mala, del individuo. Entre los aztecas, la diosa Tlazolteotl («comedora de excrementos») era precisamente la devoradora de los pecados.

Esta asociación de la materia fecal con realidades negativas (viciosas, repugnantes, feas) es inherente, por otra parte, a su condición de desecho: se trata de los residuos no aprovechados por el organismo tras el proceso digestivo.

Excrementos

Aunque en un principio pueda extrañarnos, las heces han sido objeto de prácticas rituales en diversas sociedades.

 *117*

La despensa, Snyders.

F

Faísán

Fste *anímal* presenta una gran riqueza simbólica en Oriente, sobre todo en China. Debido al ruido que produce al batir las alas, se asocia al trueno y, con ello, a la primavera (el trueno anuncia lluvias) y a la concepción (la fecundidad que trae el agua). Es por tanto el principio primario yang que, como el trueno, está contenido en los cielos. Pero también existe la creencia de que, al cambiar las estaciones del año, puede transformarse en serpiente y con ello representar al yin. A través de esa metamorfosis se representaría la unión de los dos principios fundamentales que marcan la existencia, convirtiéndose el faisán en un símbolo de la armonía y equilibrio cósmico.

En Occidente, tiene importancia el faisán dorado que, según la creencia popular, podía asimilarse al Fénix.

Faísán

Ave similar al gallo, pero sin cresta, con penacho de plumas y larga cola.

■ **Referencias cruzadas**: *véanse* también Fénix y Yin-yang.

Falo

Miembro *víríl* que ha simbolizado desde antiguo la potencia fecundante generadora. Por tanto, en origen las forma fálicas no tienen el sentido erótico-sexual que hoy se les asigna, sino que serían simples representaciones de un principio generador de vida venerado en numerosas culturas.

Desde la época megalítica pueden encontrarse representaciones fálicas en forma de grandes piedras clavadas de manera vertical sobre el terreno. Aquí se unen connotaciones relativas a la resurrección de la vida desde la tierra, origen y destino de toda existencia.

Como sustentador de la vida, muchas veces se ha asimilado el falo a la columna, el árbol y otros signos de similares características. Se encuentra aquí una noción vinculada al eje del mundo, símbolo de la unión y equilibrio entre el cielo y la tierra.

Dentro de estas concepciones, el hombre primigenio debe estar dotado de

una gran capacidad vital puesto que su cometido es crear lo no creado, es la fuerza creadora. Esto explica que en ciertas representaciones del siglo XV se represente a Adán (primer hombre) con el árbol del Paraíso surgiendo de su cuerpo en la zona genital.

Para la cábala hebraica el falo simboliza la fuerza vital que proviene de Oriente puesto que allí nace el calor y la luz necesarias para la creación. En Grecia, el culto a Dionisos empleaba símbolos fálicos, muy vinculados también al dios Príapo. También el dios egipcio Osiris recibió similar asociación, mientras que en India, se rendía culto al dios principal Shiva a través de un símbolo fálico (linga). Observamos pues que este simbolismo ha estado universalmente extendido, incluso se encuentra presente en algunas tribus de la actualidad.

■ **Referencias cruzadas**: *véanse* también Árbol, Columna, Eje del mundo, Linga y Menhir.

Fasces

*E*ste símbolo, *haces* en latín, muestra un hacha rodeada por un haz de maderas (generalmente de abedul u olmo) atado por cuero escarlata. En la antigua Roma se empleó en los cortejos, donde, en mano de los lictores, precedía a magistrados y dictadores. Su significado se había creado a partir de la unión de los asignados al haz (vida y muerte) y al hacha (atributo tradicional de la justicia). Así, el fasces se empleó para hablar del implacable poder de la justicia. Las tradiciones latinas señalaron que para que el fasces pudiera entrar físicamente en Roma debía desprenderse del hacha (un concepto similar aparece con las tropas, que no podían entrar en la ciudad sin abandonar las armas y purificarse). Durante la República el poder de la justicia,

el fasces, se convirtió en símbolo de la soberanía del pueblo que se gobierna a sí mismo.

En el mundo contemporáneo el partido «fascista» de Mussolini recurrió al fasces como emblema oficial. Sobre cualquier otra consideración, este hecho manifiesta la voluntad de identificarse con el poder y la gloria de la Roma clásica.

■ **Referencias cruzadas**: *véanse* también Hacha, Haz y Justicia.

Fénix

*E*l *fénix* es un ave mítica de origen etíope, dotada de un majestuoso esplendor. El simbolismo de esta ave deriva de la leyenda que hacía del fénix un ser inmortal: tras haber vivido durante muchísimos años, se quemaba a sí mismo en una hoguera para renacer de sus propias cenizas. El simbolismo es claro: resurrección, inmortalidad, renovación cíclica. Con este sentido será entendido por todas las religiones.

Aparece en algunas pinturas sepulcrales egipcias simbolizando la inmortalidad concedida al difunto tras el pesaje de su alma, forma que también se manifestaría entre griegos y romanos.

La leyenda del ave fénix fue revivida a comienzos de la era cristiana por su adecuación para simbolizar las ideas de resurrección propias de la nueva fe. Durante la Edad Media, este ser fue, efectivamente, símbolo de la resurrección de Cristo. El Renacimiento, por su parte, acogió análogas significaciones: eternidad e inmortalidad.

Fasces

Hacha rodeada por un haz de maderas, presente tanto en la Antigüedad romana como en la Italia fascista.

Fénix

Sus representaciones suelen mostrar un ave similar al águila y que aparece envuelta en llamas.

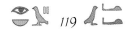

El baño de Betsabé, Jacopo Zucchi.

de quien lo posee. Esa persona se apropia así de una cierta parcela de la eficacia de la divinidad o de los espíritus, para propiciar éxitos, obtener favores sexuales, defenderse de los enemigos, etc. Suelen recibir un culto como fuentes mágicas de fuerzas protectoras. Pueden ser fetiches toda clase de objetos, tanto naturales como elaborados por la iniciativa humana.

◼ **Referencias cruzadas**: *véase* también Tótem.

Firmamento

Véase Cielo.

Flagelación

cto característico de la ascética, cuya finalidad principal es mortificar el cuerpo como medio para rechazar todo lo que de él proviene, consiguiendo así una cierta purificación y elevación. Con ello se ha creído expulsar así a los espíritus malvados, restableciendo el orden normal o asegurando su continuidad. Muy a menudo es un castigo infringido por haber cometido alguna falta, pero sin mayor significación. En el arte cristiano, la flagelación es uno de los atributos o escenas de la pasión de Cristo.

◼ **Referencias cruzadas**: *véase* también Columna.

Flauta

nstrumento musical de viento, cuya invención atribuyeron los griegos al dios Pan, que pretendía así entretener a los dioses, las ninfas, los animales, etc. Participa de las potencialidades cautivadoras de la música (es un medio para recuperar la armonía del universo) y con

Fetíche

Un fetiche es un ídolo u objeto de culto al que se atribuyen poderes sobrenaturales.

Flagelación

El castigo del cuerpo ha sido uno de los medios más recurrentes para buscar la victoria de lo espiritual sobre lo mundano.

Ocasionalmente, su asociación con lo solar (fuente de luz, sabiduría y vida) hizo de él un atributo de la virtud, de la esperanza y de la historia. También se emplea como emblema de algún ser necesariamente solitario, por su condición única.

A finales del siglo XVII y principios del XVIII encontramos todavía el fénix utilizado como símbolo de inmortalidad. Por ello se incluye en las alegorías de cenotafio efímero de Carlos II de la catedral de Barcelona, como alusión quizá no tanto a la inmortalidad y resurrección de Carlos II, sino de la dinastía que con él terminaba.

En China y particularmente en el taoísmo, el fénix también es símbolo de la inmortalidad, del Sol y de la vida, por lo que sirve como montura a los Inmortales.

◼ **Referencias cruzadas**: *véase* también Águila.

Fetíche

bjeto al que se ha atribuido alguna facultad de origen superior y divino, que una vez fijados en él quedan en poder

frecuencia se atribuye a su sonido virtudes sobrenaturales que llevan al éxtasis y el enajenamiento.

En la cultura occidental suele ser un atributo de los pastores (estaban protegidos por el dios Pan) y su música se interpreta en muchas ocasiones como la voz de los ángeles o de seres mitológicos encantados. Así, es considerado atributo de Euterpe y en alguna ocasión de la alegoría de la poesía.

Por otra parte, el sonido de las flautas de caña que tocan los derviches para acompañar sus danzas, simboliza la llamada del alma que, separada de Dios, desea volver a las esferas celestiales.

Flecha

En cuanto elemento de penetración, la flecha es imagen del pensamiento y el conocimiento, simbolismo que se ve reforzado porque aparece frecuentemente asimilada con el rayo de Sol, que es luz esclarecedora.

Como es capaz de remontarse y librarse del yugo que impone la gravedad ascenciendo hacia el cielo, la flecha es también un símbolo de superación de las dificultades y obstáculos que el ser humano se encuentra constantemente en su camino.

Esa comparación con el rayo y el conocimiento propician que se convierta en atributo divino: son arqueros los dioses Artemisa (Diana romana, aquí más con el sentido de caza) y Apolo (dios de la sabiduría), así como el dios del Amor (Eros), por quien la flecha se convirtió en imagen típica de los enamorados, presente aún en nuestros días.

Además de aributo de los personajes mencionados, la flecha lo es también de la castidad (*véase*

Escudo). Otras veces un esqueleto portando un arco y flechas (como armas mortíferas) simboliza la muerte, imagen que sustituye así a la hoz o la guadaña por la fatal precisión de esta arma. Tanto el demonio como la personificación de la peste se representan también a través de ángeles vengadores que lanzan flechas. En algunos motivos medievales aparecen arqueros como imagen de la lascivia, en alusión al dios griego Eros.

Mientras que una flecha es fugaz y se rompe fácilmente, tanto en Occidente como en Oriente un haz de ellas alude a la constancia, la concordia, la unión y la fuerza que del conjunto se deriva. En esta última acepción simbólica era uno de los emblemas de la reina Isabel de Castilla y, consecuentemente, de los Reyes Católicos, por lo que fue adoptada poco después por la Casa de Austria española y, finalmente, por el franquismo.

Hoy en día la flecha se sigue asociando a la idea de rapidez y velocidad, de ahí la expresión «veloz como una flecha».

Al igual que sucede con casi todos los mártires cristianos, san Sebastián, que

Flecha

La rapidez, la incisión, el impulso ascensional y el carácter mortífero de la flecha son rasgos que debieron influir de manera decisiva en la formación de su aparato simbólico.

El flautista, Cecco del Caravaggio.

Vieja regando flores, Guerrit Dou.

La flor, símbolo por excelencia de la belleza, también nos recuerda que dicha cualidad se marchita rápidamente.

murió asaetado, se representa junto a las flechas que le dieron muerte, ya aparezcan hiriéndole o simplemente como atributo de su imagen.

■ **Referencias cruzadas**: *véanse* también Arco y Escudo.

Flor

En general, cualquier flor evoca una actitud pasiva, receptora de la acción de la lluvia y el Sol, por lo que se consideran como símbolo de sumisión. Por otra parte, aunque reflejan la llegada de la primavera (de la que son atributo) y la vitalidad, son un esplendor fugaz: enseguida se marchitan. Ésta es la razón de su frecuente inclusión en representaciones que pretenden recordarnos la fugacidad de la belleza terrena.

Por razones evidentes la flor simboliza también el esplendor, el placer y, de un modo más general, valores nobles como la virtud, la armonía, etc. Así, suelen vincularse a la sensibilidad y la belleza, cualidad que tradicionalmente se ha ligado más a lo femenino.

Por otra parte, como es natural, cada una de las flores posee un simbolismo propio. Aunque se podrían agrupar por colores, haciendo que las amarillas se relacionen simbólicamente con el Sol, las blancas con la muerte o con la inocencia (ambas purifican), las rojas con la sangre (de ahí que las flores que se regalan a la mujer suelen ser rojas, en relación con la pasión) y las azules con los sueños y lo misterioso.

En la mentalidad actual, las flores revisten significados relacionados con el homenaje y el tributo. Esta costumbre procede del antiguo simbolismo vinculado a la rama, cuya vitalidad natural pretende hacer inmortales los éxitos conseguidos. Por ello se entregan flores a los vencedores en determinadas pruebas deportivas, en señal de bienvenida a viajeros y como regalo al ser amado. Pero también son tributo a los muertos, cuyo recuerdo pretende ser imperecedero; de ahí las coronas de flores en los velatorios y los permanentes ramos en los cementerios.

En Japón, aún hoy, está muy desarrollado el arte de la decoración floral, llamado *ikebana*, como una forma de expresión simbólica.

■ **Referencias cruzadas**: *véanse* también Jardín, Ramo y Rosa.

Forja

Véase Herrero.

Forjador

Véase Herrero.

Fortuna

Diosa romana que en principio fue entendida como aquella que rige el destino, que determinaba caprichosamente sin atención ni previsión hacia las consecuencias; por ello, solía representarse con un timón o remo. Más adelante cobró aspectos predominantemente favorables en el sentido de felicidad y abundancia, siendo asimilada a la diosa griega Tyche. Algunos de sus atributos son la cornucopia rebosante y el remo, alusivo éste a su capacidad de llevar y traer los bienes.

En el Renacimiento, la fortuna aparece como una mujer que se mueve ágilmente y que está a punto de escapar (su celeridad se evidencia con la representación de alas en sus pies) y se apoya en una base tan inestable como una esfera o rueda. Suele aparecer también con los ojos vendados en clara alusión a su carácter aleatorio.

■ **Referencias cruzadas**: *véanse* también Cuerno, Remo, Rueda de la Fortuna y Timón.

Fortuna, Rueda de la

Véase Rueda.

Fresno

Juega un papel importante en la mitología de varios pueblos. En las culturas nórdicas, es el árbol cósmico primordial, que permanece siempre verde, por eso es símbolo de la inmortalidad y se relaciona con el eje del mundo al unir los tres planos del cosmos (subsuelo, tierra y cielo). Sin embargo, entre los griegos la dureza de su madera y su larga vida lo convirtieron en símbolo de fortaleza y solidez, cuyo poder le permitía incluso ahuyentar a las serpientes.

■ **Referencias cruzadas**: *véase* también Eje del mundo.

Fruta

Símbolo de prosperidad cuando el cuerno de la abundancia aparecen re-

bosando. La fruta alude también a la naturaleza, pródiga y favorable, que alimenta al hombre. Es también un símbolo de madurez y desarrollo completo.

Algunas frutas tienen un especial simbolismo relacionado con el deseo sensual (como los higos y la uvas), con la inmortalidad (granada) o con la prosperidad (manzana).

Durante el siglo XVII, en el arte occidental la representación de frutas supone una referencia al goce inmediato de su sabor, estimado como don divino, por lo que simbolizan también el gusto. A su lado, las frutas pueden también indicar virtudes e incluso vicios como la lascivia. Las que ocasionalmente aparecen en los bodegones y cuadros de vanidades hacen referencia a la fugacidad de la vida y los bienes, que se marchitan y pasan como ocurre con la fruta.

Fuego

La experiencia del fuego impresionó a los hombres desde los albores de su razón en cuanto realidad devastadora e implacable (ocasionalmente empleada

Fortuna

La rueda, el remo, el timón y la venda son los atributos más frecuentes en las personificaciones de la fortuna.

La vendedora de fruta, Vicenzo Campi.

Fuego

Como experiencia fundamental para el hombre desde su descubrimiento, el fuego ha suscitado una rica simbología.

El Fuego de Vulcano, presente en el famoso cuadro de Velázquez, refleja una de las dos acepciones fundamentales de este elemento en la tradición grecolatina.

por el hombre para modificar el medio), aunque al mismo tiempo sea fuente de luz, calor y, por tanto, vida. Inevitablemente, todo ello conduce a identificarlo, como también sucede en el caso del Sol, con la divinidad, origen último de esos poderes. El cristianismo, por ejemplo, refleja bien esta concepción al hacer del fuego representación del amor divino.

Es uno de los cuatro elementos en las cosmogonías tradicionales, pero tiene la peculiaridad de que es el único que puede reproducir el hombre. Como el aire, es masculino y activo, pero bastante más enérgico.

Las instrucciones de custodia de fuegos sagrados (misión por ejemplo de las vestales en Roma) se registran en diversos pueblos. Aunque su referente lejano puede encontrarse en las necesidades vitales de las sociedades menos desarrolladas, el fuego eterno debe entenderse como una defensa del colectivo, más simbólica que real. Se convirtió en alegoría de la vida entregada por los dioses y manifestación directa de su poder. Además, al unirse al simbolismo del humo y de la ceniza, se convirtió en el elemento fundamental de los sacrificios.

El zoroastrismo refleja con claridad aquellas herencias, haciendo del fuego el principal objeto de culto, pero añadiéndole un profundo significado moral. Según las enseñanzas de su profeta, es símbolo de justicia y objeto de su piedad y veneración. Sin embargo, como el fuego es algo vivo, que perece si no recibe los cuidados necesarios, es fácilmente personificado y su culto asume un profundo sentido.

En la tradición clásica, cabe distinguir dos acepciones del fuego, correspondientes a las figuras de Vulcano y Prometeo respectivamente. Así, mientras que Vulcano personifica el *ignis elementatus*, es decir, el fuego físico que permite moldear el hierro y resolver otros problemas prácticos, la antorcha de Prometeo, encendida en las ruedas del carro del Sol, lleva al «fuego celestial», la claridad del conocimiento que sólo puede alcanzarse a costa de la felicidad y la paz mental.

Su vinculación con lo divino y con las fuerzas de la vida también le han atribuido significados de purificación y regeneración, como es patente en el fuego del Pentecostés cristiano (el fuego como representación del Espíritu Santo). Desgraciadamente, del mismo simbolismo derivan hechos tan cuestionables como las hogueras purificadoras de los autos de fe.

Su identificación con lo vital y su carácter avasallador lo han puesto en relación con la experiencia amorosa. La asociación entre el fuego y la sexualidad es antigua; incluso en el acto de hacer fuego se ha

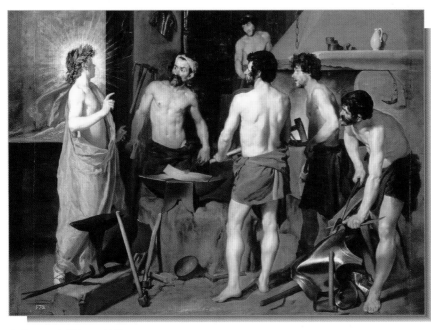

La fragua de Vulcano, Velázquez.

encontrado, no sin cierto rebuscamiento, un reflejo del acto sexual. El fuego está dormido en la madera y, como el deseo en el cuerpo de la mujer o del hombre, despierta por el contacto con otro ser.

■ **Referencias cruzadas**: *véanse* también Llama, Luz, Sol y Rayo.

Fuente

*L*as *fuentes* naturales, que tradicionalmente se ha ligado al agua, constituyen la manifestación más plena e incorrupta del simbolismo. El lugar en el que mana recibe todos sus sentidos y se erige como una realidad fundamental en muchas concepciones del mundo. Por ello, las nociones de vida, fecundidad, purificación y resurrección que frecuentemente vemos junto al agua, afectan directamente a las fuentes. Un ejemplo claro lo ofrece el Paraíso del Génesis bíblico: en su centro, junto al Árbol de la Vida, se sitúa una fuente de la que brotan los cuatro ríos que regalan la vida a las regiones del mundo.

La fecundidad del agua se hace patente en otros muchos relatos, como aquellas leyendas populares en las que las fuentes se convierten en el mejor lugar para acabar con la esterilidad o para encontrar pareja. Esta función medicinal (que en ocasiones toma base científica, gracias a alguna composición química especial) se magnifica en los relatos de la Fuente de la Vida, presentes, con ciertas variaciones, en muchas sociedades. Como todas las grandes recompensas, suelen estar situadas en emplazamientos remotos y de difícil acceso, e incluso se las supone custodiadas por monstruos. Todas estas dificultades subrayan el valor simbólico de la fuente, de ese objetivo mítico que podría parangonarse con una elevación espiritual conseguida sólo tras superar multitud de obstáculos.

Helicon y Minerva visitan a las musas, Momper.

En el arte paleocristiano y bizantino la Fuente de la Vida era frecuentemente representada en los muros de las iglesias con dos ciervos abrevando en sus aguas. Posteriormente, se llegó a concebir la misma enseñanza cristiana como fuente de la que brota la vida.

Un manuscrito del siglo XII presenta por primera vez esta nueva concepción simbólica: en una de sus miniaturas, el pergamino que el santo está escribiendo se prolonga hasta transformarse en un arrollo, de donde beben varios obispos arrodillados.

En esta misma línea, posteriormente el agua que mana es interpretada como símbolo de la sabiduría, de ahí el emblema barroco que dice *aqua sapientiae salutatis portavit* («el agua es portadora de salud y sabiduría»).

Como no podía ser menos, todas estas interpretaciones ofrecieron la posibilidad de identificar este símbolo con la Virgen, acomodando así el texto bíblico que la define como fuente que mana a borbotones, fuente de aguas vivas que otorgan la gracia divina.

■ **Referencias cruzadas**: *véanse* también Agua, Lago y Manantial.

Fuente

Según se decía en el Barroco, «el agua es portadora de salud y sabiduría».

Vendedora de aves, Vincenzo Campi.

Gacela

Los cuernos anillados constituyen la característica más representativa de este pequeño antílope.

Gacela

La agilidad y velocidad de este animal han hecho de él un símbolo frecuente del viento y de la rapidez, como muestran las tradiciones cristiana e hindú. Por ello, aparece como atributo o representación de diferentes divinidades que participan de esa característica, de forma que ya en el mundo egipcio representaba al dios Seth cuando personifica la amenaza de los tifones. También dentro de la mitología griega era uno de los atributos de Hermes, mensajero de los dioses.

Otro de los rasgos fundamentales de la gacela es su porte elegante y la belleza que siempre se ha atribuido a su mirada, aguda y penetrante. Así, en todo el mundo semítico su imagen se empleó para resaltar el encanto de cualquier representación. El cristianismo fue más allá de la belleza exterior o material y relacionó la mirada profunda de la gacela con la vida contemplativa y con el conocimiento espiritual. Dentro de esa tradición cristiana, hasta el románico resulta usual encontrar la representación de una gacela huyendo de una fiera (generalmente un león); esto se ha interpretado como un símbolo del alma (la gacela) que busca la salvación escapando del diablo, representado por la fiera.

■ **Referencias cruzadas**: *véase* también Ciervo.

Gallina

La forma en la que defiende a sus polluelos bajo sus alas ha inspirado una simbología relacionada con la protección maternal. De ahí que en el cristianismo la imagen de una gallina con sus crías se haya empleado para simbolizar a Jesucristo protegiendo a sus «polluelos», es decir, a los fieles que cobija bajo su manto protector.

Por otra parte, el hecho de que las gallinas pongan muchos huevos a lo largo del día, fue interpretado como un símbolo de fecundidad y creación.

Pero junto a estas visiones positivas, también encontramos unas concepciones no tan benévolas. Así, su comportamiento sexual durante el celo condujo a identificarla como símbolo de mujer licenciosa e infiel, lo que explicaría el famoso dicho actual. Concepciones similares recibe la gallina negra, que siempre se ha considerado un agente diabólico, un instrumento para ponerse en contacto con el maligno, por lo que fue utilizada por las brujas medievales para invocarle.

Por último, en algunas tribus africanas los sacrificios de gallinas tienen un papel «psicopompo», es decir, propician la comunicación con los difuntos.

■ **Referencias cruzadas**: *véase* también Gallo.

Gallo

La relación que casi todas las tradiciones le atribuyen con el amanecer parece clara, puesto que todos conocemos la forma en la que anuncia el nuevo día. De hecho, en Japón existe la creencia de que el canto del gallo es lo que hace salir al dios solar. De estas consideraciones deriva un simbolismo que, con pequeñas variantes, incluyen casi todas las culturas; veámoslo.

Su carácter de anunciador solar hace del ga-

llo un claro símbolo de vigilancia y alerta, su canto supone la superación de las tinieblas a través de la luz de cada día que espanta los espíritus malignos de la noche. Esto hace que entre los egipcios sea considerado en relación con la previsión, al tiempo que su colorido brillante y cresta roja refuerza su identificación con el Sol y el fuego (creencia que comparten con los griegos y los sirios). El simbolismo solar del gallo también le convierte en receptor de las propiedades de la luz (vida), su canto propicia el renacer de cada día y así, en la tradición grecolatina, se le consagró a Esculapio, dios de la medicina.

La faceta de vigilancia y alerta que presenta el gallo cada mañana aparece con fuerza en el cristianismo: la forma en la que se vincula al amanecer hace de él un símbolo del triunfo de Cristo (la luz) sobre el demonio (las tinieblas). De ahí nace la tradición, presente todavía hoy en día, de las veletas con forma de gallo. Pero, ¿qué relación existe entre el simbolismo comentado y las veletas? Intentaremos explicarlo: puesto que el gallo representa el

Gallina

Se diferencia del gallo gracias a la carencia de espolones en las patas y a su cresta, de menor tamaño.

Gallo

La relación del canto del gallo con el amanecer generó una extensa simbología, visible tanto en la tradición grecolatina como en la cristiana y en la japonesa.

Gallo y gallinas, Cuyp.

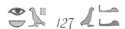

Ganso

Ánsar o ganso es el nombre común de un grupo de aves acuáticas emparentadas con patos y cisnes.

triunfo de Cristo sobre el demonio, la colocación de veletas que giran en todas direcciones, vendría a simbolizar la vigilancia que el hijo de Dios ejerce hacia todos lados para controlar las fuerzas del mal.

La relación del gallo con Cristo vendría dada también por las palabras proféticas de éste tras la Última Cena, en las que anunciaba que el apóstol Pedro le negaría tres veces antes de que el gallo cantase dos; así, la presencia de este animal recuerda la pasión de Cristo y el arrepentimiento y la debilidad humana. Esa relación del gallo con Pedro que, al fin y al cabo, es el primer Papa, es decir, el vicario de Cristo en la tierra, vuelve a entroncar con las ideas de vigilancia antes comentadas.

Siguiendo dentro de la tradición cristiana, el gallo ocupa otros simbolismos menores o secundarios. Así, se le asocia a la resurrección por la renovación que supone cada amanecer, del mismo modo que recuerda la oración matutina. Pero, al igual que la gallina, tiene también su lado oscuro, porque un gallo negro ha sido considerado como agente del demonio, lo que condujo a que fuera un recurso usual de las brujas y los adoradores de Satán durante la Edad Media.

Otra acepción del gallo la encontramos en conexión con su comportamiento generalmente agresivo y hostil, lo que para los chinos hizo de él un símbolo de la guerra, pero encontrando en ello valores positivos como coraje, valentía y valor. Estos mismos sentidos se repiten en otros pueblos orientales y algunas culturas de la Antigüedad; incluso en la Europa actual el gallo es tomado por símbolo de orgullo.

■ **Referencias cruzadas**: *véase* también Gallina.

Gamo

Véase Ciervo.

Ganso

*E*l *vuelo* y el agua son los dos grandes componentes del simbolismo de este animal. Su condición de ave hace que el ganso se convierta, como suele ocurrir con estos animales, en un intermediario perfecto entre el cielo y la tierra. Así, en narraciones de egipcios, celtas y chinos, esta ave acuática figura frecuentemente como vínculo entre dioses y hombres.

Pero el agua, su medio por excelencia, le aporta también un buen número de significados. De ella recibe una vin-

Leda con el cisne, Correggio.

culación a los principios vitales, regenerativos y femeninos, por lo que en la antigua Grecia se consagró a Afrodita, diosa del amor y la belleza. Debemos mencionar que esta relación con la diosa griega resulta un tanto confusa, pues en ocasiones parecen cisnes y no gansos los animales que se representan junto a ella.

Pese a todo, en Roma se manifiestan los mismos sentidos y esta ave se halla entre los atributos de Juno, esposa de Júpiter y diosa del amor y la fecundidad en el matrimonio. Posteriormente, encontramos a este animal como símbolo de vigilancia y alerta, pues, según la tradición, fueron los gansos criados en el templo de Juno, en el Capitolio, los que graznando dieron la voz de alarma que permitió a Roma librarse de la invasión de los galos (390-387 a. C.).

Leda, Leonardo da Vinci.

■ **Referencias cruzadas**: *véanse* también Agua, Cisnes y Vuelo.

Garganta

Véase Boca.

Garza

S u simbolismo deriva, como suele suceder con los animales, de sus rasgos físicos y comportamientos naturales. Así, su largo pico y la forma con la que rebusca con él en el lodo fueron interpretados en el antiguo Egipto como símbolo de curiosidad y búsqueda de la sabiduría (*véase* Ibis). Dentro del cristianismo el simbolismo aparece asociado a dos características de esta ave: por un lado, el hecho de devorar serpientes, visto en la Edad Media como una alegoría de Cristo; por otro,

durante el celo lanza graznidos que se interpretaron como muestra de dolor y su pico y patas toman un color rojizo (se creyó que sucedía así porque lloraba sangre). Todo esto condujo a su identificación con el arrepentimiento y con la figura de Cristo llorando sangre en el monte de los olivos.

■ **Referencias cruzadas**: *véanse* también Cigüeña, Grulla e Ibis.

Gato

P resenta un simbolismo ambivalente en casi todas las culturas. Por un lado se nos presenta con aspectos positivos. Así, en Egipto es atributo del dios Bastet, protector de los hombres, de la madre, del niño y, en general, de todo el hogar; el origen de esta creencia se halla en la territorialidad de este animal (que le hace volver a las casas en las que encuentra sustento) y en sus costumbres cazadoras (limpian la casa de roedores). En

Garza

Ave zancuda emparentada con la cigüeña y el ibis.

Gato

Al parecer, las variedades de pelo corto tienen por origen un pequeño felino domesticado por los antiguos egipcios y traído a Europa durante las cruzadas.

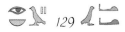

Gavilán

Curiosamente, la figura del gavilán evocó en algunas culturas el dominio de la mujer sobre el hombre en las relaciones de pareja.

China y entre los musulmanes también es signo de buen augurio y animal benefactor. De igual manera, era bien visto por algunos pueblos indígenas de Norteamérica, donde sus cualidades físicas hicieron de él emblema de la destreza, reflexión, ingenio, observación y cautela.

Pero el simbolismo del gato no siempre siguió esos derroteros. En ocasiones, sobre todo si son negros, se vio en ellos connotaciones negativas. En el mundo musulmán, pese a que ya figuraba como símbolo de buen augurio, al gato negro se le atribuyen cualidades mágicas nada benéficas para los hombres. También en la Edad Media cristiana se relacionaba los gatos negros con las brujas y el demonio y eran, por tanto, portadores de mala suerte. Además del sentido tradicional dado al negro, se puede encontrar una explicación en el hecho de que los gatos poseen unos ojos que brillan en la oscuridad, cualidad que se atribuía al demonio y que condujo a esta asociación. En Japón, no importaba el color, puesto que siempre eran tenidos como signo de mal agüero.

Gavilán

Su cualidad de volar a gran altura, «cercano» al Sol, hizo que en la cultura egipcia asimilara los poderes solares, convirtiéndose en su emblema y asociándose así al dios Horus. Esta relación con el Sol, muy frecuente en todas las aves, también se atestigua en la cultura grecolatina.

Por otra parte, el gavilán es un ave rapaz con grandes garras en forma de gancho, lo que el cristianismo vio como una representación del pecado de la usura. Otra de las características definitorias del gavilán es su envergadura y majestuosidad, por lo que, al igual que el águila y el halcón, es utilizado en cetrería. Durante la Edad Media, como esta actividad parecía propia de la nobleza y los derechos de caza eran restrictivos (*véase* Caza), llevar un gavilán en el puño constituía un signo evidente de alta condición social.

En un nuevo rasgo físico podemos apreciar otro curioso significado simbólico. La hembra presenta una mayor fuerza y corpulencia que el macho, lo que condujo a que muchas culturas lo interpretaran como una representación del dominio de la mujer sobre el hombre en las relaciones de pareja.

■ **Referencias cruzadas**: *véanse* también Águila y Halcón.

Gavilla

Este símbolo reviste cierta importancia, sobre todo en las sociedades agrarias, que dependían del campo para su sustento. Como no puede ser de otra manera, su sig-

Verano, Abel Grimmer.

nificado está íntimamente relacionado con la cosecha y con la posibilidad de alimentación, lo que hace que sea un signo evidente de abundancia y prosperidad y, en consecuencia, también de felicidad y bendición (los alimentos básicos suelen considerarse regalo divino).

En los ritos celebrados en relación con la cosecha se atribuían efectos mágicos, sobre todo a la primera y a la última gavilla surgida de la cosecha, de tal manera que éstas podían tener una influencia negativa si no se cumplía con la superstición de ofrecerla al vecino lanzando algunos granos o incluso la gavilla entera sobre su campo. Si, por el contrario, se realizaba correctamente esta ofrenda, se obtenían los efectos benéficos antes comentados.

Desde otro punto de vista, la forma de la gavilla, con todos sus elementos ligados en forma de haz, es interpretada como un símbolo de unión de muchos en uno solo. De aquí deriva el significado de limitación que la gavilla tiene en los jeroglíficos egipcios.

■ **Referencias cruzadas**: *véase* también Trigo.

Gea

Véase Tierra.

Gemelos

A *parecen representados* de diversas maneras y en multitud de actitudes: iguales en cuanto a figura y color, uno claro y el otro oscuro, de distintos colores, en diferentes posturas, etc. Los gemelos representan la dualidad, puesto que son dos seres, pero dentro de la identidad, ya que parten del mismo seno. Esto hace que sean considerados como símbolo por excelencia de los grandes dualismos, es decir, de las tendencias divergen-

Los gemelos Clara y Albert de Bray, Salomon de Bray.

tes y contrarias que tienen todos los seres sin que por ello los principios que componen el dualismo pierdan su esencia común. Así, cuando aparecen representados exactamente iguales, pretenden evocar el equilibrio de dicha dualidad.

Generalmente, en las tradiciones cosmogónicas de multitud de culturas aparecen gemelos en los que se pone de manifiesto esa dualidad: generalmente simbolizan la lucha constante entre el bien y el mal. Esto se aprecia claramente en el binomio egipcio de Osiris (el bien) y Seth (el mal) o dentro de la tradición hebrea con Caín y Abel. También en otras tradiciones míticas, como la grecolatina, se les otorga un papel fundamental, como sucede con los Dioscuros («hijos de Zeus») Cástor y Pólux entre los griegos y con Rómulo y Remo entre los romanos. Curiosamente, una característica común de estas narraciones es que sólo uno de ellos es mortal.

En alguna ocasión se ha considerado que su nacimiento constituye una desviación de la naturaleza. Así sucede en algunas tradiciones africanas, donde se les toma por un mal presagio; en la cultura

Gavilla

Bajo este nombre se designa a un manojo de tallos.

Gemelos

Cástor y Pólux, Osiris y Seth, Caín y Abel son muestra del prolijo simbolismo de los gemelos.

Géminis

Tercer signo del zodiaco, abarca a los nacidos entre el 21 de mayo y el 21 de junio y se encuentra bajo la influencia de Mercurio.

china, cuando los gemelos son de distinto sexo reciben el mismo sentido.

■ **Referencias cruzadas**: *véase* también Géminis.

Géminis

*E*ste *signo* del zodiaco, el tercero, tiene un claro trasfondo simbólico, el de los gemelos, y de ellos toma sentido. Así, representa las oposiciones y tendencias contradictorias o complementarias, tanto internas como externas, que pueden darse en el seno tanto de seres como de procesos. Su elemento es el aire, por lo que tiene de volátil y cambiante, por la posibilidad de manifestarse, como todo lo que se asocia a Géminis, en un sentido u otro.

■ **Referencias cruzadas**: *véanse* también Gemelos y Zodiaco.

Genio

*E*n *numerosas* culturas se da el caso de geniecillos que se comportan como una especie de *alter ego* que acompaña a cada hombre desde su nacimiento. Es su espíritu protector sobrenatural o, si se quiere, desde una visión cristiana, su ángel de la guarda. Es también su consejero, pero al mismo tiempo su demonio, la voz de su conciencia, de ahí la típica re-

El ángel de la guarda, Pietro da Cortona.

presentación que tantas veces hemos visto en el cine en donde aparecen un pequeño ángel y un demonio sobre cada uno de los hombros de una persona.

Los genios aparecen desde antiguo, puesto que ya en Egipto se creía en la existencia de buenos genios protectores de los templos y las tumbas, y opuestos maléficos que representaban a las fuerzas del caos. Posteriormente, en Roma recibieron gran veneración consagrándoles altares y relacionándolos con el culto a los dioses domésticos; incluso existía la creencia de que algunos edificios y ciudades tenían su propio espíritu protector llamado *genius loci*.

■ **Referencias cruzadas**: *véanse* también Ángel y Tótem.

Gigante

*L*os *significados* simbólicos de los gigantes son amplios, tanto en tradiciones populares como en la mitología, además de contradictorios.

Presentan un sentido negativo en cuanto a fuerza desatada y destructora de la naturaleza, lo que va unido a las nociones de brutalidad y salvajismo. Esto hace que, en general, sean considerados por todas las tradiciones míticas como enemigos de los dioses. Una característica común es que, pese a su poder, las grandes divinidades no pueden vencer a los gigantes sin la ayuda de un hombre, uno de los grandes héroes (Herakles u Odiseo, por ejemplo). Son ellos los que vencen a los gigantes utilizando las armas opuestas a la fuerza bruta, es decir, el ingenio y la astucia. Por tanto, su triunfo estaría desempeñando el papel de la victoria de la civilización (representada por los hombres y sus héroes) sobre la barbarie, que aparece como un tema recurrente en la mitología antigua, sobre todo en la grecolatina. Quizá también se podría rela-

David contra Goliat (detalle de la Capilla Sixtina), Miguel Ángel.

cionar con la superación y el resurgir de la humanidad tras las catástrofes naturales. Estas concepciones debieron influir profundamente en el cristianismo, que llegó a relacionar al gigante con el diablo. Como materialización de ese salvajismo y brutalidad, muchas tradiciones populares pintaron una sombría imagen de los gigantes, calificándolos de asesinos y antropófagos, actividad que, no en vano, ya en Grecia era considerada como el máximo exponente de barbarie.

El contrapunto simbólico lo encontramos en la visión positiva que, aunque no tan extendida, existe sobre los gigantes. De este modo, más de un relato sobre la creación del mundo muestra la intervención de estos seres, tanto participando en su génesis como sosteniéndolo (es el conocido caso de Atlas). De igual manera, en los relatos populares medievales suelen tener un carácter benefactor, puesto que en ocasiones se los representa protegiendo al pueblo del yugo de la nobleza.

Girasol

El mismo nombre ya nos está indicando la cualidad por la que es conocido y de la que deriva buena parte de su simbolismo: gira para orientarse siempre hacia el Sol. Como resulta predecible, casi todas las culturas le asociaron a lo solar. El cristianismo, a partir de ello, asimiló el girasol al alma, que siempre se orienta hacia Dios (identificado tradicionalmente con el Sol); por extensión, se convirtió también en símbolo de oración. Partiendo del mismo hecho, la tradición occidental comparó esta planta con el amante, que siempre vuelve la cabeza y sus pensamientos hacia su ser amado, y con la fidelidad, de igual manera que el girasol mantiene su lealtad hacia el Sol.

Pero esta vinculación a lo solar, reforzada por la corona de pétalos y el amarillo intenso que ofrece, conllevó a su vez una cierta vinculación con los grandes soberanos. Por estos motivos apareció adornando las cabezas de emperadores romanos, reyes de la Europa occidental y de Asia, e incluso en representaciones de santos de la cristiandad. Y como el Sol es vida, se entiende perfectamente que en la mitología china se le mencione como alimento de los Inmortales.

En la tradición occidental también se ha empleado como alegoría del capricho, ya que, de la misma manera que el girasol sigue al Sol como un esclavo, los humanos somos siervos de nuestros deseos. Además, su movimiento se ha visto como un signo de falta de fiabilidad por su cambio continuo de posición.

La lucha de David contra Goliat refleja un simbolismo muy extendido, el de la astucia triunfando sobre la fuerza bruta.

Gigante

Ser de aspecto humano pero de proporciones gigantescas y dotado de una poderosa y brutal fuerza física.

Girasol

Su nombre ya nos anticipa su asociación simbólica más importante.

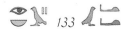

Globo

Al igual que la esfera, el globo es símbolo de perfección y totalidad.

Golondrina

La forma alargada y puntiaguda de sus alas es la mejor pista para reconocer sus representaciones.

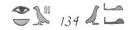

Gorgonas

Figuras monstruosas de la mitología griega que habitaban los confines occidentales del mundo conocido.

Globo

Su simbolismo está directamente asociado con su forma esférica. Así, siguiendo el simbolismo de la esfera, el globo se emplea como alusión a la totalidad y la perfección. De aquí surge la idea de que un globo representado en manos de un soberano, simboliza el poder y la autoridad absoluta e ilimitada de éste sobre determinado territorio. En el cristianismo ese globo de poder es representado con una cruz sobre él, indicando el dominio de Cristo y la fe cristiana sobre el mundo. Este motivo fue ampliamente utilizado por los monarcas cristianos a la hora de representarse, que se mostraron así como salvaguardas de la religión y la fe.

■ **Referencias cruzadas**: *véase* también Esfera.

Golondrina

Ave migratoria que regresa siempre con el inicio de la primavera, de tal manera que, en casi todas las culturas, es considerada como símbolo mismo de dicha estación y, por extensión, de la luz que indisolublemente lleva ligada. Y puesto que la primavera supone el renacer de la naturaleza, es también símbolo de fecundidad. Así se entienden las leyendas chinas que hablan de la fecundación de las muchachas causada por la ingestión de huevos de golondrina. Hasta tal punto en China simbolizaban la primavera, que se hacía coincidir exactamente la fecha de los equinoccios con su llegada y su partida.

Esa relación con el renacer de la naturaleza llevó a los egipcios a asociarlas a la idea de resurrección, en tanto que estaba difundida la creencia de que por la noche Isis, convertida en golondrina, revoloteaba alrededor de la tumba de Osiris esperando una nueva salida del Sol como anuncio de la nueva vida. Esta concepción pasó posteriormente al cristianismo donde, particularmente durante la Edad Media, se consideró nuevamente a las golondrinas como alegorías de resurrección.

Estas concepciones han hecho que, incluso en la actualidad, sean consideradas como signo de buena suerte, de tal manera que se ve positivamente que aniden en los aleros de las casas porque propician bondades a quienes las habitan.

Entre algunos pueblos africanos encontramos una acepción simbólica curiosa de las golondrinas: constituirían una imagen de pureza y limpieza puesto que nunca se posan directamente sobre la tierra (sede de las corrupciones) y, por tanto, permanecen libres de la suciedad de lo mundano.

Gorgonas

Las Gorgonas son tres hermanas (Euricle, Esteno y Medusa) que tienen cabellos compuestos por serpientes, colmillos, alas y una terrible mirada que convertía en piedra sin remedio a quien osaba fijarse en ellas. De las tres sólo Medusa es mortal; Perseo logró vencerla volviendo contra ella sus poderes a través de un escudo pulimentado empleado como espejo. Posteriormente, le cortó la cabeza y se la entregó a Atenea, que la colocaría en su escudo o peto. Con su aspecto monstruoso y temible, las Gorgonas vienen a representar los instintos irrefrenables del hombre, el tormento de la culpabilidad reprimida (lo opuesto de las Erinias). Es decir, enfrentarse con Medusa equivale a afrontar con valentía nuestras culpas, que nos producen espanto. Así, la muerte de Medusa a manos de Perseo refleja el triunfo del equilibrio y la armonía expresados en el profundo conocimiento de nosotros mismos.

■ **Referencias cruzadas**: *véanse* también Coral y Erinias.

Granada

iene una gran cantidad de pepitas, por lo que, al igual que otros frutos de las mismas características, es considerada por todas las tradiciones como un símbolo de fertilidad y fecundidad. Así, es atributo de diosas griegas relacionadas con la agricultura y la fertilidad como son Deméter, Afrodita y Hera. Vinculado a este sentido, en Roma una granada en la mano de Juno era un emblema del matrimonio; de hecho, era usual que las novias llevasen un tocado o diadema elaborada con ramas de granada. El sentido de esa práctica es propiciar simbólicamente la fecundidad y prosperidad de la nueva unión. En India, estas connotaciones de fertilidad hacen que se utilice el zumo de la granada como un remedio contra la infertilidad o esterilidad.

Esa gran abundancia de pepitas bajo una misma corteza fue vista en la cultura cristiana como una representación de la Iglesia que acoge bajo su manto protector a un gran número de pueblos. De la misma manera, de esta idea se extrajo un simbolismo que relacionaba el gran número de semillas con la autoridad de un soberano que domina multitudes, es decir, unión bajo un poder político. Sin abandonar el cristianismo, se observa que su vivo color rojo hizo que se interpretase en relación tanto al amor como a la sangre vertida por los mártires.

Por otra parte, la granada es un fruto con una corteza dura, no comestible, pero su interior es dulce. Por ello se comparó con la visión del buen cristiano, especialmente el sacerdote, que debe ser duro por fuera, pero con un fondo de bondad.

Chico con cesta de frutas, Caravaggio.

Aparte de toda esta simbología benéfica, tuvo también en Grecia ciertos aspectos negativos relacionados con la culpa, aunque son los menos. El grano dulce y apetitoso de la granada sería algo así como el dulzor maléfico que nos tienta.

Grano

l grano representaría las vicisitudes por las que atraviesa la vegetación en general y la cosecha en particular. Su siembra, germinación, desarrollo, reproducción y muerte han sido comparados frecuentemente con los procesos vitales. Pero el grano es principalmente semilla, potencialidad por tanto, y con este sentido aparece en casi todas las representaciones. Por último, como germen del cultivo que será, puede recibir su simbolismo y aparecer como alegoría de la prosperidad y fertilidad.

■ **Referencias cruzadas**: *véanse* también Arroz, Espiga, Maíz y Trigo.

Granada

Sus innumerables pepitas rojas condicionan el simbolismo de este fruto de origen asiático.

Grano

Su significado tiene mucho que ver con los ritmos de la naturaleza y de la vida en general.

Febrero, Sandrart.

Grial

Su nombre procede del griego *krater* (*cratale* en latín), que más tarde se convirtió en la denominación genérica para copa.

Grasa

*E*n general, la grasa, por su alta concentración calórica y sus múltiples usos prácticos, ha sido vista como un símbolo de riqueza, abundancia y bienestar, al mismo tiempo que se creía que transmitía los poderes del animal del que provenía. Así, se entiende que, por ejemplo, entre los indios americanos o varios pueblos africanos se realicen ritos en los que se untan con grasa animal para adquirir sus cualidades. Por todo ello, no es de extrañar que la grasa adquiera una fundamental importancia para los pueblos cazadores.

■ **Referencias cruzadas**: *véase* también Aceite.

Grial

*E*l santo Grial es el mítico vaso de la Última Cena y en el que José de Arimatea recogió la sangre que manaba de la herida abierta en el costado de Cristo por la lanza del centurión.

Como no podía ser menos, se convirtió pronto en un objeto sagrado, cuya búsqueda dio origen al famoso ciclo caballeresco medieval protagonizado por el rey Arturo y los caballeros de la mesa redonda. Parece obvio pensar que el Grial es uno de los símbolos de Cristo, puesto que contiene su sangre y, por tanto, alimenta y concede la eterna juventud (el hijo de Dios es vida y resurrección), es decir, los bienes celestiales y terrenales. Sin embargo, no es alcanzable para todo el mundo, sino sólo para aquel ser humano puro que se encuentre en el máximo desarrollo espiritual tras haberse liberado de lo meramente material.

■ **Referencias cruzadas**: *véase* también Copa.

Grifo

*S*u origen parece situarse en Oriente, donde se representó con cierta frecuencia en el arte persa, lo que llevó a que los judíos considerasen a los grifos animales emblemáticos de aquella zona y símbolo del saber de sus magos. Entre los

La Última Cena (detalle), Juan de Juanes.

griegos estaban consagrados a Apolo y los consideraban representación de la vigilancia puesto que creían que guardaba el oro del pueblo de los Hiperbóreos, quienes habitaban los confines septentrionales de la tierra. Esta concepción no es extraña si pensamos que en la entrada de los palacios persas (que los griegos llegaron a conocer) resultaba habitual la colocación de este tipo de animales en actitud de vigilancia, ya que unían las cualidades del águila y el león.

Por ello, la parte esencial de su simbolismo debe entenderse a través de su doble composición, que pertenece al mismo tiempo al cielo (águila) y a la tierra (león). Así, en el cristianismo fue considerado como el representante de la doble naturaleza (humana y divina) de Cristo. En este sentido, al unir el poder terreno del león con el celeste del águila, se refuerza el simbolismo que, como alegoría de Cristo, tiene en cuanto fuerza salvadora. Como todo animal con alas, participa de la simbología de las aves y recibe ciertos valores de resurrección.

Grillo

Importante sobre todo en China, donde aparece como representante del ciclo de la vida, es decir, del proceso que lleva desde el nacimiento hasta la muerte. El motivo de esta asociación se encuentra en la observación de su metamorfosis, que le conduce de huevo a larva y, posteriormente, a su desarrollo completo. Por su alegre y constante canto fueron considerados allí como símbolo de buena suerte, algo que se repite también en las culturas mediterráneas.

Gris

Como puede imaginarse fácilmente, el gris toma sentido por la participación del negro y el blanco, colores entre

La Vanidad, Pereda.

los que se encuentra. Ello llevó a interpretarlo como símbolo de equilibrio y armonía, del justo medio que hubiera señalado Aristóteles.

Pero desde un punto de vista negativo, este color puede verse como algo indefinido, vinculándose a sentidos de ambigüedad, atonía, dejadez, aburrimiento, melancolía, tristeza. De ahí que se hable de una «época gris» o una «persona gris».

El gris es también el color de la ceniza, que en el cristianismo cobra un importante simbolismo (*véase* Ceniza). En relación con esto, cuando este color aparece en el manto de Cristo juez, típico de algunas representaciones medievales, evoca la resurrección de los muertos.

Quizá otra acepción la encontremos en los aspectos relacionados con la ocultación, la discreción, el disimulo. Tal vez así se comprenda mejor la expresión coloquial «eminencia gris».

■ **Referencias cruzadas**: *véanse* también Blanco, Ceniza y Negro.

Grulla

Siguiendo el simbolismo general de las aves (que se identifican con la luz y,

Grifo

Animal fabuloso presente en multitud de culturas, compuesto por cabeza, alas y garras de águila, y cuerpo de león.

Grillo

En China, el grillo es símbolo a la vez de la vida, la muerte y la resurrección.

Gris

Este color ha generado simbolismos variados, aplicables tanto a tiempos decadentes como al manto de Cristo juez.

Pájaros y perro spaniel en un jardín, Hondecoeter.

Grulla

Esta ave, muy similar a la garza, ha desarrollado complejas conductas sociales que incluyen danzas entre las aves jóvenes y entre las parejas antes de la cópula.

por tanto, con la lucha contra las nefandas tinieblas) y entroncando con consideraciones asociadas al ibis, las grullas fueron muy apreciadas en Egipto, donde se vio en su lucha contra las serpientes una imagen de la victoria de la luz, la vida y la civilización sobre todas sus amenazas.

Esa condición solar que acabamos de mencionar vinculada a la vida, también se registra en las culturas de Extremo Oriente, que creyeron que las grullas vivían más de mil años, lo que las identificó con la longevidad e incluso con la inmortalidad. Por otra parte, el color blanco de su plumaje se interpretaba como un signo de pureza y fidelidad, de la misma manera que el rojo de su cuello se asociaba a la fuerza vital. Al igual que la golondrina, al reaparecer en primavera, evoca para los chinos dicha estación y se la asocia a la regeneración que conlleva. Así era también considerada en la cultura grecorromana, que además, uniendo a la concepción china el llamativo ritual (danza de la grulla) que esta ave realiza en época de celo, la asoció al amor y a la alegría de la vida.

Sin embargo, esta visión positiva cambió radicalmente en Occidente, de tal manera que la grulla fue tenida en poca estima y empleada como símbolo de la torpeza, estupidez y necedad. El motivo de ello se encuentra en el Antiguo Testamento, que, para diferenciar claramente los cultos de los judíos con los de sus odiados egipcios, calificó a todas las aves zancudas como impuras (ya hemos visto cómo se adoraban en Egipto).

En las representaciones de algunas culturas africanas se encuentran grullas coronadas que, en sus relatos míticos, evocan el lenguaje, el pensamiento y la cultura; serían algo así como una especie de héroe civilizador del que el hombre aprendió la palabra. El trasfondo simbólico es de nuevo el de la luz, símbolo de sabiduría, pero reforzado por el aspecto contemplativo que la grulla adopta cuando está en reposo. Un último elemento que pudo ser tomado en cuenta al asociarla a la palabra es la capacidad de la grulla para conseguir cambios en el tono de voz.

■ **Referencias cruzadas**: *véanse* también Cigüeña, Garza e Ibis.

Gruta

Véase Caverna.

Guadaña

*E*s el atributo por excelencia de la muerte. La guadaña, al igual que su portadora con su acción tajante e irremediable, todo lo iguala, segando la vida. Es a partir del siglo XV, con el Renacimiento, cuando se generaliza la representación del esqueleto empuñando la guadaña como máximo símbolo de la muerte, imagen que tendrá un gran éxito en los siglos posteriores, sobre todo durante el barroco. En ocasiones, en vez de una guadaña

el esqueleto lleva una hoz, pero el sentido es el mismo: segar la vida.

La guadaña es también atributo de la personificación del tiempo, que inexorablemente conduce a la muerte. De hecho, muchas veces se representa el esqueleto con la guadaña a la vez que porta un reloj de arena haciendo alusión a lo ineludible: el tiempo que se nos agota y nos conduce de manera irremediable hasta la muerte.

■ **Referencias cruzadas**: *véanse* también Esqueleto, Hoz y Reloj.

Guante

L os significados simbólicos del guante están muy en conexión con los ideales de nobleza y honor que existían en la Edad Media, pero que hoy, sin embargo, prácticamente han desaparecido.

Entre los caballeros medievales, lanzar un guante a otro era un signo de desafío, de un reto que el adversario aceptaba tácitamente al recogerlo con manos también cubiertas por guantes. Era todo un ritual de sobreentendidos, puesto que no mediaba palabra entre ellos. El lanzamiento del guante era la figuración de una bofetada, que sin embargo estaba prohibida en los códigos de honor caballerescos.

Por otro lado, la acción del caballero quitándose los guantes ante otra persona, significaba reconocerle, de manera implícita, superioridad y jerarquía que se materializaba jurándole fidelidad al desarmarse ante esa persona. En este sentido, los guantes están jugando un doble papel, puesto que

por un lado son símbolo de autoridad y alta posición social, y por otro representan la protección que esa persona ejerce sobre el que le ha jurado fidelidad.

En otro sentido, los guantes evitan el contacto directo con las cosas, por lo que se interpretan también como símbolo de pureza y manos limpias. Así ocurre con los guantes blancos de la vestimenta ritual de la masonería o los guantes que usan los obispos u otras dignidades eclesiásticas en la liturgia católica. En este último caso se uniría el mencionado simbolismo de pureza con el de dignidad, puesto que no todos los cargos eclesiásticos pueden llevar guantes mientras ofician la misa.

■ **Referencias cruzadas**: *véanse* también Imposición de manos y Manos.

Guerra

A unque en la actualidad es concebida como uno de los peores males que puede afectar a la humanidad, tuvo desde antiguo connotaciones positivas en cuanto símbolo de la lucha del mal contra el bien y la victoria de éste último,

Guadaña

La representación de un esqueleto con una guadaña es la imagen más popular y difundida de la muerte.

Guante

Tanto en la caballería como en la nobleza y en otros estamentos, los guantes protagonizan numerosos rituales.

Eduardo III cruzando el río Somme (detalle), West.

Guerra

Al igual que la caza, las actividades bélicas han recaído frecuentemente en ámbitos exclusivos de castas militares.

Gusano

En contra de lo que se pueda pensar, el gusano es símbolo de la vida que surge de la podredumbre.

consiguiendo así la instalación de la paz, la armonía, la justicia y la felicidad.

En muchas sociedades la guerra fue también signo de elevada posición social, ya que, al igual que la caza, era una actividad propia de los grupos más elevados. Dichos grupos de caballeros o guerreros se arroparon de una serie de valores propios de su actividad: valentía, fuerza y destreza.

Esta lacra que llamamos guerra, ha sido siempre un sangriento instrumento en manos de las personas con poder para conseguir sus objetivos e intereses. En este sentido se entiende que durante la Edad Media la «guerra santa» condujese al pueblo a embarcarse en la arriesgada empresa que supusieron las Cruzadas, que bajo la intención de liberar los santos lugares ofreció a cambio el perdón de los pecados. Esto nos lleva a otra de las nefastas consecuencias que ha caracterizado siempre a la guerra: el intentar justificarlas en nombre de unas y otras religiones.

Ese mismo concepto de guerra santa, entendida como lucha a muerte en nombre de la religión contra un pueblo supuestamente usurpador o agresor, se presenta también en el Islam. Morir por esa causa aparece como algo benéfico y honroso y como la mejor forma para conseguir las mayores bienaventuranzas en el otro mundo.

El hecho decisivo y terrible que supuso la Primera Guerra Mundial llevó a la mayoría de las sociedades a tomar conciencia de los efectos devastadores de las guerras modernas, algo que desgraciadamente se corroboró durante la Segunda Guerra Mundial y con la amenaza de una guerra nuclear capaz de destruir nuestro planeta en escasos segundos. Desde entonces todos hemos tomado conciencia (aunque muchos parecen ignorarlo) de que la guerra está indisolublemente asociada al sufrimiento, el desastre, la penuria, la muerte y la destrucción.

Guirnalda

Véanse Corona y Laurel.

Gusano

*E*l *gusano* es un animal de cuerpo blando que vive en la oscuridad, bajo tierra. La forma en la que colonizan la carne muerta lo relacionó con el proceso de putrefacción de los cadáveres, por lo que para muchos pueblos, entre los que se encuentran los chinos y los indios de América del Sur, son símbolo de la vida que surge a partir de la podredumbre y la oscuridad.

Sin embargo, frente a esta concepción, en la Edad Media encontramos que la condición subterránea del gusano así como su parecido con las serpientes, le hizo adquirir las connotaciones negativas de éstas, por lo que se identificó en ocasiones con el demonio.

Las rendición de Breda, Velázquez.

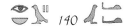

Mujer en puesto de mercado de fruta, vegetales y aves de corral, Beuckelaer.

Haba

Planta *leguminosa* que ha constituido un importante recurso alimenticio desde el Neolítico. Las sociedades humanas también se han beneficiado de sus propiedades medicinales y del enriquecimiento que proporciona a la tierra que la produce. Por todo ello, ha sido considerada como símbolo de fertilidad, riqueza, prosperidad y gratitud, como puede apreciarse, por ejemplo, en la cultura popular japonesa.

La constatación de sus efectos beneficiosos vino a generar en la cultura grecorromana la creencia de que eran los antepasados muertos que estaban enterrados bajo tierra, los que producían dichos efectos positivos. Bajo esta concepción se esconden varias consideraciones simbólicas generales: la identificación de la tierra con el lugar de origen y destino de la vida humana, y la influencia real del mundo del más allá sobre la realidad manifiesta. Sea como fuere, las habas se relacionaron con el culto a los muertos, hasta el punto de que fueron consideradas como la reencarnación de los mismos. Los griegos, viendo en ellas a sus difuntos, incluso llegaron a juzgar como algo prohibido comerlas. Esta idea tiene un antecedente claro entre los egipcios, donde se llamaba «campo de habas» al lugar simbólico donde los muertos esperaban su reencarnación.

La fecundidad y prosperidad que se vinculó al haba también condujo a que se viese en ellas un símbolo de suerte, por lo que comenzaron a esconderse como sorpresas dentro de los pasteles. Con el tiempo, el haba se sustituyó por una figurilla, que es lo que hoy encontramos dentro del tradicional roscón de reyes.

Sin embargo, las habas también presentan un cariz algo menos deseado. Así, entre los sacerdotes egipcios eran consideradas impuras por tener efectos flatulentos y afrodisíacos (esta segunda idea proviene de la tantas veces repetida relación con la fecundidad).

Habitación

Es *símbolo* de individualidad y, en cierto modo, representa y define al individuo que la ocupa, puesto que éste invade el espacio con sus objetos personales, es decir, se proyecta sobre su habitación. En este sentido también puede ser considerada como símbolo de recogi-

Haba

Aunque pueda resultar algo sorprendente, la tradicional figurilla del roscón de reyes tiene su precedente en un haba.

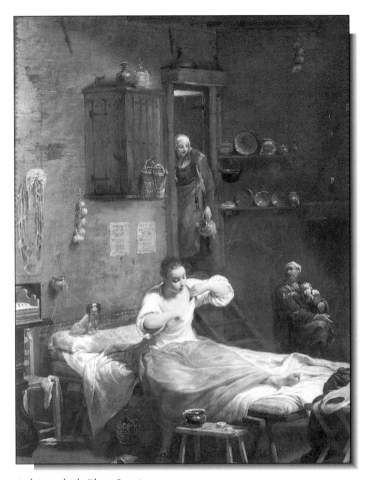

La búsqueda de Fileas, Crespi.

Hacha

Tal y como confirman los hallazgos arqueológicos, ésta es una de las herramientas que ha acompañado durante más tiempo al hombre.

miento e incomunicación, como sucede en las celdas de los monjes y monjas de clausura.

Hábito

Véanse Manto y Túnica.

Hacha

A*l ser* un instrumento conocido y utilizado desde tan antiguo, tiene una gran carga simbólica que puede rastrearse en casi todas las culturas de la humanidad; de hecho, se convirtió en un elemento indispensable por su gran utilidad para realizar multitud de trabajos. Por ello la encontramos como símbolo de actividad, lo que incluye la caza y deriva

principalmente de su función en el despiece de la presa.

Pero como no podía ser menos, su simbolismo se vincula profundamente con la lucha, la fuerza, la destrucción, el combate, la muerte y la guerra, motivos por los que aparece representando el poder y autoridad de los grandes líderes. En muchas sociedades, ellos son quienes administran la justicia y, por tanto, el hacha acaba relacionándose de forma indirecta con dicha potestad. Así sucede entre los indios de Norteamérica, los celtas, los chinos, los escandinavos, etc. En la antigua Roma encontramos un sentido muy similar en el fasces (un hacha rodeada por un haz de maderas; *véase* Fasces). Sin embargo para la tradición cristiana el hacha sólo es un símbolo de destrucción y muerte, puesto que con ella fueron martirizados diversos santos como Juan el Bautista, Mateo, Matías, Próculo, etc.

La asociación que ya hemos mencionado con los grandes líderes hizo que se comparara al rayo, pues si el hacha es el arma de los soberanos de la tierra, el rayo ocupa la misma función en manos de los dioses más poderosos. Como estamos viendo, el hacha se vincula al rayo y, a través de él, al trueno y la tormenta, llegando incluso a narrarse que el arma de los hombres había sido creada directamente por la de los dioses (el rayo). Este sentido se constata con claridad entre pueblos como los mayas, celtas, chinos y algunas tribus africanas, entre otros.

■ **Referencias cruzadas**: *véanse* también Fasces y Rayo.

Halcón

L*as consideraciones* generales sobre las aves, unidas a su fuerza, belleza, majestuosidad y altura en el vuelo, han hecho de él un atributo de multitud de divinidades en diferentes religiones. En ge-

neral, puede decirse que el halcón participa de la esencia y las propiedades de los grandes dioses solares. Así aparece como encarnación de su poder o de las propiedades que se vinculan a la luz (vida, sabiduría) que ellos emiten. De la misma manera, en Egipto es el pájaro consagrado a Horus, dios del cielo y de la luz que alimenta a la civilización, representado con forma de halcón o con cuerpo de hombre y cabeza de halcón. Los mismos motivos le hacen atributo del conocido dios del sol, Ra.

Un sentido similar se encuentra entre los incas, que también lo toman como un símbolo solar. De hecho, consideraban que cada individuo tenía una especie de *alter ego* sobrenatural, representado en su arte en forma de halcón al que llamaban *Inti*, el Sol.

En la Edad Media occidental encontramos con cierta frecuencia el motivo del halcón despedazando a la liebre; esta imagen debe entenderse como triunfo de lo espiritual (el halcón) sobre la lascivia mundana (la liebre, animal fecundo que habita madrigueras en la tierra). En el Renacimiento se representó bastante al halcón con la cabeza cubierta por una capucha, figura sacada de la cetrería y que debe entenderse como la esperanza de encontrar la luz en medio de la oscuridad. De hecho, esta imagen fue empleada frecuentemente con la divisa *Post tenebras spero lucem* («Después de las tinieblas, espera la luz»).

■ **Referencias cruzadas**: *véanse* también Águila, Aves, Liebre, Luz y Sol.

Haz

*E*n China, el haz puede entenderse tanto como una referencia a la vida como a la muerte, puesto que de la misma manera que se liga y desliga un haz, así sucede con el desarrollo humano, que une acontecimientos y realidades que en cualquier momento pueden separarse a través de la muerte. Esa comparación con lo vital hace que también se vincule en cierta forma a la simbología del fuego (esencia de la vida).

Por otra parte, un haz de maderas ligado del que sobresale un hacha doble, era en Roma el fasces, símbolo del poder político, lo que reúne el sentido otorgado al hacha y la idea de unidad, es decir, muchos elementos reunidos en uno solo.

■ **Referencias cruzadas**: *véanse* también Fasces y Hacha.

Heliotropo

Véase Girasol.

Herakles

*H*erakles (*Hércules*), hijo de Zeus y de Alcmena, es el más conocido de todos los héroes griegos. Como no podía ser de otra forma, sus leyendas presentan un fuerte bagaje simbólico rastreable en sus múltiples aventuras y hazañas, siendo las más famosas aquellas que relatan los 12 trabajos.

Halcón

El elemento más distintivo de esta ave es la curvatura de la parte superior de su pico.

Haz

La unión es el elemento más significativo del haz, cuya manifestación más popular se encuentra en el haz de maderas del fasces romano.

Hércules y Onfale, Romanelli.

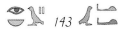

Herakles

Sus representaciones suelen mostrar a un hombre musculoso, vestido con piel de león y armado con un garrote.

Héroe

A pesar de tener un poder sobrenatural, el héroe no goza de la inmortalidad.

Herradura

La herradura es quizá uno de los símbolos de buena suerte más ampliamente difundido.

Herrero

Como moldeador y transformador de los metales, el herrero ha desarrollado una simbología de poderosas referencias.

Al igual que otros héroes, es símbolo de la lucha infatigable por superar los más difíciles obstáculos. Encarna prácticamente todas las virtudes y a cada una de sus luchas puede buscársele un parangón espiritual. Además, sus acciones constituyen una esperanza para la civilización, pues libra a los griegos de los peores monstruos que les acechan.

La figura de Herakles trascendió del mundo heleno. En Roma se le llamó Hércules y con el paso de los siglos su fama continuó intacta. Incluso los reyes de la monarquía católica hispana siempre se presentaron como descendientes del héroe y, por tanto, herederos tanto de su fuerza como de sus carácter protector para la humanidad, que engrandecía la realeza, a la vez que se establecía una filiación casi divina.

■ **Referencias cruzadas**: *véanse* también Garrote, Héroe y León.

Hércules

Véase Herakles.

Héroe

*L*os grandes héroes de los relatos míticos suelen ser fruto de la unión de un dios con un humano. Reciben así un estatus peculiar, partícipe de características tanto divinas como mortales. Esto le confiere cualidades y poderes sobrenaturales que generalmente se plasman en la fuerza física, en la inteligencia, etc. El héroe, al no ser un dios, no goza de inmortalidad, pero en ocasiones la alcanza. Así sucede con los griegos Herakles (el héroe por excelencia) y Pólux.

Esa peculiar naturaleza del héroe hace que haya sido considerado como símbolo de la unión de las fuerzas celestes y terrenas, de la sagacidad, de la astucia, etc. Sus peripecias suelen ofrecer la posibilidad de interpretarlas en clave espiritual, buscan-

do en cada una de sus luchas la confrontación entre las diferentes tendencias del ser humano, entre las más elevadas y las más oscuras e irracionales. Por último, el resultado de sus gestas no constituye un logro meramente individual, sino que toda la sociedad se beneficia de ellas.

■ **Referencias cruzadas**: *véase* también Herakles.

Herradura

*L*a herradura sirve para proteger los cascos de los caballos y otros animales de tiro, lo que puede haber originado que la superstición popular la vea como un símbolo de protección y de buena suerte; algo que puede estar también relacionado con los aspectos positivos del caballo que las calza. Pero para que la herradura produzca buena suerte es necesario encontrarla por azar y que esté usada. A la vez que propicia la suerte, ahuyenta también los males y desgracias.

Herrero

*E*n principio, parte el herrero presenta un papel benéfico porque, como

Venus en la fragua de Vulcano, Llenain.

transformador del metal, tiene un aspecto cosmogónico y creativo. En este sentido suele ayudar a los dioses a crear el mundo, apareciendo como el forjador de las herramientas (generalmente el rayo y el trueno) con las que los dioses realizan su obra. Así, por ejemplo, en la cultura griega el herrero Hefestos forja el rayo de Zeus, y en la egipcia es Ptah quien forja los instrumentos cosmogónicos de Horus.

En otras interpretaciones, el hecho de que el metal se extraiga de las profundidades de la tierra y la relación de la forja con el fuego (poder tanto creador como destructor) han permitido que algunas representaciones hagan del herrero una referencia malévola vinculada con la brujería y el infierno.

Encontramos una tercera acepción en culturas como la china. Aquí, el sentido creador del herrero le hace dominador de los secretos celestiales; entre sus poderes se encuentra tanto la facultad de sanar (el fuego es vida) como la capacidad de propiciar la lluvia (une el fuego a su opuesto simbólico, el agua).

■ **Referencias cruzadas**: *véanse* también Fuego y Metales.

Hespérides

La matanza del dragón que guarda la puerta del jardín de las Hespérides y la apropiación de las manzanas de oro que allí crecen, constituye uno de los 12 trabajos de Hércules (Herakles para los griegos). Con esta referencia el mito griego alude a un lugar paradisíaco (el jardín) que todos los humanos desean alcanzar; en su interior las manzanas de oro son un símbolo que exalta la fecundidad que se atribuye a todos los frutos hasta hacer de ellas un alimento que otorga la inmortalidad. El dragón, obviamente, representa las dificultades que presenta la consecución del objetivo final. El sentido del epi-

Las tres Gracias, Rafael.

sodio, en común, es el mismo que el de tantas otras aventuras y viajes de las diferentes religiones: el intentar reflejar el largo camino y las dificultades que se encuentran ante el alcance de cualquier meta. La inmortalidad de las manzanas es aquí la recompensa final, y se puede entender como la espiritualización máxima (la inmortalidad es una cualidad de los dioses) lograda tras vencer las tendencias mundanas (el dragón).

■ **Referencias cruzadas**: *véanse* Herakles y Manzana.

Hexagrama

Nos encontramos ante uno de los símbolos más ampliamente difundidos en todo el mundo. Al parecer, su origen está en el yantra hindú, que representa la unión entre yoni y linga, los grandes principios duales identificados con lo femenino y lo masculino (*véanse*

Hespérides

Hijas de Atlas y de Hesperis, son las habitantes de un jardín donde crecen manzanas de oro y cuya entrada guarda un dragón.

Hexagrama

Este símbolo muestra una estrella de seis puntas formada por dos triángulos equiláteros entrelazados o superpuestos.

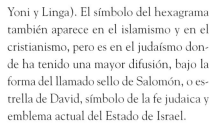

Hércules y la Hidra de Lerna, Antico.

Hidra

Esta mítica serpiente con multitud de cabezas ha sido muy representada a lo largo de la historia del arte occidental.

Hidromiel

Bebida alcohólica realizada con agua y miel fermentada.

Yoni y Linga). El símbolo del hexagrama también aparece en el islamismo y en el cristianismo, pero es en el judaísmo donde ha tenido una mayor difusión, bajo la forma del llamado sello de Salomón, o estrella de David, símbolo de la fe judaica y emblema actual del Estado de Israel.

Ha sido interpretado como la fusión de lo visible con lo invisible, y en la alquimia sería la unión de los cuatro elementos fundamentales, que juntos representarían un sistema armónico y total.

El trasfondo simbólico que explica la aparición de todos estos hexagramas son los sentidos otorgados al número seis, al tres y al triángulo. El tres, que se representa gráficamente a través del triángulo, compone el esquema básico de interpretación del mundo en muchas culturas (aparecen tríadas de dioses, de mundos, etc.). Y en el seis su sentido se duplica, esto es, el seis se compone a través de la repetición del tres, creándose así una alegoría de la unión armónica de los grandes principios duales que organizan el mundo. El hexagrama, compuesto por dos triángulos equiláteros entrelazados, vuelve a mostrar con claridad este sentido, convirtiéndose tanto en la unión del principio masculino y femenino del mundo (en el yantra hindú) como en la combinación del fuego y el agua que integran el cosmos (el sello de Salomón).

■ **Referencias cruzadas**: *véanse* también Linga, Seis, Tres, Triángulo y Yoni.

Hidra

*L*a mitología griega describió a esta serpiente monstruosa de siete o nueve cabezas que vivía en las marismas de la región de Lerna. Tenía la peculiaridad de que al serle cortada una de las cabezas, inmediatamente le salían dos en el mismo lugar. Protagoniza uno de los 12 trabajos de Hércules, que consiguió vencerla quemando con una antorcha las heridas producidas al cortarle las cabezas. Viene a ser un símbolo de las múltiples dificultades y obstáculos que nos acechan y de la dificultad de vencerlos. Por otra parte, las cabezas se podrían asimilar a la manifestación externa de nuestros problemas, que vuelven a resurgir si no conseguimos acabar con su origen profundo.

Hidromiel

*E*ntre las sociedades celtas, el hidromiel era la bebida de los dioses, algo así como la ambrosía griega. El origen de esta concepción no es otro que la combinación de los sentidos otorgados al agua y la miel. El primer líquido es el principio vital y regenerador por excelencia, mientras que la sustancia elaborada por las abejas encarna la fecundidad de la naturaleza y los principios de resurrección cíclica. Por ello se concibe frecuentemente como elixir de la inmortalidad, lo que hace de ella la bebida de los dioses. Así se manifiesta en África, donde también los sabios, inspirados por los dioses, la consumen. Pese a lo que pueda parecer, su fermentación le otorga propiedades embriagantes (adquiere una graduación superior a 16º), cuyos efectos, por la sacralización de su uso, se consideran símbolo de la vitalidad divina adquirida por los humanos.

■ **Referencias cruzadas**: *véanse* también Agua, Leche y Miel.

Hiedra

*A*l igual que sucede con tantas otras plantas de hoja perenne, la hiedra se ha considerado frecuentemente un símbolo de inmortalidad. Este sentido

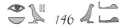

viene reforzado por las propiedades medicinales que de ella se pueden obtener. Sin embargo, el jugo de su fruto resulta tóxico si no se trata, por lo que ocasionalmente se vio como signo demoníaco. Además, su capacidad trepadora y la forma en la que se entrelazan sus zarcillos condujeron a que algunas representaciones la emplearan como símbolo de amor y amistad fiel.

Hiena

Aunque para los occidentales no está revestida de un significado especial y principalmente suele inspirar rechazo, entre los africanos ha desarrollado un mayor simbolismo. Por un lado, tendría una acepción peyorativa, ya que su comportamiento voraz y carroñero le identificó con la brutalidad y violencia. Pero por otro, también la poderosa dentadura y agudo olfato hacen que reciba cualidades adivinatorias o, incluso, que sea considerada como una representación de la astucia y la fuerza. Pese a todo, estos últimos sentidos deben entenderse siempre en un plano meramente terrenal, pues nunca alcanza los conocimientos del ser supremo, absoluto e inmortal.

Hierro

Este metal ha sido empleado por los hombres desde la Prehistoria. Gracias a él se han conseguido tanto adornos como herramientas que acabaron convirtiéndose en indispensables para la sociedad. Esta importancia generó que recibiera un amplio tratamiento simbólico.

Como es fácil imaginar, su principal significado se asocia a la dureza y resistencia. Por ello suele aparecer formando una oposición simbólica con materiales como el cobre o el bronce. Así se refleja tanto en la tradición bíblica como en la china, siendo el hierro en ambos casos la

vulgaridad que se opone a la nobleza. Dicha connotación no es más que la degradación de las funciones mundanas y prácticas de las herramientas construidas con este metal. Este sentido aparece con claridad en la Edad de Hierro, símbolo del dominio extremo de la materialidad, que conciben numerosos pensadores tanto de la Antigüedad como de las sociedades europeas. Pese a ello, otras sociedades hicieron de su resistencia algo casi divino.

En cualquier caso, las herramientas y armas de hierro son de una gran fortaleza y capacidad, por lo que aparecen tanto en manos de divinidades benévolas como esgrimidas por espíritus malignos.

■ **Referencias cruzadas**: *véanse* también Forja y Herrero.

Hígado

Muchos pueblos consideraban que en el hígado se encontraba la sede de la fuerza vital y, por tanto, también de la ira, el amor y todos los sentimientos pasionales. De esta forma el hígado se convirtió en un elemento fundamental de la simbología anatómica. El contacto con los grandes principios de la vida, externos a la concepción individual de cada ser, provocó que muchas sociedades intentaran ver en su aspecto mensajes trascendentes. Este sentido no hace sino reflejar concepciones visibles en la simbología del centro.

Así, en Babilonia, donde la ciencia adivinatoria se consideraba un regalo de los dioses, se elaboraban modelos de hígado en barro con indicaciones de las partes principales y de sus significados. De igual manera, los etruscos consideraban el hígado como una representación del cielo, por lo que en él se manifestaba la voluntad divina a través de ciertos signos visibles. De esta manera, en Etruria también existían «maquetas» de hígado

Hiedra

La hiedra es una planta trepadora de la que se extraen jugos tóxicos con ciertas propiedades medicinales.

Hiena

Pese a su fuerza y astucia, el comportamiento carroñero de la hiena la ha alejado de los simbolismos más elevados.

Fe

Hierro

Dureza, inflexibilidad, obstinación, robustez, etc., son algunas de las características que simboliza el hierro.

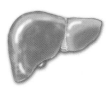

Hígado

El hígado ha sido uno de los elementos más frecuentes en las prácticas adivinatorias.

Higuera

Árbol bajo de conocido fruto muy cultivado en los climas templados de Europa y Asia.

en metal que llevaban indicaciones de los lugares en donde «residían» los dioses. Estos materiales eran empleados por los aruspices etruscos, que los utilizaban como patrón de comparación para poder examinar con mayor facilidad los hígados de los animales sacrificados y saber qué dios era el que se manifestaba con más fuerza. Con la conquista romana de la región etrusca esta ciencia adivinatoria pasó a la sociedad latina, en donde también se utilizó profusamente.

■ **Referencias cruzadas**: *véase* también Centro.

Higuera

La higuera tuvo un aspecto positivo en el mundo clásico occidental, sobre todo entre los griegos, para quienes presentaba un carácter erótico (de ahí que estuviese consagrada a Dionisos) y

Santos Cristóbal, Jerónimo y Ludovico, Bellini.

simbolizaba la fertilidad y prosperidad. Las razones de esto deben encontrarse en su fruto, cuya jugosidad y abundancia de semillas provocan una identificación con los principios vitales. También el budismo refleja aspectos benéficos, pero desde otro punto de vista: se identifica con el Árbol de Bodhi, Árbol de la Vida bajo el que Buda recibió su iluminación, por lo que es considerada como símbolo del conocimiento superior y de la inmortalidad.

En el cristianismo, como consecuencia de los relatos bíblicos, la higuera asume un papel negativo. Así, en el Antiguo Testamento (concretamente en el Génesis) a veces aparece sustituyendo al manzano para representar el Árbol de la Ciencia del Paraíso, por lo que se considera como símbolo de la pureza perdida; interpretación que viene reforzada por el hecho de que Adán y Eva, sintiéndose culpables tras la expulsión del Paraíso y conscientes de su desnudez, cubren su sexo con una hoja de higuera. Por otra parte, en el Nuevo Testamento aparece la higuera maldecida por Jesucristo, de tal manera que una higuera seca representa la sinagoga, en cuanto opuesta a la Iglesia católica, y como tal, simboliza la condena del pueblo judío.

■ **Referencias cruzadas**: *véase* también Árbol de la Vida.

Hija del rey

Personaje que aparece en numerosos cuentos y leyendas populares y que suele tener un significado de premio. La hija del rey es prometida al héroe si éste consigue regresar tras una empresa peligrosa; por tanto, sería la recompensa por su valentía y audacia. También puede ofrecer un papel de salvación, puesto que ayuda al héroe en una situación límite.

Hilo

*E*l hilo por lo general es símbolo de la unión, nexo, vinculación que todos los seres tienen con el otro mundo. Pero ese hilo es fácil de romper, el paso de la vida a la muerte es muy pequeño, por lo que su simbolismo también estaría relacionado con la fugacidad del tiempo y el destino de cada hombre. Por eso, en la mitología griega y romana, aparecen unas figuras (Moiras y Parcas) que devanan el hilo de la vida, es decir, deciden sobre el destino que espera a cada hombre.

Actualmente se usan las expresiones coloquiales de «no perder el hilo», «discurso bien hilvanado», que nos muestran un significado algo diferente, siendo ahora representación del orden y estructura de una argumentación, que sigue un curso bien diseñado sin perderse en divagaciones. Aunque esta acepción es moderna, podríamos encontrar un antecedente en el mito griego del laberinto del Minotauro, en el que Ariadna entregó a Teseo un ovillo de hilo para que fuese desenrollándolo según se adentraba en el laberinto, y poder así encontrar después la salida fácilmente; es decir, ir directo a la salida y no deambular por el laberinto sin saber salir.

■ **Referencias cruzadas:** *véanse* también Huso, Moiras, Rueca y Tela.

Hiperbóreos

*L*os hiperbóreos son un pueblo legendario de la mitología griega que, supuestamente, habitaban en los confines septentrionales del mundo conocido, es decir, más allá del lugar donde soplaba Bóreas, el viento del norte (de ahí el nombre de hiperbóreos).

Como sucede con otros pueblos míticos que la tradición griega sitúa en los confines del mundo, se suponía que la tierras de los hiperbóreos eran algo así como un lejano paraíso utópico en donde todo el mundo es feliz, sabio y extremadamente longevo (se decía que vivían más de mil años).

Hipopótamo

*E*n el antiguo Egipto era considerado un animal dañino porque devastaba las cosechas que crecían en las tierras pantanosas a orillas del Nilo, de donde provenía el principal sustento de los egipcios. Por eso, se le consideró como la encarnación del mal y se le consagró al dios Seth, acérrimo enemigo de la civilización. Como consecuencia de ello, todos los años el faraón debía entregar una jornada a la ritual caza del hipopótamo, símbolo de la victoria sobre las amenazas de la sociedad.

Sin embargo, resulta curioso que si bien el macho tenía estas connotaciones nefastas, la hembra recibió en Egipto un culto positivo como símbolo de fecundidad, probablemente debido a la observación del voluminoso vientre del hipopótamo que recordaba de alguna manera al de las mujeres embarazadas.

En el cristianismo encontramos de nuevo al hipopótamo como algo negativo y malvado, lo que quizá pudiese ser una influencia egipcia; de hecho, el nombre con el que aparece en el Antiguo Testamento, Behemoth, parece proceder de la lengua egipcia. Por tanto, se interpreta su simbolismo como fuerza brutal que sólo Dios puede doblegar.

La princesa de Saxony, Crabach.

Hilo

La unión que proporciona el hilo ha ofrecido la posibilidad de múltiples simbologías.

Hipopótamo

Este animal, dañino para las cosechas del Nilo, se identificó con el gran enemigo de la civilización egipcia, el dios Seth.

Hisopo

Pequeña planta labiada de hojas aromáticas y flores azules o blancas.

El fuego del hogar y la habitación donde éste se encuentra constituyen elementos de máxima importancia en la construcción simbólica del mundo.

Hisopo

*E*l *color* de sus flores (azul y blanco se identifican siempre con lo puro) y el hecho de crecer en lugares solitarios y pedregosos han provocado que sea considererado un símbolo de penitencia, humildad y modestia. Además, fue una planta muy utilizada en la Edad Media por sus cualidades medicinales, lo que la asocia a la Virgen María, como ocurre en general con todas las plantas medicinales.

Dentro también de la tradición judeocristiana, la planta de hisopo está muy relacionada con las ceremonias purificadoras, de tal manera que se utilizaba un haz de hisopo como instrumento con el que se aplicaba el agua bendita o la sangre de cordero, como elementos purificadores.

Hogar

*P*or *hogar* podríamos entender bien la vivienda en sí, bien el lugar donde se enciende el fuego dentro de la casa, lo que hace que su simbolismo relacione profundamente ambas acepciones, que de hecho resultan, como veremos, complementarias. Por un lado encontramos que el hogar en el sentido de vivienda representa el medio donde vive el hombre, es algo así como su proyección o prolongación; pues bien, dentro de esa vivienda el lugar más importante es donde se enciende el fuego, que por lo general se sitúa en la estancia más amplia, agrupando en torno a él a la familia para comer o charlar. De hecho, aún hoy en día muchas reuniones familiares se celebran alrededor de la chimenea. Por tanto, encontramos un simbolismo relacionado con la protección que ofrece la familia y la casa, el calor del hogar, el fuego (símbolo tradicional de vida y poder). Esto ha hecho que en diferentes culturas se le dé una importancia suprema, hasta el punto de que en numerosas tradiciones se realicen cultos domésticos relacionados con los antepasados.

■ **Referencias cruzadas**: *véase* también Chimenea.

Campesinos ante el fogón, Aertsen.

David, Miguel Ángel.

Honda

En la tradición cristiana, recordando el episodio bíblico en el que David acabó con el gigante Goliat gracias al certero impacto de una piedra lanzada con su honda, suele figurar como un símbolo de astucia e ingenio que consigue revertir el poder de la fuerza bruta.

Hormiga

La forma en la que se las ve trabajar constantemente, acarreando siempre comida a su hormiguero, ha hecho de estos insectos un popular símbolo de trabajo y previsión.

Unido a la hormiga está el hormiguero, que para algunos pueblos africanos tiene una relación directa con la creación del mundo. Recordemos que en numerosas ocasiones ese acto de génesis se concibió como un mítico acto sexual entre cielo y tierra; así, encontramos que en varias ocasiones el hormiguero sirvió como símbolo del sexo de la tierra. Estos mismos motivos condujeron a hacer de él imagen de fecundidad (tanto lo terrestre como lo femenino son siempre vinculados a la fertilidad), hasta el punto de popularizar la creencia de que las mujeres estériles podían dejar de serlo si se sentaban sobre un hormiguero.

Hormiguero

Véase Hormiga.

Horno

Los significados simbólicos del horno derivan directamente de su uso, que lo convierte en un elemento imprescindible en las actividades artesanas y en la alquimia. Como estas actividades implican una profunda transformación de unos elementos en otros nuevos, el horno adquirió un valor importante como símbolo de cambio, renacimiento, renovación e incluso sublimación. Ese sentido conduce también a una cierta identificación con el seno materno, sede de las primeras transformaciones de la vida.

Hoz

El principal uso de la hoz es segar la cosecha y de ahí deriva un simbolismo doble: por un lado estaría relacionada con la recolección agrícola, lo que en sí es algo positivo, pero unido a esto está su relación con la muerte, ya que al igual que la hoz siega los tallos de trigo, la muerte la emplea para acabar con las vidas humanas de manera irremediable.

Honda

El zumbido que produce una honda al dar vueltas hizo que fuese considerada por los incas como un símbolo del dios del trueno.

Hormiga

Además de las conocidas alusiones al trabajo y la constancia, la simbología de la hormiga se ha vinculado a los míticos actos sexuales entre tierra y cielo.

Horno

Por su función el horno tiene un significado de cambio y renovación.

Hoz

La hoz es un instrumento conocido desde las culturas agrícolas del Neolítico.

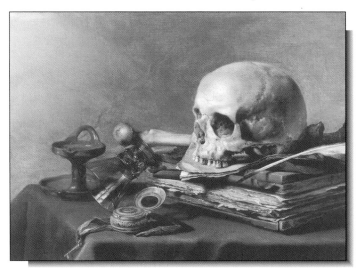

Bodegón de la vanidad, Claesz.

Huesos

La forma en la que perduran los huesos tras la muerte ha hecho de ellos depositarios de diferentes concepciones simbólicas.

Huevo

El huevo de Pascua constituye un buen ejemplo del simbolismo que lo vincula con el renacimiento de la vida.

Tanto la relación con la agricultura como su similitud con la media luna (símbolo fértil) han generado ocasionales vínculos con la fecundidad natural y femenina.

■ **Referencias cruzadas**: *véase* también Guadaña.

Huesos

L os huesos son la parte más resistente del cuerpo humano, lo único que permanece (incluso durante miles de años) cuando la carne se pudre tras la muerte. Por ello recogen un simbolismo relacionado con el aspecto no perecedero del hombre, es decir, serían el elemento humano que no acaba con la muerte, y por tanto mantiene una determinada presencia mágico-religiosa del fallecido, lo que, a su vez, lo relaciona con ideas de resurrección. Estas concepciones, unidas a la simbología general de la tierra (origen y destino de la vida), son las que nos explican la habitual práctica del enterramiento de los difuntos.

El sentido de resurrección que se da a los huesos se observa también con los animales. Así, entre los pueblos cazadores existía la costumbre de «devolver» a la tierra los huesos enteros del animal cazado una vez comida su carne, haciendo así posible su resurrección, que asegura la perpetuación de la especie.

Además recuerda nuestra condición de mortales, lo que en Occidente ha vulgarizado el uso de dos tibias y una calavera como señal de peligro de muerte (imagen apropiada por algunos piratas en sus enseñas).

Huevo

E l huevo es el recipiente en el que la vida animal evoluciona y se transforma durante la gestación. La magnificación y extensión de este hecho condujo a las frecuentes narraciones en las que el mundo se concibe creado a partir de un huevo primordial o cósmico. Por tanto, su simbolismo queda directamente asociado a las ideas de fecundidad, creación, renovación y resurrección, es decir, todas relacionadas con el nacimiento y desarrollo de la vida.

De hecho, el mito del nacimiento del mundo a partir de un huevo es una creencia casi universal, puesto que es común entre los celtas, egipcios, fenicios, cananeos, tibetanos, hindúes, chinos, vietnamitas, japoneses, siberianos, indonesios, peruanos, diversos pueblos africanos, finlandeses y eslavos (podríamos mencionar más ejemplos, pero con estos parece suficiente).

Esta relación mítica con la vida justifica que en numerosas leyendas los héroes no procedan del seno materno, sino que surgen de un huevo. Así ocurre, por ejemplo, con algunos héroes chinos y con los griegos Cástor y Pólux.

La relación con la resurrección y la inmortalidad también está muy extendida. Un reflejo de ello son las tumbas etruscas en las que se depositaban huevos propiciatorios de la nueva vida. De la misma manera, en las tradiciones funerarias de Rusia y otros países nórdicos, apa-

recen huevos de arcilla representando la inmortalidad. Entre los cristianos, el huevo representa la regeneración y la resurrección de los muertos, no en vano llega a compararse a Jesucristo resucitado de la tumba con el polluelo que sale del cascarón. La misma idea la encontramos en la tradición pagana de los huevos de Pascua, que vienen a representar la renovación periódica generada por la primavera, lo que en un contexto cristiano nos lleva de nuevo a la resurrección.

Humo

E*l humo*, con su ascenso inevitable, simboliza la unión entre el cielo y la tierra, la comunicación con las grandes divinidades. Así, la elevación del humo de los sacrificios o rituales se ha interpretado generalmente como una muestra efectiva del diálogo conseguido con los dioses. Por todo ello, la columna de humo representa para los chinos y tibetanos el eje del mundo, el lugar en torno al que giran las relaciones de los hombres y sus divinidades.

Los sacrificios y rituales en los que aparece la cremación de diversas sustancias (como grasas, aceites, resinas o incienso) que desprenden humo están relacionados con este simbolismo, al que se suele unir el significado concreto de aquello que se incinera, el del olor (si es que es despedido por esa sustancia) y el de la ceniza (muy empleada siempre en la purificación).

■ **Referencias cruzadas**: *véanse* también Ceniza, Eje del mundo e Incienso.

Huso

E*l huso* gira con un movimiento uniforme y regular que lo relaciona con las leyes inmutables y con el eterno retorno. Una de esas leyes es el destino humano, que en muchas culturas se identifica con un hilo tejido por los dioses. Esto sucede con las Moiras (Láquesis, el pasado; Cloto, el presente; y Atropos, el futuro) que, haciendo girar el huso, regulan la vida de cada hombre. Es la imagen del carácter irremediable del destino: las Moiras (Parcas en la tradición romana) hilan, devanan y cortan el tiempo y la vida. Nuestro destino, y no podemos negar que esto es una ley inmutable, es la muerte; por lo que el huso puede figurar como símbolo de ella.

■ **Referencias cruzadas**: *véanse* también Hilo, Moiras, Rueca y Tela.

Humo

Las relaciones existentes entre cielo y tierra quedan simbolizadas en la esencia del humo.

Huso

El uso es la representación del eterno retorno y del destino humano.

Las hilanderas, Velázquez.

Virgen y niño con María Magdalena y Santa Dorotea, Lorenzetti.

Ibis

Es un ave zancuda de pequeñas dimensiones, poco mayor que una gallina, y muy llamativa, tanto por su plumaje como por la longitud y curvatura de su pico. En el antiguo Egipto se la identificó con Thot, el dios de la sabiduría, aunque posteriormente se depositaron sobre ella connotaciones muy negativas.

J

Íbice

Véase Cabra.

Ibis

*T*odas las interpretaciones simbólicas de las que ha sido objeto vienen determinadas por su comportamiento en la naturaleza. Aunque no sabe nadar, esta ave frecuenta hábitats acuáticos en los que se alimenta de peces, carroña, insectos, serpientes y huevos de cocodrilo. En la Antigüedad se llegó a afirmar que las serpientes quedaban paralizadas al entrar en contacto con una pluma de ibis. Otro hecho significativo es que solía aparecer en tierras del Nilo justo antes de las crecidas (allí proliferaron dos especies de ibis, de

colores blanco y negro respectivamente, pero desaparecieron en el siglo XIX).

Por todo ello en el antiguo Egipto fue considerada de una forma muy positiva. Su lucha contra las serpientes y los huevos de cocodrilo resultaba fundamental en unas tierras amenazadas por dichos animales, algo equiparable a los esfuerzos del pueblo egipcio contra los peligros del medio natural descontrolado. Además, como ya se ha mencionado, su llegada anticipaba las benéficas crecidas de las que dependía la agricultura. Por todo ello, y por su relación con el agua (elemento vital y purificador), el ave comenzó a ser símbolo de inteligencia y sabiduría; su paso regular y ponderado se tomó como medida de templos y edificios sagrados, y su pico curvado, que revuelve constantemente en el fango, quiso verse como metáfora de la acción indagatoria de la mente. Esta simbología se reforzó por hechos como el que su pico fuera empleado para efectuar las primeras lavativas conocidas (los egipcios consideraron al ave el maestro de dicha técnica).

Así, el ibis se asoció al dios Thot, descubridor de las letras y los números, del cálculo, la geometría y la astronomía, entre otros saberes. La popularidad del animal llegó a tal punto, que en determinadas épocas se prohibió terminantemente darles muerte y se les enterró y embalsamó en hipogeos especiales. Incluso en alguna ocasión se empleó su imagen como símbolo del propio Egipto.

Más tarde, el ibis se identificó con Hermes, dios griego caracterizado por la sagacidad y que, según una leyenda, llegó a tomar la forma de este animal. La escritura egipcia de época helénica incluso representó la palabra «corazón» con el ibis (en la Antigüedad este órgano se consideraba la raíz de la capacidad racional; además, Thot tenía el epíteto de «corazón de Ra»). Según algunos autores clásicos, la explicación de este hecho era que cuando el animal escondía la cabeza y el cuello bajo las plumas adoptaba una forma muy parecida a la del corazón.

Pese a ello, la simbología del ibis comenzó a cargarse de significados negativos a partir del Antiguo Testamento. En él, concretamente en el Deuteronomio, todas las aves zancudas eran calificadas de impuras. Las razones que explican este cambio pueden ser varias. En primer lugar debe considerarse la demonización entre los hebreos de todos los símbolos asociados al antiguo Egipto, y éste era el caso del ibis. Además, parece que esta nueva interpretación prestó mayor atención a que el ave come alimentos considerados inmundos, como la carroña o los insectos, y que, a pesar de estar en constante relación con el

agua (purificadora), nunca penetra en ella. Así, el ibis pasó a representar al pecador, que incurre una y otra vez en sus faltas.

Ícaro

*H*ijo de Dédalo, legendario artesano ateniense, y Náucrate, esclava de Minos, rey de Creta. Según la leyenda, su padre proporcionó a Ariadna el famoso hilo gracias al cual Teseo, después de matar al Minotauro, pudo escapar del laberinto en el que Minos le había confinado. Como venganza, el rey cretense encarceló en ese mismo lugar a Dédalo e Ícaro. En una nueva muestra de ingenio, Dédalo fabricó entonces, para él y para su hijo, alas similares a las de las aves; este invento, pegado a sus hombros con cera, les permitiría escapar de los dominios de su raptor. El ateniense advirtió a su hijo que volara prudentemente, a una distancia media del Sol y el mar, pero, ya en vuelo, el joven se olvidó de las recomendaciones y se acercó demasiado al astro. La cera que unía las alas a sus hombros se

Ícaro

La imagen de este personaje mítico, muy representada en el arte occidental, puede simbolizar tanto la temeridad y la imprudencia como el afán de búsqueda, que es la esencia del conocimiento.

Escena de la caída de Ícaro, Hans Boud.

Dédalo e Ícaro, Doménico Piola.

Icono

Los iconos, muy frecuentes en el arte sagrado de la Iglesia ortodoxa, representan un microcosmos de origen divino que actúa como puente entre la tierra y el cielo.

fundió e Ícaro cayó al mar cerca de la isla de Samos; en dichas aguas, que en adelante se llamarían de Icaria, murió ahogado.

El arte occidental ha representado esta figura mítica en numerosas ocasiones. Suele aparecer esperando impaciente a recibir de su padre las alas (a veces incluso ayudándole a fabricarlas) o en la famosa «caída de Ícaro», precipitándose al vacío de cabeza mientras en el aire se esparcen las plumas de sus alas (en esta escena suele figurar también Helio, el dios Sol, sobre su carro). En casi todas las representaciones las alas están pegadas a sus hombros, pero en algunas imágenes barrocas nacen de detrás de la espalda, igual que las de los ángeles.

La interpretación simbólica del mito toma dos vertientes generales. En primer lugar, y predominantemente durante la Antigüedad, Ícaro representa la insensatez, impru-

dencia y temeridad a la que lleva el exceso de confianza; este error, como puede apreciarse en la edad del protagonista, es más propio de la juventud que de la madurez. La otra interpretación posible es considerar a Ícaro encarnación de la tendencia de búsqueda propia del intelecto e, incluso, simbolizar con su historia la desventura que suele rodear a los innovadores y a los audaces. Como curiosidad, puede mencionarse que algunos de los primeros cristianos vieron en el mito una alegoría de los efectos del falso amor (todo el que no tiene a Dios como objeto), que eleva en brazos de unas alas que antes o después caerán.

■ **Referencias cruzadas**: *véanse* también Dédalo y Vuelo.

Icono

C*on este* término se designa a las representaciones de la Virgen, Jesucristo o los santos, que están hechas con la madera como soporte y son objeto de gran devoción religiosa. Para entender el simbolismo del que se revisten los iconos (ya sean bizantinos, rusos u orientales) resulta fundamental tener presente que estas representaciones no se consideran obra del hombre, sino que su origen es milagroso y, por tanto, son un canal de comunicación de la

Retablo de santa Ana, Massys.

gracia divina. Estas tablillas constituyen en sí mismas un microcosmos sagrado, que se encuentra entre lo humano y lo divino. Los materiales con los que se elaboran vienen a representar los diferentes órdenes del mundo natural (el animal, el vegetal y el mineral) y los colores dorados que aparecen constantemente en sus fondos simbolizan la luz divina, la gracia de Dios.

Iglesia

L a Iglesia cristiana, concebida como reino y hogar de los elegidos, ha sido representada a través de simbologías muy variadas. En ellas se entremezclan referencias claves de su religión, como la Virgen, Jesucristo o Jerusalén.

La identificación de la comunidad de los creyentes con una nave, a semejanza de las narraciones sobre el Arca de Noé, es muy frecuente en el arte cristiano. En ocasiones esta simbología incluye una vela con el monograma de Cristo (formado por la unión de las letras *ji* y *ro* del alfabeto griego; *véase* Crismón). Esta nave, la Iglesia, aparece navegando o descansando ya en puerto, pero constituyendo siempre el único refugio y la única salvación para los hombres en medio de las aguas.

En otras ocasiones se emplea la imagen de una mujer; es así por la conjunción de varias ideas: la tradicional concepción de la Iglesia como esposa de Cristo y una cierta asimilación de las simbologías y connotaciones de las referencias de la madre y de la Virgen. Así, la Iglesia, lugar común y seno de todos los cristianos, aparece como una mujer que despliega su manto o velo sobre los creyentes, a veces representados como estrellas o campo de espigas.

Otra simbología identifica a la Iglesia como ciudad celestial, relacionándose claramente con las concepciones apocalípticas sobre la Ciudad Santa (*véase* Jerusalén). En algunas obras esta representación se ha combinado con la anteriormente expuesta hasta crear ciudades que se asemejan a la figura de una mujer.

La imagen de un pastor, Jesucristo, que cuida de su rebaño es otra de las alegorías más empleadas por el cristianismo. En ciertas ocasiones, la mera aparición de un cordero puede estar cumpliendo las mismas funciones.

La vid, un edificio, una columna (en ocasiones coronadas por un cordero) o una torre también pueden representar simbólicamente a la comunidad de creyentes.

En un buen número de obras, la imagen de la Iglesia se acompaña de una referencia antagónica, la de la sinagoga, representada a través de una mujer con los ojos vendados. Es una clara alusión a la ceguera que se le atribuye al judaísmo, que no quiere reconocer la verdad de Jesucristo.

■ **Referencias cruzadas:** *véanse* también Crismón, Cordero, Jerusalén celestial, Pastor, Racimo de uvas, Torre y Vid.

IHS

E l orígen de este monograma es algo confuso. Ya en el mundo clásico, IHS sirvió como símbolo de Dionisos, dios griego del vino. Según algunos estudiosos estas letras podrían derivar de fórmulas usadas en sus rituales (*in hoc signo, in hic salus*) o del sobrenombre del dios Iaccho.

Los primeros cristianos adoptaron el símbolo para hacer referencia a Jesucristo, Ihsys en griego. Con el paso del tiempo comenzó a pensarse que el monograma procedía de las siglas de *Iesus Hominum Salvatur* (Jesús, salvador de los hombres) e incluso fue adoptado para identificar a varios santos. Si estas siglas

Iglesia

Desde una nave hasta una vid, pasando por una ciudad celestial, la Iglesia ha adoptado numerosas representaciones simbólicas.

IHS

Las siglas que componen este símbolo han sido empleadas tanto para representar a Dionisos, en la Grecia clásica, como a Jesucristo o a la Compañía de Jesús, en la tradición cristiana.

Imán

Las propiedades de los imanes han recibido interpretaciones simbólicas siempre relacionadas con la atracción que generan, misteriosa y desconocida.

aparecen sobre una tablilla o disco en llamas es emblema de san Bernardino; si lo hace sobre un corazón se trata de san Ansano; pero si se encuentran sobre un corazón con corona de espinas o en una tablilla sustentada por ángeles o en un halo, representa a san Ignacio de Loyola o la orden por él fundada, la de los jesuitas.

■ **Referencias cruzadas**: *véase* también Cristo.

Ikebana

Véanse Flor y Jardín.

Imán

Numerosas *culturas* se han visto fascinadas por la atracción que ejercen los imanes sobre los metales, atracción misteriosa e irresistible en ocasiones considerada reflejo de cuestiones psíquicas.

En el antiguo Egipto se relacionaron con el dios Horus, ya que éste era el responsable de la ordenación del universo y de los movimientos que en él se daban. Como este dios lo era también del cielo y de la luz, los imanes asumieron algunas de sus propiedades solares.

Otras muchas sociedades intentaron aprovechar las fuerzas misteriosas de los imanes en conjuros, talismanes o amuletos. Esto fue muy habitual en las culturas populares occidentales, donde la alquimia hizo de ellos un elemento fundamental en sus procesos.

La religión cristiana los interpretó de diferentes formas. La más positiva identificó su poder de atracción con el generado por Dios sobre sus creaciones. Sin embargo, los autores que no vieron nada divino detrás de esas facultades (y éstos son muchos más que los anteriores) consideraron los imanes un símbolo de las amenazas en las que podían caer aquellos que no siguieran la senda correcta. Esta concepción tiene su reflejo en mitos populares, como el que habla de una montaña magnética que amenaza a todos los navíos (símbolos de la humanidad y de la Iglesia) que no han podido o no han sabido seguir la correcta orientación en su travesía (idea muy relacionada con la tradicional consideración de la Virgen como Estrella de los Mares, el referente de orientación de los marinos).

■ **Referencias cruzadas**: *véase* también Metales.

Imposición de manos

La *simbología* que rodea este acto está, obviamente, muy ligada a la de la mano, que se vincula con ideas de actividad, dominio y supremacía.

En la tradición bíblica y cristiana la imposición de manos aparece con bastante frecuencia, ya sea realizándose sobre la frente, cabeza o manos. Sin embargo, las primeras referencias de que se tiene constancia son anteriores, de la epopeya de Gilgamesh (obra sumeria de alrededor del año 2000 a. C.), donde el dios Enlil bendice a dos mortales posando la mano sobre su frente. Posteriormente, tanto el Antiguo como el Nuevo Testamento recogen un considerable número de ejemplos de

Cristo bendiciendo a un niño, Maes.

este acto. Prácticamente siempre simbolizan la bendición o la liberación de las cargas que oprimen a un sujeto. También es frecuente encontrar propiedades curativas acompañando al gesto; los milagros de Jesucristo, por ejemplo, suelen encontrarse muy relacionados con sus manos.

Pero toda esta simbología no quedó constreñida a escritos religiosos. En las sociedades europeas la imposición de manos se convirtió en un acto curativo muy popular, aunque algo alejado de la heterodoxia de la ciencia y las doctrinas de cada momento. Aun así, durante la Edad Media, los reyes de Francia (que tenían la mano por emblema), y más tarde los de Inglaterra, adoptaron el gesto popular. En teoría, los enfermos que recibían las manos del rey, que eran impuestas mientras se recitaba una breve oración cristiana, sanaban gracias a ello.

Otro ritual medieval muy relacionado con las manos y su imposición es el del homenaje feudal. En él, los vasallos, al ligarse de por vida a un señor, ponían sus manos entre las de su protector, simbolizando la entrega y asunción recíproca de obligaciones y deberes.

Todos estos rituales tienen fuertes reflejos en la liturgia cristiana que aún hoy se conservan. Así, la imposición de manos bendice y transmite el Espíritu Santo y resulta un acto fundamental en determinados rituales de confirmación de dignidades.

■ **Referencias cruzadas**: *véase* también Mano.

Incesto

$\mathcal{E}$*l incesto* debe entenderse como la ruptura de las prohibiciones que se establecen sobre la unión sexual de dos personas con un cierto grado de parentesco. Como estas prohibiciones son un producto cultural, varían en las diferentes

Jacob bendice a los hijos de José, Rembrandt.

sociedades; sin embargo, llama la atención comprobar que la mayoría de los grupos humanos conocidos establecen algún tipo de límite a las relaciones sexuales entre familiares. Pese a los numerosos estudios realizados, no existe unanimidad en torno a las razones que justifican la casi universalidad de este tabú. Tradicionalmente se ha esgrimido que las taras físicas que ocasionan en los descendientes son el origen de las prohibiciones. Sin embargo, algunos antropólogos dudan que muchas sociedades hubieran llegado a ligar la existencia de dichas lesiones con las prácticas sexuales entre familiares de mayor o menor cercanía. Por ello, se intenta explicar la existencia del tabú razonando que cuando el incesto se practica, impide la expansión del grupo, ya que el patrimonio que se transmite de generación en generación no varía, no se acrecienta, y queda siempre en manos de las mismas familias, reduciéndose así las posibilidades de expansión y supervivencia del conjunto.

Pero, pese a la proliferación de este tabú entre las sociedades humanas, el incesto aparece frecuentemente en narraciones míticas y religiosas. ¿Por qué? Simbólicamente esta práctica viene a inter-

Uno de los significados que se puede dar a la imposición de manos (en este caso la de un anciano sobre la cabeza de unos niños) es la bendición.

Imposición de manos

Este gesto, aún presente en muchas ceremonias, simboliza la transmisión de bendiciones y liberación de cargas. Podemos comprobar su alcance en el cuadro de Maes de la página anterior.

pretarse como la exaltación, restauración o preservación de la individualidad. En este sentido deben entenderse las prácticas incestuosas de dioses como los de la mitología griega. En el mundo de lo terrenal, algunos grupos han intentado perpetuarse sin variaciones e incluso acentuar sus diferencias a través de la práctica del incesto. Así sucedió entre algunos faraones del antiguo Egipto y entre los soberanos incas.

Incienso

Este producto, que no es más que la resina de algunos árboles, origina un humo muy aromático empleado en rituales religiosos de culturas muy diferentes y distantes entre sí, tanto en el tiempo como en el espacio. Para comprender los motivos que llevaron a que tantas sociedades coincidieran en emplear el incienso de formas similares, debemos ponerlo en relación con las simbologías de la resina, el humo y el perfume.

Las resinas naturales segregadas por las plantas se endurecen al contacto con el aire, creando sólidos de diferentes formas pero gran brillo. Dada su resistencia al paso del tiempo (el ámbar que ha resguardado insectos de hace millones de años es una resina) y su origen natural, las resinas han venido a simbolizar la incorruptibilidad e inmortalidad. El humo, que asciende mientras el fuego transforma la esencia de las cosas, representa un lazo de unión y comunicación entre la tierra y el cielo. Por ello, se le ha relacionado frecuentemente con las oraciones y con el alma que se eleva hacia el mundo divino. Por último, el perfume, en calidad de algo real pero inasible, ha simbolizado en muchas culturas lo espiritual.

Todas estas simbologías, resina, humo y perfume, se conjugan en lo imaginario para hacer que el incienso adopte interpretaciones similares en culturas diferentes. Además, debe tenerse en cuenta que el incienso es muy práctico para mitigar el olor de los cadáveres en los rituales funerarios.

Importado de Arabia, India o África, el incienso ha sido empleado en ritos egipcios, babilonios, cretenses, persas, fenicios y hebreos. Los griegos y romanos también se sirvieron de él, hasta el punto

Incienso

El incienso ha servido como puente entre lo humano y lo divino en numerosas religiones, desde la del antiguo Egipto hasta la cristiana.

Apolo y los continentes (detalle de África), Tiépolo.

La rebelión de los ángeles, Brueghel.

Las nociones terroríficas ligadas al infierno constituyen la simplificación de una idea más abastracta: la ausencia de bondades.

de tener altares de incienso en sus templos. La liturgia cristiana, considerándolo un símbolo pagano, lo rechazó en un primer momento, pero a partir del siglo IV se comenzaron a colocar incensarios en tumbas y altares. Su popularidad llevó a que, a parte de sus usos litúrgicos, se convirtiera en símbolo de toda la función sacerdotal. Pese al paso de los años, la magia ritual de las sociedades europeas medievales y modernas siguieron empleando el incienso para conjurar maldiciones, ahuyentar espíritus, etc.

En Centroamérica el humo del incienso también ha sido un elemento común de los rituales religiosos. Allí, además de su sentido de comunicación con la divinidad, su humo se puso en relación con las nubes y la naturaleza, por lo que se empleó frecuentemente para propiciar las lluvias.

Simbologías muy similares a las que se han relatado aparecen en las tradiciones hindú, budista (generalmente acompañando a sacrificios) y taoísta (adoptando sentidos de purificación).

■ **Referencias cruzadas**: *véanse* también Resina y Humo.

Indumentaria

Véase Vestido.

Infierno

E l *infierno* es una imagen antagónica del cielo, el hogar de los elegidos. A él acuden las almas de los pecadores y allí, tras la muerte, privados ya de los placeres terrenales, no pueden disfrutar de ningún gozo verdadero, ya que éstos derivan de la divinidad. Por ello, el infierno aparece inicialmente como lugar en el que la lejanía con lo divino se traduce en ausencia de placeres o bienes. Sin embargo, de dicha idea se pasó a la existencia de sufrimientos, ya que para las culturas populares el concepto resultaba mucho más sencillo si se plasmaba sobre una noción corpórea.

Es muy probable que la idea de infierno haya aparecido tan frecuentemente,

Infierno

Las torturas, los diablos, la ausencia de luz y las condenas eternas son las constantes de casi todos los infiernos conocidos.

Infierno, Memling.

A partir del siglo XII las fauces de Leviatán, representadas en la imagen superior, constituyen una de las imágenes más frecuentes del infierno.

en parte, por las dificultades que todos tenemos para aceptar que los actos malvados e injustos cometidos en vida, puedan quedar impunes. Para crear el concepto también se recurrió a extrapolar los sentimientos derivados de las partes más negativas de la existencia y de los estados en los que se sucumbe a los demonios del alma. Por todo ello, el infierno se muestra como una idea casi universal, que de una forma u otra se ha manifestado en la mayoría de las sociedades humanas desde el comienzo de los tiempos.

Las simbologías más recurrentes de las creadas para el infierno hacen referencia a la imposibilidad de salir de él, la ausencia de luz (es algo que proviene de la divinidad), la existencia de torturas, la magnificación de los sufrimientos a través de la noción de eternidad y la presencia de dioses o demonios propios del lugar. A continuación se reseñan algunos ejemplos significativos de infierno.

Los aztecas concibieron la existencia de nueve infiernos que conducían a un naufragio final en la nada. A ellos estaban predestinados todos los individuos, a excepción de los muertos en combate, durante el parto o los nacidos muertos (una idea similar se encuentra entre los pueblos germánicos). Este infierno contrasta con las creencias de los pueblos de su entorno: para la mayoría de los mesoamericanos tras la muerte se retornaba a un lugar sin castigos, un lugar ya conocido, el mundo del que procedían los recién nacidos y al que se regresaba tras la muerte.

En el cercano y medio Oriente, los persas creyeron que los condenados eran aquellos que caían al abismo eterno que rodeaba el estrecho puente que conectaba tierra y cielo. Para los turcos altaicos los espíritus del infierno se podían hallar caminando hacia el levante, a la inversa que el sentido natural de la luz y del Sol. Esta referencia a las almas de los muertos es común a un buen número de culturas, algunas de las cuales creyeron que los vivos debían ocuparse de alimentarles y proporcionarles sustento en la vida tras la muerte; es el caso de los hititas (temían que el hambre de los espíritus les condujera a comerse a los vivos) y los egipcios.

La tradición occidental, que tantas veces ha recurrido en sus creaciones artísticas al infierno (recuérdese a Hesíodo, Virgilio, Dante o El Bosco), nace del conglomerado de creencias existentes en el mundo clásico. Egipcios, griegos y romanos no mantuvieron concepciones cerradas a lo largo de los siglos; además, los textos históricos pueden ofrecernos ideas con notables diferencias entre sí. Generalizando, los griegos creyeron que tras la victoria de los dioses del Olimpo sobre los Titanes, el mundo se repartió entre los hijos del dios Cronos: Zeus se consagró como señor del cielo, Poseidón hizo del mar su dominio y el mundo subterráneo quedó en poder de Hades. Allí, a ese último territorio, acudían las almas de los muertos para no volver a salir nunca. Pero al Hades (el nombre del dios también se emplea para designar sus posesiones) no acudían sólo los condenados, también lo hacían los elegidos por los dioses, que pasarían la eternidad en lugares como los Campos Elíseos o las islas Afortunadas.

De hecho, los castigados eran muy pocos y la mitología se encargó de transmitirnos sus legendarios nombres, como el de Sísifo, condenado por Zeus a subir una y otra vez una enorme roca (que siempre caía de nuevo rodando) a la cima de una montaña. El Tártaro era el lugar del Hades al que acudían los seres malvados a pagar sus penas; la mayoría de las alusiones hablan de un pozo o abismo sin fondo.

Toda esta concepción griega se adaptó en cierta forma en el cristianismo, que también se apropió de ideas de otras civilizaciones. Es el caso del fuego y olor a azufre del infierno judío (se supone que estas ideas provienen de un valle cercano a Jerusalén, en el que se quemaban basuras y hacían sacrificios) y de los dioses del mundo de ultratumba subterráneo de los etruscos (seres con cuernos, orejas puntiagudas y serpientes en las manos). Así, los condenados en el Juicio Final cristia-

no pasarían la eternidad sufriendo en un lugar creado por oposición al cielo, el reino del diablo, Satanás. Allí los pecadores recibirían torturas dependiendo de sus penas; por ejemplo, los lujuriosos sufrirían ataques de animales inmundos devorándoles los órganos sexuales y los glotones habrían de ingerir todo tipo de sustancias incomestibles.

Las representaciones del infierno cristiano manifiestan algunas diferencias a lo largo del tiempo. Desde el siglo XII se popularizó la imagen de las fauces abiertas del monstruo Leviatán (un ser enorme y escamoso). A partir del Renacimiento se retornó a simbologías similares a las del mundo clásico, recuperándose así las representaciones de cuevas; en alguna ocasión podían estar custodiadas por el can Cerbero o, incluso, ser sustituidas por la puerta de un edificio. Las llamas y el fuego eterno son la mayor constante de la simbología infernal

Las alusiones al fuego y al olor a azufre del infierno cristiano, reflejados en el cuadro de Memling, parecen derivar remotamente de un valle cercano a la ciudad de Jerusalén.

El Juicio Final, Memling.

Circuncisión, Cosme Tura.

La circuncisión es un rito de iniciación en la religión judía.

cristiana (como curiosidad puede mencionarse que los antiguos bretones ofrecieron un infierno muy diferente, completamente cubierto por hielos).

La religión islámica adoptó la mayor parte de las concepciones que ya se manifestaban en los infiernos cristiano o judío, pero incorporó menciones muy concretas e impactantes. Así, se habla de un fuego que arde 70 veces más fuerte que cualquiera de los de la tierra y de cuerpos agrandados y pieles que se regeneran para incrementar y renovar la capacidad de sufrimiento. Otra novedad, esta más reconfortante, es que este infierno no tiene por qué ser eterno sino que puede convertirse en lugar de purgatorio.

■ **Referencias cruzadas:** *véanse* también Cuevas, Demonio, Fuego y Juicio.

Inhumación

Véase Enterramiento.

Iniciación, ritos de

*É*ste es uno de los términos más antiguos y populares de los estudios an-

tropológicos y, desde hace años, se considera que estos rituales componen una de las primeras construcciones sociales de los hombres. Los ritos de iniciación son el paso necesario que todo individuo debe dar para integrarse en un grupo o estado social. Pueden darse, por ejemplo, para aceptar la llegada a la madurez de un joven o para ratificar el acceso de un aspirante a una comunidad más o menos cerrada. En este sentido, muchos ceremoniales actuales pueden considerarse verdaderos ritos iniciáticos; así podrían entenderse el servicio militar o la obtención de títulos profesionales, por mencionar algunos casos.

En la mayoría de las sociedades los ritos de iniciación, que en ocasiones requieren que la persona haya cumplido con una serie de condiciones o pruebas previas, se relacionan simbólicamente con la muerte y resurrección del iniciado (al morir se desprende de su antigua condición para renacer en un estado nuevo). Por esta razón los rituales suelen conllevar privaciones de luz, enterramientos o viajes. En ocasiones, la iniciación requiere dejar señales visuales sobre el cuerpo del iniciado, señales generalmente dolorosas, como circuncisiones, tatuajes o pe-

Circuncisión, Albertinelli.

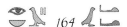

queñas amputaciones. El bautismo puede considerarse como otro rito iniciático, aunque se relacione más con el renacimiento a través de la purificación (el ritual cristiano y la simbología asociada al agua así lo indican) que con la muerte.

Como ya se ha mencionado, estos ritos no son sólo patrimonio de las sociedades menos complejas. El mundo occidental continúa sirviéndose de ellos una y otra vez, de tal forma que suelen estar presentes al certificar el paso a la madurez de los más jóvenes (el servicio militar o las antiguas y elitistas presentaciones en sociedad), el cambio de estado social (ceremonias de matrimonio, ya sea civil o religioso) o el ingreso en alguna sociedad más o menos restringida (actos de graduación universitarios). Los que se han mencionado sólo son algunos de los muchos ejemplos que podrían darse.

Injerto

Los injertos son una antigua práctica agrícola que une un trozo de planta, que debe tener una o más yemas, a otra hasta que ambas se fundan y formen un solo ser.

Las representaciones de esta técnica, conocida y empleada milenios antes de nuestra era en el Próximo Oriente, adoptaron distintas vertientes. La simbología más obvia venía a hablar del poder de la influencia humana sobre la naturaleza, pero por la fusión de dos seres en uno nuevo, los injertos recibieron también connotaciones sexuales. En ocasiones, como esta técnica agrícola nada tiene que ver con lo que se da en la naturaleza, simbolizaron uniones sexuales condenadas por considerarse contra natura. En la tradición hebrea, por poner un ejemplo, se tiene prohibido el consumo de alimentos derivados de plantas injertadas.

Una interpretación más positiva se dio en el arte medieval cristiano: partiendo de las posibilidades que proporciona esta técnica agrícola para la supervivencia de algunas plantas, los injertos representaron el arrepentimiento o renacimiento espiritual por la gracia de Dios.

INRI

Véase Crucifixión.

Iris

Véase Lirio.

Isis, nudos de

Véase Nudos.

Isla

Las peculiaridades de las islas han provocado que multitud de culturas hayan volcado sobre ellas algunas de sus más significativas leyendas. Son territorios reales, situados en este mundo, pero su acceso es difícil (hasta hace muy pocos años la navegación era una actividad plagada de graves riesgos) y las grandes culturas de los valles y continentes desconocen mucho más de lo que conocen sobre ellas. Así, numerosas civilizaciones han situado sus paraísos terrenales en islas distantes, algunas adornadas con referentes reales, pero que en su conjunto deben considerarse poco más que recreaciones míticas. Con este sentido, la cultura clásica grecolatina habla de las islas de los Bienaventurados y las islas Afortunadas; en las sagas del Grial se menciona la isla de Monsalvat; los chinos tienen su isla de Formosa y los musulmanes la de Ceilán; también los celtas situaron sus paraísos en míticas islas situadas al noroeste de Europa.

Estos lugares, maravillosos y distantes, suelen figurar como el objetivo final

Injerto

La unión de dos plantas para formar una sola se revistió en la Antigüedad de un fuerte simbolismo sexual.

Isla

La mayoría de los paraísos terrenales se han situado en islas, desconocidas, distantes pero reales, al menos en el mito.

Escena de invierno en el canal, Avercamp.

Como tantas veces sucede, la ambivalencia de lo simbólico hace que la isla pueda albergar tanto refugios espirituales como exilios forzosos.

de grandes epopeyas, como las protagonizadas por Gilgamesh (leyenda sumeria del tercer milenio antes de nuestra era) o por san Brandano (personaje de la literatura medieval cristiana). Todas estas narraciones marcaron las ensoñaciones de numerosas generaciones y sus resonancias se dejan ver con claridad, por ejemplo, en las ambiciones mostradas por los primeros exploradores europeos de América.

También es cierto que estos referentes maravillosos de islas plagadas de bienaventuranzas tienen su opuesto simbólico en las temibles «islas malditas». En la literatura popular europea de la Edad Media, más de un castillo embrujado se ubicó en esas amenazantes y perdidas islas.

Pero la distancia respecto a los continentes y a los grandes focos de civilización, condujo a que estos territorios se convirtieran en escenario perfecto para los retiros. En su acepción más optimista, simbolizaron refugios espirituales con una gran carga ascética. Sin embargo, como todo puede mostrar un lado opuesto, también representaron exilios o soledades forzosas, que en más de una ocasión pueden interpretarse como referencias casi mortuorias. Así se aprecia en la narración sobre la ninfa griega Calipso, quien acogió durante

En la litaratura de los últimos siglos, las islas son un referente en las construcciones imaginarias del ser humano; muestra de ello son, entre otras, Barataria, Utopía o La isla del Tesoro.

diez años a Odiseo en la isla de Ogigia, en la que el héroe se entregó al olvido y donde a punto estuvo de postergar eternamente su regreso a su natal Ítaca.

Otro simbolismo acogido por las islas deriva de su condición de tierra que emerge sobre las aguas. Por ello, en numerosas ocasiones representan el orden (la tierra firme) que triunfa sobre el caos (los inhóspitos océanos); esto se refleja en las tradiciones hindúes, que conciben una isla como centro místico de todas las fuerzas que ordenan el universo. De una forma muy similar, culturas como la egipcia conciben la génesis del mundo como el nacimiento de una isla que emerge del mar.

Como se ha mostrado, las islas constituyen un referente casi ineludible en las construcciones imaginarias de los hombres, y la literatura occidental de los últimos siglos así lo muestra. La ínsula Barataria con la que sueña Sancho Panza, la isla de Utopía de Tomás Moro, aquella en la que recala Robinson Crusoe y la isla del Tesoro no son más que algunos ejemplos.

Ixión

Véase Centauro.

Izquierda

Véase Derecha e izquierda.

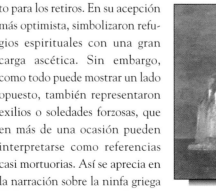

La isla de los muertos, Böcklin.

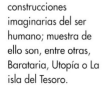 

La caza del jabalí, Snyders.

Jabalí

El caso del jabalí no es diferente al del resto de animales. La simbología que le rodea tiene un origen claro en la observación de su comportamiento salvaje; por ello, pasamos a glosar sus principales características. Es un animal que habita preferentemente bosques, zonas de maleza densa y pantanos. Su alimentación se basa en frutos, tubérculos, reptiles e insectos que busca preferentemente de noche; en ocasiones su búsqueda le lleva incluso a hozar campos cultivados por el hombre. El jabalí suele vivir en piaras, pero con el paso de los años los machos se van volviendo cada vez más solitarios y agresivos. Su caza ha sido siempre una actividad peligrosa: son animales fuertes y, cuando se ven heridos o sin escapatoria, su valentía raya la temeridad.

Teniendo todo ello en cuenta, no resulta extraño que numerosas sociedades hayan empleado al jabalí como símbolo de ferocidad y valentía. Sus colmillos y su fuerza han inspirado un gran temor, hasta el punto de convertir al animal en una reputada presa de caza. Así aparece en referencias mitológicas de la antigüedad grecolatina, como la prueba en la que Herakles tenía como objetivo cazar el gran jabalí del monte Erimanto. El valor otorgado al animal también se observa a través de los cascos de combate totalmente recubiertos de colmillos de jabalí construidos en la Grecia micénica (segundo milenio antes de nuestra era). Este temido mamífero pronto se asoció a dioses como Ares (dios de la guerra, Marte para los romanos) y Artemisa (diosa de la caza, equivalente a la Diana romana), y su imagen se plasmó en los estandartes de algunas legiones romanas. Pero esta simbología trasciende a la tradición grecolatina; también puede encontrarse en enseñas militares celtas y germánicas, e incluso en el zodiaco japonés, donde el jabalí representa el valor.

Pero, además del valor, este animal ha simbolizado la lujuria. La razón es que su periodo de celo es largo, goza de una gran fecundidad y sus apareamientos pueden parecer violentos al observador humano. Además, no pasó por alto el hecho de que algunos animales puedan enloquecer, llegando a olvidar sus necesidades de alimentación, mientras siguen el rastro de hembras en celo. Y la lujuria se acompañó con matices de suciedad e inmundicia, ya que el jabalí habita zonas pantanosas, come insectos, reptiles, y, sobre todo, necesita baños de barro para mantener la salud de su piel. Lujuria e inmundicia, toda una combinación que los herederos del Antiguo Testamento (judíos, cristianos y musulmanes) consideraron absolutamente repudiable y claramente vinculada al

Jabalí

Debido a una errónea asociación lingüística, la iconografía medieval germánica empleó la imagen de este animal para representar a Cristo.

Jade

Esta piedra preciosa, comúnmente utilizada en la representación de Buda, simboliza para la tradición china la perfección y el orden, por lo que la casa imperial la adoptó como emblema.

La Virgen María, Jan van Eyck.

diablo. Una simbología similar puede apreciarse entre los budistas.

Parte de la alimentación del jabalí depende de encontrar tubérculos y frutos, por lo que remueve constantemente la tierra con sus colmillos. Por ello, los hindúes consideraron que el dios Visnú se encarnó en uno de ellos para cultivar la tierra por primera vez en la historia. La tradición judía juzgó con mayor severidad este comportamiento, ya que consideraron un enemigo de su pueblo a aquel que destruye la vid (su simbología la identifica con Cristo; *véase* Vid).

Un último aspecto que ha despertado la imaginación de los hombres es que este animal vive alejado de nosotros, en bosques o pantanos de difícil acceso. La relación con los retiros ascéticos es clara y así lo asumieron los celtas, para quienes el jabalí simbolizó el poder mágico de los druidas (también ellos mantenían una estrecha relación con los bosques). En la tradición cristiana medieval santos como Columbano y Emiliano tuvieron al jabalí por emblema, y la asociación llegó a tal punto que el animal simbolizó en algún momento al conjunto de la clase sacerdotal. Esta relación también se da respecto a los brahamanes hindúes.

La iconografía medieval germánica representa en numerosas ocasiones a Cristo a través de un jabalí, pero esta sorprendente simbología no es más que el resultado de un llamativo error: la raíz hebrea para Cristo es muy similar a la voz germánica empleada para el jabalí.

Referencias cruzadas: *véanse* también Cerdo, Verraco y Vid.

Jade

El *jade* es una gema de extraordinaria belleza y grandes propiedades. Sus colores van del verde al blanco, pasando por los grises, y presenta una gran dureza y resistencia a la rotura. Una vez se pule, su aspecto adquiere un brillo casi cristalino y un tacto jabonoso. Esas cualidades físicas y su indiscutible atractivo, provocan que casi todas las sociedades que han conocido el jade lo hayan empleado de una forma u otra, ya sea para construir utensilios, adornos u objetos rituales. Así, los pueblos prehistóricos del Extremo Oriente, donde prolifera una de las variedades más valiosas del jade, comenzaron a emplearlo a finales del quinto milenio antes de nuestra era. Su uso se popularizó en civilizaciones posteriores y gracias a ello, el jade alcanza su máximo simbolismo en aquellas tierras.

Para la tradición china el jade es la más preciosa de todas las piedras, una gema de indiscutible valor empleada en rituales funerarios y a la que se atribuyen cualidades curativas. El origen de esta creencia se encuentra en su mitología, donde se narra cómo los Inmortales, las divinidades que viven en una paradisíaca isla situada al este, basan su alimentación en el jade, que se supone contiene la esencia de la inmortalidad. Además, identifican esta piedra con el principio yang (el principio masculino, seco, activo y regenerativo de los dos que se dan en todas las esferas del mundo; *véase* Yinyang) y la consideran símbolo de una perfección derivada de la unión de las cualidades morales y la belleza (por ello a veces se compara con las mujeres y adquiere significados sexuales). Según estas tradiciones, la pureza, la persistencia, la claridad, la armonía y la bondad, las cinco virtudes celestiales, se funden simbólicamente en esta piedra. La casa imperial china no pasó por alto estas consideraciones y empleó el jade para construir con él sus sellos y la mayoría de sus utensilios; el objetivo era extender la simbología de la piedra a lo político, de tal forma que pasase a identificar además la perfección y orden social que los emperadores pretendían encarnar. Los ceremoniales religiosos también se sirvieron profusamente del jade y objetos rituales como el *pi* (disco con un agujero central que simboliza el cielo) lo utilizaron como materia prima.

Fuera de Oriente, Mesoamérica ha sido la región que más importancia ha dado al jade. Allí la piedra se puso en relación con el alma, el corazón y la sangre, de tal forma que se han encontrado algunos cadáveres enterrados con jade en la boca. Las variedades más verdosas de esta gema se tomaron como símbolo de la naturaleza, de la vegetación y del agua. Resulta interesante y curioso, cuando menos, señalar que esta interpretación también se da en África respecto a todas las piedras de color verde.

■ **Referencias cruzadas:** *véase* también Yin-yang.

Jaguar

*E*l *jaguar* es el mayor de los felinos americanos y habita desde las tierras del sur de Estados Unidos hasta el norte de Argentina. Sin lugar a dudas, su aspecto resulta impresionante: un adulto puede alcanzar unos dos metros de longitud (medio más si se cuenta la cola), 60 centímetros de altura hasta la cruz y un peso por encima de los 150 kilos. Frecuenta lugares húmedos y de vegetación espesa y, gracias a su fuerza y a sus habilidades para trepar y nadar, puede cazar animales de tamaño medio y grande. Es

un cazador solitario que cae sobre sus presas en horas crepusculares o por la noche, si hay luna.

Teniendo en cuenta esta descripción, resulta muy fácil comprender por qué los pueblos americanos situaron al jaguar en un lugar privilegiado de su concepción del mundo. Casi todas las simbologías que se le otorgaron tienen como puntos en común considerarle una divinidad lunar (por sus hábitos de caza y su relación con el agua) y el representante de las fuerzas de la tierra y la naturaleza indómita. La imagen del jaguar como dios está muy extendida y bajo su protección y dominio suelen quedar cuevas, fuentes, montañas y animales salvajes.

Partiendo de estas nociones comunes, los mayas pusieron bajo la protección del felino sus poblados y campos de maíz. Además, representaron el ocaso como las fauces de jaguar devorando al Sol. En otras ocasiones este animal puede simbolizar el Sol nocturno, aquél que después del ocaso realiza un recorrido bajo la tierra hasta volver a llegar al levante.

Para los aztecas, el jaguar y el águila formaron la pareja de antagónicos

Máscara
maya de jade.

Jaguar

Este temible felino, cazador solitario, representa para casi todos los pueblos americanos las fuerzas vivas de la Tierra.

El triunfo de Baco, Moeyaert.

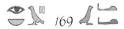

Enero, Vrancx.

Januarius

Jano

El dios de las dos caras, aquel que preside los comienzos mirando a un lado y otro, al pasado y al futuro.

que regían el mundo (tierra y cielo, noche y día, luna y sol). Ambos animales son una referencia constante en los rituales religiosos y, dada su fuerza, también en todo lo vinculado a lo militar. Así, por ejemplo, los dos grupos superiores de las milicias aztecas tenían por emblema al jaguar y el águila respectivamente.

En Sudamérica, este felino, como divinidad o espíritu de las fuerzas de la tierra y de la noche, identificó al guardián, al poseedor de los secretos de la naturaleza. En muchas ocasiones se le ligó al poder mágico de los hechiceros y, para recalcar su sabiduría, algunas tradiciones representaron jaguares de cuatro ojos. Las leyendas de ciertas tribus brasileñas narran que fue el jaguar quien otorgó el fuego a los primeros hombres civilizados (según se cuenta, el jaguar, una vez acostumbrado a la presencia humana, no teme el fuego).

■ **Referencias cruzadas**: *véanse* también Águila, Leopardo, Pantera y Tigre.

Jano

*É*ste *es* uno de los dioses romanos más antiguos y de los pocos que no tienen relación con alguna divinidad helénica previa. La mayoría de los expertos tienden a identificarle con un primitivo dios supremo indoeuropeo; quizá de este hecho podría venir su semejanza con el dios etrusco Kulsans.

Según la religión romana, Jano es el dios de las transiciones y los comienzos de todas las cosas. Por ello, se le consagran las puertas (*janua* en latín) y, en alguna ocasión, su imagen ha aparecido también sobre mojones de propiedad. A él se dedica el primer día de cada año (se celebraban fiestas en su honor y se le entregaban ofrendas) y *Januarius* («la puerta del año») es el primero de los meses. Jano debe ser quien presida el comienzo de cualquier empresa si se desea obtener un desarrollo satisfactorio; se pide su bendición al iniciarse las campañas militares, con las calendas de cada mes y con el comienzo de cada día. También los nacimientos y las procesiones quedan presididas por él.

Este dios es representado con dos caras, simbolizando la mirada hacia el pasado y el futuro que se da en las transiciones e inicios o la que se dirige hacia dentro y fuera desde las puertas. Generalmente una de sus caras es lampiña y la otra barbuda. Como es el dios de las puertas, puede aparecer con una llave y con vara de portero.

Por esta forma de representarle, por sus dos caras, a partir del Renacimiento se le consideró símbolo de la ambigüedad, de los aspectos buenos y malos que surgen y se entremezclan en todas las acciones (símbolos similares aparecen tanto en pueblos germánicos como en otros del África central).

Jardín

*C*on *la* aparición de los primeros sistemas de riego, las sociedades humanas adquirieron el poder de crear espacios en los que la naturaleza se encontrara ordenada y controlada. Los temores que inspiraba el entorno natural indómito quedaron aplacados en esos primeros jardines, construidos por y para el hombre, lugares donde la armonía y la magia de la naturaleza no constituyera ya amenaza alguna. Enseguida se volcaron sobre ellos multitud de significados positivos, ya que se erigieron como espacios anhelados, deseados, parajes donde encontrar con la mayor facilidad paz y sosiego. Así nació una simbología muy arraigada y con bas-

tantes puntos en común entre diferentes sociedades.

Los estados de bienestar perfecto y los referentes paradisíacos de diferentes culturas pronto se identificaron con los jardines. Así, en el Mediterráneo oriental de la Antigüedad, griegos y persas hicieron de estos lugares el escenario de la vida eterna más allá de la muerte. Los Campos Elíseos de los griegos, el lugar en el que moraban los muertos bienaventurados, llegaron hasta la cultura romana dejando huellas nítidas en su literatura. También el islamismo, muy plástico en la descripción de sus conceptos religiosos, habla de un Paraíso con cuatro jardines maravillosos, identificados con el alma, el corazón, el espíritu y la esencia, respectivamente (este hecho contribuyó a arraigar definitivamente la arquitectura de jardines entre sus fieles). Pero el referente simbólico de los jardines no se situó sólo tras esta vida, sino que varias cultu-

Jardín

Los cuatro jardines del Paraíso islámico, los Campos Elíseos y el Edén no son más que algunos ejemplos del rico simbolismo del jardín.

Fiesta campestre, Hals.

El Jardín del Edén, Backer.

El Edén del Antiguo Testamento representa uno de los simbolismos más arraigados del jardín: un lugar paradisíaco donde nada amenaza al hombre.

ras creyeron en la existencia de paraísos perdidos, lugares perfectos que el hombre una vez había poseído. La tradición irania situó en ellos la tierra sagrada de los primeros tiempos, al igual que lo haría el Antiguo Testamento con el Jardín del Edén (su imagen se ha intentado reproducir una y otra vez en los claustros conventuales).

Pero la simbología de los jardines va mucho más allá de un mero referente paradisíaco. En numerosas ocasiones se ha querido ver en ellos un reflejo de la amada y de su cuerpo; así aparece, por ejemplo, en los emblemas europeos de los siglos XVI y XVII. Partiendo de la misma asociación de ideas, el jardín cerrado ha representado la virginidad, hasta el punto de que la Virgen de los cristianos aparece en ese escenario en multitud de obras artísticas, sobre todo góticas y renacentistas.

Es también un símbolo del orden que se erige sobre el caos y, como ha sido creado por el hombre, una manifestación del poder de éste sobre la naturaleza. Por ello, multitud de gobernantes han querido rodearse de jardines y reflejar así el orden conseguido e impuesto gracias a ellos. Esta concepción se ve claramente tanto en los jardines de la Roma clásica como en los renacentistas o en los franceses del siglo XVII. Este jardín francés, máximo representante del orden y de la intervención sobre la naturaleza, tuvo su opuesto ideológico en el jardín inglés, construido en pos de los ideales románticos de libertad y espontaneidad.

La simbología del jardín tiene varios paralelos espirituales. En primer lugar, es muy frecuente ver en él la consciencia (por oposición al mundo exterior incontrolado, el inconsciente). Otras creaciones identifican al jardín con estados de seguridad, reposo y paz, aunque también puede representar el crecimiento interior y la consecución de altos desarrollos intelectuales.

Por último, varias tradiciones culturales han intentado hacer de ellos pequeños microcosmos armónicos, donde recrear a escala humana el conjunto de elementos que componen el universo. Con esta idea, la arquitectura de jardines japonesa pretende poner en comunión al hombre y la naturaleza, que pese a estar controlada, no debe parecerlo. Sus creaciones tienen como máximo objetivo la armonía (claramente visible en los arreglos florales que efectúan *ikebana*) y reflejan una simbología de origen chino. Los jardines persas nacen con las mismas pretensiones y los botánicos, aunque son también un pequeño microcosmos, pervierten un tanto este significado al crearse, esencialmente, para magnificar el poder de los soberanos que los poseen. Este último tipo de jardines proliferaron en la Europa posterior al siglo XVII, pero es posible encontrar ejemplos previos, como los creados por los incas americanos varios siglos antes.

Jarrón

E*ste objeto*, conocido por las sociedades humanas desde la Prehistoria, encierra una simbología muy rica y variada. Los puntos en común de las diferentes interpretaciones giran en torno al agua y a la consideración simbólica de los recipientes, los objetos cuya misión es contener algo.

Por su calidad de continente, el jarrón es asociado a lo maternal y lo femenino, a veces incluso al seno de las grandes diosas de la naturaleza. De aquí es de donde proviene el sentido de las urnas funerarias empleadas por tantas culturas.

Cabe destacar que el cristianismo empleó la imagen de un jarrón con lirios o azucenas (símbolo de pureza por su color) como alegoría de la Virgen. En la tradición taoísta el jarrón se identificó con el cielo, considerado por ellos como el gran continente del principio yang (el responsable de la luz, lo activo y lo masculino). Así, el agua que brota de una hendidura del jarrón es reflejo del rayo (emanación del yang) que escapa del cielo. Otras interpretaciones simbólicas muy frecuentes tienen que ver con la cantidad de lo contenido. Los jarrones repletos o que nunca agotan su contenido son una tradicional representación de la abundancia. De una forma muy similar, muchas divinidades fluviales tienen entre sus atributos un jarrón que nunca deja de derramar agua. El opuesto de estas imágenes es el de la jarra o jarrón vacío, relacionado frecuentemente con ideas de muerte (el arte cristiano ha empleado jarrones vacíos sobre tumbas para aludir al cuerpo abandonado ya por el espíritu).

Ya mencionamos que este objeto podía asociarse a la abundancia, y es que esa relación se fortalece por la simbología del agua (purificación, vida), que en ocasiones se entremezcla con la del jarrón. Por ello, muchas culturas (es muy visible entre celtas, sumerios y egipcios) tienen al jarrón entre los atributos de dioses que

Jarrón, Clodión.

El sentido simbólico del jarrón deriva tanto de su contenido como del hecho de ser continente.

Amor sagrado y profano, Tiziano.

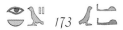

El nacimiento de Venus, Botticelli.

Jaspe

Piedra empleada para facilitar los partos desde la antigua Mesopotamia hasta la Europa medieval.

Jauja

El nombre de esta localidad andina se aplica a todo lo que quiere presentarse como modelo de prosperidad y abundancia.

ofrecen fertilidad y salud a la tierra. Esta interpretación es muy cercana a la del Árbol de la Vida (*véase* Árbol).

Por último, el jarrón con tapa es tomado por uno de los ocho emblemas de la buena suerte en el budismo chino. Evoca la totalidad, un triunfo espiritual sobre los límites de la vida.

■ **Referencias cruzadas**: *véanse* también Árbol y Yin-yang.

Jaspe

Esta *variedad* del cuarzo, teñida por óxidos metálicos, suele pulirse y emplearse como gema. Durante la Antigüedad se llamó jaspe a algunas piedras que hoy se clasifican entre las calcedonias.

Su peculiaridad más importante a la hora de interpretar su simbología es que al romperse da origen a multitud de fragmentos, como si los hubiera llevado en su interior. Por ello, ya en Babilonia, y luego en el mundo grecolatino y en el Occidente cristiano medieval, se tomó por amuleto para partos, embarazos y nacimientos.

Pese a todo, el sentido dado a esta piedra ha sufrido muchas variaciones y en ocasiones resulta aventurado darle una interpretación concreta. Entre otros significados, puede servir como alusión a la eterna juventud o al júbilo.

Jauja

La *expresión* castellana «esto es Jauja» implica la existencia de un lugar paradisíaco, un lugar repleto de facilidades, goces, prosperidad y riqueza. Su origen se sitúa en una localidad andina ubicada a más de 3.000 metros de altitud. A ella acudían los primeros exploradores y colonos españoles a descansar y efectuar curas de salud. Allí realizaban una vida ociosa y relajada, rodeados por ríos y valles de extraordinario verdor y un clima excepcional.

Este tipo de expresiones, que caricaturizan casi las tradicionales ideas de paraísos o edades de oro, son muy propias de las culturas populares. Entre los aztecas se hablaba de Tollán, un lugar donde las mazorcas de maíz eran tan pesadas que se tenían que transportar rodando, donde el algodón crecía ya teñido de colores y donde las hortalizas tenían el tamaño de palmeras. En Europa, el país de Cucaña (o Cokaygne) es el equivalente al español Jauja.

Jerusalén celestial

El *Apocalipsis* de san Juan la describe como una ciudad que desciende de los cielos para que Dios y los hombres vivan juntos hasta el final de los tiempos.

Se dice que su forma es cuadrada, lo que, por el simbolismo de esta forma geométrica (*véase* Cuadrado), recalca que se trata de un lugar propio de la tierra, no del cielo, que será un lugar cierto y un Paraíso alcanzable.

Su venida marca una era nueva, el final de un ciclo y el comienzo de otro. La narración que aparece en el Apocalipsis, muy simbólica, insiste en ello constantemente; por ejemplo, dice que no habrá muerte ni trabajo, pero que eso no significa una vuelta al Paraíso perdido. Además, el número 12 aparece con bastante frecuencia (12 puertas, 12 ángeles en las puertas, 12 tipos de piedras empleadas en sus estructuras, los nombres de los 12 apóstoles), ya que este número (*véase* Doce) es el símbolo por excelencia de los desarrollos cíclicos.

En suma, la Jerusalén celestial es la imagen que plasma la llegada de una nueva era gracias a la convivencia de Dios y los hombres.

■ **Referencias cruzadas**: *véanse* también Cuadrado y Doce.

Jilguero

Desde la Antigüedad, el atractivo del jilguero, que se adapta con bastante facilidad a la cautividad, lo ha convertido en una mascota muy querida entre los más jóvenes. Si a esto unimos que las aves han sido consideradas tradicionalmente vínculo entre cielo y tierra (muchas veces como vehículo del alma que llega o abandona el cuerpo), se puede entender fácilmente que encontremos numerosas representaciones de Jesús niño con un jilguero entre las manos. Simbólicamente, es una forma de recalcar la inocencia de su alma.

Además, por la alegría de su canto, durante la antigüedad grecolatina sirvió como epíteto de Dionisos (Baco para los romanos), dios al que se consagraban unas fiestas famosas por su desenfreno.

La Virgen del jilguero, Tiépolo.

Jinetes

El *jinete* que domina su montura es un símbolo casi universal de triunfo y dominio sobre las fuerzas adversas. Es, en suma, una imagen de poder, espiritual, temporal o de ambos tipos. Generales, príncipes y reyes se han hecho represen-

Jilguero

Nombre común de un género de aves muy extendidas por Europa y Asia central y occidental. Son animales de gran colorido, belleza y de canto fuerte y variado.

La expulsión de san Heliodoro del templo (detalle), Rafael.

Anna du Pire como Granida, Helst.

ro de ellos, que cabalga armado con un arco, sobre un corcel blanco, es el que ofrece una interpretación más compleja. Al parecer, su imagen deriva de la asociada a los partos, el mayor enemigo del mundo romano en el siglo I de nuestra era. Unos autores sostienen que se trata de un símbolo de las bestias inhumanas que acechan al mundo, mientras otros afirman que no es más que la representación de Cristo victorioso extendiendo su doctrina. El segundo de los jinetes resulta algo más sencillo; es la guerra, un jinete blandiendo una gran espada sobre un caballo verde. El siguiente, el hambre, lleva una balanza en la mano y ofrece comida a precios altísimos desde un animal negro. Por último la muerte, la peste encarnada en un jinete sobre montura verde.

■ **Referencias cruzadas**: *véanse* también Caballero y Caballo.

Joyas

L a belleza y las propiedades físicas de estas piedras preciosas han generado una atracción que se traduce en una rica simbología.

Cuando en una cultura predomina la aversión por las riquezas materiales, se desarrollan significados negativos que, por ejemplo, pueden hablar de la fugacidad de los placeres terrenales en oposición a la virtud divina (las joyas son atributo del amor profano, nunca del sacro). Pueden ser también un símbolo de vanidad o, como en algunas ocasiones se ha hecho, identificarlas con el conocimiento del lado oscuro del saber.

Sin embargo, priman las interpretaciones positivas. Su sentido puede tomar muchos caminos, pero en general las joyas no dejan de ser una potencialidad en manos del artesano que las moldea o de quien sabe apreciar su belleza. Por ello, se asemejan a la energía y a la luz, evocan

Joyas

El sentido que se otorga a las joyas refleja claramente la relación de cada cultura con riquezas materiales.

tar de esta forma, pero también personajes de poderes más metafísicos lo han hecho; es el caso, por ejemplo, de Mahoma, que se supone subió a los cielos rodeado de ángeles sobre los lomos de su corcel. También resulta remarcable el episodio en el que Cervantes hace volar a don Quijote sobre un caballo de madera.

Pero este símbolo puede mostrar también su reverso, el pánico o el miedo del jinete que no domina su montura, el horror derivado de la pérdida de control sobre las fuerzas que nos rodean. Curiosamente, esta imagen prácticamente sólo ha sido empleada por el arte occidental contemporáneo.

No podemos cerrar esta entrada sin mencionar a los famosos cuatro jinetes del Apocalipsis. Son uno de los símbolos bíblicos que ha calado con más fuerza en la civilización cristiana y, aunque descritos por san Juan, parecen inspirarse en las visiones de Ezequiel y Zacarías. El primela pasión por la belleza y, sobre todo, son un símbolo de los procesos espirituales y de conocimiento (el sumo sacerdote de los judíos vestía la joya de la verdad sobre su pectoral).

Así, cuando las joyas son la recompensa que aguarda al final de grandes avatares, constituyen un símbolo de la sabiduría que se ha alcanzado después de un largo proceso no exento de dificultades. Para maximizar los peligros que rodean a la consecución de este logro, muchas culturas sitúan las joyas en la cabeza o boca de serpientes, dragones y otros monstruos (puede apreciarse en mitos griegos, árabes e hindúes).

Como ya se ha insinuado, el valor simbólico de las joyas no es asequible para todos, en más de un mito son las propias gemas las que eligen a aquel que podrá hacer uso de sus poderes. En Japón, por ejemplo, el Jizobgatsu prolonga su vida gracias a la piedra preciosa que guarda en su mano, pero sólo él puede hacerlo, sólo en sus manos tiene ese efecto. Es curioso ver cómo estos símbolos se repiten persistentemente en el tiempo, hasta llegar incluso hasta nuestros días; es el caso de la piedra filosofal que sólo puede ser alcanzada por el nuevo héroe iniciático, Harry Potter.

Estas consideraciones no son más que unas líneas generales y el sentido concreto de cada piedra preciosa queda matizado por sus propiedades naturales, por su forma y por la persona que la emplea.

■ **Referencias cruzadas**: *véanse* también Coral, Diamante, Esmeralda, Jade, Jaspe, Rubí y Zafiro.

Juego

$\mathcal{H}$oy en día estos divertimentos han acabado siendo un entretenimiento que olvida gran parte de su sentido original. La mayoría de los juegos conocidos nacieron con propósitos muy definidos

Los jugadores de cartas, Lucas van Leyden.

dentro de sus sociedades. Parten principalmente de rituales religiosos, de prácticas esotéricas (como el tarot o el ajedrez) o de costumbres sociales que tienen por objetivo transmitir determinados valores, educar en las normas del grupo o transmitir un espíritu de pertenencia a la comunidad. Como reflejo de todo ello, los juegos siguen reflejando ecos de la lucha contra la muerte, la naturaleza o de competición entre personas.

En muchas ocasiones el resultado de los juegos no conllevaba consecuencias meramente honoríficas, sino que podía encerrar significados mágicos o proféticos e incluso ser la clave para resolver litigios o conflictos.

■ **Referencias cruzadas**: *véanse* también Ajedrez y Tarot.

Juglar, el

$\mathcal{E}$l *Juglar*, también llamado El Mago, es el primero de los 22 arcanos ma-

Juego

Prácticamente todos los juegos reflejarán en su génesis una cierta voluntad educativa y social.

Juglar

Curiosamente, el tarot se abre con la imagen de un prestidigitador.

yores del tarot. Su vestimenta y apariencia remiten constantemente a dualismos (colores rojo y azul, los brazos en diferentes posiciones) y ante él se extienden los cuatro palos de los arcanos menores (oros, copas, espadas y bastos). Su apariencia es la de un anciano mayor, cercano a la muerte, pero su gorro muestra la imagen del ocho tumbado, símbolo del infinito.

Por esa unión de dualismos en una misma carta, suele interpretarse como una manifestación del conjunto de posibilidades que se ofrecen ante el consultante. Una imagen algo confusa que expresa también los principios contradictorios o ambivalentes que se esconden en todas partes.

■ **Referencias cruzadas**: *véase* también Tarot.

Juicio

*E*l *juicio*, entendido como acto decisivo sobre el destino de los individuos, aparece frecuentemente en creaciones de todo tipo. Pero, sin duda alguna, el que más popularidad y trascendencia ha tenido para el mundo occidental es el Juicio Final de la religión cristiana. Además, este ejemplo sirve también para apreciar características que aparecen en concepciones semejantes de otras culturas, como la del tribunal de Osiris entre los egipcios (en él se pesaban los corazones de los muertos para evaluar su conducta y decidir sobre su suerte en el más allá).

Se supone que el Juicio Final del cristianismo constituirá el acto final de la historia junto al descenso de Cristo a la tierra por segunda vez. Aunque en ocasiones es representado bajo la alegoría de un trono bajo una cruz de piedras preciosas, suele mostrarse a través de la imagen de Cristo juez separando en dos grupos a la humanidad; a su derecha los justos y a su izquierda los pecadores. En una concesión a las creencias populares y rozando casi la heterodoxia, también suelen aparecer la Virgen y san Juan, ocupando un lugar privilegiado en la resurrección junto al hijo de Dios.

Muchas recreaciones de este juicio se detienen en mostrar gráficamente a los muertos saliendo de sus tumbas, del mar o la tierra; resulta interesante observar cómo estos difuntos aparecen con el as-

Según la tradición cristiana el Juicio Final constituirá el acto final de la historia, tras el cual los justos vivirán en compañía de Dios.

El Juicio Final (detalle de la Capilla Sixtina), Miguel Ángel.

pecto de hombres de 30 años (durante siglos se creyó que Cristo murió con esa edad y no con 33 años, como se sostiene actualmente).

En el arte románico se encuentra con gran profusión al pantocrátor, un Cristo majestuoso rodeado por el tetramorfos (*véase* Tetramorfos) y por los 24 ancianos del Apocalipsis. Estas creaciones artísticas suelen detenerse bastante en remarcar las diferencias entre los justos y los pecadores.

Como ya dijimos, el Juicio Final cristiano ha extendido su simbología a otras representaciones, como la del vigésimo arcano mayor del tarot, el Juicio. Esta carta refleja al ángel del Apocalipsis tocando su trompeta mientras los muertos resucitan. Dentro del tarot, que constituye toda una esquematización de los procesos cíclicos que pueden darse en las diferentes esferas de la vida, este arcano (de simbología bastante compleja) se interpreta como el proceso de muerte y resurrección gracias al cual el individuo recupera su autenticidad. Es un logro espiritual sólo asequible para aquellos que alcancen una verdadera comprensión de sus actos.

■ **Referencias cruzadas**: *véanse* también Pantocrátor y Tetramorfos.

Juno

*D*iosa fundamental del panteón romano sin equivalencia en el mundo griego, aunque en ocasiones se la asimila a Hera.

Su papel aparece siempre muy ligado a su hermano y esposo, Júpiter. Simbólicamente debe entenderse por el principio femenino pleno de esplendor y fecundidad.

La forma en la que muchos mitos narran las apariciones de Juno hace pensar que pueda tratarse del contrapunto femenino de todo aquello que representa Júpiter.

Divinidad benevolente, aparece como la diosa del amor en el matrimonio, de las mujeres casadas y de los partos legítimos. Sin embargo, su lado negativo muestra a un personaje vengativo y celoso que persigue constantemente las infidelidades de su esposo.

■ **Referencias cruzadas**: *véase* también Júpiter.

Júpiter

*E*s el dios supremo de los romanos. Su caracterización comparte matices propios del Zeus griego y de Tinio, dios etrusco. Es la personificación del cielo y de los fenómenos atmosféricos; él es la luz, la tormenta, la

Juno descubre a Júpiter con Io, Lastman.

Juno representa el contrapunto femenino de Júpiter.

Juno, Rembrandt.

La balanza, uno de los atributos clásicos de la justicia, ya fue empleado con este sentido en el Egipto faraónico.

lluvia. Pero, sobre todo, simboliza el poder y la autoridad máxima. Poder y autoridad de los que, a través de sus decisiones y juicios, se emana el equilibrio que ordena el universo.

Ese papel mediador es el que adquiere el planeta al que dieron su nombre, el astro que tercia entre el calor de Marte y el frío de Saturno, entre la impetuosidad y la prudencia. Para los astrólogos, este planeta encarna la autoridad y estabilidad, gobierna los signos zodiacales de Sagitario (justicia) y Piscis (magnanimidad). También el día intermedio de la semana, el jueves, recibe su nombre. Pese a todo, Júpiter no es un dios perfecto, proliferan los mitos que le muestran obrando caprichosamente con su poder, persiguiendo amantes o actuando vengativamente contra contrincantes indefensos.

La autoridad de Júpiter suele ser representada a través de los símbolos más tradicionales de poder: águila, rayo, cetro y trono. Las únicas réplicas que recibe su autoridad, con un gran sentido alegórico, son aquellas que dan Plutón y Neptuno; sólo los señores del inframundo (el más

allá) y de los océanos (el inconsciente) escapan relativamente del orden del mundo manifiesto.

■ **Referencias cruzadas**: *véanse* también Águila, Cetro, Rayo y Trono.

Justicia

L as sociedades que han alcanzado un mayor grado de complejidad han concebido la justicia como una de las grandes virtudes esenciales; teóricamente, sin ella no podrían convivir armoniosamente el resto de actitudes virtuosas.

La popularidad de sus representaciones ha variado conforme al devenir de cada momento histórico. En la tradición occidental, la justicia fue un tema recurrente de la Antigüedad y recuperó protagonismo a partir del Renacimiento. La forma de caracterizar a esta virtud habla de la imparcialidad y de la autoridad de sus veredictos. La balanza ha sido uno de sus atributos clásicos; ya en el Egipto faraónico se empleaba este instrumento para contrapesar el corazón de los difun-

Las concepciones filosóficas, siempre patentes en la creación artística, conducen a unir en el cuadro de La Hireç las nociones de paz y justicia.

Escena con el abrazo de la Paz y la Justicia, La Hireç.

La sala de justicia en el Parlamento de París en 1723, Lancret.

tos con las plumas de Maat (diosa de la justicia). A partir del siglo XVI la imparcialidad, ya visible en este simbólico acto de pesar, se comenzó a expresar a través de una venda en los ojos; la justicia no hace diferencias entre los juzgados, no importa su clase ni su condición (antes de esta época la venda en los ojos era tomada por símbolo de la ceguera espiritual). También la espada aparece recurrentemente junto a las personificaciones de esta virtud, es una referencia a su poder y a la ejecución de sus dictados. En el mundo romano, y en muchas representaciones posteriores, la misma función la cumplía el fasces (un hacha guarnecida por un haz de maderas atados en torno a ella, símbolo de la autoridad de los magistrados; *véase* Fasces). Otros atributos con los que suele aparecer la justicia son el globo (alusión a su dominio universal), el cartabón y el compás (rectitud al medir las acciones), el león (poder), el avestruz (la pluma de Maat adorada por los egip-

cios provenía de este animal) y la paloma (la paz, estado propiciado por la justicia social). Resulta significativo que las representaciones de la justicia tomen prácticamente siempre un punto de vista frontal, el equilibrio resulta aquí una noción fundamental.

Toda esta simbología se extiende al tarot, cuyo octavo arcano es llamado la Justicia. Su imagen recoge los atributos del trono, la balanza y la espada. Así mismo aparecen alusiones a influencias solares y numéricamente se relaciona con el ocho. Generalmente se interpreta desde un punto de vista interior, como un mecanismo de equilibrio entre el cuerpo y el espíritu, y parece que también subyace en esta carta la esperanza de que los actos del mundo tengan trascendencia y no queden nunca impunes.

Aún hoy los escenarios físicos donde se imparte justicia continúan completamente impregnados de una gran simbología.

■ **Referencias cruzadas**: *véanse* también Avestruz, Balanza, Compás, Espada, Fasces, Globo, León, Paloma, Tarot y Venda.

La muerte de Cleopatra, Cagnaci.

Ka

Este concepto es uno de los más complejos del mundo egipcio. La tradición occidental, que carece de un equivalente, ha errado frecuentemente al intentar identificarlo con ideas propias de su religión o filosofía.

Ka

La concepción egipcia sobre el hombre resulta de una gran complejidad. Además, debemos tener en cuenta que el Egipto faraónico no fue una realidad monolítica, sino que sus visiones del universo variaron significativamente a lo largo del tiempo. Así, de una forma muy esquemática, podríamos decir que comprendían al individuo como la conjunción de cuerpo, alma y ka. Este último término es el empleado para referirse a lo que se representó como un doble del sujeto, es el principio vital que subyace en todos nosotros, el principio que otorga la vida y gracias al cual subsiste. El ka constituye la esencia vital del hombre. Todos tenemos uno, pero los dioses y los grandes mortales divinizados disfrutan de varios de ellos. Al morir, los entes que se habían unido para crear la realidad temporal del hombre se separan y toman caminos diferentes. A partir de entonces, el ka tiene la capacidad de continuar viviendo durante la eternidad, pero debe ser alimentado, objetivo que cumplen los rituales funerarios egipcios.

Además del ka individual, existe también un ka colectivo, una fuerza ge-

neradora que todos compartimos
y que se reproduce de padres a
hijos. Junto al ka aparecen multitud de conceptos más, como el
ba, que en ocasiones se ha querido asimilar a la idea cristiana del
alma. El ba simbolizaría la fuerza
psíquica del individuo, gracias a
la cual es posible poner en contacto lo físico con lo espiritual,
lo real con lo imaginario.

Este complicado concepto
del ka no suele representarse con
demasiada profusión. Aparece
principalmente en contextos relacionados con la realeza, en
tumbas o en escenas de nacimientos. Cuando lo hace, toma la forma
de un doble del individuo que se sitúa detrás de él, y si el ka es de un faraón, suele
asemejarse a las imágenes del dios Horus.

Representación de la Piedra Negra o Kaaba.

Kaaba

La estructura de este santuario es la
de un cubo de piedras grises cubierto por un pabellón de seda negro
que se renueva cada año. En su interior
se halla una sala abovedada plagada de
inscripciones y con un pavimento de
mármol dispuesto en mosaico. En su ángulo noroeste, empotrada al muro, se
encuentra la famosa Piedra Negra, una
piedra ovalada, con casi total seguridad
un aerolito.

El islamismo ha hecho de la visita a la
Kaaba uno de los cinco pilares de su religión; es algo que todo los fieles deben
cumplir al menos una vez en la vida. La
tradición dice que el santuario fue funda-
do por el propio Adán para adorar la Piedra Negra, traída por el arcángel Gabriel
del Paraíso. Sin embargo, el recinto se
destruyó con el diluvio. Más tarde, y
siempre según la tradición, Abraham,
con la ayuda de Ismael, reconstruyó el
templo, que acabaría siendo sede de cul-

tos paganos. Lo que sí se puede afirmar
históricamente es que en tiempos de Mahoma los pueblos arábigos ya peregrinaban a la Kaaba y que fue el profeta de Alá
el encargado de purificarla y consagrarla
exclusivamente a su dios.

Simbólicamente la Kaaba es una morada divina, es el lugar en el que se guarda y adora una piedra caída del cielo o
traída desde el Paraíso (hay diferentes
versiones), una piedra que constituye un
regalo de Dios a los hombres, una manifestación de su existencia y una vía de comunicación con él. Como se puede apreciar en sus entradas correspondientes, los
aerolitos, al igual que los rayos y los true-
nos, siempre han sido considerados manifestaciones de los dioses en el mundo de
los hombres.

■ **Referencias cruzadas**: *véanse* también
Aerolito, Meteorito, Rayo y Trueno.

K'uen

Véase Yin-yang.

K'ien

Véase Yin-yang.

Kaaba

Lagarto y conchas, Balthsar van der Ast.

Laberinto

Aunque hoy son poco más que un divertimento, los laberintos han representado con su presencia los largos y complicados procesos de crecimiento espiritual a los que se puede enfrentar el hombre.

Laberinto

L as *primeras* referencias al laberinto las encontramos en los relatos míticos de la Grecia antigua. Es la denominación que se da al palacio del rey Minos de Creta, construido a base de numerosas e intrincadas estancias. Posteriormente, pasó a emplearse para el recinto construido por Dédalo para encerrar al Minotauro, y en el que Teseo entró para matar al monstruo, logrando salir después siguiendo el rastro de un hilo que le había entregado Ariadna. Por tanto, en el relato mítico, el laberinto tiene el valor de prueba que el héroe debe superar. La dificultad para encontrar la salida hace que se identifique con los caminos de difícil acceso o el recorrido largo y penoso hasta llegar a lo deseado.

El laberinto también fue utilizado en algunos ritos africanos en los que se enseñaba al neófito a no perderse e ir directo a lo largo de su vida hacia el centro espiritual, hacia la inmortalidad.

Con el tiempo, el laberinto fue tomado como motivo por el arte cristiano, de tal manera que lo encontramos representado en el suelo de muchas iglesias medievales (sobre todo durante el gótico) simbolizando de alguna manera la existencia terrenal, donde el hombre debe superar un largo y tortuoso camino cargado de pruebas y dificultades hasta llegar a la vida eterna, la salvación, representada en el centro del laberinto como manifestación de la Jesusalén celestial. En íntima conexión con estas ideas, encontramos esos laberintos en el pavimento como representación abreviada de las peregrinaciones a los santos lugares.

Posteriormente el laberinto fue perdiendo estas connotaciones tan profundas y cargándose de otros simbolismos más triviales. Así, en el siglo XVIII se construyeron laberintos de vegetación en los jardines de la aristocracia y fueron más bien entendidos como una diversión galante y amable de la alta sociedad. Acepción que se mantiene en la actualidad, aunque extendida a todos los estratos de la población; es el caso, por ejemplo, de los laberintos que existen en los parques de atracciones, entendidos como un juego más.

■ **Referencias cruzadas**: *véanse* también Peregrinación y Procesiones.

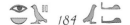

Lagarto

Este reptil, por su tendencia a estar bajo el Sol, aparece frecuentemente como imagen del alma que busca la luz, es decir, el conocimiento de Dios, la inmortalidad. Éste es el motivo por el que se representa en monumentos funerarios de la Antigüedad, llegando su significado hasta la Edad Media, donde a sus sentidos se sumaron los de resurrección y renovación, ya que el lagarto muda anualmente su piel.

Tuvo también una interpretación bastante menos elevada. Su predilección por permanecer bajo el Sol fue vista ocasionalmente como símbolo de pereza.

Lago

Ha sido considerado frecuentemente como ojo o mirilla desde el que los habitantes de las profundidades de la tierra nos observan.

La idea de profundidad insondable los convirtió en morada de todo tipo de criaturas fantásticas y dioses, unas veces benéficos, otras malvados. Así se entienden los relatos que hablan de monstruos terribles, como el del lago Ness. Otras veces son hadas y ninfas las que surgen de ellos, generalmente con un sentido benévolo. Pese a ello, no se olvidó fácilmente el carácter traicionero de sus aguas, por lo que se crearon leyendas en las que estas criaturas maravillosas decidían, por unos u otros motivos, seducir a los hombres y llevárselos con ellas a las profundidades del lago. Para aplacar esta tendencia, muchas culturas ribereñas recurrieron a sacrificios y ofrendas cuyos restos pueden encontrarse aún hoy en los lechos acuáticos.

■ **Referencias cruzadas**: *véase* también Agua.

Lágrimas

Son una manifestación evidente del dolor, sea cual sea su origen, pero en las manifestaciones artísticas ha predominado claramente su sentido espiritual, de manera que suelen constituir un símbolo de arrepentimiento. De ahí las lágrimas derramadas por san Pedro tras ser consciente de la negación que ha hecho de Cristo.

Como curiosidad, puede mencionarse que entre los aztecas se consideró que las lágrimas de los niños que iban a ser sacrificados constituían un augurio de la lluvia que vendría después.

Lámpara

Tal vez la lámpara sea la manera más usual de representar algo que resulta prácticamente irrepresentable: la luz. Por ello, recoge muchos de sus significados y se identifica con nociones de búsqueda del conocimiento, del bien y de la verdad.

Al igual que ocurre con el candelabro, la débil llama de la lámpara puede ser equiparada al fuego vital que reside en nuestro interior. Por ello, cuando ésta se apaga no existen muchas más posibilidades que entender una alusión a la muerte. En el cristianismo esta comparación se afirmó gracias a que lámpara y ser humano compartían una característica más: ambas provienen del barro. Así, sus representaciones artísticas emplearon el motivo de la lámpara y su llama como imagen del hombre y el Espíritu Santo. La costumbre cristiana de mantener una lámpara encendida en las tumbas posiblemente hace referencia a la resurrección a través de la luz divina.

■ **Referencias cruzadas**: *véanse* también Candelabro y Vela.

Lagarto

El lagarto tendido bajo el Sol, por mucho que nos sorprenda, no sólo puede ser una imagen de pereza, sino también representación de búsquedas espirituales.

Lago

El desconocido interior de sus aguas ha despertado la imaginación de los hombres.

Lágrimas

Simbolizan el dolor y el arrepentimiento en muchas culturas.

Lámpara

Este objeto, al igual que otros que aportan luz, se ha considerado tanto símbolo de conocimiento como de la esencia vital.

Bodegón, Balthasar van der Ast.

Langosta

Nombre común de un género de insectos carroñeros muy dañinos para los cultivos agrícolas. Aunque las hembras sólo ponen huevos una vez cada dos años, pueden dejar muchos millares en una misma puesta.

Lanza

Esta arma, cuya versión más sencilla es un asta de extremo puntiagudo, constituye un símbolo del poder de aquellos con los que se identifica, ya sean dioses o humanos.

Langosta

*E*n el contexto cristiano este animal es representación del castigo divino. Esta visión surgió a partir del relato del Antiguo Testamento sobre la plaga de langostas con la que Dios castigó a Egipto. No debemos olvidar que este tipo de desastres quizá hoy no reciban tanta trascendencia como pudo suceder en la Antigüedad; en aquellos tiempos una de estas plagas podía condenar al hambre, la miseria y la muerte a las poblaciones que las sufrían.

Pese a ello, en la antigua China se prestó mayor atención a su aspecto positivo; fueron consideradas como símbolo de prolífica descendencia y, por extensión, de felicidad.

Lanza

*L*os significados que se atribuyen a esta arma van en relación con sus usos más frecuentes. En primer lugar, la lanza es un instrumento utilizado desde antiguo para cazar, pero como cualquier otro artefacto que sirve para matar, también se ha empleado para luchas entre los hombres. Sus apariciones serán pues referencias más o menos explícitas a la caza,

la guerra, la lucha y la fuerza y el poder que predomina en ambas actividades.

Además, su forma alargada fue concebida en muchos relatos cosmogónicos como instrumento de los dioses creadores, es decir, se asimiló al rayo solar utilizado por éstos. Como extensión de esta idea, cuando las divinidades ejecutan su voluntad en la tierra a través de su lanza, esta arma se convierte en una especie de eje del mundo (*véase* Eje del mundo).

En la Edad Media, la lanza era el atributo por excelencia de los caballeros, los guerreros más poderosos del momento. Por ello, cuando los jóvenes llegaban a la mayoría de edad, momento en el que ya podían pasar a engrosar las filas de los ejércitos, se ratificaba su nueva condición haciéndoles entrega de una lanza.

Por otra parte, la lanza es uno de los atributos de la pasión de Cristo, ya que con ella fue abierta la herida en su costado de la que manó la sangre que José de Arimatea recogió en el grial. Esto la incluye y le confiere importancia en el ciclo medieval relacionado con la búsqueda del Santo Grial.

■ **Referencias cruzadas**: *véanse* también Armas, Eje del mundo y Grial.

Lapislázuli

*L*a apariencia de esta piedra preciosa, de color azul y con puntos dorados en su superficie, hizo que en la Antigüedad fuera considerada como representación del firmamento. Esto condujo a que se le otorgaran los poderes de algunas de las fuerzas celestiales, lo que llevó a su

frecuente utilización en la orfebrería oriental y precolombina, principalmente como talismán.

Látigo

*E*s un símbolo del poder judicial, un instrumento para infligir castigo a quien transgrede la ley. Por este motivo, en la Antigüedad figura entre los atributos de algunos dioses relacionados con la ley, como el egipcio Min o la Hécate de la mitología griega. En esta última religión también se relacionó con unos seres sobrenaturales temibles, las Erinias, llamadas Furias en Roma, personificación de la venganza más despiadada, aunque inspirada siempre por la justicia.

Según las narraciones bíblicas fue una de las armas con las que los romanos martirizaron a Cristo, por lo que pasó a convertirse en uno de los atributos de su pasión. Como reflejo de ello, los ascetas y penitentes recurrieron a él para autoinfligirse martirios y mortificación de pecados.

■ **Referencias cruzadas**: *véanse* también Erinias y Flagelación.

Laurel

*A*l igual que sucede con todas las plantas de hoja perenne, ha sido interpretado como símbolo de inmortalidad. Por ello, las glorias humanas, que se pretende sobrevivan al individuo y jamás mueran, se han acompañado del laurel.

Este sentido puede apreciarse en la antigua China, aunque fue en Grecia donde adquirió su máxima significación. Así, los vencedores en las Olimpiadas obtenían como trofeo una corona o guirnalda de laurel. Con el paso del tiempo, Roma heredó la tradición para hacer de ellas el emblema de los generales victo-

Lapislázuli

Roca azul que suele contener partículas de pirita, lo que le origina las características motas que inundan su superficie.

Látigo

Arma compuesta por cuerdas anudadas (ocasionalmente acompañadas por puntas u otros elementos cortantes) que se ha empleado desde la Antigüedad para castigar a los delincuentes.

Laurel

Árbol propio de las zonas mediterráneas, de escasa altura y hojas duras y de forma semejante al hierro de una lanza.

La inspiración del poeta, Poussin.

Lavanda

Planta abundante en las riberas del Mediterráneo, aprovechada por su aroma y propiedades medicinales.

Lavatorio

Con esta palabra se designan los actos de lavar, a uno mismo o a otras personas, consagrados ritualmente en muchas religiones.

riosos que, coronados de esta forma, hacían su entrada triunfal en la urbe. También se destinaron coronas de laurel a los grandes poetas y a quienes destacaban en alguna rama del saber. El fin de todos estos significados es siempre el mismo: garantizar la inmortalidad de los grandes logros militares, deportivos o artísticos.

■ **Referencias cruzadas**: *véanse* también Corona y Rama.

Lavanda

Quizá *todos* podamos tener en mente algún ornamento elaborado con hojas de esta planta, pero, desde luego, éste no ha sido el único provecho que se le ha sacado. De sus hojas, que desprenden un agradable aroma y ofrecen un color entre lila y púrpura, se obtienen perfumes y vinagres. Pero lo más destacable son sus propiedades medicinales, ya que actúa como calmante y tónico nervioso. Por este motivo, al igual que sucede con otras plantas de efectos benéficos para la salud, en la Edad Media se asoció simbólicamente a la Virgen María.

Lavatorio

En casí todas las religiones las grandes ceremonias sagradas exigen actos de lavado antes de participar en sus rituales. Como sucede con abluciones y baños rituales, el lavatorio, la acción de lavarse, proporciona al sujeto la deseada limpieza espiritual. Un ejemplo conocido de estas prácticas lo constituye el lavatorio previo al rezo de las oraciones musulmanas. Algunas tradiciones católicas incluyeron esta práctica antes de las comidas, por la relación simbólica de los alimentos con la carne de Cristo.

Una de las escenas más conocidas del Nuevo Testamento, desarrollada durante la Última Cena, es el lavatorio de los pies, el momento en el que el hijo del Señor se ofreció a lavar los pies de sus apóstoles. Este sorprendente episodio debe interpretarse como un símbolo de la humildad de Cristo. A partir del siglo VII, este acto se repite en la liturgia católica el Jueves Santo. Quizá por influencia de la tradición cristiana, en Oriente existe la tradición de lavar los pies a los invitados, un símbolo de hospitalidad.

■ **Referencias cruzadas**: *véanse* también Abluciones, Agua y Baño.

Leche

La *leche* materna es para todos los mamíferos el primer alimento que se ingiere y, por tanto, el primer sustento. Esto hizo que se interpretara en relación con el amor maternal, la fecundidad y la fertilidad. En muchas narraciones la leche aparece asociada a la Luna. Los motivos pueden encontrarse tanto en su color como en la identificación con elementos fértiles ya vistos (la Luna se vincula tradicionalmente a todos los principios fecundos; *véase* Luna).

Diana después del baño, Boucher.

Algunos pueblos asiáticos y europeos creyeron que los incendios provocados por los rayos sólo podían sofocarse con leche. Pero, ¿qué condujo a la asociación del incendio con la leche? La explicación la encontramos precisamente en esa oposición de la Luna, identificada con la leche, respecto al Sol. El rayo constituiría algo así como el instrumento de este último astro, el fuego que procede del cielo y provoca los incendios, y la leche, por antagonismo, encarna la herramienta de la Luna para conseguir apagarlo.

En el arte cristiano son frecuentes (sobre todo a partir del gótico) las representaciones de la Virgen amamantando al niño, confirmando, de esta manera, aquellas concepciones ligadas a la ternura maternal, y subrayando la absoluta dependencia de los seres humanos respecto a su madre durante largo tiempo después del nacimiento.

■ **Referencias cruzadas**: *véanse* también Luna, Rayo y Sol.

Lecho

*E*l *lecho* adquiere una simbología relacionada con el proceso de la vida hasta llegar a la muerte. Los motivos son claros: tanto la concepción como el nacimiento tienen por sede más frecuente (aunque evidentemente no es la única) la cama. Además, también este lugar es el preferido por la muerte para sorprender a los humanos. Como consecuencia de ello, en todas las épocas han proliferado representa-

Virgen con niño y ángel, Correggio.

ciones fúnebres del difunto descansando sobre su lecho.

Lechuza

*E*l *carácter* nocturno de la lechuza y del búho conduce a que constituyan el opuesto simbólico del águila (ave solar por excelencia). Por ello, en Egipto, en India y entre los aztecas se relacionó con la oscuridad, las tinieblas y la muerte. En otros muchos lugares del planeta, las culturas populares hicieron el mismo recorrido simbólico hasta considerar que anunciaba la llegada de desgracias y muerte. Como consecuencia de ello, en Europa las gentes de escasa cultura, muy imbuidas por la superstición, se dedicaron a exterminar a la lechuza durante siglos. Por otra parte, su oposición a la luz se encuentra presente en el cristianismo, donde la encontramos aludiendo al lado maligno y tenebroso del espíritu.

Pero la lechuza también puede ser un animal benéfico. Destaca sobre todo su capacidad para ver en la oscuridad; junto

Leche

Aunque en un principio pueda resultar casi incomprensible, muchas culturas creyeron que los incendios ocasionados por los rayos sólo podían sofocarse con leche.

Lecho

Concepción, nacimiento y muerte suelen ser alusiones escondidas bajo la imagen del lecho.

Lechuza

Este conocido animal nocturno se puede diferenciar del búho a través de su rostro, con forma de corazón y no circular, y sus patas, algo más largas.

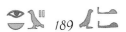

Lengua

Aliento y palabra,
manifestaciones de la
vida, unen simbólicamente
lengua y llama.

León

Mamífero musculoso y
temible, que puede llegar
a alcanzar 2,5 metros de
largo (sin incluir la cola),
1,25 de altura en la cruz y
unos 250 kilos de peso.

a ello, su quietud y su aspecto reflexivo provocaron que se la tomara por símbolo de sabiduría, dedicación intelectual y conocimiento. Esta concepción aparece nítidamente en la cultura griega, donde la lechuza es emblema de Atenea, diosa de las ciencias. En el ámbito cristiano también se recurrió ocasionalmente a estos sentidos, haciendo de ella una evocación del conocimiento que infunde Cristo, la mejor herramienta para poder ver entre las tinieblas.

■ **Referencias cruzadas**: *véanse* también Águila, Luz y Oscuridad.

Lengua

En muchas representaciones simbólicas aparece asimilada a la llama. Algunos autores señalan que el motivo se encuentra en compartir similares formas y rápidos movimientos. Pese a ello se puede señalar otro recorrido que conduce a esta identificación: la lengua se halla en la boca, sede del aliento vital, y es palabra, manifestación de la vida, lo que la pone en íntimo contacto con la llama, el fuego (símbolo

tradicional de la vida). Tiene capacidad beneficiosa o malévola puesto que como órgano principal de la palabra puede hacer el bien o el mal.

■ **Referencias cruzadas**: *véanse* también Boca y Palabra.

Lenguaje

Véase Palabra.

Leo

Véase León.

León

El león tiene una importante carga simbólica utilizada por casi todas las culturas. Su color dorado y la forma radial de la melena que rodea el cuello de los machos conduce de alguna manera a una identificación con lo solar, algo que refuerzan las grandes características que se le asocian: la fuerza, la fiereza, la astucia y la inteligencia. A partir de la combinación de estos significados esenciales, se obtiene una enorme variedad de concepciones, utilizadas alternativamente

Paisaje con animales, Savery.

El león de San Marcos, Carpaccio.

de manera positiva o negativa por las diferentes culturas.

Una de las asociaciones más frecuentes es la que le lleva a figurar en tronos y palacios como emblema casi universal de la realeza. A ello conduce todo lo que antes señalamos; su carácter solar y su fuerza hacen de él imagen de la justicia (luz) y fuerza que emanan de los grandes señores. De la misma manera, en la entrada de los templos de persas, egipcios, mesopotámicos y chinos, solían esculpirse leones cuya función era la vigilancia y custodia de esos recintos. El cristianismo también utilizó la idea de poder y justicia que aporta el león y lo estableció como emblema de Cristo, hasta el extremo de llegar a denominar al enviado de Dios como «León de Judá». Inevitablemente, su asimilación a Cristo lleva aparejada las nociones de la resurrección, lo que explicaría la presencia de leones en los sepulcros cristianos.

Las acepciones que hemos reseñado hasta ahora son generalmente benéficas, pero existen también las negativas. Desde la Antigüedad el león representó la fiereza indomable, las temibles amenazas que la naturaleza reserva a los hombres, por lo que este animal constituye el máximo oponente al que pueden enfrentarse héroes como el sumerio Gilgamesh y el griego Herakles (Hércules para los latinos).

Un sentido muy similar aparece en representaciones cristianas donde el león enfurecido y rugiente se empleó como símbolo de los poderes malignos y perversos del Demonio.

La vinculación del león con los grandes atributos de lo solar también se observa en el zodiaco, donde el quinto signo, el comprendido entre el 23 de julio y el 22 de agosto, se consagra a Leo. El motivo es claro, nos encontramos en pleno verano, en el momento de mayor irradiación solar sobre la tierra. Así, Leo, en el conjunto del ciclo zodiacal, representa el auge máximo de la actividad, la potencia y la pasión. Por ello, cuando los astrólogos quisieron adjudicar un carácter a los nacidos en este periodo, hablaron de personalidades fuertes, dinámicas y con capacidad de liderazgo.

Leopardo

Este felino es un cazador temible, incluso para los hombres, y de extraordinaria fortaleza; puede llegar a los dos metros de longitud sin perder un ápice de agilidad. Además, sus hábitos cazadores son nocturnos y durante el día tiende a descansar oculto entre la vegetación. Por todo ello, en muchas civilizaciones se

Leopardo

Al igual que otros felinos, temibles y astutos cazadores, el leopardo se ha identificado con las fuerzas amenazantes de la naturaleza.

Leviatán

Término utilizado para designar a un animal monstruoso propio de las narraciones fenicias y bíblicas.

Libra

Situado en el punto medio del zodiaco, Libra, como refleja su balanza, representa el equilibrio que debe alcanzarse en todo proceso.

identificaron con las grandes amenazas que la naturaleza ofrecía a los hombres. En el Egipto faraónico, por ejemplo, se asoció al dios Seth, enemigo por excelencia de la civilización.

■ **Referencias cruzadas**: *véanse* también Jaguar, Pantera y Tigre.

Leviatán

*P*ese a que este nombre se hizo famoso por la célebre obra homónima de Thomas Hobbes (pensador y político inglés del siglo XVII), su origen se sitúa en un monstruo mítico de los relatos fenicios sobre la creación del mundo. Allí se le empleaba como símbolo del caos; y la Biblia, siglos después, hizo de él una encarnación de las fuerzas del mal a las que Dios vence. Se le concebía viviendo en las profundidades del mar, por lo que la iconografía medieval lo representó como un enorme pez o dragón tragándose a los condenados. En otras menciones toma la figura de un temible cocodrilo. Pero ante todo, su presencia debe interpretarse como encarnación del infierno y del demonio.

Como consecuencia de los postulados políticos expuestos por Thomas Hobbes en su obra *Leviatán*, este término puede aparecer en obras contemporáneas como personificación de los poderes estatales absolutos, quienes cegados por el bien común que ellos mismos dictan, se despegan por completo de la sensibilidad de los individuos.

■ **Referencias cruzadas**: *véanse* también Caos y Cocodrilo.

Libra

*E*l *séptimo* signo del zodiaco, delimitado entre el 23 de septiembre y el 22 de octubre, tiene por elemento al aire y destaca por situarse en el punto medio del año astronómico. Este hecho determina con claridad su significado; así, se ha supuesto que Libra se identifica con aquellos comportamientos que tienen por virtud encontrar el justo medio de las cosas. En el zodiaco, Libra se encuentra no sólo en los momentos centrales del ciclo, sino entre los signos de Escorpio y Virgo, símbolos del deseo y de la sublimación, respectivamente. Todo conduce a identi-

Bodegón de libros, Heem.

ficar a Libra como el signo del equilibrio y la mesura, lo que a su vez conduce hacia nociones de armonía y justicia. La representación gráfica de Libra, una balanza equilibrada, refleja con claridad estos sentidos.

■ **Referencias cruzadas**: *véanse* también Balanza y Justicia.

Libro

P or motivos obvios, es considerado símbolo de la sabiduría, del conocimiento y de la ciencia. Esto hace que figure como atributo de las alegorías que representan diferentes ramas del saber, tales como la filosofía, la teología, todas las artes, la justicia, la historia, etc. El arte occidental también los representa junto a numerosos personajes de la historia de la Iglesia: los grandes profetas, los evangelistas, los padres de la Iglesia y los santos fundadores de órdenes religiosas, se representan junto a las obras en las que se supone guardan sus enseñanzas.

Pero las connotaciones religiosas del libro no se quedan ahí; desde la aparición de la palabra escrita, la forma en la que ésta perdura ha tenido algo de mágico y misterioso. Jamás podría aplicarse sobre un libro aquello de «las palabras se las lleva el viento». El texto impreso sobrevive al tiempo y las grandes religiones han recurrido a él para fijar las revelaciones y leyes transmitidas por sus dioses. Del mismo modo, numerosas leyendas narran la existencia de libros en los que se recogen los nombres de los elegidos para la salvación e incluso el destino que correrá cada persona a lo largo de su vida. En otras ocasiones el protagonismo recae sobre los mágicos *Liber Mundi*, textos en los que se recogen todas las leyes empleadas por la divinidad para crear el mundo.

El libro es, por tanto, todo un mundo de posibilidades, que puede proporcionar

vida y difusión a cualquier idea. Así, los emblemas medievales y modernos del Occidente cristiano emplearon la imagen del libro abierto con las páginas en blanco como símbolo de posibilidad y potencialidad.

Estanterías con libros, Crespi.

Antes de finalizar, cabe mencionar la importancia del aspecto exterior del libro, si se encuentra abierto, cerrado o incluso sellado. En este último caso el libro se convierte en el continente de revelaciones o misterios que no podrán ser alcanzados más que por unos pocos elegidos (es el caso del libro de los siete sellos que sólo el enviado de Dios podrá leer llegado el fin de los tiempos). Pero uno de los aspectos más interesantes lo proporciona que el libro muestre o no su interior, esto es, que esté abierto o cerrado. Generalmente, se interpreta que cuando aparecen cerrados aluden a un mundo de posibilidades por cumplir, mientras que lo ya realizado se expresaría a través de la imagen opuesta. Sin embargo, también debemos tener muy en cuenta el momento histórico de cada representación. La historia del libro y la lectura también puede rastrearse a través de sus representaciones. Las épocas oscuras, en las que la cultura quedó en manos de unos pocos y la lectura no estaba al alcance del pueblo, tendieron a representar los libros como un objeto casi de culto; cerrados siempre, con su saber reservado a muy pocos ojos, los libros se convirtieron en símbolo de conocimientos restringidos. Sin embargo, en aquellos otros tiempos en los que la extensión de la cul-

Libro

Desgraciadamente, en algunas épocas el soporte por excelencia de la cultura fue poco más que un símbolo.

La imagen del libro, abierto, cerrado o incluso sellado, suele reflejar la relación de cada sociedad con la cultura.

Liebre

Liebres y conejos pertenecen a un grupo común de pequeños mamíferos caracterizados por un pelaje denso y suave y orejas largas y puntiagudas.

Lince

Este felino podría llegar a confundirse con un gato salvaje; sin embargo, las claves las aportan el mayor tamaño de sus patas y garras y, sobre todo, el pincel de pelos que remata sus orejas.

tura permitió a amplios grupos acceder a ella, los libros suelen aparecer abiertos, ofreciendo su interior a aquellos que deseen leerlos.

Liebre

S*u simbolismo* es prácticamente análogo al del conejo. Se le asocia a la Luna porque es de noche cuando desarrolla toda su actividad. Como animal lunar, participa de los fenómenos cíclicos relacionados con ésta (la fecundidad y los movimientos de las mareas). Como reflejo de ello, en multitud de cuentos y relatos míticos animal y astro aparecen estrechamente vinculados, llegando al extremo de que la Luna sea incluso representada como una liebre. Esta asociación con la Luna viene reforzada por la extraordinaria capacidad de procreación del animal (paren de cuatro a ocho veces por año) y por el pelaje claro de su cuerpo.

Además, a la fertilidad debe unirse una estrecha relación con la tierra; es un animal que gusta de habitar madrigueras y que aprovecha cualquier resquicio de la tierra para esconderse de sus cazadores. Así, su presencia en ocasiones puede constituir una alusión a la fecundidad de la tierra, a su fuerza vital, que se manifiesta, sobre todo, con el renacimiento anual de la naturaleza.

Como no podía ser de otra forma, la fecundidad de este animal también le ha hecho recibir significados peyorativos, especialmente por parte de la tradición cristiana, que hizo de liebres y conejos personificación del pecado de la lujuria y la fornicación.

Pero los simbolismos que se les asociaron no quedan aquí. En algunas representaciones, su desconfianza fue emplea-

Liebre muerta y perdices, Veenix.

da como símbolo de cobardía. Por otro lado, su capacidad para dormir con los ojos abiertos era emblema de la atención y la vigilancia. También su rapidez despertó la atención de los humanos, que vieron en su carrera una alegoría de la fugacidad del tiempo.

■ **Referencias cruzadas**: *véase* también Luna.

Lince

A*l igual* que otros tantos felinos, su imagen se emplea para simbolizar las características de las que hace gala en la naturaleza, a saber, astucia, fiereza, fuerza, etc. Además el lince posee increíbles cualidades para la caza, por lo que fue muy temido desde la Antigüedad. Su vista, extremadamente aguda, despertó la atención de casi todas las sociedades humanas. Algunas leyendas incluso hablaron de su capacidad de atravesar paredes y muros con la mirada y aún hoy en día se emplean con frecuencia expresiones como «poseer una vista de lince» o, refiriéndose a su astucia, «es un lince para los negocios».

Pero no todo es admiración del lince, porque también tiene su visión negativa. En la Edad Media, por ser considerado una alimaña (animal perjudicial para caza o ganadería) y por su instinto carnicero, llegó a señalársele como un sicario de Satanás. Desgraciadamente, esas mismas interpretaciones son las que, junto al valor de su piel, le han llevado al borde de la extinción.

■ **Referencias cruzadas**: *véanse* también Gato, Jaguar, Leopardo y Tigre.

Linga

Es una forma fálica muy extendida en India, atributo del dios Shiva. Al igual que sucede en otras muchas religiones y filosofías, linga y yoni representan los principios masculino y femenino que rigen en el universo. El linga suele ligarse a la acción y a la fuerza creadora de las divinidades, mientras que el yoni identifica a la fertilidad y fecundidad femenina. La manifestación gráfica de este símbolo, poco más que un falo, evoca también nociones de eje, de unión entre el cielo y la tierra.

■ **Referencias cruzadas**: *véanse* también Eje del mundo y Yoni.

Lira

El suave y dulce sonido de la lira llevó a identificarla con la armonía y, por tanto, es símbolo de la música y la poesía, artes que participan de dicha cualidad. En la mitología griega es atributo de Apolo y de Orfeo, dioses de las artes y la música. A lo largo de todo el mundo, los sonidos musicales han sido

un asunto casi mágico; en varias leyendas sólo con ellos se consigue amansar a las fieras (sólo con una de ellas Herakles fue capaz de apaciguar al can Cerbero) y en muchas ceremonias religiosas se emplearon tanto para reflejar como para propiciar la armonía y el orden del universo.

■ **Referencias cruzadas**: *véase* también Cerbero.

Lírio

Esta planta, también llamada iris, se consideró la encarnación del arco del mismo nombre que, uniendo el cielo con la tierra, simbolizaba la reconciliación entre dioses y humanos.

Sin embargo, donde adquiere una mayor significación simbólica es en el cristianismo, que emplea la imagen del lirio como manifestación de la pureza e inocencia gracias a su color blanco y a la suavidad de sus pétalos. A estas acepciones se añade la de virginidad, expresión máxima de la pureza para los cristianos, por lo que el lirio suele aparecer representado en manos del arcángel san Gabriel en la escena de la Anunciación a la Virgen. Esa asociación con la madre del Señor se ve reforzada por el hecho de que había sido utilizada desde antiguo como planta medicinal.

El lirio constituye también el famoso emblema conocido como «Flor de Lis». Este motivo llegó a convertirse en atributo de las dinastías borbónicas francesa y española y al parecer su sentido proviene de una combinación de los antiguos significados de la abeja (identificada por su organización social con la monarquía; *véase* Abeja) y del lirio (lo que pondría a estas dinastías bajo la protección de la Virgen, a quien dicen servir).

Por último, la característica forma fálica de su pistilo tuvo acepciones menos

Linga

Símbolo fálico asociado al dios hindú Shiva.

Lira

Instrumento musical de cuerda, similar al arpa, compuesto por unas extremidades de madera a las que se sujetan las cuerdas.

Lírio

A lo largo de la historia la imagen de los lirios ha sido identificada tanto con la sensualidad como con la pureza, la virginidad o la monarquía.

Llama

Cuando se representa sola, debe considerarse una reminiscencia de los simbolismos asociados a la luz o al fuego.

Llave

De Jano a los papas de Roma, la llave ha identificado a aquellos que, en el cielo o la tierra, poseen la capacidad de abrir y cerrar las grandes puertas, simbólicas o reales.

elevadas en Grecia y en China, donde se la asoció a las ideas de sensualidad.

■ **Referencias cruzadas**: *véase* también Abeja.

Llama

*E*l *simbolismo* de la llama (la masa incandescente, no el animal) se presenta íntimamente ligado a los significados atribuidos a la luz y el fuego. Así, cuando éstas aparecen representadas en imágenes de cualquier tipo, deberán entenderse generalmente como alusiones a la penetración intelectual, la esencia de la vida o la capacidad creadora.

Ese vínculo con la acción, con la capacidad creadora o destructora que presenta el fuego, hace que las llamas hayan sido tradicionalmente asociadas a las espadas, el arma ejecutora que blande la justicia, ya sea divina o humana. La llama, cuando es débil, también puede equipararse con la vida, que prende bajo la constante amenaza de que una ráfaga de viento acabe con ella. Por la iluminación que propicia, otras representaciones la han empleado como símbolo de la sagacidad e inteligencia de quien la porta.

■ **Referencias cruzadas**: *véanse* también Antorcha, Espada, Fuego, Luz y Vela.

Llave

*E*stos *instrumentos*, que se emplean para correr o descorrer el pestillo de las puertas, dan al que las posee la capacidad tanto de penetrar a su voluntad en los espacios cerrados como de acceder a tesoros escondidos. Por ello, se han convertido en símbolo casi universal de poder y autoridad.

En la antigua Roma la llave era atributo de Jano, dios de las puertas y las transiciones. En el cristianismo la llave doble identifica todas las representaciones de san Pedro, quien, por gracia divina, tiene la potestad de abrir y cerrar las puertas del cielo. Además, puesto que san Pedro fue el primer papa, las dos llaves cruzadas pasaron a componer la imagen de los escudos papales.

El simbolismo de poder también puede apreciarse en los famosos actos de entrega de las llaves de una ciudad, considerado como acto legal que otorga poderes absolutos sobre ella (recuérdese el cuadro de Velázquez *Las lanzas* o *La rendición de Breda*).

■ **Referencias cruzadas**: *véase* también Jano.

Lluvia

A lo largo de la historia, este fenómeno atmosférico se ha entendido en todas partes como símbolo de la influencia y la acción del cielo sobre la tierra. Muchos pueblos la consideraron como la plasmación de la mítica unión sexual entre el cielo y la tierra (*véase* Caos) y, por

Después de la lluvia, Ruysdael.

consiguiente, como la fecundación de ésta (las gotas de lluvia serían algo así como el esperma de los dioses).

Así, la lluvia, al igual que el agua y la tierra, ha sido uno de los principios fértiles por excelencia. Todas las civilizaciones lo reconocieron así y la vincularon a la otra gran fertilidad conocida, la de la mujer. Este vínculo, constante en casi todas las narraciones simbólicas, se completa con una última asociación: a la Luna, que, por oposición al Sol (fuego), se une a mujeres, tierra, lluvia y agua, como grandes símbolos de fecundidad. La filosofía taoísta china, a través del principio yin, recoge con fidelidad todas estas interpretaciones.

Pero la lluvia, como cualquier otro poder divino, tiene la capacidad de convertirse en un poder destructivo, en castigo de los dioses, en los temidos diluvios (magnificación de las inundaciones y lluvias torrenciales tan sufridas por los humanos).

■ **Referencias cruzadas**: *véanse* también Agua, Caos, Diluvio, Luna, Sol y Yin-yang.

Lobo

En todas las épocas y culturas este animal ha presentado un simbolismo muy ambivalente, de connotaciones tanto positivas como negativas.

En sus mejores acepciones el lobo se nos presenta como símbolo de la luz, ya que se le atribuye la capacidad de ver en la oscuridad (su visión nocturna está más desarrollada que la de los hombres) y, por tanto, portador del conocimiento. Así, en Grecia se le relaciona con Apolo, dios de las ciencias y las artes. Pese a ello, también suele aparecer junto a Ares, dios de la guerra y de la caza, aunque en esta ocasión en calidad de presa.

Otra importante característica de su simbolismo es una cierta identificación con los poderes de la tierra, ya que este

Muerte de un lobo, Oudry.

animal hace de cuevas, troncos huecos y hoyos (en ocasiones excavados por él mismo) su guarida. Por ello, en muchas mitologías antiguas, las fauces del lobo han representado la entrada al infierno, al mismo tiempo que se le puede concebir como su guardián. De aquí provienen las representaciones griegas en las que Hades, señor del mundo de ultratumba, figura con una capa de piel de lobo. Por los mismos motivos, a veces ocupa también un papel «psicopompo», es decir, el de conductor de las almas de los difuntos hasta su residencia en el más allá.

En cuanto a la hembra de este animal, aparece con una función benéfica en el mito fundacional de Roma: es la famosa loba capitolina que amamantó a Rómulo y Remo (su imagen llegaría a convertirse en emblema de la Ciudad Eterna).

Sin embargo, si bien observamos que en el mundo antiguo existe esta ambivalencia de los significados simbólicos del lobo, en el cristianismo predominó el carácter maligno del animal. Así, se suele contraponer la figura del lobo a la del cordero; en este esquema, el segundo es la representación de los creyentes, mientras que el primero sería el símbolo de las fuerzas del mal que amenazan la fe. La

Lluvia

La lluvia, necesaria para la vida, es uno de los grandes regalos de los dioses a los hombres.

Lobo

La forma del cráneo, la poderosa dentadura y el abundante pelaje de la cola constituyen las mayores diferencias con el perro, animal del que no siempre se distingue.

Loto

Planta popular de las tierras orientales y egipcias, de la familia de las ninfáceas; juega un importante papel simbólico en Egipto, en India y en el Extremo Oriente.

creencia popular medieval que pervivió en los siglos posteriores extendió la idea que consideraba al lobo como un animal demoníaco y peligroso, personificación de los pecados capitales de gula e ira. El mismo demonio es representado a veces como un lobo y es la montura utilizada por las brujas para acudir a los rituales satánicos. Este tipo de visión ha llegado incluso a los tiempos modernos; de todos son conocidos los cuentos infantiles en los que el lobo figura como el más malvado de los personajes.

En la actualidad, el lobo, una amenaza real para los grandes rebaños, ha sido llevado al umbral de la extinción. Por ello, los grupos conservacionistas le han prestado una atención preferente y han hecho de él uno de los grandes símbolos de su ideología.

■ **Referencias cruzadas**: *véase* también Perro.

Loto

*L*a característica que lo define y de donde surge parte de su valor simbólico es su capacidad para cerrar sus pétalos y sumergirse bajo el agua sobre la que crece con la puesta del Sol, y volver a resurgir y a abrirse con el nuevo día. Esto hizo que desde muy antiguo fuese considerado símbolo de la luz. De igual modo, otro rasgo distintivo proviene del lugar de su nacimiento: el loto brota majestuoso y colorista sobre aguas estancadas, convirtiéndose así en signo de pureza que vence a lo impuro.

A partir de la combinación de estos dos significados, fue utilizado por muchas culturas de la Antigüedad para construir sus mitos cosmogónicos. En Egipto se creía que el loto, como portador de la luz, había surgido de un océano primigenio, simbolizando el nacimiento del mundo a partir de la humedad, por otra parte identificada casi siempre allí con el Nilo, río sagrado portador de vida. Pasó a ser el atributo de varias divinidades y fue utilizado en los ritos funerarios, así como en la decoración, ya que a su agradable perfume se le atribuía la capacidad de renovar la vida.

En el budismo e hinduismo encontramos de nuevo un rico simbolismo en relación con la flor de loto. Allí se consideró que el capullo cerrado de esta ninfácea flotando sobre las aguas primigenias era un símbolo de las potencialidades que existían antes de la creación del mundo. Del mismo modo, cuando aparece abierto representa el acto mismo del génesis. Por otra parte, su flor de ocho pétalos abarca todas las direcciones celestes y es, por tanto, símbolo de la perfección y armonía cósmicas. Por esta última asociación la flor de loto es empleada en el budismo para figurar la meditación (recordemos que esta flor se abre sólo durante el día, se abre a la luz, el conocimiento), de tal ma-

Nenúfares, Monet.

nera que Buda es representado sobre una flor de loto; esta imagen se tomó por personificación de la sabiduría pura, sin contaminar.

Las ideas de pureza, armonía y equilibrio que evoca el loto llegaron también hasta la Edad Media cristiana, aunque con un sentido desvirtuado de su significación original o, si se quiere, adaptado a las concepciones de la religión católica. En este sentido, el loto fue tenido como remedio contra la tentación sexual y recomendado como medicamento a monjes y religiosas para luchar contra esos instintos.

Lucha

Representación de un antagonismo o conflicto cruento entre seres o valores que son irreconciliables. En este sentido se entienden las luchas rituales de diversos pueblos, que vienen a simbolizar el triunfo del orden y del bien sobre el caos, el mal. Otro tipo de luchas rituales eran las que se celebraban entre ambos sexos para figurar la victoria de la fertilidad y la vida sobre la muerte; valores de nuevo encontrados e incompatibles.

Luciérnaga

El rasgo por el que estos pequeños animales son conocidos, y del que deriva su nombre, es la capacidad de emitir una luz verdosa en la oscuridad. Por ello y por la tradicional asociación entre los seres voladores (que de alguna forma se encuentran más cerca de los cielos, la residencia de los dioses) y las almas, en algunas ocasiones se consideró a las luciérnagas como personificación de las ánimas que siguen viviendo tras la muerte.

Luna

La observación de la Luna en el cielo nocturno se ha cargado siempre de un importante valor simbólico, de tal manera que juega un papel fundamental en el pensamiento mágico y religioso de la mayoría de los pueblos y culturas.

Su importancia deriva de varios hechos fundamentales. En primer lugar, su apariencia continuamente cambiante hizo que se le atribuyese vida propia. Además, sus ciclos ofrecieron a todas las sociedades humanas la posibilidad más sencilla de medir el tiempo, por lo que los calendarios lunares fueron los primeros en proliferar. Pero no sólo eso, sino que pronto se observó también la relación entre este astro y determinados sucesos terrestres, como las mareas o la menstruación femenina (sus periodos son similares a los del ciclo lunar).

Judith y Holofernes, Miguel Ángel.

Luciérnaga

Las luciérnagas no son más que escarabajos voladores que emiten señales luminosas para atraer a sus parejas.

Luna

El astro que preside la noche ha sido uno de los símbolos más recurrentes de la historia de las civilizaciones.

Pesca en noche de Luna llena, Neer.

Luz

Selene (representada en el cuadro de esta página) era la personificación de la Luna en la Grecia clásica.

Selene y Eudimión, Poussin.

Luz

Esta forma de energía, indispensable para la vida, ha representado de una forma casi universal el conocimiento, el bien y la presencia de los dioses benefactores.

A la hora de otorgar un significado simbólico a la Luna, esa relación con las mareas, con el rocío de las mañanas (se decía que brotaba de ella) y con la menstruación femenina, toma como punto coincidente la fertilidad, ya sea del agua o de la mujer. Por si esto no fuera poco, la identificación del Sol con el fuego condujo inevitablemente a que la Luna se hiciera señora del otro gran elemento de la creación: el agua. Así, prácticamente todas las culturas relacionaron entre sí, a través de la fecundidad, el agua, la Luna y la mujer. Al conjugar esto con los visibles cambios cíclicos de apariencia de la Luna, el astro de la noche se identificó también con los procesos de muerte y resurrección.

Esa interpretación implica que la fase de la Luna nueva simbolice la muerte, pero esa desaparición es temporal, por lo que se equipara a la muerte humana, concebida también como algo pasajero, ya que se supera a través de la inmortalidad en el más allá. Por este motivo, existen numerosas divinidades lunares con caracteres funerarios, como Selene en el mundo griego.

Desde la Edad Media una de las imágenes más conocidas de este astro es la media luna, símbolo inequívoco del Islam. El motivo de tal asociación no es otro que la importancia que en esta religión se concede al astro nocturno. No debemos olvidar que su calendario es lunar (meses de 29 días y 5 horas, divididos en 359 jornadas) y que incluso el Profeta llegó a ser comparado con la Luna, ya que ambos reflejan la luz solar (mensaje divino) para acabar así con la oscuridad del mundo (la ignorancia). Como consecuencia de esta simbología, la conocida institución benéfica de la Cruz Roja, ya desde finales del siglo XIX, asumió la imagen de una media luna roja para su presencia en los países musulmanes.

■ **Referencias cruzadas**: *véanse* también Agua, Lluvia y Sol.

Luz

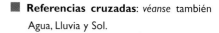

L*a luz* que nos es conocida en sus efectos, pero cuya esencia es, en gran medida, incomprensible, se ha tomado como uno de los símbolos por ex-

celencia de la inmaterialidad, del espíritu. Pero la luz es también quien nos permite penetrar en la oscuridad, iluminar y conocer lo que se oculta detrás de las tinieblas, por lo que en numerosas representaciones alude al conocimiento profundo, a la sabiduría y al bien que de ella nace.

Sin embargo, el elemento más importante a la hora de interpretar su simbolismo quizá sea su procedencia. Este fenómeno físico o forma de energía procede del Sol o del fuego. En ambos casos estas realidades son la emanación (Sol) o personificación (fuego) de la esencia, del calor vital que nos anima. Desde la más remota Antigüedad se comprendió que sin esa energía la vida jamás sería posible. Por ello, la luz es también vida y regalo divino (el Sol se identifica con los grandes dioses de cada religión).

En el relato bíblico de la creación, la luz antecede las demás realidades, en cuanto que es la condición necesaria para que éstas puedan desarrollarse. En el Evangelio de san Juan, la luz es el Verbo de Dios, es decir, su representación y símbolo tanto de la vida como del bien que acaba con las tinieblas. La luz es la condición necesaria para que aparezcan las demás realidades. Con el mismo sentido, la iconografía cristiana empleó el rayo como concreción de fuerzas fecundantes en las imágenes de la Anunciación. Por otra parte, en las catedrales góticas medievales existe un complicado simbolismo de la luz que atraviesa las vidrieras coloreadas: debe entenderse en esos casos como una manifestación inmaterial y omnipresente de Dios.

Su elevado simbolismo se ha hecho presente en todas las civilizaciones y aún hoy en día las expresiones coloquiales que empleamos mantienen las significaciones referentes a la revelación de lo oculto, el bien, la vida y la adquisición del conocimiento.

■ **Referencias cruzadas**: *véanse* también Fuego, Llama, Sol, Vela y Vidriera.

Las verdades de la Biblia, que iluminan la vida del creyente, se erigen como intermediario de éste y su Dios, identificado con el Sol.

Para la tradición cristiana, Cristo quien trae la luz al mundo.

La infancia de Cristo, Honthorst.

Paisaje invernal, Momper.

Madera

Esta sustancia vegetal se ha empleado simbólicamente como alusión a las fuerzas de la naturaleza que se encarnan en el árbol.

Maíz

Planta cultivada por los pueblos precolombinos que, tras la colonización hispánica, llegó a la Península Ibérica.

M

Madera

La madera es uno de los elementos fundamentales de la naturaleza, la forma física más visible de los árboles y materia prima para los hombres desde los primeros tiempos de la Prehistoria. Por ello, simbólicamente la madera ha identificado a la materia. Así lo manifiesta con claridad el griego clásico, en el que la palabra *hyle*, designa tanto a la madera como a la materia prima. Pero además, la madera ha sido empleada en diferentes ritos y leyendas como encarnación de la naturaleza, de su vitalidad, magia y sabiduría. Su significado, en esas ocasiones, se liga profundamente al árbol del que procede. Un camino similar, aunque algo más complejo, recorre la liturgia cristiana, donde la madera se emplea como alusión a la cruz a través del paso intermedio que compone el árbol.

■ **Referencias cruzadas**: *véase* también Árbol.

Maíz

Junto al trigo y el arroz, el maíz constituye uno de los cereales más cultivados del mundo. En tierras americanas constituyó la base de la alimentación de las grandes civilizaciones, por lo que se asoció profundamente a los principios vitales y de fecundidad de la tierra. Así, aztecas, mayas e incas la identificaron con el gran dador de vida, el Sol, quien incluso parece dar color a los granos de la mazorca. Al igual que sucede con el arroz en el Oriente asiático y con el trigo en Europa y Próximo Oriente, el maíz se empleó frecuentemente como símbolo de abundancia, bienestar y felicidad. En el *Popol-Vuh* (texto maya del siglo XVI), se describe cómo el hombre se creó a partir del maíz, tras dos fracasados intentos en los que se empleó arcilla y lluvia, respectivamente.

■ **Referencias cruzadas**: *véanse* también Arroz, Espiga y Trigo.

Maná

Bajo este nombre se designa al alimento que milagrosamente cayó del cielo para alimentar a los israelitas en su éxodo por el desierto hacia la tierra

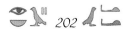

prometida. El maná, entendido por tanto como alimento divino, se llegó a convertir en símbolo de la forma en la que Yahvé alimenta no sólo el cuerpo, sino también el alma. En ese sentido, el maná prefigura lo que será en la liturgia católica la eucaristía, es decir, alimentar el cuerpo y alma de los hombres a través de la participación con la esencia de Cristo.

Manantial

Debido a la fundamental importancia del agua para todos los pueblos, desde la Antigüedad se rindió un culto casi divino a los manantiales y fuentes como fuerzas creadoras y conservadoras de vida y como símbolo de pureza. Muchos pueblos, como los griegos, personificaron en sus mitos y leyendas fuentes y manantiales en figuras tales como las ninfas o las náyades.

Este simbolismo benéfico se ve reforzado porque muchas veces a los manantiales se les supone dotados de cualidades curativas. Incluso la Biblia refleja estas creencias, mencionando los manantiales como símbolo de vida eterna y resurrección.

■ **Referencias cruzadas**: *véanse* también Agua, Fuente y Lago.

Mandala

Los mandalas místicos, aunque literalmente son un círculo, pueden tomar formas cuadrangulares. Estas imágenes pretenden ser un símbolo del mundo manifiesto, de todas las fuerzas y entidades que componen el universo. Su aspecto, ya sea circular o rectangular, se relaciona con la noción de centro y, además de representar toda una concepción del cosmos, tiene por objetivo facilitar el diálogo entre el individuo y las partes más profundas e inconscientes de su ser. En muchas experiencias místico-religiosas, el mandala constituye

una vía para la unión con la divinidad. Este símbolo ocupó un lugar destacado no sólo en su originaria zona hindú, sino en tierras chinas, japonesas y tibetanas.

■ **Referencias cruzadas**: *véanse* también Centro y Laberinto.

Mandorla

Desde la aparición del cristianismo, la mandorla mística ha rodeado representaciones de Cristo, la Virgen y algunos santos. Su origen no está demasiado claro. Una posibilidad es que derive de la forma construida por la intersección de dos círculos identificados con la tierra y el cielo, respectivamente. Otro origen podría ser el ofrecido por la silueta de un rombo de lados redondeados, lo que nos conduce al simbolismo general de aquella figura (unión de lo superior y lo inferior; *véase* Rombo). La última interpretación, pero también la más frecuente, es que provenga de la forma de una almendra, cuyo simbolismo se ha identificado con la virginidad e incorruptibilidad de aquello que guarda en su interior. En cualquier caso, no debemos ignorar que las dos primeras posibilidades orientan simbólicamente hacia la superación de los principios duales en la perfección y armonía de la imagen que se representa en su interior.

Si este simbolismo resulta acertado, se adecua bastante bien a la imagen más frecuente de las que aparecen en su interior: Cristo en majestad (el Pantocrátor), juzgando desde su trono a la humanidad en el final de los tiempos, cuando el mundo celeste y el terrestre se unen. Esta composición suele acompañarse también del crismón, alfa y omega, y el tetramorfos.

■ **Referencias cruzadas**: *véanse* también Alfa y omega, Crismón, Pantocrátor, Rombo y Tetramorfos.

Maná

Recibido por el pueblo de Israel en su éxodo, prefigura lo que más tarde sería la eucaristía cristiana.

Manantial

El simbolismo del agua, tan presente siempre, otorga al manantial sentidos de pureza y regeneración.

Mandala

El antiguo lenguaje hindú denominó bajo este término un círculo místico.

Mandorla

Almendra mística que rodea las representaciones medievales de grandes figuras cristianas.

La Virgen y el niño, Boltraffio.

Mandrágora

Denominación dada a la raíz de la planta del mismo nombre, que según la creencia popular crecía bajo el esperma derramado por los ahorcados.

Mano

Sus gestos, acciones y posturas pueden reflejar una increíble carga simbólica.

Manto

Como tantas otras prendas de vestir, los mantos han sido empleados para diferenciar de algún modo a aquel que lo viste.

Mandrágora

El simbolismo de la mandrágora tiene su origen tanto en la similitud de su raíz con el cuerpo humano como con sus propiedades narcóticas. Así, la mandrágora, que se empleó frecuentemente para adormecer a los pacientes a los que se iba a operar y para estimular estados alucinatorios, se relacionó con aspectos mágicos, generalmente identificados con la fecundidad, tanto por la exaltación que produce como por su relación con la tierra (principio fértil por excelencia). Por estos motivos, fue empleada desde antiguo por egipcios y hebreos para propiciar la fertilidad y para elaborar filtros amorosos. Posteriormente, en la Edad Media, continuó intacto su prestigio como afrodisíaco y como estimulante de la felicidad y fertilidad.

Mano

Las manos tienen un papel decisivo en la existencia humana, incluso en el proceso de hominización. Sus representaciones han tomado dos caminos simbólicos generales. De esta forma, pueden aludir tanto a la acción que con ellas se realiza, siendo así referencia a la actividad y al poder creador, como a la aprehensión que posibilitan, lo que las haría imagen de posesión y dominio. Como combinación de ambas acepciones encontramos las de poder y autoridad. De ahí provienen las populares expresiones que sitúan alguna facultad o poder en las manos de alguien («está en manos del Señor», «está en tus manos», etc.).

La enorme variedad de posiciones y gestos realizados con las manos compo-

nen un auténtico código presente en todas las tradiciones. De hecho, hoy en día existe un lenguaje completo creado a partir de las diferentes posiciones de las manos y los dedos, que es utilizado por los sordomudos y con el que son capaces no sólo de transmitir pensamientos o ideas, sino también sentimientos. No olvidemos que la capacidad expresiva de las manos humanas es casi equiparable a la de los ojos, de ahí el cuidado que en el arte los pintores pusieron en la representación de las manos.

Por lo tanto, las distintas posiciones y actitudes de las manos han tenido una amplia significación en todas las culturas. Por ejemplo, el hecho de juntar la mano con otra persona es símbolo de amistad, camaradería, pero también la caricia de las manos realizadas entre un hombre y una mujer son señal evidente de cariño, ternura, complicidad, etc. La acción de juntar y cruzar los dedos es, desde la Edad Media, el gesto típico de actitud de orar y, desde la Antigüedad, el Dios de los cristianos ha bendecido levantando su mano derecha (gesto que aún pervive hoy en día para la acción de jurar). La imposición de manos, que también continúa presente en muchos ceremoniales, simboliza la transmisión de bendiciones y liberación de cargas.

■ **Referencias cruzadas:** *véanse* también Brazo, Dedos e Imposición de manos.

Manto

Esta prenda, siempre que no aparezca en su versión más basta y ajada, representa un signo evidente de dignidad de quien la porta; es un atributo de poder, que no todo el mundo puede llevar sobre sus hombros. Es, por tanto, propio tanto de las autoridades temporales como de las espirituales, que mediante sus votos se

Cardenal Richelieu, Champaigne.

envuelven en un manto como símbolo de dedicación exclusiva a Dios.

En la iconografía cristiana, el manto puede ser una forma de identificar a su portador. Así ocurre con diversos santos que tienen por atributo principal el manto; la Virgen, por ejemplo, convierte su manto (generalmente azul, de pureza) en un símbolo de protección maternal hacia la humanidad. El manto viejo, tosco y ajado puede constituir en algunas representaciones una muestra de estoicismo y renuncia de los bienes materiales.

■ **Referencias cruzadas**: *véanse* también Hábito y Túnica.

Manzana

*U*n largo equívoco ha atribuido esta fruta al Árbol de la Ciencia, del bien y del mal, situado en el Paraíso, aquél que Adán y Eva no debían tocar. Sin embargo, en la Biblia no se especifica qué tipo de fruta era la prohibida. Pese a ello, la manzana ha sido siempre considerada la protagonista del relato y, por tan-

to, símbolo de pecado original. Pero también ha adquirido significados diferentes. Por ejemplo su forma esférica fue empleada en ocasiones por el cristianismo como representación de la Tierra. En otras muchas leyendas su significado deriva de su condición natural: la manzana es el fruto de su árbol, la manifestación máxima de la vida del medio. Así, aparece frecuentemente como símbolo de fertilidad. En el relato mítico griego del jardín de las Hespérides las manzanas de oro magnifican ese sentido y llegan a conceder la inmortalidad.

■ **Referencias cruzadas**: *véanse* también Árbol, Esfera y Hespérides.

Manzanilla

*E*sta planta aromática ha sido muy empleada como eficaz remedio medicinal. Pese a su aspecto de debilidad, por sus poderes medicinales ocultos tras ese aspecto discreto, se la consideró como símbolo de la humildad y la fortaleza oculta. Como tantas otras hierbas medicinales se asimiló a la Virgen en numerosas representaciones cristianas.

Manzano

Véase Manzana.

Mar

*E*n cuanto a gigantesco contenedor de las aguas (símbolo vital por excelencia), se le ha considerado la sede de inagotables fuerzas vitales. Pero esta concepción no sólo conlleva que de él provenga la vida, sino que tras su fin, todo vuelve a su seno. Un buen ejemplo podemos encontrarlo en los ciclos que esquematiza el zodiaco, donde Piscis, el último ciclo, simboliza la disolución de las formas en las aguas de las que luego volverá

Manzana

Uno de los frutos más conocidos y apreciados por los hombres, símbolo tanto del pecado original como de la inmortalidad contenida en el jardín de las Hespérides.

Manzanilla

Algunos de los aspectos que simboliza la manzanilla son la humildad y la fortaleza oculta.

Mar

Los mares y océanos son un frecuente símbolo de las amenazas a la estabilidad del hombre y de sus sociedades.

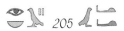

El triunfo de Neptuno, Poussin.

Ménade (marfil de
8 cm), Jacques-Jean-
Baptiste Augustin.

Marfil

Es la superficie dura que
se encuentra bajo el
esmalte de los dientes de
los mamíferos.

Marioneta

Figurilla movida por un
actor.

a brotar la vida. Del mismo modo, muchos relatos sobre la creación del cosmos hablan de océanos primordiales en los que todos los elementos se encontraban disueltos. Un buen ejemplo lo ofrecen las narraciones orientales (*véase* Loto) y las egipcias.

Pero el mar y los océanos no sólo han sido sede de las aguas vitales. Debemos recordar que la navegación a través del mar es una actividad realmente peligrosa para los marineros. Basta con tener presentes los continuos naufragios que sufren los pescadores de la actualidad e imaginar después las condiciones de marinos cuyos recursos materiales y técnicos resultaban muchísimo más limitados. Así, en multitud de referencias, sobre todo en las civilizaciones del Próximo Oriente, el mar y los océanos constituyen una verdadera amenaza al orden establecido, un reino en el que no rigen las mismas normas que la segura y estable tierra de los hombres. Como consecuencia de ello, los océanos van a aparecer como un recurrente símbolo de caos, de las amenazas que rodean a la civilización. Los monstruos que en él habitan constituyen

una manifestación más de este simbolismo. En ocasiones los peligros del mar pueden constituir una alegoría de las zonas más ocultas y descontroladas del subconsciente humano.

Los frecuentes motivos en los que se representa a navíos en medio de aguas hostiles suelen ser metáforas del recorrido tanto del individuo como de la sociedad, que atraviesa entornos adversos que sólo pueden superarse siguiendo un camino recto.

■ **Referencias cruzadas**: *véanse* también Agua, Caos y Loto.

Marfil

La belleza de esta superficie, muy dura y blanquecina, ha conducido a los hombres a una caza que ha hecho peligrar la existencia de animales como el elefante y el hipopótamo. El marfil tallado, que ofrece un aspecto liso y un soporte perdurable a esculturas, relieves e inscripciones, recibió rasgos de nobleza, pureza y majestad. Los motivos son su color (el blanco de la pureza) y valor (estuvo al alcance de muy pocas manos).

Marioneta

El hecho de estar sostenida y atada mediante hilos o alambres y no poder moverse a su voluntad, la establece como un símbolo de dependencia del ser humano hacia poderes superiores que nos manejan a su antojo. Representa también una personalidad débil, manejada por todos y carente de voluntad propia; de hecho, el término es utilizado para designar ese tipo de personalidad.

Mariposa

Por su fragilidad y belleza materializada en muchos colores, en Japón es un emblema de la mujer.

Pero quizá el simbolismo más rico y profundo de la mariposa esté relacionado con su proceso de metamorfosis, que pasa por las fases de huevo, larva y crisálida presa del capullo (asimilado a la tumba y la muerte) hasta su salida, convertida ya en el bello y policromo insecto alado que siempre permanece bajo los rayos solares. Este proceso se interpretó en la Antigüedad como símbolo del alma; así es como aparece entre los griegos y aztecas. Para los cristianos tendría una significación similar, en cuanto salida del alma de la tumba para caminar hacia la resurrección y la inmortalidad. Pero también vieron en la corta vida de la mariposa, en su belleza pasajera y en su vagabundeo revoloteador, un emblema de la superficialidad, la vanidad y la frivolidad.

Marte

E^l *elemento* fundamental del simbolismo de este planeta es el color rojizo con el que se ve desde la Tierra. Por ello, recibe del rojo una carga simbólica que alude a conceptos de ardor, agresividad y fogosidad. Éste es el motivo por el que, en las tradiciones grecolatinas, este planeta se divinizó en la persona de los dioses de la guerra (Ares en Grecia y Marte en Roma). Todo ello viene reforzado por un hecho fundamental: este planeta gobierna los cielos al inicio de la primavera, periodo que en la Antigüedad se aprovechaba para reemprender las campañas militares que se habían abandonado durante el invierno.

Martillo

A^l *igual* que el hacha o la lanza, el martillo es herramienta y arma a la vez, de ahí su carácter simbólico de poder y de fuerza. Este motivo condujo a imaginarlo esgrimido por las grandes deidades superiores, encarnaciones por excelencia del poder. Como consecuencia de esto, el martillo puede aparecer vinculado a las grandes manifestaciones de las fuerzas divinas, como es el caso del trueno y la tormenta. Esta asociación resulta muy visible en la mitología germánica, donde el dios del trueno, Thor, tiene al martillo por atributo principal. Sin embargo, como herramienta, aparece en la mitología grecorromana en manos de Hefestos (Vulcano en Roma), dios del fuego y del arte de la forja.

Este mismo simbolismo encuentra sus reminiscencias en el martillo de los jueces actuales, con el que ordenan silencio y consagran la sentencia dictada; a través de ellos se ha convertido en un emblema del poder judicial. Este simbolismo jurídico-legal lo encontramos de nuevo en el ritual de la certificación de la muerte del Papa: el camarlengo de la Iglesia golpea tres veces con un pequeño martillo de plata y mango de marfil la frente del difunto pontífice para concluir diciendo *vere Papa mortuus est* («en verdad el Papa ha muerto»).

■ **Referencias cruzadas**: *véanse* también Armas y Hacha.

Máscara

*L*a *ocultación* del rostro con una máscara, generalmente con forma monstruosa, constituía un recurso mediante el cual las culturas primitivas ahuyentaban mágicamente a los enemigos y se apropiaban así de las fuerzas de los animales o personas a que hacían alusión. No debemos pensar que este significado es sólo simbólico. Aún hoy en día algunos pueblos del Índico (con desarrollos culturales semejantes a los del Paleolítico y que habitan territorios aislados de la influencia de las grandes civilizaciones de su entorno) basan su fuerza militar en este tipo de estratagemas.

Pero con el desarrollo de las grandes sociedades estatales, el sentido de las

Mariposa

En la metamorfosis que sufre radica su simbolismo.

Marte

Su color y la época en la que gobierna los cielos marcan su contenido y significado alegórico.

Martillo

Tal y como muestran los hallazgos arqueológicos, es una de las herramientas y armas más antiguas empleadas por los hombres y por sus grandes compañeros, los dioses.

Máscara

Figura de cualquier material con la que se oculta el rostro y se crea una identidad nueva.

Representación alegórica de la unión de la Virgen en matrimonio.

El matrimonio de la Virgen, Champaigne.

Matrimonio

Antropológicamente, es la unión institucionalizada y con valor jurídico entre dos personas.

máscaras quedó ya relegado a aspectos meramente simbólicos. En Oriente, por ejemplo, se emplearon frecuentemente con fines funerarios, pretendiendo mantener el rostro del difunto tras la muerte para que en la reencarnación siguiese ese modelo.

En la cultura grecorromana fueron un recurso constante en las representaciones teatrales, ya fueran cómicas o dramáticas (*véase* Teatro). Pese a ello, no debemos interpretarlas como algo frívolo o meramente decorativo, sino que con ellas se pretendió capturar realidades y sensibilidades metafísicas.

El uso actual de las máscaras, sobre todo en los carnavales, viene a simbolizar una pérdida de la propia identidad para pasar a convertirse, durante unos momentos, en otra persona o ser, escapando así de la monotonía en un ambiente de fiesta y alegría, y participando también en la pervivencia de antiguos ritos de inversión de las relaciones sociales.

■ **Referencias cruzadas**: *véase* también Teatro.

Matrimonio

*L*as *interpretaciones* simbólicas del matrimonio le señalan como una recreación de la primigenia unión entre el cielo y la tierra. Desde un punto de vista antropológico, el sentido de esta institución debe entenderse más como la solución dada a la necesidad de regular no ya la descendencia o la paternidad, sino los mecanismos de la herencia. Pese a ello, las diferentes sociedades crearon toda una serie de ideales en torno a esta respuesta social que, en la actualidad han acabado identificando al matrimonio con un acto de amor que crea una unión armónica entre dos personas. Siguiendo este sentido, en algunas narraciones puede emplearse como símbolo de la reconciliación de los principios duales, masculino y femenino, que componen el mundo.

Esta institución social también se acompañó de un ritual iniciático que la consagró en prácticamente todas las civilizaciones. Aún hoy en día, estas ceremonias constituyen una de las manifestaciones sociales más arraigadas y revestidas de singular solemnidad.

■ **Referencias cruzadas**: *véase* también Iniciación, ritos de.

Maza

*E*s *uno* de los atributos del mítico héroe griego Herakles. Gracias a ello, en el arte occidental la simple represen-

tación de la maza basta para evocar a este héroe. Esto ha llevado a la confusión en algunas representaciones, ya que la maza también puede aparecer en manos de otro héroe griego, aunque algo menos popular, Teseo.

Su aspecto rústico y basto ha servido para representar la fuerza bruta, pero aun así, en manos de estos héroes tiene una finalidad civilizadora. Con ella Herakles y Teseo vencen a las grandes amenazas de los pueblos griegos, empuñándolas de tal forma que acabaron siendo empleadas como símbolo de valentía.

■ **Referencias cruzadas**: *véanse* también Herakles y Martillo.

Bodegón con melón y peras, Meléndez.

Mazorca

Véase Espiga.

Media luna

Véase Luna.

Medusa

Véase Gorgonas.

Melocotonero

*E*ste árbol frutal, pese a cultivarse en todas las regiones templadas y subtropicales del mundo, es originario de China. Allí es donde recibe su mayor simbolismo; por su pronta floración era considerado símbolo de la llegada de la primavera y, por consiguiente, de la fecundidad en general, significado que se aplicaba tanto al árbol como a la flor y a los frutos.

Melón

*S*andía y melón son los frutos de dos especies de enredaderas rastreras. Su característica más llamativa a efectos simbólicos es la gran cantidad de pepitas, semillas, que guarda en su interior. Por ello se tomó su imagen tanto por alusión a la fertilidad y la abundancia como por muestra de la unión de la diversidad bajo un solo conjunto.

■ **Referencias cruzadas**: *véase* también Granada.

Mellizos

Véase Gemelos.

Menhir

*E*l simbolismo de los menhires suele mostrarse un tanto confuso, ya que no existe ninguna fuente escrita que aporte información sobre ellos. Todos los significados que se han querido ver son simples suposiciones más o menos educadas. Así, se ha interpretado frecuentemente con fines funerarios, viendo en él una evocación de la verticalidad del cuerpo humano erguido; esto podría entenderse en relación con ideas de resurrección, como una imagen que propiciara abandonar la horizontalidad propia de

Maza

Arma consistente en un grueso garrote, generalmente de madera, metal o hueso, con uno de sus extremos mucho más abultado.

Melocotonero

Árbol frutal procedente de tierras chinas.

Melón

Bajo este nombre se puede hacer referencia tanto al melón verdadero como a la sandía.

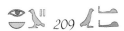

Menhir

Monolito de piedra, hincado en la tierra en posición vertical, propio de los pueblos megalíticos.

Mercurio

Este planeta, el más cercano al Sol, registra más de 400 °C en su cara iluminada y -180 °C en la oscura.

Mesa

La actividad que en ella se desarrolla, sea de índole social o religiosa, marca su contenido simbólico.

los cadáveres. Pero esa misma verticalidad del menhir se ha puesto también en conexión con las ideas de eje del mundo. Ha sido muy habitual también su consideración como elemento fálico, sin duda, a causa de su forma. Otra de las interpretaciones alude a un sentido de poder y protección; según esta suposición, los menhires, estratégicamente ubicados a lo largo de un espacio determinado, delimitarían los territorios de un pueblo concreto.

■ **Referencias cruzadas**: *véanse* también Eje del mundo, Falo y Piedra.

Menorah

Véase Candelabro.

Mercurio

C*uando se* observa desde la Tierra, este planeta es el que ofrece un mayor movimiento en el firmamento y su ubicación en él varía considerablemente en las diferentes épocas del año. Por este motivo en muy diferentes culturas se hizo de él el mensajero de los dioses. Así, en la tradición griega se identificó con Hermes (Mercurio para los romanos); este dios se representaba vistiendo sandalias aladas, símbolo de velocidad, y portando el famoso caduceo, apoyo de caminantes y viajeros. Como puede imaginarse, Hermes constituía el mejor enlace entre los dioses olímpicos y los hombres, que ocasionalmente le llevan a guiar las almas de los muertos a su destino en el Hades.

Mesa

B*uena parte* del sentido de este mueble deriva de su función social; en él se encuentran los miembros del grupo, especialmente cuando se congregan para comer. Con este sentido figura en muchas representaciones, ejerciendo como sede de encuentros más o menos trascendentes. Pero la mesa también ofrece un espacio práctico aprovechado para todo tipo de actividades. Por ello, los ceremoniales religiosos se sirvieron de él, revistiendo su uso práctico con el simbolismo de la ascensión. Nace así el concepto de altar, una mesa en la que se celebran rituales religiosos y cuya elevación facilita el contacto con lo divino. Otras veces, cuando aparece junto a personajes destacados por su actividad intelectual, se convierte en

La Última Cena, Bassano.

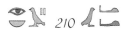

un símbolo utilizado para realzar y señalar la dignidad de dicha actividad. Por otra parte, una mesa ricamente ataviada es, en los retratos de los reyes de la casa de Austria, un signo inequívoco de realeza y majestad, es la mesa de respeto.

■ **Referencias cruzadas**: *véase* también Altar.

Metales

La significación simbólica de los metales presenta una doble vertiente. Puesto que los metales son trabajados con el fuego y arrancados de las entrañas de la tierra, se asociaron a menudo a aspectos relacionados con el infierno y el fuego infernal. Sin embargo, presentan también un lado benéfico por lo que tienen de maleables, es decir, gracias a que con ellos se pueden crear todo tipo de utensilios y herramientas que resultan beneficiosos para los humanos.

En el pensamiento alquímico se hacían corresponder determinados metales con los diversos planetas conocidos en la Antigüedad (sólo eran siete). Bajo esta asociación subyace la fe en la existencia de fuertes relaciones entre el mundo celeste y el terrestre. El sentido concreto de cada mineral depende de multitud de factores. Las características que más peso han tenido a la hora de otorgarles un simbolismo han sido su forma, color, aspecto exterior y propiedades físicas.

■ **Referencias cruzadas**: *véanse* también Fuego, Herrero, Hierro, Oro, Plata y Plomo.

Meteoritos

Su procedencia celeste sugirió a los hombres desde tiempos remotos una determinada relación con los grandes señores del cielo. A través de su caída, el mundo de los dioses entraba en contacto con la tierra, creando un vínculo realzado por la estela que dejan al caer. Como consecuencia de ello, cuando se localizaron este tipo de piedras se hizo de ellas un objeto de veneración que encarnaba la presencia de la divinidad entre los hombres.

■ **Referencias cruzadas**: *véanse* también Aerolito, Kaaba y Piedra.

Miel

Por motivos evidentes se relaciona frecuentemente con la dulzura y la suavidad. Pero además de ello, al ser un producto natural elaborado por las abejas (asociadas frecuentemente a nociones de resurrección), se creó en torno a la miel toda una simbología de vida y fecundidad. Por ello, las narraciones míticas de diferentes culturas la señalan como bebida de los dioses, del Paraíso y de la inmortalidad, cumpliendo una función que en otras ocasiones ocupa la leche. Los mismos motivos condujeron a diferentes pueblos (como los indios de Norteamérica) a recurrir a la miel en sus ceremonias de propiciación de la fecundidad de la tierra.

En la tradición occidental se la tomó por alimento del crecimiento espiritual. Las razones que lo explican son fáciles de comprender, pues esta interpretación une las asociaciones de la abeja a la elocuencia y la pureza (se habló frecuentemente de su virginidad, pues se desconocían sus costumbres sexuales) y la relación ya mencionada con la esencia de la vida (en este caso espiritual). Estos sentidos también se encuentran en la presencia de la miel en los rituales griegos de purificación. En la China imperial todo lo mencionado vino a sumarse a la identificación de la abeja con la monarquía (por la organización social del insecto). Como consecuencia de ello, este dulce siempre figuró entre los manjares servidos a los

Meteoritos

Muchas culturas han supuesto que la caída de meteoritos en la Tierra es un símbolo de la presencia divina.

Metales

Su utilidad práctica y relación con el fuego les han granjeado un lugar destacado en las narraciones míticas y religiosas.

Miel

Como bebida de los dioses, del paraíso o de los emperadores chinos, la miel ha recibido siempre significados benéficos.

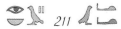

Mímosa

Variedad de la acacia que se caracteriza por la sensitividad de algunas de sus especies.

Mínotauro

Ser fabuloso de la mitología griega, con cuerpo de hombre y cabeza de toro. Es fruto de la unión de Pasífae, esposa del rey Minos de Creta, y un toro enviado por Poseidón a dicho rey.

Mírra

Resina obtenida de diferentes árboles y arbustos con efectos curativos y aromáticos.

La adoración de los Magos, Brueghel.

emperadores. Por último, existe alguna representación en la que la miel constituye una referencia encubierta al Sol (comparten el color y, como todos los productos naturales, ella nace gracias al calor de él).

■ **Referencias cruzadas**: *véanse* también Abeja, Hidromiel y Leche.

Mímosa

Muchas de las especies que se agrupan bajo este nombre común presentan hojas dobles que se cierran al menor contacto con cualquier objeto. Este comportamiento llevó a que se la tomara como un símbolo de pudor y sensibilidad. En la simbología masónica su papel se confunde con el de la acacia.

Mínotauro

Siguiendo el mito griego, el arquitecto Dédalo fue el encargado de construir el laberinto en el que se encerró al minotauro, que era alimentado cada nueve años con vírgenes atenienses. El héroe Teseo se propuso acabar con esos sacrificios y, por ello, se ofreció como víctima. Una vez dentro del laberinto (en reali-

dad un palacio), dio muerte al minotauro y, con la ayuda del hilo y de la corona luminosa de Ariadna, consiguió escapar de aquel lugar.

Toda esta narración mítica encierra numerosos significados simbólicos, que inciden tanto en la forma en la que el animal fue concebido, como en la manera en la que Teseo escapó del laberinto. En cualquier caso, al igual que tantos otros monstruos de la Antigüedad, el minotauro encarna los lados oscuros y salvajes del ser humano; y el episodio de Teseo y el laberinto, en el que la luz de la corona de Ariadna juega un papel principal, es una muestra más de la lucha entre la luz (lo espiritual, el conocimiento) y la oscuridad (la ignorancia, la confusión que representa el laberinto).

■ **Referencias cruzadas**: *véanse* también Dédalo, Hilo, Ícaro, Laberinto y Toro.

Mírra

Su aroma y sus propiedades curativas hicieron que fuese muy utilizada tanto por egipcios (se empleaba también en el arte de la momificación) como por hindúes, culturas orientales, judíos y cristianos. Así, un cofre lleno de mirra fue uno de los regalos que los Reyes Magos ofrecieron a Jesucristo recién nacido.

Mítra

Véanse Corona y Tiara.

Moíras

Estas tres diosas, conocidas como Moiras en griego y Parcas en latín, hilvanan el destino de cada individuo con su continuo tejer. Son hijas de Zeus y se distribuyen sus tareas ordenadamente: Cloto hilvana el hilo de una vida a la que Láquesis entregará su destino; tras ello

sólo resta que Atropos finalice el trabajo con el inevitable corte mortal. Sus representaciones suelen mostrar la imagen de infatigables tejedoras, generalmente de edad bastante avanzada (símbolo de su inmortalidad y reminiscencia de la muerte que ellas deciden).

La comparación de un hilo o tejido con el transcurso de la vida es una constante de las culturas grecolatinas. La forma en la que se entrelazan sus hilos y la siempre presente posibilidad de un desgarro que acabe con toda la obra condujeron a esta metáfora. Pero tampoco debemos olvidar que las actividades textiles cayeron tradicionalmente en manos de las mujeres, y dado que son ellas quienes generan la vida, todo este simbolismo se vio reforzado.

■ **Referencias cruzadas**: *véanse* también Hilo, Huso y Tejido.

Monarquía

Véase Rey.

Moneda

*C*omo *puede* imaginarse, éste es el atributo por excelencia de la riqueza. Pero esta asociación puede implicar dos interpretaciones: una positiva, que se alegra por la opulencia y puede llegar a compararla con virtudes elevadas (ser rico de espíritu o incluso compartir los bienes con los necesitados); y otra negativa, que recrimina la avaricia, la usura y el excesivo apego a los placeres terrenales.

■ **Referencias cruzadas**: *véanse* también Dinero y Oro.

Mono

*E*n *general*, cualquier especie de mono posee una gran agilidad, astucia y destreza, y un importante poder de imitación. Estas características llevaron a considerarlo, de manera general, en las culturas orientales y en Egipto con un sentido positivo relacionado con la sabiduría.

Esta acepción aparece especialmente clara en las religiones del Extremo Oriente. Es famosa la representación de los tres monos del templo de Nikko, donde uno aparece tapándose las orejas, otro los ojos y el último la boca. Estas actitudes simbolizan las tres virtudes que debe poseer un hombre prudente y sabio: no hablar demasiado para no herrar, y no escuchar ni ver lo que no merece la pena, es decir, pasar por alto lo mundano. Con esto se

Moíras

Diosas de la mitología grecolatina representadas generalmente como infatigables hilanderas.

Moneda

En sentido estricto, el valor de la moneda no depende de sí misma, sino que le es asignado por convención para que pueda ser empleada en operaciones de intercambio.

Mono

La apreciación simbólica del mono se va degradando en sentido negativo desde las culturas y religiones orientales hasta llegar a la tradición cristiana, pasando por Egipto y Grecia.

Apolo y los continentes (detalle de África), Tiépolo.

Norandino y Lucina descubiertos por el Ogro, Lanfranco.

Monstruo

Casi todos los animales monstruosos encarnan, de una u otra forma, los aspectos oscuros y desconocidos de nuestro ser.

consigue la sabiduría y el equilibrio interior y, por tanto, la felicidad.

En la mitología hindú, incluso existe la figura de un mono elevada a la categoría regia, el Hanuman del Ramayana, al que se atribuyen valores relacionados con la destreza, agilidad e imaginación.

En el budismo consideran a los monos como un *bhodisattva*, es decir, aquella persona que aun cuando es merecedor del Nirvana por su vida ejemplar, prefiere renunciar a él para seguir en el mundo y ayudar a los demás. Esto hace que esas figuras sean extremadamente valoradas y veneradas en el budismo como seres benefactores. Vemos, por tanto, la elevada estima que el budismo otorga al mono.

El sentido positivo continúa presente en el Egipto faraónico. Allí, el cinocéfalo blanco (ser con cabeza de perro) de grandes dimensiones es la forma más usual de representar al dios lunar Thot, consagrado a los sabios, eruditos, artistas, escribas, letrados, etc. También desempeña cierto papel psicopompo. A pesar de ser un dios lunar, los egipcios concibieron que el cinocéfalo grita con la llegada del amanecer, lo que se interpretó como que este animal ayudaba al Sol en cada nueva salida.

Similar concepción encontramos al otro lado del mundo, entre aztecas y ma-

yas. En las zonas ocupadas por estas culturas precolombinas, el mono aparece asociado a un día concreto de su calendario. Y se consideraba que las personas nacidas ese día y, por tanto bajo la influencia del mono, desarrollaban especiales cualidades para las artes, ya sea poesía, música, canto, escritura, oratoria, escultura, e incluso herrería o alfarería. Aquí el mono aparece asociado indirectamente al Sol, por cuanto éste es el protector de la música.

La relación del animal con las actividades artesanas como la forja, la encontramos en algunas tribus de Camerún.

Pero todas estas visiones positivas se disipan completamente en la tradición clásica, acentuándose posteriormente con el cristianismo. El carácter caricaturesco y burlón de los monos se observa en el mito griego de los Cércopes (de ahí proviene la posterior denominación que utiliza la arqueología y la zoología de *cercopitecus* aplicada a determinados homínidos). Éstos eran unos bandidos y asaltantes de caminos. Estando un día Herakles dormido, le atacaron, pero éste se despertó, los venció y apresó con facilidad. Pero gracias a sus bromas (recordemos la expresión de «hacer el mono»), que a Herakles le resultaron graciosas, decidió liberarlos, por lo que rápidamente volvieron a sus actividades delictivas. Zeus, indignado, decidió entonces castigarlos y los convirtió en monos.

Finalmente, la cultura cristiana es la que vio con aspecto más sombrío a estos simios. Quizá por su parecido con el hombre, les asignó todos los valores más animalescos e inferiores de la naturaleza humana. Así, fueron considerados como encarnación de los peores vicios, pecados y maldades, tales como la lujuria, lascivia, avaricia, gula, egoísmo, vanidad, etc. De aquí, a su asimilación con el demonio, mediaba tan sólo un paso. Efectivamente, en la iconografía cristiana son frecuentes las representaciones de demonios de aspecto simiesco. De igual manera, se consideró la imagen de un mono atado o encadenado como un símbolo del control o victoria sobre las pasiones y, por extensión, sobre el diablo.

Monstruo

*U*n *monstruo* es un ser anómalo, generalmente de aspecto horrible y amenazador que contraría tanto las normas físico-morfológicas como las morales. Su presencia es siempre amenazante para los seres humanos y revelan las características más bajas imaginables.

En los cuentos y leyendas es frecuente la presencia de un monstruo como guardián de tesoros o raptor de individuos. Es, por tanto, el elemento hostil que el héroe de turno debe superar a través de la realización de un acto de valentía, que conduce generalmente a la muerte de su oponente. En este tipo de relatos, el animal fantástico encarna las fuerzas maléficas y demoníacas que nos atemorizan y que incluso viven en nuestro interior. Así, la lucha se entiende como una manifestación de las duras pruebas y obstáculos que la vida va poniendo en nuestro camino hacia la plenitud del desarrollo.

Montaña

*L*as *montañas* son la plasmación simbólica más evidente de los significados que se asocian a la elevación. El motivo es obvio: en las culturas que sitúan sus dioses en los cielos, la elevada altitud de la montaña es la mejor vía para entrar en contacto con las divinidades. Reflejos de ello encontramos por todo el mundo, pero uno de los ejemplos más conocidos es la revelación que recibe Moisés en lo alto del monte Sinaí. Esta simbología condujo a que las mismas montañas fueran la morada de los dioses.

Todos los sentidos mencionados aparecen con claridad no sólo en los relatos míticos, sino también en las montañas artificiales que construyeron diferentes civilizaciones (las pirámides mesoamericanas y egipcias, y los zigurats mesopotámicos).

Al convertirse la montaña en un lugar de contacto privilegiado con los dioses, también son ellas quienes constituirán predominantemente las nociones de centro y eje del mundo. Estos conceptos simbólicos señalan un lugar en el que los dioses se manifiestan con toda su fuerza sobre la tierra, estableciendo así el origen del movimiento y la creación de todo lo manifiesto. Bajo estas ideas, vamos a encontrar tanto montañas y colinas de las que brotan los ríos que riegan el mundo, como montes primigenios que surgieron de las aguas para crear el mundo conocido.

Pese a ello, son varias las leyendas cristianas que demonizaron todo lo asociado a la montaña. El motivo no es otro que la oposición al paganismo. Al igual que ya antes habían hecho los judíos con los grandes símbolos egipcios y orientales, los cristianos reforzaron su conciencia de sí mismos forzando una oposición radical a algunas de las ideas que caracterizaban a sus religiones rivales. Así, los montes en los que residían dioses se convirtieron para los primeros cristianos en el hogar de los demonios de las tormentas y aludes que amenazaban al mundo civilizado de las llanuras.

■ **Referencias cruzadas**: *véanse* también Ascensión, Centro, Eje del mundo y Valle.

Paisaje italiano en la puesta de Sol, Berchem.

Montaña

La imagen de la montaña es uno de los símbolos más universales de la historia de la humanidad. Su sentido debe interpretarse en función de su cercanía al cielo.

Mosca

*A*l *igual* que tantos otros seres voladores, en varias civilizaciones se

Mosca

Insecto que, aunque se haya podido vincular a determinados dioses, acaba exasperando la paciencia de casi todos los hombres.

Muérdago

Planta parásita que vive sobre los troncos y las ramas de algunos árboles.

Murciélago

Por todo el mundo, excepto en las zonas árticas y algunas islas remotas, se puede encontrar a este animal, el único mamífero volador.

asoció a la participación de la esencia de los dioses. Así, en las culturas orientales se tomó a la mosca por símbolo del alma errante que ya ha perdido todo contacto con lo físico. Del mismo modo, en la antigua Grecia las moscas se consideraron una manifestación de la presencia divina entre los hombres; incluso algunos epítetos de dioses como Apolo y Zeus parecen indicar encarnaciones en estos insectos.

Pero su presencia ha sido, y sigue siendo, una compañía insoportable para casi todos los hombres. Además, acuden a los lugares en los que se acumula suciedad e inmundicias y proliferan en ellos. Por si esto no fuera suficiente, muy pronto se sospechó su vinculación con la transmisión de determinadas enfermedades. Como consecuencia de todo ello las moscas se convirtieron en símbolo de la muerte, del demonio y de los espíritus malignos, y se extendió bastante la creencia de que los demonios de la enfermedad acechaban al hombre en forma de mosca para picarle y transmitírsela. Estas acepciones tan nocivas aparecen en la Biblia, en la que se da el nombre de Belcebú (vulgarización de una palabra hebrea que significa «señor de las moscas») al demonio.

Muérdago

Esta planta prolifera en territorios europeos y norteamericanos. Crece sobre los troncos y ramas de varios árboles y algunas especies tienen la capacidad de alimentarse exclusivamente de ellos.

Su sentido simbólico se ve marcado por el de la rama y por la perennidad de su flor (pequeña y de colores verdes o amarillentos). Así, el muérdago recibió connotaciones mágicas y se identificó con los procesos de muerte y resurrección de la naturaleza. Partiendo de esos sentidos, la forma en la que la rama de muérdago se dora durante el invierno se consideró un anuncio de la cosecha del nuevo año.

Los pueblos centroeuropeos fueron quienes mayor atención prestaron a esta planta, que se llegó a identificar con la sabiduría y magia de los druidas celtas. Las piezas más preciadas eran aquellas que crecían sobre robles o encinas (árboles sagrados para los celtas) y, una vez conseguidas, ese color dorado que antes hemos mencionado hacía de ellas verdaderas Ramas de Oro, instrumentos mágicos con los que abrir la puerta de los infiernos o localizar tesoros bajo tierra.

■ **Referencias cruzadas**: *véase* también Rama.

Murciélago

Posee un rico simbolismo, unas veces positivo, otras negativo, pero siempre deducido a partir de sus características físicas y sus costumbres. El hábitat por excelencia del murciélago es el de las cuevas, supuestas entradas a la otra vida (*véase* Caverna), y por ello con su imagen muchas veces se quiso aludir a nociones de inmortalidad.

Además, este animal desarrolla su actividad por la noche (están perfectamente dotados para orientarse en la oscuridad), por lo que algunos pueblos africanos hicieron de ellos una imagen de la inteligencia. Sin embargo, el mismo fondo subyace en la interpretación contraria, la que lleva a identificarlos con esa oscuridad en la que viven, símbolo del mal y de la ignorancia. Este sentido condujo a que la Europa medieval hiciera de ellos animales demoníacos sobre los que se depositaron multitud de leyendas. Por ejemplo, las creencias populares sostuvieron que durante sus salidas nocturnas buscaban tanto jóvenes a los que chupar la sangre durante el sueño como vírgenes a las que acosar.

■ **Referencias cruzadas**: *véase* también Caverna.

Bodegón con naranjas y nueces, Meléndez.

Naranja

$\mathcal{A}$ *l igual* que otras frutas (granada, melón) que contienen abundantes semillas se ha considerado un símbolo de la fecundidad de la naturaleza. Por ello, en el Oriente asiático proliferaron ceremonias en las que se ofrecían naranjas a las nuevas parejas. En China esta costumbre acabó convirtiéndose en una simbólica petición de mano.

■ **Referencias cruzadas**: *véanse* también Granada y Melón.

Narciso

$\mathcal{E}$ *n Grecia* se relacionó con el sueño, debido a que tras la floración queda como adormilada para reaparecer al comienzo de la siguiente primavera. Esta relación con los ciclos naturales condujo a que la flor se identificara también con la renovación cíclica de la vida y con la fecundidad.

Por alusión al mito griego del joven Narciso, que murió ahogado tras contemplar su reflejo en las aguas de un estanque, esta flor, que nace en lugares húmedos, es emblema de la vanidad y la superficialidad.

Nave

$\mathcal{C}$ *omo construcción* capaz de enfrentarse a la inmensidad y los peligros de los océanos, es imagen del más importante viaje, la vida misma. Esta alegoría completa sus significados a través de la identificación ocasional de las aguas con el subconsciente incontrolado del hombre o del caos que amenaza a la armonía del universo. En el contexto cristiano la nave es símbolo de la firme navegación de la Iglesia que supera todo tipo de peligros y conduce a los hombres al puerto seguro y definitivo del más allá.

■ **Referencias cruzadas**: *véanse* también Iglesia y Mar.

Navidad, árbol de

$\mathcal{L}$ *a costumbre* de «poner» el árbol de Navidad en las fechas en las que se celebra el nacimiento de Cristo está muy extendida por todos los países católicos, generalizándose a partir del siglo XIX. Sin embargo, parece que su origen remoto se encuentra en una tradición pagana, las llamadas noches rigurosas, del 25 de diciembre al 6 de enero, en las que los espíritus

Naranja

En las tradiciones orientales las naranjas se asocian a la fecundidad y prosperidad que se desea a las nuevas parejas.

Narciso

El cultivo de esta planta ha proliferado gracias al amarillo intenso de su flor.

Nave

Las naves son una de las imágenes más frecuentes y simbólicas de los relatos legendarios. En ellas los navegantes encuentran cobijo ante el caos marino.

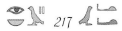

Navidad, árbol de

El origen simbólico de esta tradición se sitúa en una lucha pagana contra los espíritus malignos.

Negro

En Occidente se identifica este color con el luto y la muerte, pero en muchas culturas ha sido también el origen de la vida.

malignos cobraban especial fuerza y para ahuyentarlos se colgaban ramas verdes y se encendían luces en las casas. Esta costumbre pasó al cristianismo, donde el árbol se identificó con Cristo, verdadero Árbol de la Vida. Las luces con las que se adorna quizá tengan relación con la estrella que iluminó a los Reyes Magos en su viaje hacia Belén, y las manzanas que se utilizan frecuentemente como decoración evocan la fruta prohibida del pecado original del que Cristo redimió a la humanidad.

■ **Referencias cruzadas**: *véase* también Árbol.

Navío

Véase Nave.

Negro

Se define a menudo como negación del color y representa el concepto antagónico del blanco. El negro siempre ha recibido valores negativos mientras que el blanco acapara los positivos. Así, niega la iluminación que proviene del Sol, de los dioses, y corresponde a la oscuridad, a lo tenebroso, lo insondable, el vacío y, en fin, a la nada. Ha sido asimi-

lado en Occidente a la muerte y al luto que ésta implica. En otro tiempo, durante el reinado de los Austrias españoles y sobre todo a partir de Felipe II, se impuso en la vestimenta regia el traje de gala negro de extremada austeridad que indicaba por sí misma la dignidad sobria del soberano, que no necesitaba de más complementos para mostrar su majestad.

Numerosos pueblos manifestaron una predilección por los animales negros a la hora de elegir víctimas que reconfortaran los ánimos de los dioses de los muertos. Visto desde otro punto de vista, la relación del negro con la oscuridad y el mundo del subsuelo puede generar alguna acepción positiva, derivada de la identificación de la tierra con el germen de la vida, del color parduzco de los campos más fértiles y de la relación entre la oscuridad y la lluvia fecundadora. Encontramos pues cómo el negro, tradicionalmente asociado a la muerte, puede verse también en relación con el inicio de la vida. Este recorrido simbólico queda patente en el concepto taoísta del yin, asociado tanto a lo fértil como a lo oscuro y, por tanto, a este color.

■ **Referencias cruzadas**: *véanse* también Blanco y Yin-yang.

Nenúfar

Véase Loto.

Niebla

El carácter brumoso de la niebla provoca un simbolismo referente a la indeterminación, el paso de un estado a otro y la vaguedad, e, incluso, de lo mágico. Estos rasgos la convierten en un recurso muy empleado tanto en la pintura como en el cine para resaltar dichos estados.

■ **Referencia cruzadas**: *véase* también Nubes.

Cazadores en la nieve, Brueghel.

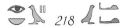

Nieve

*E*ste fenómeno meteorológico reúne una serie de significados relacionados con su color, con la relación entre cielo y tierra, y con el agua en que finalmente se convierte. Con estas premisas encontramos que, debido a su color, simboliza la pureza.

En otras ocasiones figura como signo de la benevolencia, protección y purificación que los dioses regalan a los humanos. Esta interpretación proviene tanto del color de la nieve como de su relación con el agua (principio vital por excelencia). La asociación de nieve y dioses, aunque es suficientemente clara por su origen celeste, se ve reforzada por su presencia eterna en las cumbres más elevadas, consideradas residencia de los dioses.

Las tradiciones cristianas ofrecen el mismo valor de pureza, pero aplicado en otro sentido, de tal manera que la blancura y la frialdad típica de la nieve se interpretan como símbolo de virginidad y castidad de la Virgen.

■ **Referencias cruzadas**: *véanse* también Agua, Blanco y Montaña.

Nimbo

Véase Aureola.

Niño

*E*l niño, que no está plenamente formado, ocupa un simbolismo relacionado con la potencialidad, es decir, con la capacidad de llegar a ser, en cuanto que reúne infinitas posibilidades de realización. Esa falta de concreción y experiencia que representa el niño, le convierte en emblema de la inocencia, porque aún es libre de pecado y de cualquier tipo de maldad; es la limpieza, la alegría y la frescura. Estos sentidos son los que llevan a representar muy frecuentemente en el arte cristiano a los ángeles como niños.

■ **Referencias cruzadas**: *véanse* también Anciano, Ángel y Embrión.

Noche

*E*l opuesto del día lo es también de la luz, por lo que la noche se identifica con la ausencia de todo lo que ella trae. El hombre es un animal diurno y fuera de esas horas, la falta de visión le hace extremar la precaución ante posibles amenazas. Así, la oscuridad de la noche no deja lugar para el conocimiento y la vida emanados por el Sol (la divinidad), y hace de ella el momento propicio para los sueños, la ignorancia, las pesadillas y la muerte.

■ **Referencias cruzadas**: *véanse* también Día y Luz.

Nubes

*D*os son las principales acepciones simbólicas de las nubes: epifanía o manifestación de la divinidad, por una parte; y símbolo de lo inconcreto, huidizo, indeterminado y vaporoso, por otra.

El primer sentido tiene un origen agrario, vinculado a la vida que trae la nube, la portadora de la lluvia, por acción divina, cae sobre los campos para fecundarlos. En muchas religiones, la nube como manifestación divina conduce a que también se la identifique como la morada de los dioses, ya que cubren las cimas de las montañas. En la iconografía cristiana las nubes suelen figurar como manifestación de Dios, cuya mano divina surge entre ellas. La indeterminación que también con las nubes se puede representar las hace partícipes del simbolismo de la niebla (*véase* Niebla).

■ **Referencias cruzadas**: *véanse* también Agua, Cielo, Lluvia, Montaña y Niebla.

Nieve

La nieve, que no es más que una agrupación de cristales de hielo y diminutas partículas de la atmósfera, se ha asociado casi universalmente a los dioses.

Niño

La historia de la humanidad tiende a repetir la misma consideración que aún predomina hoy día, la identificación del niño con la pureza que todavía no se ha corrompido con el curso de los acontecimientos.

Noche

El hombre, animal diurno, nunca ha sentido como suyas las horas nocturnas y así lo refleja en los simbolismos que crea.

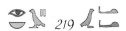

Nubes

Morada, encarnación o representación de los dioses las nubes nunca han dejado de ser identificadas con los señores del cielo.

Nudo

Los nudos, al igual que el cinturón o la cadena, sirven como evidente símbolo de los lazos establecidos entre diferentes realidades.

Nueve

El significado del nueve proviene de la magnificación de las características asociadas al tres.

Números

Tienen significación simbólica en todos los pueblos y culturas, aunque hoy en día pueda parecer complicada y difícilmente comprensible.

Nudo

Es símbolo de ligazón y unión. Pero esa unión puede ser o no voluntaria; así el nudo puede hacer referencia tanto a las deseadas uniones con fuerzas protectoras, como a las cargas que se atan a nosotros para dificultar nuestro avance.

Uno de los nudos más conocidos procede del Egipto faraónico, es el nudo de Isis, que significaba la atadura a la inmortalidad y, por tanto, a la vida eterna. Así mismo, en muchos ritos de boda, la ligazón del nudo se adopta de forma voluntaria, por lo que representa el amor y el matrimonio deseado. En el mundo islámico el lazo se emplea para anudar diferentes realidades que deben conservarse incólumes durante un periodo de riesgo.

En el budismo, por el contrario, el nudo tiene una acepción negativa, pues ata a la vida contingente y es necesario que el sabio lo desate para alcanzar la liberación y la vida auténtica en el más allá.

Quizá el nudo más famoso de la literatura clásica sea el nudo gordiano que, según el mito, Alejandro Magno cortó con un solo golpe de su espada. Por un lado, evoca vigor y decisión. Pero la decisión de no intentar deshacerlo es una muestra de falta de paciencia y tesón, un reflejo de un carácter excesivamente impulsivo y poco cerebral y espiritual.

■ **Referencias cruzadas**: *véanse* también Cadena, Cinturón y Cuerda.

Nueve

Es interpretado como número de la perfección absoluta por muchas culturas, en el sentido de que implica la agrupación de tres tríadas; es decir, si tres es la perfección, la agrupación de tres veces tres es la máxima perfección. Así, en la Antigüedad, todas las ciencias y las artes se representan personificadas en un total de nueve musas. De igual manera, en China se consideraba que nueve pisos de altura en una pagoda eran suficientes para entrar en contacto con el cielo, al tiempo que ésta era la cifra del yang. En el cristianismo, se dividieron en nueve los coros de ángeles.

■ **Referencias cruzadas**: *véanse* también Tres y Yin-yang.

Números

Desde los más remotos tiempos de la humanidad, se han intentado buscar reglas fijas que explicasen los rasgos de la existencia y que no dejasen nada al azar. Así, se elaboraron esquemas fijos, con valores cerrados, que permitieron establecer un mínimo orden con el que eliminar la incertidumbre que causa tanta inseguridad y angustia al hombre. Y la comprensión y conceptualización de las realidades manifiestas es también, en cierto modo, una forma de dominio sobre la naturaleza, una vía para hacer de ella una realidad con escala humana. De esta forma, los números han jugado un papel esencial, ya que ellos han sido los encargados de dar cuerpo a todos los conceptos metafísicos. De ahí, el interés que el estudio de los números ha suscitado desde la Antigüedad.

Aun cuando el significado simbólico que se otorgó a cada número varía bastante de una cultura a otra, en ocasiones encontramos características comunes por todo el mundo. Cuando es así, observamos que los modelos que se repiten son aquellos que se ofrecen con más claridad a las sociedades humanas; esto es, el número de direcciones posibles, los días del ciclo lunar, las propiedades matemáticas de la unidad y de cada una de las cifras, etc.

■ **Referencias cruzadas**: *véanse* también Cuatro, Cinco, Diez, Doce, Dos, Nueve, Ocho, Once, Seis, Siete, Trece, Tres, Uno y Veinticuatro.

Vista fantástica de un obelisco, Marieschi.

Obelisco

*E*l *obelisco* es un monumento típicamente egipcio, relacionado con el culto al Sol, pues su punta recibía los primeros rayos solares. Además, su marcada verticalidad constituye un claro reflejo del sentido otorgado a la elevación. Así, el obelisco intenta propiciar la unión con el cielo, participar en la esencia de los dioses celestes y, por tanto, en la inmortalidad.

Fue introducido en Occidente como en elemento decorativo, pero sin perder su relación simbólica con los cielos.

De esta forma, llegó a convertirse en un signo visible de la resurrección: el alma del difunto asciende al cielo a través del obelisco.

■ **Referencias cruzadas**: *véanse* también Columna y Vertical.

Oca

Véase Ganso.

Océano

Véase Mar.

Ocho

*S*u *simbolismo* se hace especialmente frecuente en las religiones orientales, donde se manifiesta a través de los ocho pétalos de la flor del loto y con los ocho brazos del dios hindú Visnú. Lo entienden como un número de orden y armonía cósmica y, por tanto, de perfección.

Por su parte, en el cristianismo, el ocho hace fundamentalmente referencia al ciclo posterior a la creación, y por extensión, a la resurrección. Este simbolismo aparece evocado con forma de octógono en la misma planta del Santo Sepulcro de Jesuralén, en las pilas bautismales, en la planta de numerosos baptisterios y en la forma de algunos campanarios que refuerzan esa idea de nexo entre este mundo terrenal y el celestial.

■ **Referencias cruzadas**: *véase* también Loto.

Ofrenda

Véase Sacrificio.

Ojo

*C*omo *órgano* principal de la percepción física, resulta comprensible que pasara a simbolizar el conocimiento, la visión intelectual y la penetración profunda, al mismo tiempo que la atención y la vigilancia. Y puesto que casi todas las religiones consideraron que la sabiduría y el conocimiento verdaderos emanaban de sus dioses principales, se ha utilizado frecuentemente como representación di-

Obelisco

Pilar de altura considerable con base cuadrada y cúspide piramidal.

8

Ocho

Se suele relacionar con el orden y la armonía cósmica, así como con la perfección.

Santa Úrsula y sus caballeros con el papa Ciriacus y santa Catalina de Alejandría, Cavarozzi.

Ojo

La relación establecida entre visión y adquisición de conocimientos ha conducido casi universalmente a asociar el ojo, plasmación máxima de este sentido, con los dioses, la fuente de todo conocimiento verdadero.

Olas

Las olas son la manifestación máxima del caos y de las amenazas que esconden los mares y océanos.

vina. Éste es el motivo que condujo a señalar a los grandes astros (manifestación por excelencia del poder divino) como el ojo a través del cual nos observan los dioses.

De esta manera, ya desde la civilización egipcia aparece como un símbolo de las divinidades solares. Muchos siglos después, el cristianismo lo siguió utilizando en el mismo sentido, representando con él la omnipresencia, la vigilancia y la infinita sabiduría de Dios. Así, crearon diversas imágenes: el ojo circundado con rayos solares, el ojo en la mano de Dios o el ojo inscrito en un triángulo (en este caso se refiere a la Trinidad). La alusión al conocimiento se manifiesta con claridad en los ojos que son representados en las alas de los serafines y querubines, ya que éstas son las jerarquías más elevadas de ángeles y, por tanto, las que más participan de la sabiduría divina.

Hemos aludido a la relación del ojo con la divinidad, pero el mismo simbolismo de conocimiento intelectual y vigilancia desempeña entre los humanos, entre quienes se convierte en la manifestación más clara del estado anímico. De ahí la popular expresión «los ojos son el espejo del alma». En ocasiones se ha llegado a hablar de la existencia de ojos místicos a través de los cuales el hombre percibiría las realidades metafísicas; es el caso del «tercer ojo» del budismo.

Por otra parte, si los ojos representan la visión (ya sea intelectual, espiritual, etc.), unos ojos vendados significan todo lo contrario. De ahí parten dos acepciones, una positiva y otra negativa. La positiva alude a la justicia, que se tapa los

ojos precisamente en aras de la imparcialidad, mientras que la negativa se puede ejemplificar a través de la diosa Fortuna que, con los ojos tapados, reparte los bienes de manera aleatoria y arbitraria. Dentro de esta interpretación, en la iconografía cristiana es ampliamente utilizada la figura de una mujer con los ojos vendados haciendo alusión a la fe judía que, contrariamente a la Iglesia, no quiere reconocer la verdad de Cristo.

Olas

Todos los pueblos marineros percibieron, para desgracia suya, el peligro físico que esconde el oleaje. Como consecuencia de ello, las olas comenzaron a aparecer en las diferentes narraciones míticas como símbolo de las amenazas y peligros que acechan al hombre. La imposibilidad de predecir su fuerza y la velocidad con la que un simple oleaje puede convertirse en una peligrosa resaca, magnificaron estos sentidos.

Por último, debemos tener en cuenta que el mar nunca fue el espacio natural del hombre, por mucho que hiciera de la navegación una de sus primeras herramientas e, incluso, pasiones. De esta forma la tierra firme simbolizó siempre el orden establecido mientras que el mar, en el que todo pierde su forma, vino a representar el caos de la indefinición y de la vulneración de las normas que rigen la naturaleza.

■ **Referencias cruzadas:** *véanse* también Caos, Mar y Nave.

Olivo

El sentido general asociado a los árboles y las propiedades del aceite obtenido a partir de su fruto son los orígenes del simbolismo dado al olivo.

Así, durante la Antigüedad clásica el aceite que se producía, utilizado como

combustible de las lámparas, se relacionó con la luz y, en consecuencia, se convirtió en símbolo de fuerza y conocimiento espiritual. Este aceite también se asoció a ideas de fecundidad y purificación. Por todo ello, el olivo, que además presenta una gran longevidad, se convirtió en un popular emblema de prosperidad e inmortalidad. No debemos olvidar que su cultivo constituyó uno de los principales recursos de muchos pueblos, como el ateniense. La leyenda narra que, en los orígenes, los ciudadanos de esta ciudad convocaron a los dioses para consagrar la ciudad a quien les entregara el mejor regalo. Cuando Atenea entregó a la ciudad el olivo, no quedó lugar para otros presentes.

En las tradiciones occidentales el relato bíblico en el que la paloma regresa a Noé con una rama de olivo, debe interpretarse como un símbolo del fin de la cólera divina y de la prosperidad y armonía que esperaba al renacer de ese pueblo. Pese a que el vaticinio no resultara del todo cierto, esa imagen ha pervivido hasta nuestros días como el símbolo universal de la paz.

■ **Referencias cruzadas**: *véanse* también Aceite, Luz y Paloma.

Ombligo

La observación de que el ombligo ocupa en el cuerpo humano el centro de nuestra anatomía condujo a su transposición al universo, siendo considerado entonces como manifestación del centro o eje del mundo a partir del cual se produjo la creación. Probablemente del recuerdo remoto de estas ideas procede la expresión popular actual «creerse el ombligo del mundo».

Todos estos sentidos se plasman con claridad en el famoso *omphalos* de Delfos, el ombligo del mundo griego. Según su mitología, era allí donde el contacto de dio-

ses y hombres alcanzaba su máxima expresión, ya que desde él, el dios Apolo servía de intérprete de los dioses, guiando con sus enseñanzas a la humanidad. Las recreaciones físicas del *omphalos* muestran un cubo rematado en un forma ovoide y rodeado frecuentemente por una o varias serpientes (símbolo de las fuerzas ignotas dominadas gracias a la inspiración divina). Los menhires celtas, el Arca de la Alianza de los judíos y el árbol en el que Buda recibió la iluminación cumplen la misma función en otras culturas.

La identificación del ombligo con el centro también se muestra en procesos de meditación orientales, como los marcados por el yoga, donde esta parte del cuerpo humano se convierte en el lugar sobre el que se debe fijar la concentración espiritual para retornar al origen y participar de la armonía del universo.

En la tradición cristiana, esas connotaciones no son tan marcadas, aludiendo de forma más directa al ombligo como el recuerdo permanente de la unión maternal desde el feto hasta la muerte.

■ **Referencias cruzadas**: *véanse* también Centro y Eje del mundo.

Omega

Como última letra del alfabeto griego, representa el final. En el arte cristiano se ha empleado con bastante frecuencia el motivo que une alfa y omega rodeando la figura de Cristo, lo que identifica a Dios hijo como el principio y el fin de todas las cosas.

■ **Referencias cruzadas**: *véanse* también Alfa y omega.

Onagro

El onagro es un asno salvaje de muy difícil doma. Aparece en la Biblia

Olivo

Este árbol ha constituido una de las fuentes esenciales de las economías mediterráneas.

Ombligo

El *omphalos* de Delfos es, sin duda, el ombligo del mundo más conocido, el lugar donde la comunicación entre hombres y dioses alcanza mayor grado.

Omega

Nombre de la última letra del alfabeto griego.

Onagro

Este animal, un asno salvaje, suele aparecer representado como variante del unicornio.

11

Once

Este número representa tanto a los pecados como a la conjunción de lo divino y lo humano.

Orejas

En China las orejas grandes se consideraban propias de un sabio.

La concha, Bouguereau.

como referencia al pueblo de Israel, que no quiere someterse a los mandamientos divinos. Se entiende pues como símbolo de la terquedad humana. Algunas veces aparece representado con un cuerno en la frente, como variante del unicornio.

■ **Referencias cruzadas**: *véase* también Unicornio.

Once

*E*l *simbolismo* del número 11 presenta ciertas similitudes con el del 13. En ambos casos constituyen una superación de la perfección que representaban, respectivamente, el diez y el 12. Como consecuencia de ello este número elimina la armonía que se había conseguido con el anterior. Así se muestra claramente en el cristianismo, donde el 11 se identifica con los pecados por superar en uno los mandamientos.

Pero existe otra posibilidad de interpretación, más frecuente en culturas asiáticas y africanas. Nos estamos refiriendo a concebir este número como suma perfecta del cinco y el seis, símbolos del microcosmos y el macrocosmos, de la tierra y el cielo, respectivamente. Por ello, en la tradición taoísta el 11 (al igual que el tres, suma de uno y dos) puede ser el número del tao, la conjunción de los principios yin y yang. Del mismo modo, muchas culturas africanas hacen del 11 su número sagrado por excelencia, identificado principalmente con la plenitud de los ciclos vitales.

■ **Referencias cruzadas**: *véanse* también Cinco, Diez, Doce, Seis y Trece.

Orejas

*J*unto *al* ojo, es el otro instrumento fundamental de percepción sensorial. Sería entendido, pues, de manera análoga al ojo como un símbolo de inspiración.

Así, la audición se uniría a la visión para llegar a un conocimiento superior y profundo.

Estos significados se muestran con claridad en creencias de la Antigüedad clásica, como aquella que afirmaba que la memoria residía en las orejas. De igual modo, en China las orejas grandes se consideraban como propias de un sabio.

En otras representaciones, de simbolismo más sencillo, las orejas deben entenderse como alusión a la comunicación entre los hombres.

Como curiosidad, puede mencionarse cómo entre algunos pueblos africanos las orejas evocan sentidos sexuales, de tal manera que el lóbulo sería entendido como alusión al órgano masculino, mientras que el orificio se asimilaría a la vagina.

■ **Referencias cruzadas**: *véase* también Ojo.

Orificio

*V*ía *de* paso, abertura que comunica dos realidades, puede ser entendido en el plano fisiológico evocando así el nacimiento, la vida, y, en general, el sexo femenino; o en un sentido espiritual, como tránsito de la oscuridad a la luz o viceversa. Muy relacionado con este último plano, puede ser entendido como paso a la vida inmortal o la resurrección.

■ **Referencias cruzadas**: *véanse* también Agujero y Umbral.

Oro

onsiderado universalmente como el más precioso y noble de los metales, es un metal dúctil, brillante y resistente. Todas estas propiedades, unidas a su belleza y escasez, son las responsables de que desde los tiempos más remotos este metal haya recibido un gran valor y simbolismo. Así, enseguida se convirtió en un elemento de distinción, revestido con sentidos referentes a la inmutabilidad y la eternidad. Su color también condujo a asociaciones con el Sol, principio vital por excelencia. Todo ello hizo del oro el metal propio tanto de los grandes dioses como de los poderosos señores de la tierra.

Los griegos lo identificaron como símbolo de poder, fecundidad, abundancia y conocimiento, asociando su uso a los dioses preeminentes. Pero todo esto no constituye ninguna sorpresa, los mismos sentidos pueden encontrarse en otras muchas culturas, como en el budismo, donde las estatuas de Buda son recubiertas con pan de oro.

Estas concepciones fueron asumidas por las monarquías cristianas que para recalcar su origen divino utilizaron emblemas, ropajes y todo tipo de utensilios áureos. Y es que el pensamiento religioso cristiano ya había reflejado la creencia de que a través de este metal precioso se podía llegar a la sublimación espiritual del alma. Esta idea explica, en parte, la abundancia de objetos de oro y piedras preciosas que existen en iglesias y catedrales. El mismo sentido purificador aparece en las ciencias alquímicas.

Como a nadie se le escapa, todas estas consideraciones hicieron del oro el más valioso y caro de los metales, por lo que su presencia en muchas representaciones puede constituir una simple alusión a la fortuna de aquel que lo posee. Al igual que sucede con casi todas las joyas, esto

Adoración del becerro de oro, Francken.

puede ser empleado con un sentido negativo, haciendo del oro un símbolo del apego excesivo y mundano a los bienes terrenales.

■ **Referencias cruzadas**: *véanse* también Joyas y Dinero.

Orquídeas

l símbolismo de esta planta procede de las raíces de una de sus variedades, los satiriones, cuyos bulbos presentan una forma muy similar a la de los testículos humanos. Por esta razón, en la Antigüedad se la consideró como planta afrodisíaca y símbolo de fecundidad, lo que la llevó a convertirse en ingrediente frecuente de los filtros amorosos. Los mismos motivos explican que en las tradiciones populares chinas las orquídeas hayan sido empleadas como remedio contra la esterilidad. A través de la relación de la orquídea con la fecundidad, muchas diosas de la naturaleza se identificaron con ella, lo que en parte de la Europa cristiana perduró a través de la asociación entre la orquídea y la Virgen María.

Orificio

Espiritualmente es considerado como el paso de la oscuridad a la luz, o viceversa.

Au

Oro

El oro, el metal que presenta mayor maleabilidad y ductilidad, se ha asociado siempre a los grandes dioses y señores.

Orquídeas

El nombre de esta planta ya nos dice bastante: proviene del latín *orchis*, «testículo».

Oso

Este mamífero puede ocupar hábitats muy diferentes. Su actual concentración en zonas montañosas y boscosas se debe más bien al acoso al que los humanos le hemos sometido.

Oruga

Véase Gusano.

Oscuridad

Véase Noche.

Oso

*T*al y como atestiguan las representaciones rupestres y los hallazgos óseos de los yacimientos arqueológicos, el oso debió jugar un papel importante en los cultos de épocas prehistóricas. Es muy probable que su poderoso aspecto creara una cierta identificación con las fuerzas salvajes de la naturaleza. Si buscamos paralelismos en otros simbolismos que recorren caminos semejantes, es posible que este mamífero también apareciera en narraciones míticas como intermediario entre el mundo físico y el del más allá o como dios civilizador (aquellos que regalan sus conocimientos a los primeros humanos).

Estas nociones se reflejan claramente en los lugares donde eran más abundantes y comunes en la vida cotidiana de las gentes. Esto es, las zonas nórdicas. De tal manera para los pueblos siberianos y de Alaska el oso es un animal vinculado a la Luna por su proceso cíclico y anual de hibernación, que le hace resurgir de nuevo con la primavera y la vegetación. Otros pueblos de las zonas septentrionales, llevados por su identificación con las fuerzas de la naturaleza y por su impresionante alzado, llegaron a concebirlo como nuestro antepasado evolutivo. Entre los celtas el poderío del oso le asoció a las castas de guerreros.

Posteriormente, se presentaron mediante el oso una serie de aspectos negativos, relacionados con su enorme fuerza, que poco o nada tienen que ver con la realidad. Así, fue símbolo de violencia y crueldad para los cristianos, que veían en él a un animal peligroso.

Oveja

Véase Cordero.

El sacrificio de Isaac, Caravaggio.

Paisaje invernal, Brueghel d'Enfer.

Pagoda

Véanse Escalera y Nueve.

Pájaro

L a observación de los pájaros como dominadores del espacio aéreo gracias a su vuelo, los relacionó pronto con las divinidades que habitan el cielo, de tal manera que han sido considerados en general como mensajeros de los dioses o expresión de su voluntad. De ahí la costumbre antigua que veía en el vuelo de los pájaros un símbolo de la acción divina que podía ser entendida según la dirección y la forma del vuelo. A esta acepción positiva se une el hecho de que los pájaros realizan con naturalidad y por sus propios medios una de las aspiraciones más antiguas del hombre: volar. Por ello siempre se les ha imitado en busca de esa cualidad. Evocan entonces nociones de libertad y ligereza.

La comunicación entre cielo y tierra es una noción presente en todas las culturas y religiones que hablan de la resurrección del alma y su ascenso hacia la divinidad, por lo que a menudo los pája-ros son la figuración del alma que escapa del cuerpo y deja la tierra para unirse a la divinidad.

Pero junto a estas acepciones positivas, que son propias de todas las aves, habría que mencionar las que les atribuyen un significado de distracción, superficialidad, excesiva imaginación o poco realismo, lo que explica la expresión «tener muchos pájaros en la cabeza». Negativo es también el sentido que se da a ciertas aves rapaces y carroñeras que son signo de mal presagio como el cuervo negro (*véase* Cuervo).

■ **Referencias cruzadas**: *véanse* también Aves y Cuervo.

Pájaro carpintero

C omo a la mayoría de los pájaros, se le aplica el simbolismo de anunciador de buena suerte, aunque recibe otros significados diferentes según la cultura que los interprete; veámoslo.

Su costumbre de introducirse en el interior de los árboles secos para construir allí su vivienda y la capacidad para picotear la corteza de los mismos con su pico alargado y poderoso, lo asociaron, por asimilación,

Pájaro

Con este nombre genérico y popular se suele designar a un orden de aves de pequeño tamaño.

Bodegón con loro pigmeo, Flegel.

Palabra

La palabra de los dioses, identificada con diferentes sonidos a lo largo del mundo, constituye la más patente muestra de su poder.

Palío

Junto con la tiara, es el símbolo por excelencia del poder papal.

con el rayo que penetra de igual manera en los árboles y los parte a la mitad; y también se relacionó con el trueno a causa del machacón ruido que producen los incesantes picoteos. Debemos recordar aquí que los tambores (cuya forma y sonido se asemeja bastante al tronco que orada el pájaro carpintero) han sido relacionados por todo el mundo con el trueno, que junto al rayo constituye una de las mayores manifestaciones físicas del poder de los dioses.

El cristianismo, siguiendo la tradicional asociación entre aves y dioses, hizo de sus hábitos alimenticios (come gusanos), un símbolo de la lucha constante contra el Demonio. Gracias a ello algunas representaciones pueden ofrecer una asociación entre el pájaro y Cristo. El cabeceo con el que picotea los troncos también recordó algunas costumbres oratorias, por lo que se quiso ver en él un símbolo de piedad y rezo continuo.

■ **Referencias cruzadas**: *véanse* también Aves y Pájaro.

Palabra

Resulta significativo observar cómo la palabra pronunciada por la divinidad

adquiere un sentido creador en gran cantidad de pueblos y religiones. Es decir, la palabra del dios o de los dioses principales aparece como acto primigenio a partir del que se sucede toda la creación divina. Estas consideraciones se registran, por ejemplo, en las tradiciones africanas y oceánicas, y son de sobra conocidas las palabras con las que comienza el Evangelio de san Juan («En el principio existía el verbo y el verbo estaba con Dios, y el verbo era Dios»).

Si importante es la palabra en relación con las divinidades, en el aspecto humano no lo es menos, puesto que es el instrumento por excelencia para la comunicación entre los hombres, pero también con la divinidad a través de las oraciones. Efectivamente la palabra, el arte de hablar, fue cultivado desde la Antigüedad clásica (recordemos a Sócrates o los magníficos discursos de Cicerón, utilizados durante siglos como modelo de oratoria) debido a la constatación del inmenso poder que la palabra tiene como elemento persuasivo. Por medio de ella podemos producir la mayor alegría cuando le expresamos nuestro afecto a la persona amada, pero con la palabra también se puede producir dolor; un dolor mucho más fuerte e intenso incluso que el físico.

En fin, la palabra, ha sido siempre el atributo que distingue a los humanos como tales y los diferencia del resto de seres que habitan la Tierra.

Palío

Banda blanca jalonada de seis cruces negras que se coloca rodeando el cuello sobre los hombros y que representa la autoridad del poder pontificio. La dignidad de ostentar el palio corresponde a los cardenales y arzobispos y en última y más elevada instancia al Papa. Junto con la tiara es el máximo emblema de la dignidad y autoridad del Pontífice, conferidas por decisión divina.

También relacionado con la idea de dignidad, recibe el nombre de palio el dosel (cubierta ornamental) bajo el que es paseado el Santo Sacramento, y bajo el cual, en ocasiones, oficia misa el Papa. Acaso tenga este sentido el baldaquino construido por Bernini situado bajo la enorme cúpula de San Pedro del Vaticano, que cubre el altar principal de la basílica. Algunos soberanos no escaparon a la tentación de revestirse de elementos de poder y dignidad de carácter divino, y se apropiaron de este uso del palio como dosel.

■ **Referencias cruzadas**: *véanse* también Dosel, Corona y Tiara.

Palmera

S *us significados* originarios proceden de las zonas desérticas y arenosas que constituyen su hábitat primero. En aquellas tierras su presencia indicaba la existencia de oasis o pequeñas fuentes de agua, por lo que se interpretaron como símbolo de fecundidad, sentido reforzado por la perennidad de sus hojas. Así, los egipcios la emplearon en las extendidas imágenes del Árbol de la Vida (*véase* Árbol). Por esto llegó también a jugar un importante papel en su arquitectura, en la que las hojas de palmera sirvieron frecuentemente como modelo de las columnas, formando así con ellas una especie de bosque de palmeras figuradas.

Posteriormente, las palmeras se adaptaron a los suelos de zonas cálidas, lo que las puso en contacto con otras culturas. Tal vez debido a la altura y la longevidad que algunos de estos árboles pueden llegar a alcanzar en Grecia, se asociaron a conceptos celestes, por lo que su simbolismo se relaciona tanto con la luz como con la resurrección del alma. Los romanos la consideraron de igual manera, de hecho el nombre de la palmera en latín es *phoenix*, lo que la vincula indisolublemente a este animal fabuloso que renacía de sus cenizas. Entroncando con estas mismas ideas, en el cristianismo encontramos que las hojas de palmera son el atributo más asociado a los mártires en general.

■ **Referencias cruzadas**: *véanse* también Árbol de la vida y Fénix.

Paloma

P *resenta una* doble significación, distinguiéndose claramente las acepciones de la Antigüedad grecolatina de la cristiana.

Ya desde la cultura minoica la paloma se había asociado a las divinidades relacionadas con el amor carnal, identificación que prosiguió en Grecia (donde fue consagrada a Afrodita) y en Roma (vinculada al correspondiente latino, Venus). Encontramos pues un ave relacionada frecuentemente con el carácter erótico, tal vez deducido a partir de las «caricias» amorosas que realizan estos animales al aparearse. Una reminiscencia de este sentido lo encontramos aún hoy en las imágenes de dos palomas blancas acariciándose, entendidas popularmente como símbolo de amor.

Para la visión cristiana, sin embargo, la paloma reviste las concepciones de pureza y sencillez. Según el relato bíblico, una paloma portó en su pico la rama de olivo que anunció a Noé el final del castigo divino y la reconciliación de Dios con la humanidad. Desde entonces es la representación simbólica por excelencia del Espíritu Santo y de la paz. De igual manera, en las primeras etapas del arte cristiano la paloma representaba también el alma que ascendía en busca de Dios, entroncando así con la simbología tradicional del ave, entendida como forma visible del alma.

■ **Referencias cruzadas**: *véanse* también Ave, Olivo, Pájaros y Rama.

Palmera

Pese a su extraordinaria belleza la palmera no es sólo un ornamento; el dátil, sus aceites, la madera de su tronco y la dura sustancia de sus semillas le han otorgado un gran provecho económico.

Paloma

La paloma con una rama de olivo en el pico es el símbolo más universal y difundido de la paz.

Pan

El pan es sustento del cuerpo y del alma de los hombres. En la tradición cristiana, el pan simboliza el cuerpo de Cristo, y el vino, su sangre.

Pantera

Nombre común de una variedad de leopardo de piel oscura.

Pan

Moldeado con variadas formas e ingredientes, el pan es uno de los alimentos más extendidos en todo el mundo. Por ello, cuando las sociedades de la Antigüedad se fijaron en él desde un punto de vista simbólico, resultó sencillo extrapolar su sentido al plano espiritual, convirtiéndole en imagen del sustento del alma. Así aparece mencionado ya en el Antiguo Testamento, pero es en la tradición cristiana donde el pan recibe un mayor simbolismo, llegando incluso a ser sacralizado. En la Última Cena, Jesucristo partió el pan y lo repartió entre los apóstoles diciendo «tomad y comed porque ésta es mi carne», seguidamente tomó el vino y dijo «tomad y bebed porque ésta es mi sangre que será derramada por vosotros». Desde ese momento, cada vez que se celebra la eucaristía se re-

El Juicio Final, El Bosco.

Pantocrátor

Representación de Cristo entronizado separando a justos y pecadores en el Juicio Final.

cuerdan estas palabras y se realiza ese rito, en conmemoración al hijo de Dios. Pues bien, desde este punto de vista se entiende perfectamente el carácter sacralizado que se otorga al pan y al vino como figuración de la carne y la sangre de Jesucristo.

■ **Referencias cruzadas**: *véanse* también Trigo y Vino.

Pantano

Véase Lago.

Pantera

Durante la Antigüedad clásica, algunos relatos indicaron que las panteras duermen durante tres días tras comer. Rápidamente, esta idea fue tomada por la religión cristiana para ver en la pantera un emblema de Jesucristo porque fueron tres los días que transcurrieron entre su muerte y resurrección. Esos mismos relatos también mencionaron que el supuesto buen olor que despiden las panteras tras esos descansos estimulaba la sensualidad y conducía a la lujuria.

■ **Referencias cruzadas**: *véanse* también Jaguar, Leopardo y Tigre.

Pantocrátor

El término «pantocrátor», empleado ya en la Biblia, plantea multitud de dificultades a la hora de interpretarlo. Desgraciadamente, no se puede ofrecer un sentido unívoco en su uso, que ha variado bastante a lo largo del tiempo.

Hoy, en la terminología artística, el pantocrátor define a la imagen también llamada Cristo juez o Cristo en majestad. Es una representación del hijo del Señor entronizado, barbado casi siempre, alzando la diestra en gesto de bendecir y sosteniendo un libro en la izquierda. Prácticamente siempre se rodea de la mandorla mística, que representa la unión de lo celeste y lo terreno en el momento representado aquí, el fin de los tiempos, el momento en el que acaecerá el Juicio Final. El arte europeo occidental lo ha mostrado

muy frecuentemente rodeado del tetramorfos, crismón y las letras alfa y omega.

■ **Referencias cruzadas:** *véanse* también Crismón, Alfa y omega, Mandorla y Tetramorfos.

Parcas

Véanse Moiras, Hilo y Huso.

Pastor

*E*sta *figura*, presente prácticamente en todas las culturas y religiones, ocupa un simbolismo relacionado con lo paternal, ejerciendo frecuentemente una función tutelar invisible. El origen de este sentido es claro: el pastor es responsable de la seguridad de su rebaño, ya que lo protege y lo vigila. Esta concepción implica que la mayoría de dioses y reyes hayan sido representados así. El ejemplo más claro lo encontramos en Jesucristo, definido como el buen pastor y representado en el arte paleocristiano llevando un cordero sobre sus hombros, tomando prestada la iconografía pagana del moscóforo griego. Si ésta es la imagen de Jesucristo, su representante en la tierra, el Papa, no puede ser menos que un pastor de almas, apelativo aplicado por extensión a todos los religiosos.

Pavo real

*S*us *características* naturales le hacen portador de significados ambivalentes. En varias religiones orientales, como el hinduismo y el budismo, es considerado animal solar gracias a su vistosa cola abierta en forma de abanico (desde un punto de vista frontal le rodea como los rayos lo hacen al Sol). Y como los astros se asocian indisolublemente a los grandes dioses, se convierte en trono unas veces y cabalgadura otras de diversas divinidades, como Buda, con lo cual está también simbolizando de manera indirecta la inmortalidad. Al igual que sucede con los motivos del águila y la serpiente en el mundo precolombino, en las culturas asiáticas el pavo real aparece frecuentemente con uno de estos reptiles en el pico. Las tradiciones al respecto sostuvieron que la belleza de su plumaje está causada por la transformación del veneno ingerido al matar a las serpientes, pero el trasfondo simbólico que debemos buscar es el triunfo de lo solar y celeste (el pavo) sobre lo mundano (serpiente).

En la cultura clásica occidental se consagró a Hera en Grecia y, posteriormente, a Juno en Roma (*véase* Juno). En ambos casos se reviste de ideas de inmortalidad, ya que se asimilaron los múltiples puntos de color del plumaje de su cola a las estrellas del firmamento.

Pavo real

Nombre común de algunas variantes de la familia de los faisanes; sin lugar a dudas, su rasgo más distintivo reside en su cola, de plumas alargadas y coloridas, que los machos despliegan durante el celo para atraer a sus potenciales parejas.

Pavos reales y patos, Hondecoeter.

Paz y amor, símbolo de la

Símbolo por excelencia del movimiento *hippie* surgido en el mundo occidental en la década de los sesenta.

La iconografía religiosa cristiana asumió esta simbología haciendo del pavo real una alegoría de la resurrección de Jesucristo y la inmortalidad del alma. Se empleó su imagen, sobre todo, en representaciones paleocristianas en las que bebía de un cáliz (una clara alusión a la resurrección e inmortalidad obtenidas mediante la eucaristía y la fe en Cristo). Pero es también la cultura cristiana la que le asignó valores menos encumbrados. Entonces su belleza vuelve contra él, pasando a simbolizar la vanidad, la fugacidad de lo hermoso y la frivolidad narcisista. Todavía hoy se utiliza el término «pavonearse» como sinónimo de exhibirse en clara alusión a la actitud llamativa del pavo real durante la época de celo.

■ **Referencias cruzadas**: *véanse* también Juno y Pelícano.

Paz y amor, símbolo de la

*E*ste símbolo, asumido por los movimientos *hippies* en la década de los sesenta, ha alcanzado una gran popularidad en todo el mundo. Todos sabemos que se ha convertido en una clara alusión a la paz y el amor que predica dicha ideología, pero aun así su origen resulta bastante incierto.

Aunque no se ha podido comprobar totalmente, parece que los primeros en recurrir a él tomaron por referencia un antiguo símbolo celta de forma similar. Con él se representaba el Árbol de Yule, un mítico Árbol de la Vida que reúne y ofrece los tres rasgos de la iluminación celestial. Este símbolo se encontraba profundamente asociado al conocimiento alcanzado por los druidas y cobraba especial importancia durante la fiesta a Beltane. Posteriormente, el cristianismo adaptó dicha celebración para hacer de ella las populares fiestas de mayo; también el símbolo acabó convirtiéndose en lo que se denominó «cruz de mayo».

■ **Referencias cruzadas**: *véase* también Cruz.

Pegaso

*E*l mito cuenta cómo Pegaso, al golpear con sus cascos una zona del monte Helicón, hizo surgir la fuente Hipocrene, consagrada a las musas y fuente de la inspiración poética. De este relato mítico derivó su interpretación como animal que simboliza la creatividad intelectual en general y la elevación a través de los valores estéticos. Pero para explicar los motivos que condujeron a asociar esa concepción a la imagen creada sobre Pegaso, debemos fijarnos en su imagen. Como es sabido, este animal fabuloso es un caballo alado, o lo que es lo mismo, la unión más sencilla del simbolismo de las alas y el del caballo. Así, debemos entender a Pegaso como la sublimación (la espiritualización a la que conduce la participación con lo divino, las alas) del subconsciente humano (el caballo, esos

Perseo y Andrómeda, Rubens.

instintos que también aparecen en el simbolismo del jinete y del centauro). Desde un punto de vista menos profundo, en algunas representaciones constituye una representación de la velocidad, pues une galope y vuelo.

■ **Referencias cruzadas**: *véanse* también Alas, Caballo y Gorgonas.

Pelícano

En la tradición occidental se conservó una leyenda que decía que el pelícano alimenta a sus polluelos, en caso de necesidad, infligiéndose con el pico una herida en la pechuga, para que pudieran así beber su sangre y sobrevivir. Parece que esta creencia deriva de uno de los primeros bestiarios conocidos (del siglo II de nuestra era), donde en realidad se narraba que el pelícano mataba a sus crías pero las devolvía a la vida tres días después a través de su sangre. Sin embargo, los emblemistas medievales vieron rápidamente en él un relato cuyo simbolismo podía ponerse claramente en relación con Cristo, que entregó su sangre para la redención del pecado original y que resucitó a los tres días.

■ **Referencias cruzadas**: *véase* también Pavo real.

Pendón

Era una insignia de mando personal en forma de bandera que, durante la Edad Media, el rey entregaba a los nobles, como símbolo de la capacidad de reclutar y mandar hombres. El pendón del propio rey, su insignia personal, llegó a ser muy respetado en cuanto símbolo sustitutivo de la propia presencia física del soberano. El mismo sentido cobraron los retratos de los monarcas españoles de la casa de Austria.

■ **Referencias cruzadas**: *véase* también Bandera.

Pentagrama

Este símbolo, que se ha empleado desde la más remota antigüedad con sentidos mágicos, cobra buena parte de su sentido del número cinco. Pese a que los significados que suele mostrar cada símbolo pueden ser bastante confusos, en esta ocasión debemos entender que la referencia al cinco es una alusión a la totalidad (y perfección) formada a partir de la suma del tres y el dos. Así, este símbolo se empleó como representación de la unión de lo masculino y lo femenino o de lo celeste y lo terreno.

En cualquier caso, esta imagen fue utilizada en la Antigüedad clásica en referencia al poder otorgado por el conocimiento totalizador. Como consecuencia de ello, el pentagrama aparece con cierta frecuencia sobre los abraxas griegos (*véase* Abraxas). La tradición cristiana quiso ver en él una alusión a las cinco llagas de Cristo y un amuleto contra los malos espíritus.

■ **Referencias cruzadas**: *véanse* también Abraxas y Hexagrama.

Peral

A efectos simbólicos, la característica más destacable de este árbol frutal reside en sus flores, de intenso color blanco. Por ello las diferentes culturas asociaron su imagen a la simbología creada para el blanco. En China, donde el color blanco es el color del luto, la flor del peral se empleó como símbolo de duelo y de la fugacidad de la vida. Sin embargo, como en las tradiciones occidentales el blanco ha sido, ante todo, pureza, se identificó con la imagen de la Virgen.

En el arte y la sociedad contemporánea ha adquirido significados sexuales

Pelícano

Ave de gran tamaño (puede alcanzar los tres metros de envergadura), con predilección por las zonas costeras. La bolsa de piel desnuda que puede observarse bajo su pico constituye el elemento más conocido de su fisionomía.

Pendón

Esta bandera de pequeño tamaño constituye una insignia de mando personal.

Pentagrama

El símbolo del pentagrama es la estrella de cinco puntas formada con un sólo trazo, no el sistema de notación musical en el que todos pensamos al escuchar este nombre.

Peral

Una de las características más desconocidas de este árbol, su flor, es la que más importancia tiene en su interpretación simbólica.

Peregrinación

La peregrinación tiene, en casi todas las religiones, un sentido de expiación de los pecados y de purificación.

Perla

Elemento afrodisíaco, símbolo de Cristo y esencia de la inmortalidad; la perla recibe sobre sí los significados asociados al agua, la concha y la Luna.

por la similitud entre la forma de la pera y los pechos femeninos.

Peregrinación

L a peregrinación a los lugares santos como medio de purificación y expiación de los pecados aparece en numerosas religiones. Así, por ejemplo, en el Islam el buen musulmán debe peregrinar al menos una vez en su vida a la Meca; de igual forma, en la religión cristiana se señalan los Santos Lugares de Palestina, Santiago o Roma. En todos los casos, la peregrinación se entiende como un medio de salvación y de purificación ritual.

Pero el mismo viaje o recorrido en sí se entiende también como un símbolo de la vida misma, que no es más que una peregrinación a través de las penalidades terrenas hasta alcanzar la resurrección.

Debido a las enormes dificultades que implicaba la peregrinación para muchas personas, se impuso la necesidad de encontrar un sucedáneo para que el común de los fieles tuviese acceso a los beneficios espirituales que reportaba. Este es el sentido de algunos laberintos representados en el pavimento de las catedrales medievales o las procesiones.

■ **Referencias cruzadas**: *véanse* también Laberinto, Procesión y Venera.

Perla

L a perla que se encuentra en el interior de un molusco se ha comparado frecuentemente con el fruto del seno materno. Inevitablemente está asociada a las aguas, pues en sus profundidades se produce; a la Luna, por su especial color blanquecino, forma redondeada y asociación

al agua (*véase* Luna); y al órgano sexual femenino, por asimilación con la concha. Por ello, en Oriente (en China fundamentalmente) se le concedieron propiedades afrodisíacas; al mismo tiempo, su dureza e inalterabilidad se sumó a la simbología del agua y la Luna para hacer de ella una representación de la inmortalidad. El mismo trasfondo sensual se encuentra entre los griegos, que convirtieron a la perla en manifestación del amor perfecto.

Esta variedad de significados simbólicos fue adaptada por el cristianismo al emplear la perla como símbolo mariano, en cuanto seno materno puro y perfecto del que surge la luz del mundo, Jesucristo.

Esta compleja significación no tiene apenas incidencia en el mundo actual, donde las perlas son poco más que un elemento de adorno y un signo de cierta distinción social.

■ **Referencias cruzadas**: *véanse* también Concha y Luna.

Alegoría, Dujardin.

Perro

al y como parecen indicar los hallazgos arqueológicos, éste es el animal doméstico y de compañía más antiguo que el hombre ha tenido a su lado. Esta larga historia de convivencia explica la multitud, complicación e incluso contradicción de los significados simbólicos atribuidos al perro por las diferentes culturas.

En las religiones antiguas suele aparecer asociado al mundo inferior y la muerte. Desde las culturas precolombinas hasta las de Extremo Oriente, pasando por las del Mediterráneo en la Antigüedad, el perro aparece frecuentemente como guardián de la entrada a los infiernos y, además, se le otorga un importante papel pisicopompo, es decir, que acompaña y guía las almas de los difuntos por el reino subterráneo. El motivo que explica esta simbología, prácticamente universal, quizá resida en que, por su domesticación, éste es el animal que más cerca ha estado siempre del hombre. Esto es, representa la encarnación de la fuerza y la vida salvaje que ocupa el lugar de mayor proximidad respecto a los humanos. Así, el perro es el atributo de divinidades mortuorias como el egipcio Anubis; pero quizá la imagen más conocida es la de Cerbero, el can que, según la mitología griega, esperaba al otro lado de la laguna Estigia a que Caronte le condujese las almas para introducirlas en el más allá.

Es también para muchos pueblos (africanos, por ejemplo) una especie de héroe civilizador que aporta el fuego e incluso el antepasado mítico y creador de la raza humana.

Tuvo connotaciones nefastas para los musulmanes y judíos, que sólo veían en él una imagen del vicio, la suciedad y la vileza, de tal manera que «perro» llegó a convertirse en un insulto.

Sin embargo, su especial relación con el hombre le convirtió en un símbolo de

Pescaderos, Vincenzo Campi.

fidelidad y de protección, visión que aparece con claridad en las tradiciones japonesas. La Edad Media cristiana, a pesar de concederle algunos rasgos negativos, en general supuso la recuperación, precisamente de los valores asociados a la colaboración, vigilancia, fidelidad y protección. Fue cuando el perro comenzó a ser representado en los sepulcros a los pies de los difuntos como símbolo de fidelidad, sentido que se consolidó en el Renacimiento y que ha predominado hasta nuestros días. Un ejemplo claro de colaboración con el hombre y realización de funciones de vigilancia, lo encontramos en la ganadería ovina; no hay ningún pastor que no utilice uno o varios perros para controlar su rebaño.

■ **Referencias cruzadas**: *véanse* también Cerbero, Chacal y Lobo.

Pez

or evidentes razones es un símbolo que corresponde al agua y lo que ésta conlleva, es decir, vida, nacimiento, fertilidad y regeneración. Esto explica la existencia de peces primigenios que asumen el papel de héroe civilizador en numerosos relatos míticos.

Perro

Animal de compañía por excelencia, ha acompañado al hombre desde la Prehistoria.

Pez

Gracias al cine casi todos conocemos la antigua identificación entre el pez y Cristo, pero, ¿qué condujo a ello?

Pie

Pese a que no ha recibido un simbolismo tan extenso como el de la mano, el pie ocupa un lugar destacado en diferentes tradiciones.

Piedra

Parece fácil comprender por qué se han asociado a la inmortalidad, pero *a priori* quizá resulten algo más confusos los motivos que condujeron a hablar de hombres y dioses creados a partir de las piedras.

Durante los primeros tiempos del cristianismo, donde su culto estaba prohibido y perseguido (fue la época de las famosas catacumbas), el pez constituyó la representación críptica más frecuente de Cristo, debido a su relación con el agua, es decir, con el bautismo y la regeneración espiritual. En cuanto encarnación de Cristo, el pez representa el alimento espiritual que se materializa en la eucaristía junto al pan, y así aparece representado en multitud de ocasiones. Además, la denominación griega del pez, *ichtys* o *ichthys*, correspondía a las iniciales de varios títulos dados a Cristo (Hijo de Dios, el Salvador).

■ **Referencias cruzadas**: *véanse* también Agua, Pan y Piscis.

Pie

Su vinculación con la tierra y con el acto de caminar ha hecho de él un símbolo de acción, férrea voluntad y soporte firme. Esto explica la precisión de las representaciones de los pies en las figuras egipcias, pese a que el resto del cuerpo quedaba algo más descuidado.

El hecho de que sea una parte fundamental del cuerpo ocasionó que en torno a él se crearan ciertas supersticiones. En Roma se entendió que entrar en un lugar con el pie derecho traía buena suerte, mientras que si se hacía con el izquierdo, ocurría todo lo contrario. Aquella tradición aún perdura hoy en aquellas expresiones que hablan de «levantarse con el pie izquierdo».

De otro lado, los pies descalzos son también símbolo de humildad y de desvinculación con la terrenalidad del zapato. Por ello, tanto en las mezquitas como en muchos recintos orientales la tradición dicta que se entre descalzo. Esta concepción se observa también en la idea de sumisión que implica el besar

los pies a una persona de mayor dignidad. De la misma manera, en la Antigüedad, el hecho de colocar el pie sobre algo o alguien era señal de posesión, de sometimiento por la voluntad del poderoso, de ahí la costumbre poner el pie sobre el vencido.

Tanto en Oriente como en la tradición cristiana el lavatorio de pies, realizado por una persona de rango más elevado a otra de menor jerarquía, es signo claro de humildad y amor.

■ **Referencias cruzadas**: *véanse* también Lavatorio, Tierra y Zapato.

Piedra

El hecho de que durante miles de años las piedras constituyeran el material fundamental en la fabricación de edificios y utensilios ha dejado su huella. Se explica así que jueguen un papel simbólico relevante en la mayoría de las culturas.

Por una parte, la piedra reúne significaciones de vinculación entre el cielo y la tierra y, por otra, alusiones a los hombres. Aunque en un primer momento pueda sorprendernos, esa vinculación a lo celeste se explica por la extraordinaria inmutabilidad de lo pétreo, algo que enseguida condujo a concebir una cierta participación con la inmortalidad, atributo por excelencia de los dioses. Dicha inmutabilidad entendida como inmortalidad conduce a identificarla con lo divino y esto, a su vez, con lo celeste. Para las sociedades que los conocieron, meteoritos y aerolitos constituyeron una ratificación del simbolismo mencionado. Pero la presencia de lo divino en las piedras no queda sólo aquí, sino que muchas cosmogonías las aludieron en sus descripciones del génesis del mundo, asociadas a los actos de creación. Así, las piedras acaban apareciendo como frecuente símbolo de vida y fecundidad e, incluso, como antepasados míticos del hombre. Son muchos los mitos que han nacido a partir de piedras; un buen ejemplo es el del mito griego de Decaulión. Las tradiciones helenas incluso narraron un origen análogo de varios dioses menores.

Esta ligazón con la creación de la vida y con la inmortalidad permite entender la función funeraria de la piedra. Esto explica el amplio uso que tuvieron en los sepulcros en un intento de que el alma del difunto compartiera todas las características, físicas y simbólicas de la piedra, llegando así a la inmortalidad.

Todas estas características también implicaron nociones de seguridad y poder. Relacionado con esta idea encontramos el concepto de piedra angular, es decir, aquella considerada como la principal, sobre la que cargan todas las demás. Éste es el simbolismo que se aplica al primado de Pedro cuando Cristo le dice: «sobre esta piedra edificaré mi Iglesia y te entregaré las llaves del reino de los Cielos».

■ **Referencias cruzadas**: *véanse* también Kaaba, Linga, Llave, Menhir, Meteorito y Roca.

Piedra filosofal

E s un término alquímico que designa la sustancia (no necesariamente pétrea) que se puede conseguir tras un elaborado proceso y que sería la clave para la transformación de metales no nobles en preciosos. En algunas leyendas su poder se extiende incluso a la capacidad de rejuvenecer y curar. En cuanto elemento fundamental para conseguir un propósito, participa del simbolismo de la piedra como soporte. Por tanto, podríamos decir que la piedra filosofal sería el parangón de la piedra angular en la consecución de metales nobles.

La construcción del palacio de Versalles, Meulen.

■ **Referencias cruzadas**: *véase* también Piedra.

Piedras preciosas

Véase Joyas.

Pilar

Véase Columna.

Pino

E stos árboles son los más característicos de las zonas templadas. En las religiones orientales, sobre todo en China y Japón, se les ha considerado un símbolo de inmortalidad, gracias a su hoja perenne y a su resina incorruptible. De hecho, las tradiciones taoístas narran que los Inmortales se alimentaban con la resina de los pinos. Como consecuencia de ello, su imagen alude a la extremada longevidad, lo que identifican con el logro de la máxima felicidad.

Una de las variantes más extendidas de este árbol es el pino piñonero, cuya simbología aparece relacionada con la producción de piñas y piñones a lo largo de todo el año. Así, la imagen de la piña

El uso de piedras es fundamental prácticamente en cualquier tipo de construcción.

Pino

Nombre común de varios árboles caracterizados por sus semillas en forma de piña.

Pipa de la paz

El humo que asciende de ella sacraliza simbólicamente los acuerdos adoptados en torno a la pipa de la paz.

Pirámide

La pirámide es una de las plasmaciones más evidentes del simbolismo de la montaña.

se empleó ya desde la Antigüedad (y muy especialmente en el Mediterráneo; *véase* Tirso) como un símbolo de la fecundidad de la naturaleza. Por este motivo, también entre los cristianos apareció decorando la copa del Árbol de la Vida.

■ **Referencias cruzadas**: *véanse* también Árbol, Navidad, árbol de y Tirso.

Piña

Véase Pino.

Pipa de la paz

*E*l *sentido* más conocido de la pipa de la paz es la que nos ha transmitido el cine. La imagen es archiconocida: sentados en el suelo, el jefe indio fuma en la pipa de la paz y posteriormente se la ofrece al representante del ejército norteamericano. Esta costumbre quiere representar la confirmación de un tratado de paz y, por ello, es signo de amistad. Debido a su valor simbólico generalmente no era una simple pipa, sino que aparecía ricamente tallada y con diversos adornos.

Sobre este sentido confluyen varios simbolismos casi universales. En primer lugar, compartir la pipa recibe el mismo sentido que encontramos en otras ocasiones con alimentos o bebidas (*véase* Copa), ya que conduce a un contacto simbólico entre las esencias de los individuos que participan en la ceremonia. Además, todo ello se ve reforzado por el humo, cuya ascensión a los cielos se considera un símbolo universal de contacto entre la tierra y el cielo. Así, el compromiso adquirido entre las personas que comparten la pipa, queda consagrado ante las fuerzas divinas.

■ **Referencias cruzadas**: *véanse* también Copa y Humo.

Pirámide

*L*as *construcciones* con forma piramidal fueron ya empleadas por las antiguas civilizaciones mesopotámicas, pero donde consiguieron una mayor difusión y perfección fue en la cultura egipcia, por lo que han llegado a convertirse en el emblema más característico de este país.

Las pirámides son verdaderas montañas artificiales, y con ese sentido debemos entenderlas. Prácticamente todas las culturas que situaron sus dioses en el cielo creyeron que la cercanía a él constituía la mejor forma de llegar a participar de su

Apolo y los continentes (detalle de Asia), Tiépolo.

esencia. Proliferaron por ello concepciones sobre moradas divinas o de puertas a otros mundos (generalmente cuevas) situadas en lo alto de las montañas. Así, las pirámides egipcias, inmensos sepulcros de los faraones, se convirtieron en el mejor medio para garantizar que estos soberanos ascendiesen a los cielos y lograsen la inmortalidad tras la muerte física.

Recogiendo las ideas egipcias, la pirámide pasó a Occidente a partir del Renacimiento, incorporándose a menudo en las construcciones funerarias, tanto estables como efímeras, bajo el mismo sentido de la inmortalidad.

■ **Referencias cruzadas**: *véanse* también Ascensión, Eje del mundo y Montaña.

Piscis

*D*uodécimo y último signo del zodiaco, que se manifiesta entre el 19 de febrero y el 20 de marzo, antes del equinoccio de primavera. Durante ese periodo la naturaleza vive cómo las lluvias vuelven a cubrir la tierra, fertilizándola y abriendo el camino de la resurrección de la vida. Con Piscis se cierra así el ciclo vital que representa el zodiaco, pero al mismo tiempo inicia el renacimiento de todo el proceso. El agua de este signo es, por tanto, principio y fin de la vida, disolución de las formas y preparación del nuevo nacimiento.

■ **Referencias cruzadas**: *véanse* también Agua, Mar, Pez y Zodiaco.

Plaga

Véase Langosta.

Plantas

*L*as plantas, con su devenir constante entre semilla, crecimiento, flora-

ción, madurez y muerte, constituyen un signo de renovación cíclica y, por extensión, también de la vida que consta de las mismas etapas.

■ **Referencias cruzadas**: *véase* también Vegetación.

Plata

*J*unto al oro, la plata es uno de los metales preciosos más apreciados y de mayor valor. Sin embargo, sus significados difieren notablemente. La plata se identifica profundamente a lo lunar; si el oro se asociaba al Sol, la plata, tanto por oposición dualista como por su color, se identifica con la Luna. Por ello recibe también los sentidos asociados al astro de la noche, esto es, una profunda vinculación al agua y a lo femenino (principios vitales y renovadores por excelencia; *véase* Luna). Todo ello conduce a la proliferación de creencias sobre la purificación del alma a través de la plata. En el cristianismo este sentido se aprovechó para adjudicar a la plata el simbolismo mariano y la sabiduría divina.

■ **Referencias cruzadas**: *véanse* también Blanco, Luna y Oro.

Piscis

Como signo acuático su representación más universal es el pez.

Plantas

El simbolismo más importante de las plantas es el de renovación cíclica.

Plata

La plata es el metal que mejor conduce tanto el calor como la electricidad.

La sopera de plata, Chardin.

Apolo y los continentes (detalle de América), Tiépolo.

Plomada

Su forma más sencilla se compone de un peso, generalmente metálico, atado al extremo de una cuerda.

Pb
Plomo

Su color oscuro y su gran peso hacen del plomo el antagónico simbólico del oro.

Plumas

Los grandes soberanos, al apropiarse de toda la simbología relacionada con los dioses, se rodearon de plumas que les conectaban, como sucede en las aves, con el cielo.

Plomada

*I*nstrumento utilizado para comprobar la perfecta verticalidad de una construcción, por lo que suele aparecer como símbolo relacionado con las ideas de estabilidad. A su vez, dicha verticalidad, que constituye una unión entre cielo y tierra, justifica que la plomada se represente en algunas ocasiones junto a los míticos ejes del mundo, aquellos lugares en los que los dioses entraban en contacto directo con la tierra desde sus moradas celestes.

Por su utilidad en la construcción también aparece junto a las alegorías occidentales de la arquitectura, la geometría y la armonía.

■ **Referencias cruzadas**: *véase* también Eje del mundo.

Plomo

*E*ste metal, que destaca por su densidad y ductilidad, representa la completa antítesis del oro gracias a su color, oscuro, carente de brillo y belleza. Esa oscuridad mate (simbólicamente anuncia la carencia de todas las virtudes asociadas a

la luz), junto a su gran peso, hacen de él un símbolo de las cargas morales, físicas e incluso fiscales que los hombres deben soportar a lo largo de su vida. Pero no todo es negativo, ya que se podría ver en su gran maleabilidad un símbolo de potencialidad, de lo que las cosas pueden llegar a ser.

En la alquimia, por los frecuentes juegos establecidos entre los opuestos, el plomo es uno de los metales empleados en los experimentos con el fin de conseguir el metal deseado, el oro.

■ **Referencias cruzadas**: *véase* también Oro.

Plumas

*C*omo no puede ser de otro modo, su significado está fuertemente emparentado con el de las aves. En este sentido las plumas evocan todo el simbolismo relacionado con el vuelo, la cercanía al Sol, la ligereza, unión con el cielo y la divinidad, etc. En casi todas las épocas esta simbología ha sido asumida por los grandes poderes políticos, deseosos siempre de recalcar de cualquier forma su autoridad suprema. Así, las plumas aparecen como adorno de las coronas de los soberanos de

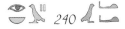

algunos pueblos, lo que identifica de alguna manera al rey con el Sol.

■ **Referencias cruzadas**: *véanse* también Alas y Pájaro.

Plumas de avestruz

Véanse Avestruz y Justicia.

Pollo

Véanse Gallina y Gallo.

Polvo

La conocida expresión «polvo somos y en polvo nos convertiremos» resume perfectamente su significado alegórico. Tanto en el cristianismo como en otras religiones encontramos cómo el simbolismo de la tierra conduce a creer que el hombre fue creado a partir del barro, lugar al que regresará después de la muerte. Debemos entender estas menciones como una expresión del poder vital que reside en la tierra; de ella nace la mayor expresión de la vida, el mundo vegetal, y ella es por tanto la depositaria de los principios de fecundidad. Así, muchas sociedades concibieron que también el origen del hombre se sitúa en ella, y si de la tierra nace la vida, a ella volverá tras la muerte. En este caso el polvo no es sino una manifestación más de la tierra, aunque matizada por el simbolismo de las cenizas, los restos de la muerte y putrefacción. De esta forma se convierte en una alegoría de la fugacidad de la vida y la insignificancia del hombre.

■ **Referencias cruzadas**: *véanse* también Ceniza y Tierra.

Pozo

Vínculo o vía de comunicación entre la superficie y el mundo subterrá-

neo. Esto dio pábulo a múltiples leyendas que veían en el pozo el cauce para la manifestación de las fuerzas infernales e incluso para su salida al exterior en forma de monstruos que habitan las profundidades.

Por otra parte, el pozo crea también un eje entre subsuelo, tierra y cielo semejante al que se concibe bajo los míticos ejes del mundo (*véase* Eje del mundo). Quizá un recuerdo de esta concepción se encuentre en su céntrica ubicación en los claustros de los monasterios medievales. Pero en este punto se incorporan nuevos significados en cuanto a portador de agua, principio regenerador por excelencia; así, el pozo se asocia con el sacramento del bautismo.

Como queda patente en multitud de cuentos y leyendas, los simbolismos que acabamos de mencionar se reflejan en las culturas populares en la forma de pozos mágicos, capaces de abrir caminos a mundos secretos o de conceder poderes metafísicos. De este modo, está todavía muy arraigada la costumbre de pedir un deseo mientras se arroja una moneda en el interior de algunos de ellos.

■ **Referencias cruzadas**: *véanse* también Agua y Eje del mundo.

Polvo

Según la conocida sentencia, del polvo provenimos y a él retornaremos tras la muerte.

Pozo

Al igual que sucede en otros símbolos, como el árbol, el pozo constituye un eje a través del cual se pueden comunicar el inframundo, la tierra y el mundo de los dioses celestes.

Rebeca y Eliazar, Murillo.

El príncipe de Saxony, Crabach.

Príncipe

Sus numerosas narraciones evocan el rejuvenecimiento de las fuerzas que se asocian a los grandes soberanos.

Procesión

Estas ceremonias cristianas deben entenderse como una peregrinación a pequeña escala.

Psicopompo

Es el ser encargado de conducir las almas de los muertos a su destino definitivo.

Príncesa

Véase Hija del rey.

Príncipe

*F*igura habitual en todos los cuentos. Representa al héroe valiente que lucha por su pueblo y aparece, debido a su juventud, como la alternativa necesaria para impulsar un cambio moral del reino. El trasfondo simbólico es claro: en multitud de ocasiones se identificó la salud y la fuerza de los grandes gobernantes con el estado de sus posesiones. Por ello, el príncipe, quien va a ser el rey, es la figura que con más facilidad puede encarnar las potencialidades de una sociedad.

Procesión

*D*esfile de carácter sacro que se realiza con ocasión de la celebración de determinadas festividades relevantes en el año litúrgico. Su origen se podría encontrar en las grandes peregrinaciones a los lugares santos de cada religión. Con el tiempo, se impuso la necesidad de encontrar fórmulas de peregrinación abreviadas, con el fin de que aquellos que no tuviesen la posibilidad de peregrinar a los Santos Lugares (debemos recordar que era una empresa costosa y bastante arriesgada) pudiesen beneficiarse de parte de las indulgencias que aquella peregrinación reportaba. Éste es el sentido de las procesiones o los laberintos del pavimento de las catedrales.

El apogeo de las procesiones lo encontramos sobre todo en el barroco español (siglo XVII), donde al carácter sagrado y religioso se le añade un, no menos importante, componente teatral, típico y característico de la cultura española del momento. Es en este siglo donde los mejores escultores del momento realizan la talla de los pasos procesionales más populares y con mayor tradición del mundo, que siguen actualmente recibiendo una profunda veneración.

■ **Referencias cruzadas**: *véanse* también Laberinto y Peregrinación

Profundidad

Véase Valle.

Psicopompo

*B*ajo este término se designa al ser encargado de conducir las almas de los difuntos al reino de los muertos en las diferentes religiones y mitologías. En la grecorromana el animal psicopompo por excelencia es el perro Cerbero, mientras que en la cristiana, suelen ser los ángeles quienes acompañan las almas de los justos a la presencia de Dios en el reino de los cielos. El jaguar, el ciervo, el tigre y la serpiente también figuran con bastante frecuencia jugando este papel. En general, los animales que se elige encarnan de una u otra forma las fuerzas vitales de la tierra y se sitúan en un plano intermedio entre dioses y hombres.

■ **Referencias cruzadas**: *véanse* también Cerbero, Ciervo, Jaguar, Perro, Serpiente y Tigre.

Puente

*S*ímbolo de unión, paso o tránsito de un espacio a otro, aplicable no sólo en sentido físico, sino también (y aquí es donde se manifiesta toda la fuerza del símbolo) espiritual. Encontramos así que el puente comunica generalmente las dos orillas de un río, pero también conecta este mundo con el del más allá, es decir, pone las almas de los difuntos en contacto con los dioses.

Éste es el sentido que adquiere el arco iris en la tradición griega y la judeocristiana, entre otras, que se entiende como puente natural entre el cielo y la tierra, sugiriendo a los hombres el camino que deben seguir las almas de los muertos para alcanzar aquél. Tanto en la concepción musulmana como en antiguas mitologías persas, dicho camino es extremadamente fino y resbaladizo, de tal manera que los condenados se precipitan irremediablemente hacia las entrañas del infierno mientras los justos avanzan hacia la salvación.

Con estas premisas es posible comprender el título de «pontífice» que, aunque religioso, fue también aplicado a los emperadores romanos, como puede rastrearse en todas sus inscripciones. Dicho título también fue adoptado por el Papa, jefe de la Iglesia católica y vicario de Cristo en la Tierra. El sentido etimológico de este término, como ya se habrá imaginado, no es otro que «hacedor de puentes», es decir, nexo de unión entre Dios y los hombres.

Puerta

*A*l igual que el puente es lugar de paso y por consiguiente, símbolo de tránsito entre dos realidades, situaciones o estados claramente diferenciados que la puerta separa: vida y muerte, luz y oscuridad, ignorancia y sabiduría, etc. Por ello, las puertas juegan un papel bastante importante en ritos y en leyendas; una de las más difundidas entre los diversos pueblos es aquella que guarda la entrada al cielo y al infierno. Éste sentido se oberva en las puertas de las tumbas del mundo etrusco, que suelen representarse en-

El puente de tres arcos de Gannaregio, Guardi.

treabiertas para que el difunto no encuentre obstáculos para penetrar en el otro mundo.

Por otra parte, la puerta juega un papel fundamental en la adquisición de ciertos valores, ya sean materiales o espirituales. En el aspecto material, las puertas de palacios, fortalezas y ciudades representan el elemento clave para su defensa al mismo tiempo que su punto débil, de tal manera que quien es capaz de vulnerarlas se haya en disposición de apoderarse de todo lo que se encuentre en su interior, incluyendo el edificio mismo o la ciudad (recordemos el mito del caballo de Troya). De ahí que se doten las puertas de especial vigilancia, tanto humana como divina, a través de la representación de monstruos o seres fantásticos que disuadan al agresor. Desde el punto de vista espiritual las puertas rituales implican la aceptación de un tipo de vida cuyo acceso requiere ciertas condiciones previas; en este sentido deben entenderse las famosas palabras de Jesucristo: «Yo soy la puerta», o lo que es lo mismo, la vía de acceso al cristianismo. De ahí parte la representación de la figura de Jesucristo en las portadas de las iglesias medievales.

Puente

Una de las imágenes más visuales asociadas a este símbolo es la del estrecho y resbaladizo puente que, entre el cielo y la tierra, hace caer a los injustos a las entrañas del infierno.

Puerta

Los seres o personajes representados sobre las puertas tienen la función tanto de defender su paso como de marcar los requisitos necesarios para atravesarlas.

Pureza

En Occidente, la pureza ha sido representada por una joven vestida de blanco con un lirio en la mano.

Púrpura

El carísimo tinte empleado para conseguir el color púrpura se obtenía en la Antigüedad de un molusco cuyo líquido amarillento acaba oxidándose y convirtiéndose en este rojo intenso. La púrpura fue utilizada en las vestimentas de los príncipes de la Iglesia católica.

Finalmente, las puertas pueden indicar también cerramiento, limitación de la libertad, por lo que su derribo alude a la liberación.

■ **Referencias cruzadas**: *véanse* también Puente y Umbral.

Punto

Véase Centro.

Pureza

*E*sta *virtud*, que juega un papel fundamental en la relación entre hombres y dioses de casi todas las culturas, ha sido expresada con diferentes símbolos. En general, la pureza se representa a través de todo aquello que aún no ha sido corrompido por la experiencia; así, suele evocarse principalmente bajo la persona de niños y vírgenes. El color blanco, el azul, la participación en la luz y la sencillez en el vestir son otros de los recursos más empleados en estas referencias.

En la tradición occidental la representación física de este concepto, que por sí mismo es intangible, suele emplear la figura de una bella joven vestida con un manto blanco y asiendo un lirio, mientras que sobre su hombro se posa una paloma (el Espíritu Santo).

■ **Referencias cruzadas**: *véanse* también Azul, Blanco, Lirio, Luz, Paloma y Unicornio.

Purificación

Véase Lavatorio.

Púrpura

*T*inte *de* color rojo intenso utilizado desde la Antigüe-

---

dad como símbolo de poder y dignidad de los soberanos y sumos sacerdotes. Su uso fue adoptado por los emperadores romanos, que añadieron a dichos significados los de lujo y riqueza (conseguir tintes púrpuras resultaba extremadamente caro; se dice que algunas telas púrpuras llegaron a valer su peso, literalmente, en oro).

En el Imperio romano la púrpura se reservó a la casa imperial y a los miembros de la nobleza. Con el tiempo, la púrpura fue utilizada en las vestimentas de los cardenales de la Iglesia católica, los llamados príncipes de la Iglesia, hasta el punto de pasar a designar la adquisición de tal rango. Así, cuando el Papa otorga la púrpura representa el nombramiento de un nuevo cardenal, de ahí la expresión utilizada en el Vaticano: «fue elevado a la púrpura». Tanto es así que incluso a los cardenales se les designa como los purpurados, en alusión clara al color rojo escarlata de sus vestimentas, interpretado como símbolo de pertenencia al Papa y de su disposición a defender a la Iglesia incluso con el derramamiento de su sangre.

■ **Referencias cruzadas**: *véase* también Rojo.

Inocencio X, Velázquez.

Adoración de los pastores, Goes.

Querubín

Fue el pseudo-Dionisos Areopagita (un texto atribuido sin total certidumbre a este mártir cristiano del siglo I) quien realizó la división de los ángeles en nueve coros. En dicha clasificación los querubines son espíritus angélicos superiores, cuya categoría se sitúa entre los tronos y los serafines (los de mayor jerarquía).

Como consecuencia de su principal característica, la irradiación de un profundo conocimiento de Dios, suelen ser representados como el resto de ángeles, pero con alas recubiertas de ojos. Según la Biblia, el Arca de la Alianza estaba decorada con dos querubines. Al igual que ocurre con el resto de ángeles, el referente lejano de los querubines son los seres míticos alados, mitad animal, mitad humanos, que en las antiguas culturas del Próximo Oriente aparecían frecuentemente como guardianes de palacios y tesoros.

■ **Referencias cruzadas**: *véanse* también Alas, Ángel, Ojo y Serafín.

Quetzal

Véase Esmeralda.

Quimera

$É$ste es uno de los monstruos más impresionantes y complejos de la mitología griega. Sobre su cuerpo de león nacen tres cabezas, león, cabra y serpiente, y en el extremo, una cola con forma de este reptil. Según las narraciones míticas tiene la capacidad de escupir fuego y nadie puede enfrentarse a ella. Sólo el héroe Beleforontes (identificado con el rayo) pudo darle muerte combatiendo desde los lomos de su caballo Pegaso.

Su sentido simbólico resulta bastante complejo. León, cabra y serpiente son animales que se identifican con las fuerzas salvajes de la tierra y, por ello, parece que la Quimera encarna las tendencias indómitas que brotan de nuestro inconsciente y pueden acabar con nosotros mismos. Éste sería el caso de los deseos incontrolados y magnificados, que conducen a la frustración y al dolor. La lucha entre este ser y Beleforontes y Pegaso constituye un precedente del posterior combate entre san Jorge y el dragón. Hoy en día el término designa fabulaciones incoherentes y sin fundamento.

■ **Referencias cruzadas**: *véanse* también Dragón y Pegaso.

Querubín

Los querubines son uno de los nueve grupos de ángeles que estableció la tradición cristiana. Pueden distinguirse de los demás gracias a los ojos que aparecen sobre sus alas.

Quimera

La mitología griega la describe como un híbrido de león, cabra y serpiente.

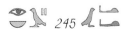

Bodegón con melocotones y uvas (detalle), Calraet.

Racimo de uvas

Tanto las uvas como el vino son símbolos de prosperidad y abundancia en el Mediterráneo.

Rama

La rama está presente en algunos de los pasajes más conocidos de la Biblia: el Diluvio, la entrada de Cristo en Jerusalén, etc.

Racimo de uvas

*J*unto al vino y a la propia vid es uno de los símbolos de abundancia y prosperidad más frecuentes por todo el Mediterráneo.

Siguiendo esta interpretación, la tradición judía emplea el racimo de uvas en el Antiguo Testamento como una referencia al mayor regalo de Yahvé a sus fieles, la tierra prometida. En el libro de los Números (cuarto libro del Antiguo Testamento) se narra cómo dos de los emisarios enviados por Moisés a Canaán regresaron portando un racimo de uvas colgado de un madero. Posteriormente, los cristianos verían en esta imagen una alegoría del sacrificio de Cristo en la cruz, que ofrece a los suyos la redención a través de su sangre (el vino). Este motivo justifica que el arte románico representó tan profusamente el motivo del racimo de uvas, que aparece solo, sobre un madero sostenido por dos personas (como en el relato bíblico), en un recipiente o junto a aves que se disponen a picotearlo (en este caso es símbolo de la eucaristía, de las almas de los justos participando de la sangre de Cristo; *véase* Aves).

■ **Referencias cruzadas**: *véanse* también Aves, Vid y Vino.

Rama

*E*l *sentido* de la rama deriva de la conexión que se establece con la belleza efímera de las flores (símbolo del amor) y con los árboles (y a través de ellos con el tradicional Árbol de la Vida; *véase* Árbol). Por esta última relación, una rama puede aludir a la fertilidad y a los poderes de la naturaleza. Así, la vida de la rama verde, aún no marchita, es interpretada frecuentemente como un símbolo de victoria de la vida sobre la muerte, de inmortalidad. La exaltación de esas esencias naturales conduce a que muchas ramas reciban connotaciones mágicas, constituyéndose en amuletos o incluso en verdaderas herramientas del mago.

Algunas de las menciones más antiguas y significativas a la rama aparecen en el Antiguo Testamento, en el Génesis. Allí se narra cómo tras el diluvio una paloma anuncia la proximidad de la tierra trayendo una rama verde de olivo en su pico; es la plasmación del triunfo final de la vida (este tema es el que luego emplearía Picasso para referirse a la paz).

Este uso de la rama verde como símbolo triunfal de la vida no constituye una invención de la tradición judía: todo el Próximo Oriente ya la había empleado con ese sentido. Los pueblos de esta re-

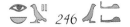

gión adoraban a sus grandes héroes agitando ramas verdes a su paso; con ello se quería expresar la eternidad de su gloria. Esta simbología se recoge en el Nuevo Testamento (donde los fieles reciben así a Jesús en su última entrada en Jerusalén) y en la liturgia cristiana (durante el Domingo de Ramos se blanden también en una celebración, en este caso, del triunfo espiritual sobre el pecado).

En casi todas las sociedades europeas los ramos atraen la buena suerte y sirven de amuleto contra el mal. Este hecho se debe poner en relación con la antigua simbología de la Rama de Oro, muy arraigada entre los celtas e influenciada por las concepciones sobre el muérdago (una imagen de sabiduría mágica, una planta capaz de conferir la inmortalidad o abrir la puerta de los infiernos, ya que se dora en invierno y anuncia con su cosecha el año nuevo). Todos estos sentidos aparecen recogidos en la poesía de Virgilio, donde se narra cómo Eneas desciende al Hades asiendo una Rama de Oro.

Durante la Edad Media la rama se interpretó como una alegoría del renacimiento cíclico de la naturaleza y, por su rectitud, de la lógica y la castidad.

■ **Referencias cruzadas**: *véanse* también Árbol, Flor, Muérdago y Paloma.

Rana

*E*l *simbolismo* de este animal, muy extendido por todo el mundo, proviene principalmente de la observación de sus características naturales. Como tantos otros anfibios, por desarrollar su vida entre la tierra y el agua es relacionado con los estados primordiales de la materia, con el caos originario de los momentos previos a la creación. Así aparece en relatos sobre el génesis y en cosmogonías de culturas como la egipcia o las del Sureste asiático, donde muchas sociedades del subcontinente indio consideran que una gran rana es el sustento último del mundo. Pero otra de las conocidas características de este anfibio es una íntima relación con el agua y la lluvia. La tradición taoísta se hace eco de ello identificándolo con el principio yin (lo húmedo y fecundo) y haciendo de la pareja rana-codorniz (lluvia y sol, agua y sequedad, yin y yang) un símbolo de los dos periodos que marcan el año.

Ya que lo húmedo, el agua, es principalmente vida, no sorprende en absoluto encontrar a la rana como símbolo de fertilidad y buena suerte. Como además este anfibio aparece y reaparece periódicamente y sigue visibles metamorfosis (de renacuajo a rana), en extremos muy distantes del orbe se ha visto en él un símbolo de fertilidad y vida. En Egipto, donde aparecía cada año con el limo de las benéficas crecidas de Nilo, adoptó estos valores y también el de renacimiento (con ese sentido aparece en algunas representaciones fúnebres). Interpretaciones muy similares se encuentran en sociedades de la zona sur de Vietnam o entre los indios de Norteamérica (generalmente es deificada, pero los iroqueses le daban un papel aún mayor al narrar que todo el agua del cosmos provenía del

Rana

La tradición taoísta relaciona la rana con el yin, debido a su humedad y fecundidad.

Bodegón de insectos y anfibios, Schrieck.

Los filisteos golpeados por la peste, Poussin.

Rata

Con este nombre se designa a un grupo de roedores que, aunque originarios del Viejo Mundo, se han extendido por todo el orbe siguiendo al ser humano. Son seres prolíficos, capaces de sumergirse y nadar, y pueden transmitir enfermedades como el tifus, la rabia o la peste.

interior de una rana). Obviamente, todos estos vínculos implican connotaciones muy positivas; en Japón, por ejemplo, se considera que al aspirar para croar atrae la buena suerte.

En el mundo grecolatino, por la asociación ya mencionada con la fecundidad, pero también por la prolongada duración de su cópula, se convierte en emblema de Afrodita (diosa griega del amor, llamada Venus por los romanos). Por este motivo, la imagen del anfibio se empleó como alegoría del libertinaje y, pasado el tiempo, la magia medieval europea hizo de la rana uno de los mejores ingredientes para sus conjuros. Pero en esos tiempos el anfibio había pasado a ser un animal maligno, identificado con la lujuria, con los pecadores o con el mismo demonio. Su croar recordaba los gritos de los condenados y la vana palabrería de los vacíos de espíritu; las plagas de ranas constituían uno de los males más temidos. El punto de inflexión se sitúa en el Antiguo Testamento, que había calificado a este animal como algo inmundo e impuro (lo era todo lo que se arrastraba por el fango y, fundamentalmente, lo que era adorado por los paganos). Fuera de la tradición testamentaria sólo en India en-

contramos otras interpretaciones negativas: aunque es un símbolo de fertilidad, puede representar los excesos de la vida poco espiritual y apegada a lo material (la tierra).

Rata

Al pensar en las ratas, todo el mundo occidental ha desarrollado un imaginario muy negativo que se asocia a las grandes epidemias de épocas preindustriales. Pese a ello, la rata en ocasiones ha recibido una simbología de matices mucho más positivos. Así, en Japón el dios de la riqueza, Daikoku, tiene a este animal por atributo, y en Siberia y China la ausencia de ratas se toma por mal augurio. La razón es muy lógica: las ratas aparecen siempre junto a graneros bien abastecidos y desaparecen de los lugares en que se desatan epidemias (si alguna rata muere por enfermedad sus compañeras huyen de allí). Este último comportamiento es el origen de dichos populares como el que las ratas sean «las primeras en abandonar el barco»; también por ello se les ha otorgado un papel adivinatorio y premonitorio (en la tradición grecolatina).

Sin embargo, la demonización de la rata es un fenómeno generalizado tanto en el antiguo Egipto, como en la tradición europea y en la china. Son seres de una tremenda voracidad y fecundidad, capaces de mermar significativamente las reservas de alimentos de los almacenes humanos en los que penetran. Además, desarrollan su vida en la oscuridad y tienen la capacidad de transmitir enfermedades (algo ya conocido por los antiguos chinos). Por todo ello se les ha temido e identificado con pecados y males como plagas, la avaricia (recuérdese el popular «eres un rata»), la lujuria y la enfermedad. Así, los dioses de las mitologías griega e hindú que aparecen representados con ratas son aquellos que tienen el poder

de sanar, pero también de transmitir enfermedades. En la tradición cristiana, que sufrió profundamente las pestes de finales de la Edad Media, la rata es uno de los animales preferidos para las representaciones de diablos, brujas y enfermedades.

Para cerrar la entrada con un guiño algo más optimista, se puede señalar cómo algunas tradiciones orientales convierten la avaricia en prudencia. Esto es, las costumbres que se pueden entender por avariciosas, como la tendencia natural de la rata a acumular más y más alimentos en sus refugios, pueden ser también una imagen de prudencia.

■ **Referencias cruzadas**: *véase* también Ratón.

Ratón

Este pequeño roedor, que ya en el antiguo Egipto se consideró animal sagrado, aparece en representaciones grecolatinas como alegoría del tiempo, que, como él, todo lo devora. El arte occidental posterior, heredero de tantos temas de la Antigüedad clásica, también se haría eco de esa alegoría.

Junto a ese sentido simbólico aparecen también otros muy similares a los que se adjudicaban a las ratas. Ya sea por confusión o por simple semejanza, a los ratones también se les confirió un papel adivinatorio. Desde el antiguo Egipto hasta las culturas medievales europeas, pasando por Roma y por el Próximo Oriente zoroastriano, se ha querido ver al ratón blanco como un símbolo de buen augurio y como una encarnación de las almas de los no nacidos. Su contrapunto simbólico vendría de sus familiares de color negro: éstos se identifican con las brujas o con el alma de los pecadores muertos. En el arte cristiano, aparte de los sentidos ya vistos, se pueden encontrar algunas representaciones de un ratón royendo un árbol. Es

Bodegón de postres, Flegel.

un símbolo del demonio que intenta mordisquear y acabar con el Árbol de la Vida que Dios nos ha regalado a todos.

■ **Referencias cruzadas**: *véase* también Rata.

Rayo

Las poderosas descargas eléctricas de los rayos, esa fuerza destructiva que llega del cielo, se han convertido en el máximo atributo de los grandes dioses de las civilizaciones indoeuropeas: el Marduk hitita; Tinia y otros dioses etruscos; el Yahvé de los judíos; los hindúes Visnú y Shiva, cuyo tercer ojo, similar al rayo, puede iluminar o fulminar; el Zeus de los griegos, que encargó la construcción del rayo a los Cíclopes para poder luchar contra los Titanes; su homólogo romano, Júpiter... La lista podría ser casi infinita. La fuerza transformadora del rayo, con su doble carácter creador y destructor, aparece unida constantemente a los más poderosos de los dioses. De una forma paralela, mientras el rayo se convierte en símbolo de la acción del dios, numerosas culturas van a equiparar el trueno a la voz

Ratón

Pese a que esta palabra no está muy definida en las clasificaciones biológicas, sí podemos identificarlo genéricamente con las variantes más pequeñas de los roedores y con las musarañas, pequeños mamíferos emparentados con el topo.

Rayo

El simbolismo del rayo resulta algo ambiguo, ya que a la vez que ilumina puede fulminar y destruir.

Rebaño

El sentido más benévolo del rebaño lo asocia con la fuerza y la seguridad que emana el grupo.

de esas divinidades. Una nueva derivación conduce a que el *Popol-Vuh*, texto maya del siglo XVI, hable del trueno como voz de los dioses y del rayo como su escritura.

Pero este fenómeno atmosférico es también luz, iluminación emanada directamente de los cielos, símbolo, por ello, de los grados más espirituales de discernimiento y sabiduría. Los poderes del tercer ojo de Visnú, capaz, como ya se dijo, de matar o iluminar, son un claro reflejo de esta idea.

Pese a lo que podría pensarse en un primer momento, el rayo también tiene un fuerte carácter fecundador. Hoy en día los científicos sostienen que el nitrógeno desprendido por ellos tiene un importante papel en el enriquecimiento de los suelos agrícolas, pero no sólo eso, también existen teorías que hablan del papel de los rayos como estímulo en los procesos químicos que dieron origen a la vida. Sea como fuere, la simbología de un buen número de culturas les ha otorgado un cierto sentido fertilizador. La razón seguramente sea menos fidedigna que las elucubraciones científicas, ya que parece provenir de una asociación entre el rayo y el agua de lluvia (principio fecundador por excelencia). Esta relación es visible, sobre todo, en el oriente asiático, donde

la tradición taoísta hace del rayo uno de los símbolos del primer ciclo del zodiaco, el que se corresponde a la primavera y, por lo tanto, a la resurrección de la naturaleza. Los mismos motivos conducen a que varias mitologías, como algunas africanas y la grecolatina, hablen del rayo como símbolo de la unión sexual entre el cielo y la tierra, cópula simbólica que se supone dio origen al mundo manifiesto. Por esa relación con la fertilidad y con las narraciones sobre la creación, en algunas regiones de Europa y Asia para calmar el furor del rayo se practicaban ofrendas de otro gran símbolo de fecundidad, la leche, el alimento primero y más completo de los hombres (*véase* Leche).

■ **Referencias cruzadas**: *véanse* también Hacha, Leche, Tridente y Trueno.

Rebaño

L a seguridad que parecen sentir los animales al formar parte de un rebaño, el miedo a quedar fuera de él, es el punto de partida de las interpretaciones simbólicas de sus representaciones.

En sentido peyorativo puede ser una alusión a la degradación del individuo que no consigue educar su personalidad, crear una verdadera identidad propia. Así, las imágenes de rebaños en ocasiones son empleadas como muestra de la perversión del instinto político de los hombres, perversión de la que sólo los héroes o santos podrían escapar.

Sin embargo, el rebaño también puede simbolizar la fuerza y la seguridad de un grupo, la cohesión y protección que ofrece a sus miembros. Éste es el sentido que adopta uno de los más conocidos «rebaños» de la historia del arte, la comunidad cristiana de creyentes.

■ **Referencias cruzadas**: *véanse* también Cordero y Pastor.

Pastor con vacas, Cuyp.

Rebis

La alquimia ha empleado este complejo símbolo para representar la unión de los principios opuestos que aparecen por doquier y componen la esencia del mundo. Para dar a la imagen este sentido se han empleado varios recursos. En primer lugar encontramos el huevo cósmico como soporte de toda la representación; es una alusión a la fertilidad, al germen de la vida, a su esencia. Sobre él se encuentra el dragón, una referencia algo confusa, interpretada de diferentes formas, pero que en general puede tomarse por una alusión al poder de lo manifiesto. El andrógino, figura principal del conjunto, aparece sobre el dragón. Es un ser bicéfalo, con una cabeza femenina y otra masculina, con una escuadra en una mano y un cartabón en otra, con un Sol sobre la parte masculina y una Luna sobre la femenina. Con toda seguridad, podemos decir que se trata de una imagen que reúne los grandes principios duales (hombre y mujer, círculo y cuadrado, Sol y Luna).

■ **Referencias cruzadas**: *véanse* también Andrógino, Huevo, Cartabón y Escuadra.

Recinto

El espacio cerrado, delimitado por cualquier elemento, simbólicamente tiene el objetivo fundamental de ofrecer protección y refugio en su interior. En muchas ocasiones esto toma cuerpo y se plasma físicamente en espacios sagrados que, con bastante frecuencia, intentan reproducir en su interior la realidad del mundo exterior. La finalidad de ello es crear un esquema comprensible por el ser humano, un esquema que, además, puede ser dominado y controlado por él. En narraciones míticas, este tipo de espacios suele aparecer como un lugar de difícil acceso y al que quizá no todos pueden lle-

gar. En la mayoría de esos casos debemos entender el recinto como una alegoría del mundo interior de los individuos.

■ **Referencias cruzadas**: *véanse* también Castillo y Jardín.

Rectángulo

La interpretación de esta figura geométrica participa profundamente de la del cuadrado y, como él, gana aún más sentidos por oposición al círculo.

Como el cuadrado, es la forma estable y racional por excelencia, un símbolo de lo terrestre, pero se diferencia de él por tener un menor anhelo de perfección. Sus lados no son todos iguales, no pretenden alcanzar grandes desarrollos de ningún tipo. Por todo ello, el peso del simbolismo es mucho menor en el rectángulo, es una forma muy humana, liberada de grandes consideraciones sobre lo que nos rodea. Es, en suma, la figura que con más frecuencia aparece en instrumentos o construcciones creadas por el hombre.

Todos estos sentidos pueden obtener un matiz diferente cuando hablamos del trapecio, un rectángulo, digámoslo así,

Rebis

Este símbolo alquímico muestra la imagen de un hermafrodita, un ser con dos cabezas, una masculina y otra femenina, que se yergue sobre un dragón tendido sobre un huevo cósmico alado. Junto a este ser, figuran símbolos duales como el Sol y la Luna, la escuadra y el cartabón.

Rectángulo

La semejanza con el cuadrado y oposición con el círculo condicionan sus valores simbólicos.

El martirio de san Estéfano, Carracci.

Red

Símbolo de dominio, con la red muchos dioses han capturado a sus fieles y castigado a sus enemigos.

Regla

Del Ptah egipcio a los masones occidentales, los grandes constructores se han representado casi siempre con reglas

Reloj

Es símbolo de eterno movimiento o mandala místico, pero también manifestación del poder de quien marca los tiempos de una comunidad.

«deformado», un rectángulo cuyo exterior muestra un sufrimiento interior.

◼ **Referencias cruzadas**: *véanse* también Círculo y Cuadrado.

Red

*E*sta antiquísima arma, conocida por multitud de civilizaciones, muestra un simbolismo directamente relacionado con sus usos en la caza o en combate. La red inmoviliza a sus víctimas dejándolas sin posibilidad alguna de escape. Sus representaciones son, por tanto, una clara señal de dominio.

Tanto en el Próximo Oriente como en la tradición grecolatina los dioses la emplean para capturar a sus fieles o castigar a quienes lo merecen. No podríamos dejar de mencionar a los famosos reciarios, los *retiarii* romanos, gladiadores que luchaban en los circos armados con una red y un tridente. El sustrato simbólico de todo esto también se manifiesta en la tradición cristiana. Así, el Nuevo Testamento habla de los apóstoles como pescadores de hombres, con lo que las representaciones cristianas de redes pueden ser una referencia a esta mención o incluso una alegoría de la misma Iglesia, y es que la red también refleja la unidad compuesta por multitud de nudos entrelazados. Este mismo sentido es empleado por el taoísmo chino, donde aparece como símbolo de unidad y, en ocasiones, como alegoría de la red de estrellas que atrapa en su seno al cielo y la tierra.

Pero las redes también pueden ser empleadas por los hombres para capturar a sus dioses. De esta forma aparece en el islamismo chií, reflejando la pervivencia de antiguas tradiciones iranias.

Reencarnación

Véase Resurrección.

Regla

*L*as líneas rectas, el orden y la medida que proporciona la regla son la base de una simbología de rectitud extendida por todo el mundo. Además de ello, es un instrumento fundamental para una de las disciplinas más antiguas y necesarias de la historia: la construcción. Por ello, dioses como el egipcio Ptah, creador de las formas visibles, diseñador del mundo, protector de trabajadores y artesanos, suele ser representado con el llamado «nilómetro», la regla que medía la altura alcanzada por las crecidas del río Nilo.

En el mundo occidental masones y arquitectos han hecho de la regla uno de sus símbolos por excelencia, atributo de la carpintería y la construcción. Hoy en día casi todos los colegios profesionales de arquitectos la siguen mostrando en sus escudos.

◼ **Referencias cruzadas**: *véanse* también Compás y Escuadra.

Reloj

*P*ara comprender el simbolismo que encierra la representación de un reloj se debería prestar atención a varias cuestiones.

En primer lugar, la forma puede encerrar numerosas claves: el círculo y sus elementos interiores pueden estar actuando como mandalas orientales (instrumentos de contemplación que intentan propiciar procesos mentales; *véase* Mandala). Sin embargo, en algunas representaciones, el número que se señala es la clave para interpretar la imagen.

En otras ocasiones, más que sus elementos, prima la función misma del reloj. Este instrumento mide el tiempo y, por tanto, puede servir como alegoría de la moderación de los personajes que lo po-

seen (desde la Antigüedad el reloj de arena ha sido un atributo típico de la templanza).

Además de lo comentado, el reloj puede interpretarse en función de las diferentes concepciones del tiempo, pasaron a ser un símbolo del movimiento perpetuo o del transcurrir de la historia. Resulta significativo observar que sólo en la actualidad el reloj ha pasado a representar la pugna entre los límites del tiempo y las obligaciones con las que todo individuo debe cumplir al cabo del día. Sólo en el mundo contemporáneo el reloj es una desagradable compañía que urge y apremia constantemente. Tanto esta noción como la que ya se mencionó sobre la templanza, se ven claramente, ya sea por ausencia o por presencia, en los anuncios de la publicidad que nos rodea.

También es interesante prestar atención a quién posee el reloj. Quizá algunos tienen la función principal de recalcar el poder de quien gobierna y marca el tiempo. Es el caso, por ejemplo, de los relojes europeos que dominaban pueblos y ciudades desde elevadas torres.

■ **Referencias cruzadas**: *véanse* también Mandala y Reloj de arena.

Reloj de arena

*E*s muy frecuente que se emplee como referencia al transcurrir del tiempo e incluso como alegoría de la muerte que antes o después llegará. Pero su forma también tiene un gran sentido simbólico. El reloj de arena se compone de dos triángulos que se tocan en su extremo y esto puede interpretarse como una manifestación de las relaciones que se establecen entre lo superior y lo inferior, entre el cielo y la tierra. Además, como requiere que se le dé constantemente la vuelta para poder seguir en funcionamiento, también aparece reflejando

los flujos recíprocos y cambiantes que se establecen entre lo superior y lo inferior.

En el arte occidental, por la exactitud al medir el tiempo, por ser instrumento para organizar una vida metódica, ha sido un atributo tradicional de las personificaciones de la templanza.

Remo

*S*in necesidad de explicar nada, puede comprenderse que multitud de culturas hayan representado remos entre los atributos de sus grandes divinidades fluviales. Sin embargo, otro simbolismo más profundo puede asociarse al remo. Para comprenderlo debemos recordar que el océano es una imagen recurrente del caos y desorden; por ello, el remo o la vara que penetra en él y permite el movimiento y la supervivencia de los hombres es una referencia al conocimiento y al poder y dominio sobre los propios actos que éste genera. Las sociedades nacidas a orillas de grandes ríos o mares suelen emplear con bastante frecuencia este sentido. Así, los egipcios hacen de él un símbolo de soberanía, gobierno y acción; el soberano, como el remo, garantiza un cierto movimiento y orden sobre las caóticas aguas que rodean a la sociedad.

Reloj de arena

Junto a las referencias al tiempo que se pueden imaginar, el reloj de arena esconde un rico simbolismo derivado de los dos triángulos que lo componen.

Remo

Se le asocia un simbolismo profundo, como el que le relaciona con el dominio en el hombre de sus propios actos.

El Gran Canal y la iglesia de la salud, Canaletto.

Reno

Hoy en día, este mamífero de la familia de los cérvidos, habita las zonas frías de Europa, Asia y América. Físicamente se caracteriza por su corpulencia, por sus más de dos metros de longitud y cerca de uno de altura en la cruz. Durante las glaciaciones llegó a ocupar casi toda Europa y las poblaciones humanas en seguida aprendieron a domesticarlo y a aprovechar su piel, leche y carne.

Resina

La incorruptibilidad de las resinas y su origen vegetal despiertan un rico simbolismo que se transmite hasta el incienso.

Respiración

Según varias tradiciones, cuando el hombre respira entra en comunicación con el cosmos.

En la tradición grecolatina, que concibió la existencia de una barca que conducía al otro mundo, cuyo remo ha recibido la influencia de la Rama de Oro y del muérdago (*véase* Rama). Por ello, al igual que estos últimos elementos mencionados, algunas narraciones míticas hablan de dicho remo como llave del reino de los muertos.

■ **Referencias cruzadas**: *véanse* también Fortuna y Rama.

Reno

Ya desde la Prehistoria más antigua se encuentran renos representados en pinturas rupestres. Su sentido sigue siendo desconocido y parece que no hay muchos datos que permitan superar lo que de momento no son más que especulaciones. Pese a ello, sí se puede afirmar que este animal constituyó desde los primeros tiempos una importante fuente de sustento para los hombres. Su carne, la piel, la leche, los huesos, las astas e incluso los tendones fueron aprovechados de uno u otro modo.

Como el resto de cérvidos se asocia simbólicamente a la Luna y a lo funerario (*véase* Ciervo), por lo que en muchas culturas es considerado uno de los animales que conduce a los muertos al otro mundo. Esta función del reno es similar a la que cumple el gamo en Norteamérica y el corzo en Asia.

■ **Referencias cruzadas**: *véase* también Ciervo.

Resina

Las resinas naturales, segregadas por muchas plantas y árboles cuando se les hace un corte, tienen la propiedad de ser prácticamente incorruptibles (las famosas piedras de ámbar que han resguar-

---

dado insectos de hace millones de años no son más que resinas fósiles). Por ello, y por tener su origen en los árboles, una de las mayores manifestaciones de la vida natural, las resinas simbólicamente aluden a nociones de inmortalidad. En ocasiones también se identifican con el alma del árbol o incluso con la esencia de la naturaleza. Toda esta relación con los grandes principios vitales se ve reforzada por la inflamabilidad de estas sustancias (el fuego es uno de los símbolos más asociados a la vida, ya que destruye pero también crea; *véase* Fuego).

Al ser un gran símbolo de inmortalidad y de la esencia de la vida, algunas representaciones la han empleado también como alegoría de la pureza que emana de algún cuerpo; así, el arte cristiano empleó la imagen del árbol del que mana resina como alegoría de Cristo.

Este rico simbolismo se puede observar con cierta claridad en los diferentes rituales que se sirven del incienso que con ellas se crea.

■ **Referencias cruzadas**: *véanse* también Fuego e Incienso.

Respiración

Numerosas culturas han creído que a través de la respiración llegaban al hombre las fuerzas que inundan el universo. Así, la respiración es un mecanismo por el que el individuo entra en comunión con el cosmos; esta concepción se plasma en la voluntad de acompasar los ritmos de inspiración y expiración con los marcados por las fuerzas que nos rodean. Los ejercicios respiratorios del yoga y de otras técnicas taoístas y budistas son un fiel reflejo de todo lo mencionado. En dichos ejercicios, la retención de la respiración suele identificarse con un intento por regresar a los estados primordiales del ser.

Resurrección

En prácticamente todas las religiones el poder de devolver la vida a los hombres queda en manos de los diferentes dioses y constituye el mayor de los milagros posibles. Una leyenda griega muestra claramente el carácter sacro de este poder al narrar cómo Zeus fulminó a Asclepios porque había conseguido devolver la vida a los muertos.

En la tradición occidental la leyenda del Ave Fénix constituye uno de los símbolos tradicionales de resurrección, pero, sin duda alguna, es Cristo el gran referente en esta materia. La forma en la que volvió a la vida tres días después de su muerte constituye dogma de fe para la Iglesia cristiana. Hasta el siglo XII las representaciones de este suceso plasmaron a las mujeres ante el sepulcro vacío, en ocasiones acompañadas por los soldados de Pilato. A partir del siglo XIV comenzarían a proliferar las imágenes del hijo de Dios alzándose sobre su tumba, pero dos siglos después el Concilio de Trento desaprobó esta representación por no adecuarse exactamente a la doctrina, que habla más de un retorno a la tierra que de un ascenso a los cielos. Por ello, este episodio pasó a plasmarse mostrando al hijo de Dios de pie sobre una tumba cerrada.

Una forma más de resurrección, de vuelta a la vida tras la muerte, es la reencarnación y, aunque adquieran matices muy diferentes en las diferentes religiones, ambas creencias muestran la incapacidad de los hombres por aceptar su propia muerte.

■ **Referencias cruzadas**: *véase* también Fénix.

Rey

Los reyes y en general los grandes soberanos de todos los pueblos, los individuos que ocupan los lugares más altos de las jerarquías sociales, han mostrado siempre un gran interés por revestir su figura con una gran simbología.

El procedimiento más usual ha sido el de relacionar su poder con el divino, hacer de sí mismos representantes de los dioses en la tierra, afirmando que su poder deriva de ellos o incluso deificando su persona. Los reyes intentan aparecer como los únicos seres capaces de establecer el orden y la armonía en la tierra, al igual que hacen sus homólogos, las grandes divinidades, en los cielos. Por ello, se muestran como los defensores contra lo perverso y como los más capaces para discernir el bien del mal y así juzgar y legislar; el reflejo de estas concepciones es la aparición de la espada y la balanza en sus representaciones artísticas.

Todo lo mencionado puede observarse en numerosas civilizaciones por todo el mundo. En China, por ejemplo, el carácter empleado para rey se compone de tres trazos horizontales (cielo, hombre y tierra) y uno vertical uniéndolos. Entre los hindúes los soberanos son símbolo de orden y origen del movimiento; por ello se les representa en el centro de una rueda

Resurrección

Es Jesucristo el gran referente de la resurrección, dogma de fe para todos los cristianos.

Rey

En todo el orbe, los grandes monarcas han pretendido reforzar su posición creando un fuerte aparato simbólico en torno a ellos.

La resurrección del niño, Ghirlandadio.

El rey bebiendo, Jordanes.

Riendas

Las riendas son un símbolo del dominio del individuo sobre sus impulsos.

que hacen girar (representaciones muy similares aparecen en el budismo referidas a su profeta). Siguiendo en el oriente asiático, el emperador de Japón ha sido considerado, hasta hace muy pocos años, descendiente directo de la diosa del Sol. Los faraones egipcios mostraban concepciones similares, ya que compartían la esencia tanto del Sol como de los dioses.

Cuando la posición del rey es algo menos autoritaria, intenta justificar su existencia como elemento necesario para el equilibrio en la sociedad. Así, en la sociedad celta, donde los reyes eran elegidos por la casta militar bajo la supervisión de los druidas, se les consideraba principalmente intermediarios entre los guerreros, los sacerdotes y el pueblo. Los celtas también pueden servirnos de ejemplo para ilustrar una idea muy extendida en las sociedades menos jerarquizadas: la vitalidad del rey, de su gran líder, es la vitalidad de la sociedad. Por ello, los reyes enfermos o debilitados tienden a ser depuestos e incluso, en algunos lugares, sacrificados (si no él mismo, sí al menos aquel que es elegido como su chivo expiatorio).

Pero en el subconsciente popular de casi todas las sociedades es donde se encuentra la idea más extendida acerca del rey. Él es la personificación máxima del desarrollo personal y espiritual. Es la conocida imagen del rey sabio, el ideal a conseguir que se refleja en cuentos y narraciones donde los grandes hombres adquieren como recompensa a sus méritos el gobierno de un reino. El rey se convierte, en suma, en el arquetipo por excelencia de la perfección. Como consecuencia de ello, la pareja de monarcas, rey y reina, van a emplearse como símbolo de unión óptima y armoniosa.

Sin embargo, todos estos principios pueden pervertirse para crear la figura ya no del rey, sino del tirano.

Los atributos que aparecen junto a los reyes con mayor frecuencia a lo largo de todo el orbe son: la espada, de quien lucha contra el mal, defiende a su pueblo e impone justicia; la balanza, símbolo de orden y justicia; el cetro, la corona y el trono, atributos clásicos de poder; el globo, ilustración de la universalidad de su poder; y el león, el águila, el Sol y Júpiter, los grandes soberanos de sus diferentes reinos.

Pese a lo narrado, el devenir político del mundo occidental después de la Revolución Francesa ha provocado que los reyes hayan ido perdiendo su sentido simbólico original hasta quedar como mera personificación de la institución monárquica.

■ **Referencias cruzadas**: *véanse* también Águila, Balanza, Cetro, Corona, Dosel, Espada, Globo, Júpiter, León, Sol y Trono.

Riendas

*L*as *riendas*, a través de las cuales el hombre domina el carro o el caballo, simbolizan el poder del individuo como rector de sus propios impulsos. Por ello, cortar las riendas en ocasiones aparece empleado como alegoría de la muerte.

■ **Referencias cruzadas**: *véanse* también Caballo, Caballero y Jinete.

Riñones

En varias tradiciones culturales, como el judaísmo y el taoísmo chino, los riñones son la sede de los sentimientos y las emociones, sobre todo de aquellos más relacionados con el vigor, la pasión y los deseos ocultos. El occidente cristiano no ignoró esta simbología y durante la Edad Media proliferaron las identificaciones de este órgano con el apetito sexual.

Río

El río Amarillo, el Nilo, el Ganges, el Tíber, Tigris y Éufrates; casi todas las grandes civilizaciones clásicas surgieron al amparo de ríos que se constituían en una pieza clave de su existencia. De ellos dependían sus comunicaciones y buena parte de su sustento alimenticio, y sus aguas resultaban vitales para la agricultura, por lo que en seguida se convirtieron en grandes símbolos de fertilidad frecuentemente divinizados.

Las imágenes que proporcionaban estos ríos fueron un gran semillero de las más variadas simbologías. El fluir de su corriente se tomó por símil de lo temporal y lo perecedero (incluso de la muerte), pero también de la fuerza creadora, de la vida y del renacer de los ciclos de la naturaleza.

La forma en la que los ríos se funden en el mar se empleó como imagen de la incorporación de lo individual en el absoluto. Así, en India sirvió para ilustrar la entrada de las almas en el Nirvana. En este sentido, la desembocadura, que da acceso al océano, puede compartir el simbolismo de la puerta o el umbral (*véase* Umbral). Resulta fácil imaginar que este curso fluvial haya sido comparado con el discurrir de una vida que inevitablemente desemboca en ese mar del más allá y, por ello, se puede

comprender que el viaje contracorriente aluda al retorno a los orígenes, casi al Paraíso, en más de una narración alegórica.

Pero, como ya dijimos, los ríos son los grandes benefactores de las civilizaciones clásicas, un verdadero reflejo de la benevolencia de los dioses con los hombres, un don que éstos reciben. Esta concepción se observa claramente en las antiguas (y muy extendidas) tradiciones sobre los cuatro ríos del Paraíso. Parece ser que fue en Babilonia donde se desarrolló por primera vez esta idea, que se traduce en la existencia de cuatro ríos que brotan del Árbol de la Vida, eje del mundo donde lo divino entra en contacto con lo mundano, para regar las cuatro partes del mundo. La tradición babilónica identificó estos ríos con el Gión, Pisón, Tigris y Éufrates. Posteriormente, los judíos, que estuvieron en contacto directo con esta creencia, hablaron de una corriente que fluía desde los cielos para caer verticalmente sobre la tierra y extenderse por el mundo en el sentido de los puntos cardinales. Como se puede apreciar, el simbolismo del eje es aquí aún más patente. La religión cristiana también adoptó esta idea, representándola como cuatro ríos que manan de una colina sobre la que se sitúa Cristo o su símbolo, el cordero de Dios (así aparece en los primeros monumentos cristianos). Con cierta frecuencia

Riñones

En el taoísmo chino y en el judaísmo, los riñones albergan los sentimientos y las emociones.

Río

Su protagonismo en el génesis y desarrollo de grandes culturas condujo a la creación de importantes simbolismos.

Vista de Verono y el río Adigio desde el puente nuevo, Bellotto.

Las aguas del río, fuente constante de vida para diferentes culturas, también fueron temidas y respetadas por la impetuosidad de sus crecidas. Oraciones y sacrificios en sus orillas así lo manifiestan.

Roble

De porte majestuoso y madera muy resistente, es uno de los árboles más aprovechados por el hombre.

esta imagen se comparó a la labor de los cuatro evangelistas difundiendo la palabra divina por el mundo.

A miles de kilómetros del Próximo Oriente, budismo e hinduismo, civilizaciones que comparten remotos orígenes con los pueblos del Mediterráneo, manifiestan concepciones muy semejantes. Dentro de la doctrina budista se habla de los Ríos del Paraíso que otorgan poder y sustento espiritual a quien de ellos bebe. En el hinduismo encontramos una similitud aún mayor con lo antes expuesto: estos ríos fluyen en las cuatro direcciones cardinales desde el monte Meru y el Árbol de la Vida. El acto de bañarse en ellos, que aparece representado con mucha frecuencia en las puertas de los templos, constituye una purificación del individuo. Otra significativa similitud se encuentra en las fuentes del Ganges que, al igual que los ríos de la tradición judía, se supone que desciende desde la cabellera del dios Shiva.

La simbología de estos ríos míticos tienen su reflejo grecolatino en los cuatro ríos del Hades, ya descritos en la literatura latina clásica por Virgilio y reelaborados siglos después por Dante (fue él quien, influido por las concepciones cristianas, asoció los castigos a cada río). En primer lugar debemos recordar que el mundo de los muertos de la cultura grecolatina, pese a encontrarse bajo la tierra, no puede

equipararse al infierno cristiano (*véase* Infierno). Según las descripciones antes mencionadas, los cuatro ríos del Hades serían el Léteo (el río del olvido), el Cocito (de los lamentos), Aqueronte (de los dolores) y Flegetonte (de las llamas). Estos ríos fueron una rica fuente de inspiración para los artistas cristianos, que se sirvieron de ellos para ilustrar las primeras representaciones del Juicio Final: Cristo juez elevándose sobre el río de llamas que, a sus pies, se lleva a los condenados.

Pero en la Antigüedad clásica la simbología de los ríos no se limitó a la de los del Hades. En su mitología se les consideró hijos del dios Océano y padres de las ninfas y de multitud de héroes. Su carácter era casi divino y, recalcando su eternidad y bondad con los hombres, se les personificaba en la figura de ancianos venerables con largas barbas y cabellos en los que se entrelazan hierbas acuáticas. Junto a ellos suelen aparecer, en una clara alusión a la corriente de sus aguas, ánforas que vierten agua continuamente. También es frecuente que entre sus atributos se encuentren remos (*véase* Remo) o cuernos. Este segundo motivo, de interpretación algo más difícil, es una alusión al toro, a su fuerza, y es que los ríos además de fuerzas benefactoras también pueden ser temidos por la fuerza e impetuosidad de sus crecidas. Por todo ello se tenía por costumbre sacrificar en la corriente de los ríos a toros o caballos vivos y, antes de cruzar un río, la precaución y el respeto a los dioses imponía orar y purificarse.

■ **Referencias cruzadas**: *véanse* también Eje del mundo, Infierno, Remo y Umbral.

Roble

*E*ste árbol, muy difundido por Europa y América, ha provocado la imaginación de los hombres gracias a la dureza de su madera y a la facilidad con la que,

Imagen de Westerkerk, Amsterdam, Heyden.

por su espesa copa, recibe rayos durante la tormenta. Desde el Nuevo Continente hasta Escandinavia se ha relacionado simbólicamente con ideas de fortaleza y, tanto por esa fuerza como por su peculiar relación con el rayo, con los grandes dioses rectores.

Los celtas fueron uno de los pueblos que más atención le prestaron. Le consideraron íntimamente ligado a la función de los druidas, quienes, como el roble, encarnaban fortaleza y sabiduría y habitaban bosques cuyos robledales solían erigirse como gran espacio sagrado. La frondosidad y amplitud de sus ramas inspiraba también comparaciones con la hospitalidad.

En el mundo grecolatino se consagraron al más poderoso de los dioses, al señor del rayo, al Zeus griego (Júpiter entre los romanos). Aunque es casi imposible diferenciar entre la simbología de roble y encina, ambos se tomaron por símbolo de fortaleza y vida. Tanto encinares como robledales (que se suponía eran protegidos por las ninfas dríades) fueron el escenario del matrimonio ritual entre Júpiter y Juno que los romanos celebraban cada año. Estos dioses se identificaban con los árboles que rodeaban su matrimonio y con sus hojas se construían las coronas que vestían los devotos. Encina y roble eran símbolo de felicidad conyugal y las coronas de sus hojas se empleaban también en ceremonias de matrimonio y para consagrar a todo aquel que salvaba una vida. La palabra latina que designaba al roble, *robur*, se empleaba también para designar a la fortaleza física y espiritual.

La simbología del roble también se refleja en la posterior tradición cristiana, donde este árbol se convirtió en emblema de Cristo y la Virgen, de la fortaleza de la fe y la virtud de resistir ante la adversidad. Algunas narraciones comentan que incluso la cruz del Calvario había sido construida con madera de roble (entre los hebreos ya se había señalado que el Arca de la Alianza provenía del roble, árbol que manifestaba la naturaleza divina). Otras versiones, siguiendo la confusión ya mencionada anteriormente, señalan que dicha madera proviene de la encina.

Por último, resulta curioso observar cómo el taoísmo chino hizo del roble no símbolo de fortaleza, sino de debilidad. Sus enseñanzas señalaban que el roble, incapaz de doblegarse un ápice ante las tormentas, acaba partiéndose, mientras el sauce, de apariencia mucho más frágil, sabía inclinarse para así acabar sobreviviendo.

■ **Referencias cruzadas**: *véase* también Encina.

La Virgen de la Roca,
Leonardo da Vinci.

Roca

La firmeza e inmutabilidad de la roca hacen de ella un símbolo muy extendido por todo el orbe. Por esas virtudes se asocian generalmente a los dioses, hasta el punto de ser, en algunas tradiciones, una verdadera morada de lo divino o incluso el origen de la vida humana. Esta última idea, que refleja la tradicional asociación de la tierra a la vida animal y vegetal y de la piedra a la humana, aparece claramente en el mito griego de Deucalión, quien, después de sobrevivir al diluvio provocado por Zeus y siguiendo los designios del oráculo de Delfos, hizo surgir una nueva raza de hombres de las piedras de la tierra. Otro mito griego narra el eterno castigo de Sísifo, condenado a subir una y otra vez una gran roca a la cima de la montaña de la que luego volvería a caer; en este mito la roca es un símbolo

Roca

En la mitología griega se narra el castigo eterno de Sísifo, condenado a subir una y otra vez una gran roca a la cima de la montaña de la que luego volvería a caer. La roca simboliza los deseos terrenales del hombre, nunca satisfechos y siempre presentes.

de los deseos terrenales del hombre, nunca satisfechos y siempre presentes.

En la tradición cristiana la firmeza de la roca se asoció, al igual que casi todo lo que transmite nociones de fuerza o estabilidad, a Cristo y la Iglesia. Además de ello, en un pasaje del Antiguo Testamento el agua brota de una roca del desierto; evidentemente, esta roca se identifica con Dios, fuente de toda salvación de los creyentes. San Pedro, en su calidad de fundador de la Iglesia, se compara en ocasiones a la gran piedra sobre la que se levanta ese simbólico edificio.

También aparece en uno de los motivos más conocidos del arte taoísta: la roca y el salto de agua, una imagen de estabilidad y movimiento, de pasividad y actividad, un símbolo más del dualismo del yin y el yang.

Participando de todo este simbolismo, en diferentes lugares del mundo se encuentran leyendas que describen rocas que cubren pasos maravillosos o embrujados hacia otros mundos (es el caso de las Ciáneas o Simplégades de los griegos, las rocas que se balanceaban entrechocando en el Bósforo). En estos casos la interpretación que predomina es la que corresponde a las dificultades que se ubican en los lugares de paso.

Rocío

Las delicadas gotas de rocío que aparecen representadas en los bodegones del arte occidental deben tomarse por un símbolo de fugacidad.

La huida de Eneas de Troya, Barocci.

■ **Referencias cruzadas**: *véanse* también Piedra y Umbral.

Rocío

*E*l *simbolismo* de las gotas de rocío debe interpretarse teniendo en cuenta el de la lluvia (considerada generalmente una dádiva de los dioses, un regalo de fertilidad que el cielo hace a la tierra) y el del Sol (iluminación espiritual) que las ilumina al amanecer.

De la asociación de esas ideas nacen las interpretaciones más usuales, como la de los hebreos, quienes consideran al rocío como una emanación del Árbol de la Vida o incluso como un regalo de Yahvé, un símbolo de salvación y regeneración. También los griegos y los indios de Norteamérica vieron en él la fecundidad y fertilidad. En la tradición hindú se le consideraba símbolo de la palabra divina y en China se le hacía provenir de la Luna, astro del que los Inmortales, con una concha, extraían el rocío que prolongaba su vida. El Egipto faraónico empleaba el rocío como símil de la educación, regalo al alcance de todos que sólo algunos saben aprovechar. Dádiva divina, vida y participación de los dones de los dioses son, en suma, las características más asociadas a este fenómeno de la mañana.

A parte de ello, otro elemento que cobra importancia en algunas interpretaciones es la escasa vida de estas gotas, una desaparición fugaz que se emplea como alegoría de la inconstancia y como referencia a la insignificancia de lo presente en un mundo en constante cambio. Así aparece en el arte occidental (especialmente en sus bodegones) y en el budismo.

Rojo

*E*ste *color,* intenso y con fuerza, presenta una simbología extensa y variada, relacionada casi siempre con el Sol,

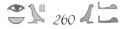

el fuego y la sangre. Todos estos elementos, que participan del rojo, pueden entenderse en sentido positivo como vida, acción, pasión y amor, y en sentido negativo como guerra, destrucción y caos.

Esa ambivalencia simbólica ya se manifiesta en el antiguo Egipto, donde este color se asocia al desierto, a la destrucción y a todo lo amenazante (por ejemplo, son varios los ejemplos de papiros donde los insultos aparecen en tinta roja).

En la antigua Grecia el rojo fue el color de la actividad y la guerra, frecuentemente asociado, por tanto, al dios Ares (señor de la guerra). Esta relación con lo bélico, y por extensión con la muerte, también se encuentra en el mundo celta. Por el mismo motivo, los romanos hicieron del rojo el color de Marte, dios de la guerra, y de los emperadores, generales y nobles. El rojo, como estamos viendo, se convirtió en un verdadero símbolo de las capas sociales que justificaban su existencia en el poder de la acción. Gracias a las funciones que estos grupos fueron copando, se asoció también a los dignatarios de justicia (lo que luego se transmitiría a los verdugos medievales). Pero el rojo no era sólo guerra y acción, sino también pasión, amor y vida, lo que justifica que incluso el *flameum*, el velo de las novias romanas, fuera de este color.

La simbología que el mundo grecolatino desarrolló continuó con gran vigencia en la tradición cristiana. El rojo, identificado con el amor, fue el color empleado para las representaciones del Espíritu Santo; como alusión a la sangre vertida, se asoció también a los mártires; y uniendo esto a la simbología de poder que ya se vio en la sociedad romana, los cardenales, en ocasiones considerados soldados del Papa, la adoptaron en sus vestimentas. Gran parte de esta simbología se conserva aún hoy en día, ya sea de una forma directa o a través de vías más recónditas, como la de las festividades del calendario, que gene-

Celebrando el nacimiento, Steen.

ralmente se señalan con rojo en honor a los santos de la Iglesia. Pero este color también insinúa sentidos peyorativos al aplicarse a las representaciones del violento Satanás o de la lasciva prostituta de la Babilonia del Apocalipsis.

Continuamente encontramos la relación del rojo con el poder, la actividad y la guerra, motivo por el cual en el mundo contemporáneo se asoció a las revoluciones y, a través de ellas, a los movimientos de izquierdas como el comunismo y socialismo.

En el continente americano el rojo tendió a identificarse más con la vida y la fertilidad, como reflejan tanto los indios norteamericanos como los aztecas. Entre los mayas se asoció al éxito.

Su intensidad y la relación que ya hemos visto con lo pasional, condujeron a que las tradiciones budista e hinduista hicieran de él la actividad y la energía vital, mientras que en China simbolizó el verano, la alegría, la felicidad e incluso la buena suerte. Esta última asociación también se encuentra en Japón, donde el rojo se emplea tradicionalmente para desear buena suerte; por ello una típica felicitación puede ser, por ejemplo, el arroz colo-

Los matices del cuadro de Steen viran hacia el color rojo y entroncan con sentidos de vida y actividad.

Rojo

Símbolo de poder, vestimenta de guerreros y color de la buena suerte; el rojo, cargado de referencias a la sangre y al fuego, ha generado numerosas interpretaciones.

Rombo

El rombo cuya diagonal mayor queda en sentido vertical suele denominarse «losange» y se emplea como símbolo de las relaciones de lo celeste con lo mundano.

reado de rojo. Pero allí también es el color de la sinceridad, armonía y fidelidad (el rojo de los cinturones que visten los soldados japoneses debe interpretarse como fidelidad a la patria).

■ **Referencias cruzadas**: *véanse* también Fuego, Púrpura, Sangre y Sol.

Rombo

Si esquematizamos la forma de la vulva femenina seguramente obtengamos una imagen muy similar a un rombo. Por ello, esta figura geométrica ha sido considerada, ya desde la Prehistoria y por todas partes del planeta, un símbolo de fecundidad muy relacionado con la vida que arroja la madre naturaleza.

Pero también se ha empleado con sentidos bastante más eróticos. Así, los griegos, para estimular las pasiones recurrieron a amuletos y objetos de formas romboidales. Entre los indios de Norteamérica las continuas representaciones de rombos y serpientes no dejan de ser combinaciones sexuales de falos y vulvas. Aún hoy en día el rombo es la figura más empleada para identificar las obras de contenido sexual.

Sin embargo, no todo el simbolismo del rombo se restringe a lo mencionado. El rombo también es la unión de dos triángulos, una alusión al simbolismo de lo superior y lo inferior, del contacto entre cielo y tierra. La heráldica y la simbología medieval emplean con una cierta frecuencia este sentido y, cuando es así, generalmente se representa en forma de losange, rombo cuya diagonal mayor queda en sentido vertical.

Joven con una rosa, Guido Reni.

Rosa

Su belleza, fragancia y delicadeza han hecho de ella un símbolo de amplia tradición, sobre todo en Occidente, donde ocupa un lugar similar al del loto en Oriente (Heródoto lo llamó «la rosa del Nilo»).

La simbología que recae sobre esta flor recibe la influencia de las del círculo (existe una cierta similitud formal; *véase* Círculo), sangre y vino (comparten el color; *véanse* Sangre y Vino). De la unión de ello y de la admiración que despierta la rosa, nacen interpretaciones que suelen girar en torno a ideas de perfección, amor, pasión, fertilidad, vida y muerte.

No debemos olvidar que cualquier sentido dado puede cambiar o matizarse en una representación concreta por el color o el número de sus hojas: si son blancas alude a la pureza; rojas, al amor; azules, a lo imposible; y aúreas, a los logros espirituales (durante siglos los papas mantuvieron la tradición de ofrecer conmemorativas rosas de oro el Domingo de Cuaresma). Pero también los objetos que acompañan a la flor varían su significado: junto a un círculo, por ejemplo, evoca la totalidad y eternidad (ideas implícitas tanto en la rosa de los vientos como en el rosetón medieval).

Pero todos estos significados generales se fueron concretando de formas diferentes a lo largo del tiempo. En el antiguo Egipto la rosa se consagró a Isis como símbolo del amor puro, exento de deseo carnal. La tradición grecolatina adoptó esta interpretación y no quiso evitar asociarla a sentidos más eróticos. Así, su mitología narra cómo las rosas nacieron vinculadas a dioses como Afrodita, Adonis y Dionisos (todos ellos se ligan de alguna forma a las pasiones). Esa mayor sensualidad también se detecta en los rituales religiosos en los que las prostitutas tenían por costumbre engalanarse con estas flores (por ello, algunos pueblos euro-

peos han heredado una popular asociación entre rosas y meretrices).

La cercanía simbólica con el vino comenzó a atribuir a la flor, ya desde la Antigüedad clásica, unos supuestos poderes refrescantes sobre el cerebro. Durante siglos se creyó que servía para prevenir la embriaguez y evitar el exceso de locuacidad generado por el alcohol. Ello justifica las coronas de rosas que solían vestirse en fiestas y orgías, o las copas adornadas con figuras de esta flor. Así, llegó a identificarse con la discreción, motivo por el que se la representa en multitud de salones de consejos.

Pero como ya se dijo, esta flor es también, como la sangre, regeneración, vida y muerte. Por ello en el arte romano la aurora, el renacer del día, fue representada a través de guirnaldas de rosas. Y como el éxito se celebra tradicionalmente con símbolos vitales que quieren evitar su perennidad, las imágenes de Júpiter y de emperadores romanos victoriosos se acompañaron también de rosas. Inevitablemente, lo que es vida acaba relacionándose a lo funerario, y por ello estas flores comenzaron a emplearse como ofrenda mortuoria.

El mundo cristiano heredó esa simbología y la aderezó con constantes referencias a la sangre de los mártires y al amor de Dios. Según algunas tradiciones, con la rosa se recoge la sangre de Cristo en el Calvario y, en multitud de alegorías, la Rosa Mística (bella y sin espinas, pura) es la Virgen María. Estas referencias, fundamentales para la religión cristiana, conducen a una gran popularidad simbólica por la que esta flor aparece, con diversos significados, en la rosacruz, el jardín, el rosetón y la rosa de los vientos.

Posteriormente también el Islam emplearía la rosa como alegoría de la sangre de Mahoma y sus hijos, así como en la alquimia se llegaría a emplear para aludir a las grandes transformaciones. En el Renacimiento, las tres Gracias (que personifican la belleza y acompañan a varias diosas) se adornaron con estas flores, cuyas espinas comenzaron a encarnar el dolor del amor. Pese a que, como acabamos de ver, esta flor ofrece un simbolismo muy variado, hoy prácticamente sólo permanece su identificación con el amor.

■ **Referencias cruzadas**: *véanse* también Círculo, Rojo, Loto, Sangre y Vino.

Rosa de los vientos

Véase Rosa.

Rosa

La que hoy es flor del amor por excelencia ha sido mucho más que eso a lo largo del tiempo. Remedio contra la embriaguez, vida después de la muerte, sangre de los mártires... la rosa esconde referencias ya casi olvidadas.

Aurora, Guido Reni.

Rostro

El arte occidental nos ha regalado grandes conjunciones de rostros y espejos, referencia simbólica a la imposibilidad de conocerse sin la ayuda del otro.

Cabeza de muchacha despeinada, Leonardo da Vinci.

Rubí

Piedra preciosa cuyo color oscila dentro de las diferentes tonalidades e intensidades del rojo.

Rubio

El cabello rubio, fundamentalmente en zonas mediterráneas, se ha relacionado con el Sol.

Rosacruz

Véase Rosa.

Rosetón

Véase Rosa.

Rostro

*A*unque sea de una forma parcial, es quizá la mejor forma y la más directa para acercarse a una persona. Su simbolismo aparece perfectamente recogido en la expresión popular que le señala como el espejo del alma. Por ello, los juegos establecidos con espejos y con la mirada proyectada a través de otras personas refleja la imposibilidad, no sólo física, de que el hombre se vea a sí mismo si no es con la ayuda de otro.

Siguiendo con este sentido, los dioses que poseen varias caras, algo bastante frecuente en la historia de las religiones, en general revelan diferentes aspectos de su ser.

■ **Referencias cruzadas**: *véanse* también Espejo y Juno.

Rubí

*S*in duda alguna, el sentido simbólico que se ha otorgado a esta piedra deriva de aquellos que se asocian al gran elemento con el que comparte color: la sangre (*véase* Sangre). Este motivo es el origen de una generalizada identificación con ideas de regeneración. Por ello, se ha tomado al rubí por amuleto contra las enfermedades; ya en los tiempos más antiguos, en el Mediterráneo se empleó como protección contra la peste y los venenos. Extendiendo sus poderes a la prevención de cualquier mal, se dijo que servía para evitar la concupiscencia, los malos pensamientos y la tristeza. Incluso se creía que esta piedra cambiaba de color para avisar de los peligros que se avecinaban. Las tradiciones populares rusas la tomaron por buena medicina para el corazón y el cerebro, para frenar las hemorragias e incluso para sanar el mal de amores. Como tantos otros símbolos rojos, vitales y pasionales, el rubí tiene una fuerte relación con el amor.

Por último, esta piedra preciosa también se ha empleado para recalcar el poder, la realeza y dignidad del que la ostenta, y no sólo por su belleza o valor económico, sino también por la tradicional asociación simbólica entre lo rojo y la victoria, la inmortalidad del éxito.

■ **Referencias cruzadas**: *véanse* también Rojo y Sangre.

Rubio

*E*ste color del cabello ha sido tomado, sobre todo en las sociedades mediterráneas, donde predomina claramente el pelo moreno, como una reminiscencia solar, que relacionaba al individuo con el astro rey y, a través de él, con lo divino, la energía y la pureza. Así, resulta fácil comprender el motivo por el que la mayoría de los dioses, héroes e incluso santos y profetas han sido descritos con resplandecientes cabelleras rubias.

■ **Referencias cruzadas**: *véase* también Sol.

Rueca

*E*n la Antigüedad clásica se tomó por símbolo de los oficios domésticos y como atributo de diosas protectoras del hogar o de la mujer, es el caso de la Atenea griega y la Ishtar mesopotámica. Pero quizá sus significados más conocidos

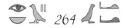

son los que derivan de la identificación del hilo con el transcurso de la vida; por este motivo, la rueca y el huso se convirtieron en símbolo del destino y atributo de aquellas que lo tejen: las Moiras (llamadas Parcas en Roma) y, en ocasiones, la Luna. Ese hilo vital, que siempre puede ser cortado, se liga inevitablemente a la muerte, y por ello tanto sus alegorías como las de Némesis (personificación de la voluntad y la venganza divina) también pueden aparecer con ruecas.

No deja de ser frecuente encontrar imágenes de vírgenes representadas junto a esta herramienta de hilado. Quizá el motivo sea la combinación de alusiones domésticas, muy comedidas y castas, con una supuesta simbología fálica derivada de la forma de la rueca.

Por último, no queremos cerrar esta entrada sin mencionar el episodio mítico en el que Onfale retuvo a Herakles realizando tareas domésticas. Gracias a ello, también el gran héroe heleno puede tener la rueca entre sus atributos.

■ **Referencias cruzadas**: *véanse* también Hilo, Huso y Moiras.

Rueda

*P**ara interpretar* este símbolo, uno de los de mayor importancia en las religiones euroasiáticas, debemos ponerlo en íntima relación con el significado del círculo (eternidad, perfección, propio de los dioses), pero teniendo en cuenta una serie de matices. En primer lugar, la rueda no es divina, ha sido creada por los hombres. Pero además, hay que prestar atención al número de sus radios, algo que podría esconder importantes significados.

En general, la rueda se va a convertir en uno de los mayores símbolos cósmicos. Su circunferencia exterior se corresponde con el mundo manifiesto, siempre en movimiento, cambiante y frecuentemente

cíclico. En su centro, en el eje de la rueda, se halla el origen de todo impulso, los dioses o fuerzas que lo originan.

La oración de la hilandera, Guerrit Dou.

Con este sentido la tradición china creó la imagen de la Rueda de la Ley, uno de los ocho símbolos de la suerte, representación del destino de los hombres, cuyo movimiento y sentido último no puede ser cambiado si no es escapando únicamente hacia el centro, hacia su origen.

Esa inestabilidad de la vida humana también se refleja en el octavo arcano del tarot, la conocida Rueda de la Fortuna, que funde imágenes de principios duales con el simbolismo de la rueda. No es más que una alegoría a la continua sucesión de lo bueno y lo malo, de la vida y la muerte, en los ciclos que rigen este mundo. Pero esta imagen no es una creación original del tarot; ya en la Antigüedad clásica aparecía acompañando a la personificación de la fortuna y, con ese mismo sentido, se representó con bastante frecuencia durante el Renacimiento.

Otra rueda famosa es la Rueda de la Vida budista, un complejo símbolo de las amenazas que acechan al recorrido vital del hombre. En su centro se encuentran los pecados capitales origen de todo mal: el gallo rojo (la pasión), la serpiente verde (odio) y el cerdo negro (la codicia). A partir de ellos, en círculos concéntricos, figuran los seis tipos de seres hacia los que camina nuestro renacimiento (como consecuencia de nuestros actos) y las doce posibles acciones que provocan el movimiento de los ciclos.

Rueca

Pese a permanecer con fuerza en el imaginario de todos nosotros gracias a cuentos y mitos, seguramente son muy pocos los capaces de describir una rueca, una vara en la que se fija el material que se iba a hilar.

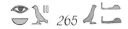

Entrada de Alejandro en Babilonia, Le Brun.

Rueda

Como círculo radiado, con alas a los lados o con dioses en su centro, la rueda ofrece una simbología ligada al círculo, los astros y el eterno movimiento.

Pero la rueda, como alegoría del ciclo y por su forma, también muestra una importante relación con los astros, ya sea con el Sol o con la Luna. Gracias a ello muchas culturas hacen de ella un símbolo fundamental identificado con los dioses y los poderes que se adjudican a estos astros. Así aparece por todo el orbe, desde el Egipto faraónico hasta el mundo celta o el cristiano. La rueda alada, motivo muy frecuente en todas estas civilizaciones, incide aún más (*véase* Alas) en la participación de lo divino, por lo que suele tomarse por símbolo del movimiento inspirado por los dioses, del camino y el obrar correcto.

■ **Referencias cruzadas**: *véanse* también Alas, Círculo, Fortuna, Luna y Sol.

Ruíseñor

El ruiseñor es un ave de pequeño tamaño que habita principalmente el continente europeo. Su canto le ha hecho ganar una fama universal, hasta el punto de identificarse con el amor o decirse que inspira la felicidad (en la Antigüedad clásica se le tomaba por augurio de suerte). Durante la época de reproducción el ruiseñor canta día y noche, motivo por el cual se le ha identificado con un mago que hechiza la noche haciendo olvidar todo aquello que regresará con el nuevo día.

Pero la melodía de su canto también ha inspirado sentimientos de añoranza y pérdida. Así aparece en la antigua Persia y en el arte cristiano, donde se emplea como símbolo de la añoranza de Dios.

Muchas creaciones líricas del arte occidental, unen todos estos sentidos creando ricas referencias a sentimientos en los que se confunden la melancolía, el amor y la felicidad.

Por último, como casi todas las aves han sido consideradas antes o después seres que comunican cielo y tierra, varias tradiciones populares señalaron al ruiseñor como el portador de las almas de aquellos que han recibido una muerte agradable (de nuevo una mezcla de la añoranza y felicidad propiciada por su canto).

Ruíseñor

Varias tradiciones señalaron la creencia de que el ruiseñor es el portador de las almas de aquellos que han recibido una muerte agradable.

Concierto de pájaros, Snyders.

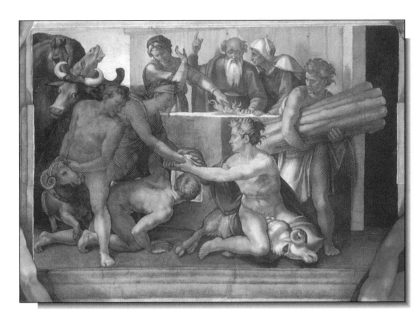

El sacrificio de Noé (detalle de la Capilla Sixtina), Miguel Ángel.

Sable

Véase Espada.

Sacrificio

A nte todo, el sacrificio constituye una renuncia a un bien material que se entrega a las divinidades; es también un reconocimiento de la supremacía de los dioses y un intercambio entre los mundos físico y espiritual. Y todo ello implica que cuanto mayor sea la consideración otorgada a lo que se sacrifica, mayor será la recompensa espiritual que se espera (los ritos pueden plantearse un objetivo concreto a conseguir o algo más genérico, como el favor divino). Así, en la pureza y perfección de lo sacrificado se mide el valor de lo que se pretende conseguir. La sublimación de esta idea lleva a los sacrificios del hijo, del padre o incluso el de la propia vida, ejemplos muy presentes en la historia a través de episodios como los de Abraham (en el Antiguo Testamento), Ifigenia (en la mitología clásica) y Cristo (en la religión cristiana).

Pero en la elección de lo sacrificado no sólo se tiene en cuenta su valor, real o simbólico, sino que se intenta satisfacer las características del dios que se invoca. En la antigua Grecia, por ejemplo, al sacrificar a humanos, si se pretendía conseguir el favor de dioses vinculados a la tierra, se entregaban personas de piel morena, mientras que si se buscaba halagar a dioses celestiales se elegía a los más rubios. Bajo esta práctica ritual se encuentra un fuerte componente ideológico, y no es otro que la creencia de que toda acción física tiene un parangón espiritual. En muchas mitologías, esta concepción se manifiesta en las narraciones sobre el origen del mundo, que describen como nacido de los miembros de un dios. Una idea similar identifica la salud de los grandes soberanos, representantes de los dioses en la tierra, con la prosperidad de sus pueblos. Así, cuando el gobernante enferma o se evidencia la necesidad de revitalizar sus poderes (en ocasiones coincidiendo con el renacimiento de los ciclos naturales), se le sacrifica, aunque casi siempre de un modo ritual, a través de chivos expiatorios que le representan. Del mismo modo, cuando la concepción de lo divino y de lo espiritual se eleva sobremanera y se aleja del mundo terreno, el ritual del sacrificio pierde todo sentido y desaparece (muy visible en el nacimiento del Islam).

Saeta

Véase Flecha.

267

Sagitario

El arquero, el centauro y un arco cuya flecha apunta en diagonal son los símbolos clásicos de este signo del zodiaco.

Sal

Las esencias de agua y fuego vienen a unirse simbólicamente en la sal.

Sagitario

El noveno signo del zodiaco, que en la astrología contemporánea se corresponde con el periodo comprendido entre el 20 de noviembre y el 20 de diciembre, es Sagitario, también llamado el Arquero o el Centauro. Dentro de la simbología del zodiaco (que pretende ofrecer un esquema de los desarrollos cíclicos; *véase* Zodiaco), este signo habla de la unión de las diferentes naturalezas del hombre y dominio sobre los propios actos. Es por ello por lo que se eligió la imagen de centauro (une hombre y caballo, raciocinio e instinto) y la del arco (control sobre su fuerza, dominio sobre la flecha). Además, cuando arco y flecha son los elegidos para simbolizar el signo, ésta apunta en un ángulo de 45°, el perfecto medio entre la vertical, el cielo, y la horizontal, la tierra. Un hecho más que recalca los sentidos mencionados es que sea Júpiter quien gobierna el signo, el rey de los planetas, el de mayor poder, aquel que media entre el calor de Marte y el frío de Saturno. Del mismo modo, el elemento de este signo es el fuego, el primer gran poder, creador y destructor, al alcance de los hombres.

Pero, ¿de dónde proviene toda esta interpretación? Es muy probable que la razón se encuentre en el periodo al que se adscribe este signo, un momento en el que los trabajos agrícolas ya han terminado y la caza se convierte en la ocupación principal. Así, esta actividad, que siempre ha llevado asociada una fuerte simbología, transmite sus valores al signo de Sagitario. Por ello la relación entre hombre y naturaleza, su coexistencia, el poder que se deriva de su correcta unión y la independencia que se liga al cazador, se convierten en las características principales del signo.

■ **Referencias cruzadas**: *véanse* también Arco, Centauro, Flecha, Fuego, Jinete, Júpiter y Zodiaco.

Sal

Desde que sus propiedades comenzaron a ser conocidas por los hombres, se desarrolló un fuerte simbolismo a su alrededor. En primer lugar, ya que se suele obtener por la evaporación del agua salada, se la consideró manifestación de la unión de las esencias de agua y fuego. Elementos que ante todo fueron siempre símbolos vitales, aunque pudieran manifestarse con multitud de matices, y en esa identificación con la vida contribuyó la principal utilidad de la sal: conservar los alimentos. Así, enseguida se convirtió en símbolo de incorruptibilidad y protección contra los males. En la antigua Roma, por ejemplo, se tenía por costumbre proteger a los recién nacidos poniéndoles sal en los labios. Esta tradición pasó en cierta forma al bautismo cristiano, que en ocasiones también ofreció sal a los niños, sal que se identificaba (aparece textualmente en el Nuevo Testamento) con los apóstoles. De la misma forma, en Japón numerosos rituales la empleaban para purificar espacios des-

Bodegón, Boolema de Stomme.

pués de los funerales, proteger umbrales e incluso pozos que deseaban mantener puros. Aún hoy en día algunas familias echan sal frente a la casa después de una visita no deseada.

Pero no todo son funciones prácticas, la sal también proporciona un sabor muy apreciado, motivo por el cual ya en la Antigüedad grecolatina se la identificó con el ingenio. La popular expresión «tener salero» conserva aún ese significado. Otro dicho muy conocido es el de «negar el pan y la sal»; su origen se sitúa en el Mediterráneo oriental de la Antigüedad, donde griegos y semitas empleaban estos dos productos como símbolo de hospitalidad.

La interpretación en clave negativa, siempre existe: es aquella que toma la sal como alusión a maldiciones, esterilidad y negación de la vida. Es así por el conocido hecho de que nada crece sobre un terreno con exceso de salinidad. A la mente de muchos vendrán las narraciones sobre las Guerras Púnicas: según la tradición, los ejércitos romanos, después de vencer a Cartago, destruyeron la ciudad y cubrieron sus restos con sal para que nada volviera a crecer allí.

Salamandra

*E*ste anfibio, de gran difusión por todo el mundo, muestra la peculiaridad de respirar y absorber agua a través de su piel. Para conservar esa capacidad, muchas especies segregan una sustancia lechosa (a veces tóxica), motivo por el cual muestra un aspecto liso y brillante. Gracias a ello se desarrolló la antigua creencia, ya mencionada por Aristótles y Plinio, de que la salamandra podía sobrevivir al fuego. La tradición cristiana adaptaría posteriormente estos sentidos hasta hacer de ellos símbolo de los mártires y del alma de los puros, que se mantienen imperturbables ante el fuego y las tenta-

Bodegón con nido (detalle), Heem.

ciones del infierno. De esta forma, la salamandra acabó empleándose en la heráldica para identificar al coraje y, a partir del Renacimiento, como atributo de la constancia. Por los sentidos ya vistos y por la dificultad que conlleva reconocer su sexo, este animal también ha simbolizado en algún momento la castidad.

Además de húmeda, la piel de la salamandra suele ofrecerse fría al tacto, hasta el punto de que los antiguos egipcios emplearan su imagen como origen del jeroglífico para designar a los muertos por congelación.

La toxicidad de la sustancia que exuda sirve al reptil como elemento de defensa, pero en la tradición europea ha ayudado a generar interpretaciones peyorativas que le llevan a acompañar a las personificaciones del perjurio. En otras ocasiones, al igual que casi todos los anfibios sin pelo, la sabiduría popular le señala como causante de la caída del cabello.

Salmón

*P*ez tanto de agua salada como de agua dulce, protagonista de espectaculares migraciones y preciada fuente de alimento en todos los tiempos, el salmón, gracias a su valor para los hombres y a su

Salamandra

Anfibio pequeño y esbelto, de larga cola y tamaño muy variado, desde el metro y medio de las especies gigantes hasta los cinco centímetros de sus familiares más pequeños.

Salmón

Para los celtas, el salmón personifica los valores positivos del medio acuático.

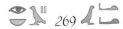

Puesto de pescado, Frans Snyders.

Sandalias aladas

En este caso como en tantos otros, las alas no hacen sino participar de la esencia divina.

Según la mitología romana Mercurio era el mensajero de los dioses y se le representaba con unas alas en los pies o en la cabeza.

Mercurio, Goltzius.

relación con el agua, ha generado una simbología muy positiva. En general, se le asocia a ideas de fecundidad y es entre los celtas donde su imagen cobra una mayor importancia. Allí el salmón fue considerado la personificación de todos los valores positivos del medio acuático; ya que el agua es sabiduría y purificación, también el salmón lo fue y cumplió dicha función en leyendas y como animal asociado a los poderosos y enigmáticos druidas.

Saltamontes

Véase Langosta.

Sandalias aladas

*A*l igual que el caballo (*véase* Pegaso) o la rueda alada, este símbolo habla tanto de seguir un buen camino como de elevación del que las viste (espiritual o física, lo que podría traducirse por velocidad). El origen de todo ello debe buscarse en la consideración del vuelo y, por lo tanto, de las alas, como una forma de participación de las virtudes de los dioses, que residen en los cielos.

Con estos sentidos aparece frecuentemente en la mitología griega, donde las visten dioses mensajeros, como Hermes (Mercurio para los romanos), y héroes

como Perseo, que las recibe como regalo de los dioses. La tradición china también ofrece ejemplos similares, ya que las señala como el medio por el que los Inmortales se desplazan a su morada.

■ **Referencias cruzadas**: *véanse* también Mercurio, Pegaso, Rueda y Vuelo.

Sandía

Véase Melón.

Sangre

*S*in *titubeo* posible, cuando aparece empleada como símbolo no cabe duda de que nos encontramos ante una referencia explícita a la esencia de la vida. Por todo el mundo encontramos mitos que hablan de seres, plantas o sustancias que brotan de la sangre derramada por algún dios (la sangre creando sangre, vida creando vida, una asociación de ideas que se genera con extrema facilidad). En la antigua Camboya, por ejemplo, la sangre derramada en los sacrificios era empleada para propiciar la fertilidad de las tierras y la llegada de las lluvias, y la tradición cristiana habla de la redención de los creyentes, su renacimiento espiritual, a través de la sangre de Cristo.

También los griegos, para evitar que el alma de los muertos se convirtiera en poco más que sombras, las alimentaban con sangre derramada sobre sus tumbas. Sangre y alma, una identificación frecuente y comprensible al ser ambas sede de la vida. Esa misma creencia subyace en la tradición de intentar evitar el contacto de la sangre (lo espiritual) con la tierra o en la de apropiarse de los poderes de un individuo bebiendo su sangre. Esta última concepción es la que conduce a los bautizos con sangre de toro (fuerza) por todo el Medio Oriente de la Antigüedad y al ritual cristiano de compartir

el vino como símbolo de la sangre de Cristo; esta última tradición es la que inspira la famosa saga del grial, cuyo eje central es la búsqueda de ese recipiente que, por haber guardado la sangre del Hijo de Dios, otorga la inmortalidad.

Vida y alma son también sentimientos y pasiones, lo que provoca la identificación de la sangre con éstos y la costumbre de sellar con ella pactos y compromisos.

Todos los simbolismos mencionados aparecen en cierta medida como consecuencia de un temor evidente hacia la sangre vertida, lo que la convierte en el más preciado objeto de sacrificio. Por los mismos motivos su pérdida injustificada, sobre todo en sociedades estatalizadas, donde la vida no pertenece al individuo, es casi un sacrilegio. También las mujeres con la menstruación han recibido tradicionalmente este simbolismo, lo que conducía a hablar de aislamientos y expiaciones necesarias (pero no con un sentido peyorativo, sino promovido por el respeto y temor).

■ **Referencias cruzadas**: *véanse* también Fuego, Grial y Rojo.

Sapo

Ya sea por confusión o por oposición, parte de la simbología del sapo proviene de la que se adjudica a la rana (*véase* Rana). Como ella, prefiere los ambientes húmedos y oscuros, por lo que en Oriente se identificó con la lluvia, la Luna y, por lo tanto, con el principio yin y la fertilidad. Gracias a ello en casi todo el oriente asiático se le consideró propiciador de la lluvia (en Vietnam suponían que la anunciaba y empleaban la expresión «sapo escarlata» como sinónimo de riqueza). También en Centroamérica se señaló que estos animales provocaban las lluvias.

En Occidente se le otorgó un sentido más negativo, derivado quizá de su aspecto poco agraciado y casi torpe. Entre los celtas el sapo constituyó un símbolo de las fuerzas del mal, una función similar a la serpiente. En el Egipto faraónico, al igual que la rana, estos animales se asociaron a nociones de regeneración y resurrección. Por ello y por su costumbre de hibernar en madrigueras (para los aztecas fue un símbolo de la tierra), aparecen en representaciones funerarias. La Europa medieval heredó parte de esta simbología, motivo por el cual se le representa en emblemas regios franceses (con el sentido regenerador) o como atributo de la personificación de la muerte. La magia y la brujería medieval lo emplearon de la misma forma que se había hecho con la rana, como personificación del demonio y sus poderes. Por las mismas razones, en el arte occidental, los sapos suelen aparecer como símbolo de la lujuria, el orgullo o la avaricia.

■ **Referencias cruzadas**: *véase* también Rana.

Sarcófago

Para comprender el simbolismo del sarcófago, debemos comenzar señalando que su función es albergar el cuerpo del difunto de la misma forma que antes lo hacía la tierra. Por ello, este tipo de féretros reciben la influencia de la simbología de lo terreno y de lo femenino (todos los recipientes, por similitud con el útero materno, se consideran femeninos).

La decapitación de san Juan Bautista, Tiépolo.

Sangre

Tanto ella como todo lo que se le asemeja han quedado relacionados desde los tiempos más remotos a la vida.

Sapo

Mientras en Oriente se le relaciona con la lluvia, la Luna y el principio yin, en Occidente tuvo un sentido más negativo.

Sarcófago

Féretro realizado en materiales nobles y perdurables, un lujo al alcance de pocos que tiene por objetivo reproducir las funciones que antes tenía la tierra.

La adoración de los pastores, Ghirlandaio.

Saturno

Este dios-planeta simboliza la justicia y el derecho ya desde la época sumeria y babilónica.

Así, el sarcófago se convierte en el lugar donde los más afortunados podrán desarrollar su vida de ultratumba. En Egipto fueron cubiertos por textos e imágenes que pretendían propiciar una buena existencia en el más allá. En el fondo del féretro, por las razones ya mencionadas, se solían representar figuras femeninas. La cultura grecorromana empleó sarcófagos cada vez más cuidados. Con el paso del tiempo llegaron a convertirse en pequeños templos con representaciones de la vida en el más allá. También los primeros cristianos, para propiciar la resurrección que se había de desarrollar en el sarcófago, imprimieron sobre ellos máscaras del difunto y conchas (símbolo de renacimiento; *véanse* Concha y Venera). Esa fe en la resurrección es el origen de que hasta hace muy poco las sociedades occidentales no hayan permitido la incineración de cadáveres.

■ **Referencias cruzadas**: *véanse* también Concha y Venera.

Satán

Véase Demonio.

Satanás

Véase Demonio.

Sátiros

Véase Cabra.

Saturno

Y*a entre* los sumerios y babilonios este planeta simbolizó los principios de justicia y derecho, algo que luego perviviría a través de la tradición romana. Allí este planeta se consagró al dios homónimo, quien, aunque más tarde se identificaría con el griego Cronos, comenzó siendo un protector de la fecundidad. Algunos estudiosos sostienen que el recuerdo de esas funciones primitivas es lo que inspiró mitos como el de un héroe civilizador, inventor de la agricultura, que fue acogido por el rey Jano (ese momento sería el referente de la Edades de Oro de los romanos).

Las legendarias saturnales romanas se consagraron a este dios-planeta. La peculiaridad principal de estas fiestas era la inversión temporal del orden social. Simbólicamente, eran doce días de caos, una

Saturno, conquistado por Amor, Venus y Esperanza, Vouet.

suspensión del orden y el tiempo para luego volver a renacer. En ellas se sitúa el origen de nuestras celebraciones navideñas.

La identificación con el griego Cronos, que se produjo progresivamente a lo largo de la historia de Roma, conllevó que Saturno se fuera convirtiendo, al igual que el griego, en personificación del poder implacable y destructor. En la astrología occidental, quizá por su luz pálida o por las leyendas maléficas de Saturno devorando a sus hijos, el planeta se asocia predominantemente a ideas negativas. Se le señala como origen de penas, desgracias y melancolía; la tradición cristiana lo identificó con el pecador angustiado por sus faltas. Pese a ello, presenta un matiz positivo como símbolo del pensamiento sistemático que controla los instintos.

La alquimia identificó al planeta con el plomo y sus representaciones más usuales desde la Antigüedad Clásica le muestran como un anciano, en ocasiones apoyado en una muleta o remo (el movimiento sobre las aguas, de la superación del caos). La serpiente que se muerde la cola (símbolo egipcio de eternidad) también aparece entre sus atributos, al igual que la guadaña (referencia a las funciones agrícolas que tuvo el dios en un principio o símbolo de la implacabilidad del tiempo heredado del griego Cronos).

Sauce

*E*n el Extremo Oriente el sauce ha desarrollado un fecundo imaginario. Por su vivacidad y resistencia se le hizo símbolo de la inmortalidad, y así aparece en numerosos rituales, leyendas y representaciones. El movimiento de sus ramas mecidas por el viento se tomó también por alegoría de una elegancia y belleza que en ocasiones evoca el cuerpo femenino. Pero sobre todo, su resistencia y flexibilidad le convirtieron en el taoísmo en una imagen de sabia supervivencia:

Cacería en los pantanos, Horace Vernet.

una famosa parábola alaba al sauce que aprovecha su elasticidad y se comba ante la tormenta, evitando así romperse como lo hace la dura madera del roble.

En el continente americano, los indios de Norteamérica hicieron de él un árbol sagrado, encarnación de los ciclos de resurrección de la naturaleza. Pero todas estas interpretaciones son muy diferentes a las que aparecen en el occidente europeo. Ya en la tradición grecolatina se le creía estéril (quizá por ser una planta unisexual) y se le representó tanto en alegorías de la castidad como de la muerte. Posteriormente, las tradiciones populares europeas comenzaron a hablar de espíritus que moraban entre sus frondosas ramas, e incluso de la supuesta capacidad que éstas tenían de absorber males y enfermedades. Se dijo durante mucho tiempo que sus ramas protegían contra rayos, tormentas y sacrificios, y en algunas zonas fueron ellas las consagradas en el conocido Domingo de Ramos. La frondosidad del sauce, tan llamativa para las culturas europeas, condujo a beatas comparaciones con la Biblia, fuente de enseñanzas inagotables como el árbol lo es de las ramas.

■ **Referencias cruzadas**: *véase* también Ramas.

Sauce

Nombre común de un grupo de árboles y arbustos de ramas colgantes. Con la flexible madera de los brotes jóvenes se han elaborado los tradicionales trabajos de mimbre.

Sefirot

Son las diez cualidades fundamentales de Dios, representadas a través de círculos en los que se inscribe su nombre, siempre en el mismo orden, en la misma disposición, creando una imagen semejante a la del Árbol de la Vida.

Seis

Número perfecto, base de sistemas numéricos, como el babilónico, que aún sobreviven en las mediciones del tiempo.

Sefirot

*L*as *sefirot* es un concepto fundamental de la tradición cabalística. Son los diez atributos o cualidades de Dios (Corona, Sabiduría, Inteligencia, Gracia, Fuerza, Belleza, Victoria, Gloria, Fundamento y Reino). También sirven como arquetipo de todo lo creado y aparecen siempre representadas en el mismo orden. Su interpretación es muy compleja y debe relacionarse tanto con el Árbol de la Vida como con los nombres de Dios.

Seis

*E*ste *número* esconde un simbolismo de cierta ambivalencia. En la escuela pitagórica se le consideró el número perfecto: suma de los tres primeros (1+2+3) y justo medio de la decena (punto equidistante del dos y el diez, pues no consideraban al uno como un número similar al resto). Sentidos muy semejantes aparecen en otras tradiciones por todo el mundo; las razones pueden derivar de su proximidad con la relación entre radio y circunferencia (2π) y del hecho de agrupar en sí todas las direcciones posibles (las cuatros cardinales más las dos de la vertical). Por todo ello

el número seis ha sido el empleado para marcar los tiempos del Génesis en el Antiguo Testamento; dentro de la tradición cristiana encontramos el opuesto de esta idea en el Apocalipsis, el seis (666) es el número de la Bestia, del Anticristo que marcará el final de los tiempos (vemos cómo el seis, por su sentido de totalidad, es empleado para delimitar tiempos tanto en el Génesis como en el Apocalipsis). Debemos destacar que toda esta simbología subyace bajo la popularidad de los sistemas numéricos sexagesimales, aquellos que establecen como base el número seis. En la Antigüedad clásica este número se consagró a la diosa griega Afrodita (Venus para los romanos) y en China se identificó con el cielo (seis son las influencias celestes que reconocen). En América Central simbolizó la muerte y todo aquello que la prefigura en alguna forma: el búho, la Luna, la lluvia y la tormenta.

La representación gráfica de este número es el hexágono, formado por la combinación de dos triángulos al igual que seis puede crearse duplicando el tres. Ese dualismo conduce a que la tradición hindú vea en él la armonía derivada de la unión de contrarios, simbología también presente en el conocido emblema de Israel, el sello de Salomón, llamado en otras ocasiones estrella o escudo de David.

■ **Referencias cruzadas**: *véase* también Hexagrama.

Sello

*L*as *improntas* dejadas sobre la superficie de algo, para autentificar un documento o ratificar una posesión, aparecen en la historia de la humanidad desde tiempos prehistóricos. Todas las sociedades que alcanzaron un cierto grado de evolución y de estratificación social emplearon sellos con estos fines, aunque en

Venus y Adonis, Janssens.

algunas alcanzaran mayor popularidad que en otras. Las civilizaciones del Mediterráneo y las del Extremo Oriente quizá fueron las que más recurrieron a él. En estos lugares se llegaron a convertir en símbolo tanto de pertenencia legítima como de secreto (los sellos de cera o lacre han sido siempre un buen método para garantizar que los mensajes nunca fueran abiertos antes de tiempo). La Biblia, por ejemplo, emplea su simbolismo con bastante frecuencia: Dios impone sellos sobre sus pertenencias, ya sean los hombres, el mismo Jesucristo o sus mensajes para el fin de los tiempos.

Presentación en el templo, Bellini.

Sello de Salomón

Véase Hexagrama.

Semana

*L*a *semana*, tal y como se conoce en la tradición occidental, es un periodo de siete días. Su origen parece derivar de los calendarios lunares, aquellos marcados por cuatro ciclos de siete días (con un pequeño error, son los que tarda la Luna en cubrir sus cuartos). Sobre estos periodos también recaen otras interpretaciones simbólicas del siete, siempre relacionado con el ciclo cerrado, conjunto derivado de la suma de las seis direcciones posibles y de la noción de centro (motor inmóvil y eje con las fuerzas metafísicas casi siempre). En la tradición bíblica, por ejemplo, los periodos de siete días se cargan de todos estos sentidos.

Estos esquemas creados alrededor del siete son los que generan también la existencia de septenarios entre los planetas y las deidades de muchas religiones. El mismo origen tienen los siete pecados capitales o los monstruos de siete cabezas.

Los días de la semana del calendario occidental se han asociado a los planetas (manifestación de los dioses en la Antigüedad grecolatina) y de ahí reciben su nombre: el lunes es el día de la Luna; el martes de Marte; miércoles de Mercurio; jueves de Júpiter; viernes de Venus; sábado de Saturno; y domingo del Sol (en castellano el nombre de este día, consagrado al señor de los cristianos, deriva del latín *dominus*; la forma inglesa *sunday* muestra una pervivencia más directa del simbolismo mencionado).

■ **Referencias cruzadas**: *véase* también Siete.

Semilla

Véase Grano.

Senos

*E*ste *símbolo* se liga indisolublemente a la imagen de la madre amamantando a sus hijos. Constituye una fuerte referencia a la maternidad, y a los sentimientos de amor y protección que la inspiran.

El arte cristiano suele representar, esporádicamente y de una forma un tanto macabra, a santa Águeda con sus pechos cortados en recuerdo del doloroso martirio que sufrió.

Sepulcro

Véase Tumba.

Sello

Símbolo de propiedad o de secreto; el mismo dios de los cristianos lo emplea para guardar sus mandatos al enviado que llegará con el Apocalipsis.

Semana

La semana es un periodo de siete días que deriva de los calendarios lunares, marcados por cuatro ciclos de siete días.

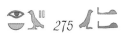

Descansando en la huida de Egipto (detalle), Caravaggio.

Serafín

Ángeles de cuatro o seis pares de alas, los más elevados en las categorías en las que están divididos estos seres.

La tentación del paraíso ha estado siempre íntimamente relacionada con la serpiente.

Sequedad

*É**ste es** el principio opuesto a la vida, que no puede escapar nunca de su dependencia del agua. Por ello, la sequedad puede ser una maldición común de muchas mitologías (así aparece en la Biblia), pero también el elemento más característico de la vida del más allá, la vida que nada tiene que ver con la que desarrollamos en la tierra. Así, la sequedad se convierte en algunas tradiciones en la esencia vital del alma de los muertos. Este sentido se ha extendido a los retiros ascéticos al desierto, que pueden representar una fase de prueba, en la que se potencia el alma olvidando el cuerpo.

La sequedad, por oposición a la fertilidad (y feminidad por tanto) del agua, es un principio masculino y, por su relación con el fuego, activo. Por este último sentido suele aparecer muy ligada a la pasión.

■ **Referencias cruzadas**: *véanse* también Agua, Desierto y Fuego.

Serafín

*E**l nombre** de estos ángeles significa etimológicamente «el que arde» o «el ardiente», lo que muestra una participación evidente del simbolismo del fuego. La razón es que se les sitúa en la jerarquía más elevada de las nueve órdenes de ángeles. Son, por tanto, los que comparten con mayor fuerza la esencia de Dios, son su encarnación máxima, por lo que se emplea el fuego como símbolo de su amor, iluminación y poder (*véase* Fuego). También por este motivo son los que tienen más alas (se les representa con cuatro o seis pares de ellas, símbolo más de participación divina; *véase* Alas). Si comparten la esencia de Dios, inevitablemente estos seres deben ser puros, así que entre sus figuraciones plásticas se imponen las que les muestran como niños.

■ **Referencias cruzadas**: *véanse* también Ángel, Alas, Fuego y Querubín.

Serpiente

*E**ste reptil**, muy común y conocido, ha generado en torno a sí mismo una simbología amplísima, de las más ricas en el mundo animal. Los elementos de mayor importancia a la hora de comprender las asociaciones de ideas que sobre ella recaen son: una íntima relación con la tierra, no sólo repta por ella sino que habita sus agujeros; su aspecto liso, frío y brillante; las mudas de piel; su insospechada fuerza; su veneno, en ocasiones terapéutico; y los huevos en los que engendra a sus crías. Se identifica este reptil con las fuerzas esenciales de la tierra, fuerzas generalmente amenazantes y desconocidas. Así, la serpiente ha sido tomada por una divinidad poderosa, temida o adorada, capaz de destruir, pero también de proteger. En numerosas leyendas este animal aparece como guardián de casas y recintos sagrados, como atributo de dioses y héroes o

La expulsión del paraíso (detalle), Miguel Ángel.

como divinidad civilizadora que regala sus conocimientos a los humanos.

Esa relación con la tierra también provoca que se la asocie con el mundo de los muertos, por lo que en más de una religión la serpiente guía el alma de los difuntos. Sus mudas de piel también han despertado interpretaciones simbólicas, que en este caso se relacionan con la resurrección y el renacimiento. También la forma de su cuerpo ha insinuado connotaciones sexuales, masculinas si se la compara con el falo, pero femeninas por la forma en la que se hincha su vientre (como en un embarazo). Por último, al compartir los medios acuático y terrestre se la ha asociado con las ideas sobre el caos previo a la creación del mundo.

Todos esos valores hacen de la serpiente un animal temido y adorado, uno de los mayores portadores tanto de vida como de muerte. Cuando predomina el temor y las interpretaciones negativas (como en el cristianismo) se habla de un símbolo de destrucción, muerte, vinculado al demonio e identificado con el peligro de las tentaciones en un plano psíquico. De esta concepción derivaría la amenazante imagen del dragón.

Pese a lo visto, la simbología de este reptil puede verse matizada por los rasgos concretos de la mención que se trate (si se relaciona con la tierra o el abrazo mortal, por ejemplo) y por el hábitat en el que se la sitúe (zonas acuáticas o terrestres).

En el continente americano se encuentra, con bastante frecuencia, la imagen de la serpiente con plumas, en lo que constituye un símbolo de unión de lo terreno con lo celeste, de la vegetación y lluvia de los primeros tiempos, un símbolo, en suma, del caos que reinó en los primeros momentos del cosmos. La serpiente suele identificarse también con la eternidad, y en muchas ocasiones aparece mediando entre el hombre y el más allá, generalmente como heraldo de la muerte.

Entre los aztecas este reptil fue un atributo de Quetzalcoatl (el gran dios civilizador) y de la sangre que derramó al verse atrapada por las garras de un águila de ahí surgió el hombre (que nace de la separación de la unidad original entre cielo y tierra, águila y serpiente). Otra cultura mesoamericana, la de los toltecas, empleó la imagen del dios saliendo de las fauces de la serpiente como alegoría del amanecer (el sol brotando de la tierra; el papel de la serpiente lo juega en otras ocasiones un jaguar).

La Inmaculada Concepción, Tiépolo.

En África ha sido un objeto de culto divinizado, un símbolo de eternidad ligado a héroes, ancestros y dioses civilizadores.

La tradición taoísta, fijándose en su relación con el agua y la tierra, la ligó al principio yin, y en determinados momentos se empleó como símbolo de la adulación. La conocida imagen del dragón chino toma de la serpiente sentidos relacionados con el rejuvenecimiento, la fertilidad y la fuerza y vitalidad de las aguas. El dragón celeste es un símbolo muy similar al que acabamos de ver de la serpiente emplumada, un símbolo de la unión primigenia entre cielo y tierra; por esto suele decirse que es el padre de algunas dinastías chinas y numerosos emperadores lo llevaron en su estandarte. Sus vecinos hindúes prestaron atención a dos tipos principales de serpientes: las nagas (mediadoras, para bien o para mal, entre dioses y hombres) y la serpiente Kundalini (un símbolo de la energía uni-

Serpiente

De la fobia y el rechazo más absoluto a una adoración divinizada, estos reptiles han generado una de las simbologías más prolíficas del mundo.

Moisés y la serpiente de bronce, Bourdon.

La serpiente de bronce de Moisés, cuyo mordisco curaba el veneno de otras sierpes enviadas por Dios como madición, refleja un aspecto curativo que ya aparecía en la tradición grecolatina.

versal que compone la vida y que se representa mediante una sierpe enroscada a la columna vertebral de los hombres). Por su parte, la Rueda de la Vida budista, que en su centro representaba los pecados que amenazan al hombre, empleó a este reptil para ilustrar el odio (*véase* Rueda). En Japón la imagen de la serpiente se empleó sobre todo asociada al dios del trueno y la tormenta, Susanoo.

En Europa, la mitología nórdica habló de la serpiente Midgard, un reptil gigantesco y de poderes destructivos que rodea la tierra, un símbolo de las continuas amenazas que se ciernen sobre el orden del cosmos. Otra famosa serpiente, Nidhogg, encarna las fuerzas malignas del universo y se representa royendo continuamente el Árbol de la Vida. Los celtas lo asociaron a los pozos de agua con propiedades curativas y a los dioses de la fertilidad y la virilidad, lo que recalcaron al representarla con astas o con cabeza de carnero (el carnero es la fuerza, mientras que las astas, al igual que la piel de la serpiente, se mudan y simbolizan la regeneración). Así, por extraño que pueda parecer, la cabeza coronada por serpientes constituía un símbolo de fertilidad.

En el Egipto faraónico volvemos a encontrar una idea conocida: la serpiente Atum, el dios creador que emerge de las

aguas y escupe o eyacula la primera pareja de dioses. Pero aquí su simbolismo destacó por su elevada ambivalencia. Con connotaciones positivas se la aprecia, además de en el mito comentado, en la forma del Uroboros (la serpiente que se muerde la cola, símbolo de eternidad y regeneración cíclica), en el Uraeus (la sierpe que adorna el tocado del faraón, manifestación de la fuerza de los dioses solares y de la sabiduría y poder de los soberanos) y en las serpientes que flanquean el disco solar (representación de los dioses que, bajo la forma de estos reptiles, se enfrentaron a los enemigos del dios Ra). Pero el mundo egipcio también desarrolló interpretaciones mucho más negativas; no debemos olvidar que estos reptiles se pueden identificar con las grandes amenazas de esta civilización: por un lado el desierto y por otro el lodo de las crecidas incontroladas. Así, Apofis es la serpiente de la destrucción, la discordia y el sol abrasador.

La civilización minoica, que quizá tomó un buen número de elementos de los egipcios, representó a las serpientes entre los atributos de la gran diosa primigenia y como símbolo de fertilidad muy relacionado con el mundo de los muertos.

También en el Próximo Oriente la serpiente ofrece una simbología fecunda y algo confusa. Allí es donde podemos encontrar por primera vez el caduceo, el bastón con la serpiente enroscada que suele acompañar al dios de la medicina (*véase* Caduceo). Pero estos reptiles se representan principalmente entre los atributos de grandes dioses como Ishtar, Tiamat y Marduk, divinidades que, como la serpiente, pueden ser benéficas o malignas.

De las interpretaciones egipcias y mesopotámicas, los judíos tan sólo mantuvieron las más negativas (quizá para no crear ninguna confusión entre sus elementos de devoción y los de sus enemigos). Por ello, al igual que casi todos los reptiles, se tomó a la serpiente por símbolo de los males, las tentaciones y el pecado. Se hizo de él un animal impuro, el causante de la expulsión del Paraíso y la encarnación del temible Leviatán. Pese a todo, la serpiente de bronce de Moisés (origen de los báculos episcopales; *véase* Báculo) parece conservar los sentidos que en casi todo el Cercano Oriente se reconocían a este símbolo: la Biblia narra cómo su mordisco curaba el veneno de las serpientes aladas que Dios había enviado como maldición a la tierra.

En Grecia estos reptiles simbolizaron los poderes curativos, la renovación y la sabiduría, convirtiéndose en atributos de dioses como el sanador Asclepios o de magas y encantadoras como Medusa o las Erinias (que los tienen en la cabeza). También sirvieron como alegoría del alma que abandona el cuerpo y como representación de las fuerzas elementales de la tierra (así aparecen como símbolo del poder de Zeus; es el caso, por ejemplo, de Pitón, la sierpe que acabó con Laocoonte y sus hijos, la última oposición a la entrada del famoso caballo de madera en la ciudad de Troya).

La tradición latina repite su asociación a dioses sanadores, de la medicina y la sabiduría (como Minerva), e incluso les empleó como símbolo de protección de las casas y familias romanas.

El cristianismo, heredero de la tradición hebraica, por encima de cualquier otra consideración tuvo como referente la narración sobre la serpiente del Paraíso. Simbolizó, por tanto, las tentaciones y la seducción en su sentido más negativo (muchas veces aparece representada con pechos y cabeza de mujer y en otras es pisoteada por la encarnación de la virtud, la Virgen María). La serpiente se identificó con el demonio, la destrucción y el mal, y se representó junto a la cruz: a sus pies, como símbolo del triunfo de Cristo sobre el mal; o enroscada a ella, recordando las amenazas a la fe. Quizá la única imagen positiva de la serpiente en el cristianismo lo constituyen las que ofrecen serpientes erguidas junto a la cruz, rememorando la imagen de Cristo y haciéndose eco de simbolismos previos que hablaban de este reptil como encarnación del renacimiento.

Por último, en el Islam la serpiente es el nombre de Alá como manifestación de la esencia de la vida, de los principios vitales que animan todos los cuerpos.

■ **Referencias cruzadas**: *véanse* también Agua, Águila, Báculo, Caduceo, Dragón, Fuego, Jaguar, Leviatán, Plumas y Rueda.

Sésamo

*A*unque la tradición europea no ha conocido bien esta planta hasta hace poco, ha sido un cultivo muy frecuente en África y Asia. Sus plantas, que

Miguel Ángel, en la Capilla Sixtina, también recogió la simbología que la tradición cristiana asocia con la serpiente.

Sésamo

Esta planta, originaria de África y Asia, da frutos en forma de cápsula de la que se extrae una semilla aceitosa muy empleada en la cocina.

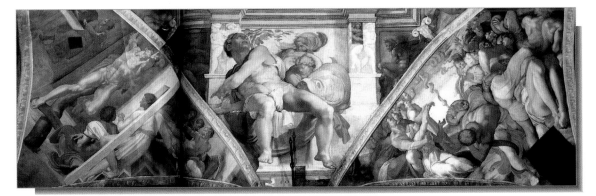

El Génesis (detalle de la Capilla Sixtina, parte derecha del fresco), Miguel Ángel.

alcanzan con facilidad los dos metros de altitud, dan semillas de las que se extrae un aceite muy preciado en algunas culturas. En China, por ejemplo, se creyó que permitía alcanzar la longevidad, que fortalecía el espíritu y alargaba la vida.

La tradición árabe, en el famoso cuento de *Las mil y una noches*, recoge la conocidísima fórmula de «ábrete sésamo», expresión que evoca la apertura de la semilla del sésamo, en cuyo interior se encuentra su preciado aceite.

Sibila

Las sibilas de la Antigüedad grecolatina, que se habían convertido en encarnación misma de las revelaciones, mantuvieron su simbología en el mundo cristiano de tal forma que, a finales de la Edad Media, la Iglesia las aceptó como a verdaderas profetisas de Cristo.

La sibila de Delfos (detalle de la Capilla Sixtina), Miguel Ángel.

Sibila

Profetisas del mundo grecolatino cuyos vaticinios solían estar inspirados por el dios Apolo. Según la tradición, debían mantenerse vírgenes y vivían solas en cuevas en las que recibían a quienes querían escuchar sus augurios crípticos y con dobles interpretaciones. Sus epítetos derivaban del nombre del lugar en el que profetizaban; así, las sibilas más famosas son las de Delfos, Eritrea y Cumas. Una de las leyendas más glosadas es la de Casandra, princesa troyana que recibió de Apolo el regalo del don profético, pero también la maldición de no ser creída jamás.

Estos personajes son símbolos de una elevación espiritual que permite alcanzar una comunicación plena con lo divino. Constituyen una personificación de la sabiduría más antigua y oculta, hasta el punto de encarnar las revelaciones. El arte cristiano las representó en varias ocasiones, ya que se consideró que algunas de sus profecías habían vaticinado la llegada de Cristo; según esto, habrían realizado una misión semejante a la de los profetas en el mundo hebreo. A finales de la Edad Media la Iglesia aceptó a doce de ellas como profetisas del descenso del hijo de Dios. Por este motivo, cinco sibilas aparecen junto a los profetas en la Capilla Sixtina.

Siete

El valor simbólico de este número es uno de los más extendidos y coincidentes a lo largo de todo el mundo. Los septenarios (agrupaciones de siete unidades) son un elemento frecuente de numerosas teologías. Pero, ¿qué esconde este número? ¿Por qué tantas religiones lo han tomado por referencia? La naturaleza ofrece las respuestas. En primer lugar, el siete es el número de días en los que la Luna divide el tiempo; aunque no es una cifra exacta, los cuartos de sus fases crean estos ciclos empleados desde la Prehistoria. Pero además, el siete es la suma de tres y cuatro, de lo espiritual y lo terreno, y también el resultado del conjunto de las seis direcciones posibles más el centro. Todo ello conduce al mismo efecto simbólico: el siete se constituye en número sagrado profundamente relacionado con los ciclos, con la totalidad y la culminación de los procesos.

Con este sentido se pueden interpretar septenarios por todo el mundo. En la tradición clásica encontramos siete Hespérides, siete puertas de Tebas, siete esferas celestes y siete planetas ordenando el cosmos. Así mismo, judaísmo y cristianismo hablan de una bestia de siete cabezas en el Apocalipsis, de siete estrellas, siete espíritus de Dios, siete sellos, siete trompetas, siete plagas, candelabros de siete brazos, séptimo día de reposo tras la creación y un templo construido por Salomón en siete años. El Islam también sigue con este simbolismo e impone siete vueltas alrededor de la Kaaba, habla de siete cielos, siete divisiones del infierno y siete sentidos del Islam. En el yoga el hombre tiene siete centros, al igual que los siete cielos del budismo, que concibe siete periodos de siete días para que un alma finalice la transición de la vida a la muerte (la misma idea aparece en Japón, donde el espíritu del difunto permanece 49 días sobre el tejado de su casa). Incluso los cuentos populares europeos emplean este número: los siete enanitos, las siete mujeres de Barbazul y los siete hermanos de Pulgarcito. Ejemplos, tantos como se quiera.

Sirena

L *a mitología* griega imaginó a estos seres con cabeza y busto de mujer, pero cuerpo de pez o pájaro (la primera opción predominó hasta el románico). Se suponía que habitaban acantilados y que conseguían atraer irremediablemente hacia ellos a todos los navegantes que escuchaban su canto. Su final era morir ahogados o devorados por ellas.

El sentido simbólico de este mito es el de personificar tanto los peligros del mar como las tendencias que conducen hacia la autodestrucción; amenazas que pueden recubrirse con un cierto poder de seducción (por eso se elige la imagen femenina). Como puede imaginarse, este último sentido es en el que más recalcó, en sentido despectivo, el cristianismo medieval.

Pero las sirenas también aparecen representadas en algunos sarcófagos; la razón es que algunos autores de la Antigüedad las consideraron las cantoras del Elíseo, el lugar del Hades al que iban los elegidos. Pese a todo, esta referencia es bastante confusa, pues en otras ocasiones su misión en el Hades consiste en simbolizar el alma de los muertos sedientos de sangre. Estas interpretaciones siguen haciéndose eco de la tradicional asociación entre aves (recordemos que el cuerpo de la sirena podía ser el de un pájaro) y las almas de los difuntos.

■ **Referencias cruzadas**: *véase* también Aves.

Sol

E *l Sol*, referencia fundamental para los hombres, factor de vital impor-

tancia para todo lo que sucede en la tierra, presenta un poderoso simbolismo a lo largo de todo el globo. Su luz y su energía, que se manifiestan ya para los primeros hombres como clave indispensable para la subsistencia, hacen de este astro la mayor referencia de vida. La luz, que disipa la oscuridad y permite ver donde antes había tinieblas, va a convertirse también en un símbolo casi universal de sabiduría. Pero de este astro también atrae su continuo renacer, la forma en la que día tras día vuelve a salir por el horizonte; por ello también se emplea como emblema de la resurrección o de los ciclos de la vida. Así mismo, es uno de los atributos más frecuentes de la justicia y la imparcialidad, ya que su luz nos llega a todos por igual, nos ilumina desde el cielo igualándonos ante él. Además, aquello que a nosotros se nos oculta, no puede hacerlo ante él, es el símbolo por excelencia del dominio, de los grandes soberanos. Y como a casi todos los grandes símbolos, también se le puede buscar algún paralelo sexual; en este caso será el dualismo Luna y Sol el que se adscriba a uno y otro sexo en las diferentes culturas (generalmente el Sol, más ligado al fuego y a lo activo, se relaciona con lo masculino mientras la Luna, protectora del agua y la fertilidad, queda como principio femenino). Por lo mencionado, el Sol se convierte en atributo por excelencia de los grandes dioses de casi todas las cosmogo-

7

Siete

El número de los ciclos por excelencia, el que marca los cuatro ciclos de la Luna y justifica la aparición de numerosos septenarios.

Sirena

Pese a que hoy esperamos ver una sirena con cola de pez, hasta hace un milenio predominó su representación con cuerpo de ave.

nías; y así los soberanos de la tierra tendrán al Sol como el gran símbolo para recalcar su supremacía absoluta e identificarse con esos poderosos dioses.

Pero el astro rey también puede presentar un lado negativo, destructor y propiciador de sequías. Tiene igualmente una imagen antagónica muy frecuente en la América prehispánica y, más tarde, en el arte occidental: el Sol negro, símbolo de muerte y desgracia, angustia y melancolía.

Todos estos sentidos influyen en símbolos que comparten con él alguna característica. En el caso del disco, el círculo o la rueda es evidente. Pero en otros casos serán las costumbres naturales o el vuelo por los cielos lo que justifique que multitud de animales se asocien a la simbología del Sol.

Lo que hemos comentado no es más que un estudio genérico sobre los motivos que conducen a hacer del Sol uno de los símbolos más extendidos del mundo. Detallar las ocasiones en las que cada cultura alude al Sol constituiría un ejercicio cuyo resultado podría equivaler al conjunto de entradas que tiene esta obra. Quedémonos con mencionar a algunos de los grandes dioses que se asociaron al Sol: el Visnú hindú; Buda; el Quetzal-

Sol

Círculos solares, alados, con forma de rueda, en llamas, como atributo de grandes dioses y en emblemas de emperadores... el simbolismo del Sol, aparece por doquier e influye decisivamente sobre casi todas las representaciones que muestran algo en común con él.

Apolo y Diana, Tiépolo.

coatl azteca; los egipcios Ra, Horus y Osiris; Zeus, Apolo y Helio en la Antigüedad griega (y sus correspondientes en el panteón romano); Yahvé entre los judíos; Dios padre e hijo entre los cristianos; y Alá en el Islam. No son dioses pero pretendieron serlo, los incas prehispánicos, los faraones egipcios y los emperadores japoneses, romanos y europeos; por ello todos se identificaron con el Sol, se declararon hijos suyos o impusieron cultos al astro. Una vía excelente para hacer de sí mismos un referente de poder absoluto.

■ **Referencias cruzadas**: *véanse* también Círculo, Disco, Fuego, Luna, Luz, Rojo y Rueda.

Solsticio

Desde que en la Prehistoria los hombres comenzaron a observar el cielo, el momento en el que el Sol alcanza su punto anual más alto o bajo fue empleado para delimitar los ciclos de la naturaleza. Así, con el solsticio de verano llegaban los periodos luminosos que conducían, irremediablemente, al invierno; del mismo modo, el solsticio de invierno se acompañaba de oscuridad pero introducía el verano en los ciclos anuales.

Por estos motivos, casi todas las culturas hicieron de los solsticios uno de los grandes referentes de sus calendarios. En la tradición china, por ejemplo, éste era el momento en el que la alternancia entre el yin y el yang (lo húmedo y lo seco, oscuridad y luz) comenzaba a variar. En Roma los solsticios se convirtieron en los grandes umbrales simbólicos del año y se consagraron a Jano, el dios de las transiciones. El calendario cristiano también se preocupó por marcar estos momentos con festividades importantes, como son el nacimiento de Cristo junto al solsticio de invierno y el santoral de san Juan Bautista en el de verano.

Sombra

Parece claro que el simbolismo de la sombra se deduce por oposición a la luz. Pero esa oposición no siempre es excluyente: es el caso del taoísmo chino, que habla de sombra y luz como manifestaciones del yin y el yang, principios duales opuestos y complementarios. Por este motivo, en numerosas culturas las sombras revelan formas diferentes de la realidad. En África, por ejemplo, la sombra constituye la segunda naturaleza de las cosas y aparece muy relacionada con la muerte. En Norteamérica, la misma palabra con la que se llama a la sombra sirve para designar realidades como la imagen y el alma. Pueblos indígenas del norte de Canadá hablan de cuerpo, alma y sombra como tres realidades que sólo se unen durante la vida de los individuos.

Como ya se ha podido observar, junto a la sombra suele figurar la muerte, y es que si la luz es el calor vital, su ausencia no podía dejar de asociarse a lo funerario. Del mismo modo, como la iluminación es conocimiento, las sombras se constituyen en símbolo de lo oculto y lo engañoso.

En muchas leyendas son sombras concretas las que cobran importancia, aquella que proyectan grandes personajes u objetos místicos. En ocasiones lo más relevante es la ausencia de sombra, algo que se interpreta como el producto de un cuerpo que es todo vida y conocimiento (luz, por tanto). Por este motivo, el mediodía, la hora en la que los cuerpos proyectan menos sombras, era el momento en el que los griegos tendían a celebrar sus sacrificios.

■ **Referencias cruzadas**: *véase* también Luz.

Sombrero

Este símbolo ha sido empleado frecuentemente identificándose con el pensamiento, ya que está en permanente contacto con la cabeza y constituye una prenda personal. Así, lo que en la sociedad contemporánea se conoce como el «cambiar de chaqueta» ha sido expresado en otros momentos como «cambiar de sombrero». Pero esta prenda es también una reminiscencia más o menos lejana del simbolismo de la corona. En numerosos periodos históricos, diferentes clases sociales han empleado el sombrero como símbolo de poder o distinción.

■ **Referencias cruzadas**: *véase* también Corona.

Sudario

Véase Túnica.

Sueño

La manifestación de creaciones del inconsciente durante el sueño, confusas y de compleja interpretación, ha generado ricas simbologías. En general, casi todas las culturas han intentado descifrar lo que en ellos se dice, otorgando así a los sueños un claro valor premonitorio ligado a alguna forma mágica de revelación. La misma Biblia refleja estas consideraciones en varios episodios, al igual que lo hacen las narraciones propias de los indios de Norteamérica, del Egipto faraónico o la Antigüedad grecolatina. Allí proliferaron tratados de interpretación de sueños (que luego inspirarían reflexiones de estudiosos medievales) e incluso en los santuarios del dios Asclepios se intentó provocar que los enfermeros vieran en ellos la medicina que necesitaban.

Por otra parte, el simbolismo onírico, cuyas claves pertenecen tanto al individuo como a su sociedad, ha proporcionado algunos de los materiales más provechosos para el arte occidental, sobre todo por las teorías sobre el inconsciente.

Sombra

Cuerpo, alma y sombra han quedado ligados en muchas religiones.

Sombrero

La corona y su simbolismo permanecen aún en sombreros distintivos como aquellos que visten militares y altos cargos.

Sueño

Los sueños, cuyos mecanismos siguen siendo desconocidos, han recibido infinidad de valores premonitorios a través del tiempo. Una conocida historia, de veracidad no comprobada, afirma incluso que la tabla periódica de los elementos le fue revelada a Mendeléiev en un curioso sueño al calor de su chimenea.

Celebración de la firma de la paz de Hünster, Helst.

Tamarisco

Este género de árboles y arbustos proliferan por las zonas cálidas del Mediterráneo y el Extremo Oriente. Sus vistosas flores, entre el blanco y el rosa, constituyen su rasgo más distintivo.

Tambor

Ya desde la Prehistoria, ritos religiosos y sociales de toda índole se han servido del tambor para propiciar estados en los que el individuo trasciende de sí mismo y se reúne con el grupo, el más allá o las fuerzas del universo.

 *284*

T'ai shí

Véase Yin-yang.

Ta ki

Véase Yin-yang.

Tamarisco

Desde un punto de vista simbólico, el tamarisco destaca por florecer hasta tres veces al año y por su parecido con el pino. Es por ello por lo que en el Extremo Oriente se ha empleado para identificar grandes principios vitales. La tradición china le señaló como esencia de la inmortalidad, motivo por el que su resina fue empleada como estímulo para conseguir una mayor longevidad. En el vecino Japón, este árbol se convirtió en símbolo de fertilidad y lluvia.

También en las civilizaciones del Mediterráneo se le confirieron poderes maravillosos. En el Próximo Oriente su imagen se empleó de una forma similar a la del Árbol de la Vida. Así mismo, supusieron que el tamarisco poseía ciertas virtudes proféticas y se le llegó a consagrar a varios dioses (en Egipto a Osiris y en Grecia al Apolo Lésbico).

Tambor

Quizá éste sea el instrumento musical más antiguo del mundo. Ya desde la Prehistoria su sonido ha permitido imitar aquellos que se perciben en la naturaleza, como el trueno. En un buen número de culturas, sus percusiones rítmicas se asocian a ritmos cósmicos y se emplean para superar las barreras de la conciencia individual. Por ello, en una búsqueda por unir la conciencia y la voluntad de los hombres más allá del consciente, el tambor aparece con frecuencia tanto en cultos religiosos como en actos bélicos. Éste es el sentido de su retumbar en ceremonias chamánicas y en procesiones cristianas, en cultos orgiásticos y en marchas militares. Por lo tanto, el tambor, como vía de trascendencia de la individualidad, se convierte en un símbolo que refleja comunicación entre lo físico y lo metafísico.

Todos estos sentidos pueden verse matizados por la forma que se dé a este instrumento. La comunicación entre cielo y tierra se recalca con las formas cónicas similares al reloj de arena (*véase* Reloj). Con las circulares se incide más en los ritmos del cosmos y aquellos que parecen un tonel o barril suelen interpretarse como reminiscencia del trueno y el relámpago que escapa (como el sonido del tambor) del recipiente que los contenía, el cielo. También los materiales pueden variar el sentido que debamos entender. Así, el predominio de la madera no sólo proviene de razonamientos utilitarios, sino que pone en contacto este simbolismo con el del Árbol de la Vida, el centro universal hacia el que conducen los sonidos rítmicos del tambor.

■ **Referencias cruzadas**: *véanse* también Reloj y Reloj de arena.

Tamíz

E *ste instrumento*, utilizado desde la Prehistoria para cribar y separar la harina, se convirtió pronto en un símbolo de selección, muchas veces empleado con un sentido social (las elecciones y opciones personales) o trascendente (depuración del interior del individuo).

En sentido activo, se interpreta el tamiz por referencia al proceso de tomar decisiones, cribar lo que sucede en nuestra vida; y en sentido pasivo, como alusión a aquellos que sufren el proceso de selección (en ocasiones el tamiz es símbolo de su miedo a la exclusión). El antiguo Egipto hizo de él una alegoría del proceso por el que cada individuo debe llegar a saber elegir entre cuál de sus poderes debe emplear para conseguir un fin. En el arte cristiano el tamiz se empleó en referencia al Juicio Final, al momento en el que los fieles se separarán de los infieles.

Tántalo

E *n la* mitología griega Tántalo es, junto a Sísifo, Ixión y Ticio, uno de los pocos personajes que sufren castigos en el Hades. Su pecado fue uno de los más graves concebidos por la religiosidad griega: perdió la medida de sí mismo e intentó igualarse a los dioses. Cuenta la leyenda que Tántalo, rey de Lidia e hijo de Zeus, fue invitado por los dioses del Olimpo a compartir con ellos un banquete. Posteriormente, cegado por la vanidad, quiso ponerse a su altura y les devolvió la invitación organizando un banquete en el que ofreció néctar y ambrosía, bienes exclusivos de los dioses. Pero no sólo eso, intentó demostrar su poder entregando entre los alimentos el cuerpo cocinado de Pélope, su propio hijo. Los dioses, al descubrir su osadía, decidieron castigar eternamente a Tántalo y devolver la vida a su hijo. Su castigo consistió en sufrir hambre y sed eternas; fue confinado en un lugar del Hades donde le rodeaban ramas de árboles frutales y sus pies se sumergían en el agua. Sin embargo, todas y cada una de las veces que intentaba asir alguno de estos bienes, se retiraban de su alcance.

Otras versiones del mito dicen que su pecado consistió en pretender esconder a Zeus un perro de oro que éste le había encomendado guardar o que desveló a los mortales las conversaciones que había escuchado a los dioses en esos banquetes. El castigo de este personaje mítico se ha empleado desde la Antigüedad como símbolo de lo que espera a aquellos que pierdan la razón y la medida de sí mismos.

Tarot

C *on este* nombre se designa tanto a la baraja de cartas como al juego que con ella se practica. Su origen es incierto, pero parece que los primeros testimonios

Tamíz

Tela de pelo grueso, muy ceñida, pero que permite que las sustancias más sutiles pasen a través de ella mientras las más gruesas permanecen.

Tántalo, Goya.

Tarot

Juego de cartas de origen incierto y de frecuentes interpretaciones esotéricas y adivinatorias. Los arcanos mayores, 22 cartas plagadas de un fuerte simbolismo, constituyen el elemento más sugerente y cautivador del tarot.

Tatuaje

Los tatuajes se usan como talismanes o elementos de distinción social, según las culturas.

Tauro

Tauro, el segundo signo del zodiaco, se representa mediante la figura de un toro o una esquematización de su cornamenta.

sobre su existencia se sitúan en la Francia medieval. Cómo apareció allí es algo que sigue siendo desconocido: hay quien dice que el juego llegó de Oriente gracias a los cruzados; sin embargo, otros afirman que fueron los gitanos los responsables de su llegada a Europa.

Esta baraja (en su variante principal, la llamada «baraja de Marsella») se compone de 78 cartas divididas en 22 arcanos mayores identificados con las letras del alfabeto hebreo y 56 arcanos menores organizados en cuatro palos con cartas que van del as al 10. Este juego, que ha pervivido hasta hoy en día gracias a su empleo en la adivinación, se presta a diversas interpretaciones simbólicas. Al parecer, su sentido original es descubrir el camino de la iluminación, un camino iniciático en los secretos del ser humano. Para ello el tarot ofrecería dos recorridos, uno gobernado por la Luna y otro por el Sol.

Cada una de las cartas presenta imágenes cuyos palos, colores y figuras se cargan de fuertes y complejos simbolismos. Los arcanos mayores constituyen las claves principales del juego y se corresponden de alguna forma con una sistematización de los arquetipos humanos y con una conceptualización de las etapas que se recorren en todo proceso. Dichos arca-

nos se agrupan en ternarios o septenarios y toman bastante relación con símbolos tradicionales, astrológicos y cabalísticos.

Todas las imágenes del tarot acaban ofreciendo interpretaciones abiertas y ambiguas, lo que constituye seguramente el mayor atractivo del juego y un campo fecundo para el esoterismo y la adivinación.

Tatuaje

Multitud de culturas han empleado los tatuajes como talismanes o elementos de distinción social de clase, género o grupo (en este uso su sentido es muy similar al del vestido). En su utilización como amuleto o talismán, su origen simbólico debe emparentarse con el de los sacrificios y ofrendas rituales, ya que esta práctica constituiría, en origen, el imponer un sello mediante el que se representa al ente o fuerza a la que se consagra una persona. Esta práctica debería tratarse, en suma, como una forma de invocación permanente. Así, el tatuaje se convierte en un símbolo que identifica una realidad con otra, estableciendo entre ellas una relación de protección o participación de poderes.

Tauro

El zodiaco, que poco tiene que ver con lo que la astrología contemporánea ha hecho de él, hace de Tauro su segundo signo y lo consagra al toro, a la tierra, al planeta Venus.

Este signo se corresponde con el momento del año comprendido entre el equinoccio de primavera y el solsticio de verano (21 de abril a 20 de mayo) y se corresponde con la evolución de la fuerza encarnada por Aries. El toro, de imponente presencia y mayor corpulencia física que el carnero, viene a simbolizar una fuerza animal mucho más vinculada a la tierra. Constituye una mezcla de lo terrenal y lo instintivo que se plasma en entrega al pla-

Vacas en la pradera, Potter.

cer, gran apego a la vida y disfrute de ella. Esto se correspondería con caracteres de fuerte sensualidad (por eso es gobernado por el planeta Venus), voluntariosos, de gran capacidad de trabajo y con una generosidad entendida como forma de compartir los placeres de la vida.

■ **Referencias cruzadas**: *véanse* también Aries y Zodiaco.

Taza

Véase Copa.

Té, ceremonia del

Una de las mayores manifestaciones de la filosofía zen, del budismo japonés, es la ceremonia del té. Su origen se remonta al siglo XVI y parte de los ideales de armonía, sobriedad y belleza. En esta ceremonia se cuida hasta el más mínimo acto, desde la forma de beber el té hasta el lugar en el que se realiza, así como todos y cada uno de los objetos que se emplean. Simbólicamente, parte de la consideración del té como un regalo divino que permite evitar la tentación de la somnolencia durante los procesos de meditación profunda. El té se convierte, por tanto, en símbolo de la esencia, a la que se llega a través de una reflexión intensa pero calmada. Eje fundamental de esta práctica es que los actos sean consumados desde el desapego por la individualidad, desde la naturaleza profunda del ser.

Teatro

Las creaciones y representaciones artísticas que englobamos bajo el nombre de teatro constituyen una verdadera recreación del mundo. Ésta puede ser de carácter metafísico, empleándola incluso como vehículo iniciático hacia conocimientos superiores. Así se puede

apreciar, en cierta medida, en el teatro griego y en el oriental, por ejemplo. Pero también las creaciones dramáticas pueden tomar un sentido más psicológico, que es el que prima en el arte occidental.

La comunicación entre lo representado y los espectadores cobra gran importancia. Los griegos, verdaderos maestros de la dramaturgia, jugaron con ello intentando conseguir lo que llamaron *catharsis*, una liberación o alivio de los deseos e inquietudes que se esconden en el interior de los individuos.

Tejer

Véase Tejido.

Tejido

Los tejidos ofrecen una simbología que deriva de su función, forma y colores, pero todos ellos comparten una serie de características comunes de la tradicional comparación entre la vida y un hilo o tejido. Por ello, tejer es crear una vida, y este sentido es patente tanto en la tradición grecolatina como en el Islam o las culturas africanas. Para buscar el origen de esa asociación, en lo primero que debemos detenernos es en que esta actividad constituye

Té, ceremonia del

Su origen se remonta al siglo XVI y parte de los ideales de armonía, sobriedad y belleza.

Teatro

Todas las formas dramáticas sitúan de alguna forma su origen en rituales cuyo objetivo último era de índole político (identificación social, aprendizaje) o religioso (penetración en los secretos no revelados, representación de lo metafísico).

Interior de una sastrería, Brekelenkam.

Tejón

Pequeño mamífero carnívoro de hábitos nocturnos y excavadores. Las representaciones de este animal, propio de Asia y Europa, pueden asemejarse relativamente a las de un pequeño cerdo salvaje.

Tempestad

A lo largo de la historia, los dioses más poderosos han sido los asociados a este fenómeno meteorológico.

una labor económica y social importantísima y muy antigua. La división sexista del trabajo, derivada de los requisitos del embarazo y la lactancia, condujo a que las sociedades cazadoras y recolectoras dejaran esta actividad en manos de la mujer. Así, el tejido recibe simbólicamente de ella la capacidad generativa. Además, los hilos del tejido ofrecen la posibilidad de equipararlos a las diferentes situaciones que se entrecruzan para conformar la realidad última vivida por el individuo. Todo ello se conjuga para crear este símbolo, el de la vida como tejido que se compone poco a poco, pero que desgraciadamente puede ser cortado y despedazado en cualquier momento. El mismo simbolismo que aquí vemos se puede aplicar a la telaraña, aunque ésta recibe también la influencia de la rueda y el Sol.

■ **Referencias cruzadas**: *véanse* también Araña, Hilo, Huso y Moiras.

Tejón

*L*as salidas nocturnas del tejón, inofensivo siempre para el ser humano, han conducido a que en Japón se le asociara a la astucia y el engaño sin maldad. Allí la expresión «viejo tejón» podría traducirse por «viejo astuto», y las leyendas populares dicen que este mamífero se disfraza de monje para engañar a sus víctimas. El tejón ventrudo, que aparece en la puerta de los restaurantes japoneses, constituye un símbolo de prosperidad y satisfacción consigo mismo. Pese a ello el mundo occidental tomó otro significado para este animal y, fijándose sólo en sus patas y en su porte rechoncho, lo empleó como símbolo peyorativo, alegoría de la torpeza, pereza y avaricia.

Tela

Véase Tejido.

Telaraña

Véanse Araña y Tejido.

Tempestad

*E*ste fenómeno meteorológico ha sido considerado por la práctica totalidad de las sociedades humanas como una manifestación de las fuerzas divinas. No es algo que deba extrañar a nadie, si aceptamos que dichas fuerzas representaban en su interpretación del mundo lo mismo que los grandes conceptos científicos en las sociedades contemporáneas. Como hemos dicho, las tormentas constituyen una plasmación de las fuerzas del universo, una muestra de poder destructor y amenazante, cuyo origen más probable es la cólera de los dioses. El temor y el peligro real que conllevan estos fenómenos físicos justifican que a lo largo de la historia hayan sido siempre los dioses más poderosos los asociados a la tormenta. Todas estas razones explican que buena parte de las narraciones sobre la creación del mundo hablen de tormentas generativas, de tempestades mediante las que los dioses crean el mundo.

■ **Referencias cruzadas**: *véase* también Rayo.

Temporal

Véase Tempestad.

Templanza, la

*L*a Templanza es el nombre del decimocuarto arcano mayor del tarot, una carta en la que se representa un ser alado, con vestimentas azules y rojas, que vierte agua de una vasija a una copa de oro (o de un bote azul a otro rojo en otras variantes). Esta imagen representa el difícil equilibrio entre los principios duales

que gobiernan el mundo. Suele interpretarse como una alusión a la serenidad y equilibrio necesarios para realizar ese trasvase, esa comunicación que el arcano realiza entre un recipiente y otro.

Templo

Bajo esta palabra se designan construcciones destinadas a favorecer el contacto entre hombres y dioses. Su simbología se hace eco de dos conceptos fundamentales: la vertical y el centro. Por estos principios, el templo se erige tanto en un lugar privilegiado para la comunicación con los cielos, como en el principal escenario de la acción de los dioses sobre la tierra. Ambos conceptos adquieren plasmaciones físicas muy claras. Por una parte, la verticalidad subyace en multitud de construcciones religiosas por todo el orbe, tanto en catedrales góticas como en zigurats mesopotámicos o pirámides egipcias y americanas; cuanto más cerca se esté del cielo, más fácil será la comunicación con él. También la noción de centro condiciona la arquitectura de unos templos que se erigen en torno a un lugar destacado, un espacio concreto en el que se desarrollan los rituales de mayor importancia; como los altares grecorromanos y cristianos.

Pero el templo es también un microcosmos que reduce o captura las diferentes realidades del universo en sí mismo. Siguiendo esta idea, las iglesias medievales representaron todas las grandes creencias del cristianismo en sus pinturas, relieves y esculturas, de la misma forma que los objetos guardados en el Templo de Salomón tenían por misión representar todas las esferas del mundo. Para conseguir este objetivo el simbolismo de los números tuvo una importancia clave a la hora de diseñar la apariencia misma del templo. Seguramente el mejor ejemplo es el que ofrecen las construcciones religiosas del Renacimiento europeo. La importancia de estas construcciones, que suelen ser la mayor creación física de una religión, hace que también se preste un cuidado extremo a los materiales que se van a emplear y a su disposición final. Así, para un hindú prima la idea de efervescencia vital y de sublimación mientras que para un romano lo hace la de equilibrio. La planta del edificio también refleja una serie de creencias; como muestra, en Oriente predominan las formas semejantes al mandala místico, pero en el cristianismo la cruz es la gran figura de referencia.

■ **Referencias cruzadas**: *véanse* también Centro, Pirámide y Zigurat.

Templanza

Este arcano mayor del tarot intenta reflejar el equilibrio logrado entre tendencias opuestas.

Cristo expulsando a los mercaderes del templo, Jordaens.

Tercer Ojo

Véase Ojo.

Tesoro

Los *mitos*, leyendas y narraciones populares de diferentes civilizaciones han empleado el tesoro como uno de sus recursos principales. Su sentido suele venir marcado por las dificultades que deben superarse para conseguirlo; generalmente se

Templo

Todos y cada uno de los elementos que ayudan a crear un espacio sagrado han sido cuidadosamente escogidos bajo el análisis del simbolismo y las creencias propias de cada religión.

Tesoro

La lucha contra las dificultades en la consecuencia de un tesoro manifiesta el difícil camino de superación interior.

Tetramorfos

Figura cuádruple que esconde los sentidos últimos del cuatro.

Tiara

Aunque con este nombre se designa también a un antiguo gorro persa, se suele reservar para la corona de tres pisos empleada por el Papa.

encuentran ocultos o monstruos amenazantes los guardan. Por ello, constituyen un símbolo de las fuerzas que hay que superar para conseguir un bien (ya provengan del interior o exterior del hombre). Pero el tesoro no suele estar al alcance de todos, requiere un gran esfuerzo conseguirlo, esfuerzo al que hay que someterse incluso cuando son un regalo de los dioses. Como puede verse, la búsqueda del tesoro puede interpretarse fácilmente como un proceso de superación individual. Por eso, aquellos que están enterrados u ocultos en cavernas sugieren la necesidad de recorrer e iluminar las partes más profundas y oscuras del ser para lograr la anhelada recompensa. El símbolo antagónico a lo que acabamos de ver es el tesoro que se ofrece al alcance de todos, por el que no hace falta luchar. Esta imagen suele emplearse como referencia a los placeres y deseos mundanos, goces fáciles que se alcanzan sin esfuerzos pero no otorgan ningún relieve espiritual y se acaban perdiendo con la misma facilidad.

Tetramorfos

Esta representación cuádruple, si bien resulta muy conocida en el cristianismo, no resulta exclusivo de él. Bajo diferentes formas, este tipo de símbolos toman gran parte de su sentido del número cuatro, que se liga generalmente a las nociones de orden en el cosmos. Es el mismo simbolismo que subyace en la cruz y constituye un intento por reunir cuatro manifestaciones de un todo en una misma unidad.

Bajo este punto de vista, el tetramorfos cristiano se convierte en un símbolo de la presencia divina en todos los órdenes de la vida. Las cuatro figuras que aparecen son el hombre (generalmente alado), toro, león y águila. Según san Jerónimo se corresponden con la encarnación, pasión, resurrección y ascensión, pero exégetas posteriores los asimilaron a los apóstoles Mateo, Lucas, Marcos y Juan, respectiva-

mente. Es muy probable que el origen de esas cuatro figuras sea mesopotámico o egipcio, en cuyo caso se asimilarían a los cuatro hijos de Horus, que se representaban con cabeza de animal y cuerpo humano. También el hinduismo emplea una referencia muy similar con las cuatro cabezas de Brahma. Pero siguiendo con el cristianismo, la doctrina acabó empleando este símbolo para representar a los evangelistas. Así, el arte románico lo empleó frecuentemente escoltando las imágenes del pantocrátor.

■ **Referencias cruzadas**: *véanse* también Cuatro y Pantocrátor.

Tiara

Corona de tres pisos terminada en punta, en el Próximo Oriente se empleó como emblema de dioses como Mitra, Ceres y Cibeles. Con el paso del tiempo también los reyes persas la emplearían y, siglos después, el papado cristiano haría de ella su emblema. Simbólicamente constituye la integración de lo triple en la unidad. Parece que originariamente se refería al conjunto creado por tierra, cielo e inframundo, pero sus significados fueron variando y, cuando a finales de la Edad Media los papas comenzaron a vestir la tiara, se empleó como referencia a sus soberanías: espiritual, sobre los Estados Pontificios y sobre el resto de soberanos cristianos. A partir de ahí se fueron incorporando nuevas interpretaciones para esta triple corona: las tres virtudes teologales (fe, esperanza y caridad), la Trinidad, las funciones del Papa (padre, rector y vicario de Cristo), etc. Dentro de la jerarquía eclesiástica, si el Papa viste la tiara, la mitra de dos pisos corresponde a los arzobispos y la de uno a los obispos.

■ **Referencias cruzadas**: *véanse* también Corona, Dosel y Palio.

Tiempo

*E*l *reloj* de arena, la hoz, la serpiente circular, todos y cada uno de los símbolos que han sido empleados para representar el tiempo, reflejan concepciones profundas sobre su transcurso. Éste puede ser un tiempo circular (idea similar al concepto persa de la creación eterna y constante; casi como la revolución permanente, si se nos permite la broma), que se manifiesta en rituales que pretenden renovar los ciclos, lo que suele plasmar en las concepciones del eterno retorno. Pero el tiempo puede ser también un proceso de decadencia y degradación, por el que el mundo nunca logrará igualar las míticas Edades de Oro. El dios griego Cronos muestra con fuerza estas concepciones. La oportunidad (para los griegos *kairós*), es otra idea fundamental. El tiempo marcado por la fugacidad del momento, pero también por la trascendencia de cada instante puntual. En los momentos de crisis, de cambios rápidos y profundos, en la concepción del tiempo predomina la angustia y la asociación con la muerte y el olvido.

Las diferentes religiones, que no son más que una interpretación trascendente del mundo, también han ofrecido una visión del tiempo. En el judaísmo todo se articula como una espera, en función de un momento venidero, el día en el que llegará el Salvador. Mientras tanto, el cristianismo vive en un lapso marcado por la primera venida del hijo del Señor y por su regreso en el final de los tiempos. Sin embargo, para el Islam, que nace en contacto con judaísmo y cristianismo, el devenir es esencialmente cambio y metamorfosis. En la tradición hindú el tiempo es eterno y cíclico, da vueltas sobre sí mismo creando la paradoja de devorar continuamente el momento, pero multiplicar su trascendencia al obligar al hombre a repetirlo durante toda la eternidad. En China, al igual que en buen número de pueblos africanos, el tiempo es, por encima de cualquier otra consideración, una sucesión continua de acontecimientos.

Tierra

*E*l *dualismo* formado por cielo y tierra es el elemento primordial de la interpretación del mundo realizada por casi todas las civilizaciones. En general, la fecundidad de la tierra se pone en paralelo con la de los humanos, de forma que ésta pasa a identificarse con lo femenino. Así es como nacen las primeras ideas acerca de la Diosa Madre o Madre Tierra. La tierra es, por tanto, dadora de vida, y tiene en sus manos ese poder, pero, precisamente por eso, es también capaz de quitarla (los aztecas creían que se realimentaba de los muertos). Bajo esta consideración, los ritos de inhumación se deben entender como una vuelta al seno de la tierra. Cielo y tierra conforman, ya se ha mencionado, un dualismo primordial al que las diferentes religiones asociaron otros principios duales. Lo masculino y lo femenino y círculo y cuadrado van a ser los grandes símbolos o principios que se liguen, respectivamente, al cielo y la tierra. Estas realidades suelen concretarse en la figura de grandes dioses, como Gea y Urano en Grecia.

Tierra

La tierra, ante todo, constituye la fuente principal de la vida; de ella nacen los primeros hombres y a ella regresan una vez muertos.

La separación de la tierra de las aguas (detalle de la Capilla Sixtina), Miguel Ángel.

Jardín del Eden, Brueghel.

Tigre

El tigre es uno de los mayores felinos, natural de tierras asiáticas. Es la cabalgadura de Shakti y el que tira del carro de Baco, antepasado mítico y héroe civilizador... La fuerza y poder generados por un cazador de unos 250 kilos han despertado una simbología muy prolija.

A la hora de explicar la creación, la tierra aparece en sus momentos previos en un todo confuso junto al cielo. Tras esta concepción se encuentra la idea de que antes del orden manifiesto la única posibilidad era el caos. Por ello, muchas narraciones míticas plasman ese caos primigenio como un prolongado acto sexual entre cielo y tierra, acto del que nacería el tiempo y los hombres una vez éstos se separaron.

Otra idea frecuente, que pretende solucionar las dudas sobre el orden en el universo, habla de animales gigantescos que llevan la tierra a sus espaldas. Estos animales serían el último soporte de la creación y sus movimientos justificarían la existencia de terremotos. En Japón se dijo que este animal era un pez, en India una tortuga, elefante en el sudeste asiático y un escarabajo en Egipto.

■ **Referencias cruzadas**: *véanse* también Cielo y Cuadrado.

Tigre

*T*oda *Asia* se hace eco de una importante simbología asociada al tigre. Su papel, similar al del jaguar en América, viene determinado por el temor que siempre ha inspirado a los hombres. Es un cazador nocturno y solitario, capaz de nadar y de trepar a los árboles. Su porte resulta impresionante: pueden acercarse bastante a los tres metros de longitud, sin incluir la cola, y a más de uno de altura en la cruz. Por ello toda Asia, donde habita zonas de amplia cobertura vegetal, asoció este animal a los poderes ocultos y primarios de la tierra, a la fuerza original de la naturaleza.

Éste es el motivo por el que en la antigua China se le invocaba para que protegiera la caza, los sembrados o incluso los sepulcros (los animales que representan el poder de la tierra siempre se han ligado a lo funerario; la vida nace de la tierra y su desaparición suele suponer un regreso a ella). Allí, la tradición taoísta le identificó al yin en su calidad de representante de la energía y vida de la tierra, pero al yang cuando se le asociaba con los valores de la caza y el coraje. El mismo trasfondo simbólico se encuentra en la cultura hindú, donde Shakti, el dios de las fuerzas de la naturaleza, cabalga sobre uno de estos felinos y donde se habla también de cinco tigres que protegen los cuatro puntos cardinales y el centro de la tierra.

En cuanto a encarnación de la naturaleza y sus poderes, el tigre tiene la capacidad de comunicar su sabiduría oculta a los humanos, y así se refleja en varias leyendas del sureste asiático, donde se convierte en antepasado mítico y héroe civilizador. Así mismo, este felino se asocia con fuerza a lo nocturno (por sus hábitos de caza) y el budismo hace de ello un valor muy positivo, ya que, por esa capacidad de orientarse en la oscuridad, lo emplea como símbolo de la superación espiritual, la luz y la vida mejor que esperan tras los tiempos oscuros.

Con fines claramente políticos, los grandes soberanos y las castas guerreras de muchas sociedades asiáticas quisieron aprovechar la imagen de este animal para representar aquello que justificaba su papel: valor, fuerza y protección a los suyos. Por esta razón, también los grandes héroes míticos suelen relacionarse con los tigres de una u otra forma.

El temor que despierta provocó que en algunos lugares se le tratase de forma similar al dragón, haciendo de él una imagen de la violencia generada por los instintos incontrolados. Esta simbología es la que adoptó la tradición occidental al conocer a este animal. Así, Dionisos, en su aspecto más cruel y colérico, se representa con el tigre, y Baco (su correspondiente en la civilización romana) suele aparecer sobre un carro tirado por estos felinos.

■ **Referencias cruzadas**: *véanse* también Jaguar y Pantera.

Timón

Al igual que otros símbolos que permiten el movimiento entre las aguas, el timón se toma por representación de la razón, de la sabiduría superior que permite seguir un camino seguro a través de los peligros. De esta manera, como imagen de seguridad y rumbo definido, aparece en multitud de representaciones de la Antigüedad clásica y en el arte occidental posterior al Renacimiento.

También la diosa Fortuna muestra entre sus atributos al timón. Para explicar por qué es así hay diferentes versiones; puede que sea una alusión a su soberanía sobre los inestables vientos que gobiernan el mar o un símbolo que nos dice que es ella quien marca el camino que siguen nuestras vidas.

■ **Referencias cruzadas**: *véanse* también Fortuna, Mar y Remo.

Tinieblas

Véase Noche.

Tirso

Este símbolo puede considerarse como una vara mágica compuesta por multitud de motivos vegetales. Su origen se debe situar en el Mediterráneo oriental de la Antigüedad, donde ya egipcios, fenicios y hebreos lo representaron. Su forma más usual es la de un bastón que se corona por una piña o una forma similar, y que está completamente rodeado de hojas de parra, hiedra o pámpano. Al parecer este bastón encierra el propósito de apropiarse de los grandes dones de la naturaleza. En la Antigüedad grecolatina se empleó en las fiestas rituales consagradas a Hermes (Mercurio en Roma) y a diosas de la maternidad y la fertilidad. Al final acabó siendo el atributo por excelencia de Dionisos (dios griego equivalente al Baco romano) y de las Ménades, convirtiéndose en un verdadero símbolo de desenfreno. Por ello, el adoctrinador arte cristiano lo empleó para aludir al pernicioso paganismo.

Titanes

Hijos de Urano y Gea, son una figura clave de la mitología griega. En las narraciones sobre la creación se cuenta cómo tras la victoria de Cronos sobre su padre, Urano, los Titanes (Cronos es uno de ellos) se propusieron dominar el mundo, lo que les condujo al enfrentamiento con Zeus y los dioses del Olimpo, la tercera generación de las genealogías divinas. Tras ser derrotados, fueron condenados y precipitados al Tártaro.

Todos estos mitos cosmogónicos tienen una base simbólica indudable y constituyen toda una explicación del origen del mundo manifiesto. Traduciendo el mito a los conceptos que recrean, los griegos concibieron la

Timón

Suele representar la razón, que sortea los peligros como el timón conduce al navío entre las aguas.

Tirso

Bastón coronado por una piña y rodeado por hiedras y hojas de parra.

Batalla de dioses y titanes, Wtewael.

Títanes

Cronos, el más poderoso de los Titanes, representa tanto una época de la historia mítica del mundo como los impulsos incontrolados que se esconden en nuestro interior.

Tonel

Como todos los recipientes, se asocia a los principios femeninos de fertilidad y de abundancia.

Tonsura

La coronilla afeitada es símbolo de sumisión a Dios y reminiscencia de la corona de espinas de Cristo.

existencia de un caos primigenio previo a la creación (el mítico acto sexual entre Urano y Gea). La historia del mundo no comenzó hasta que ese caos desapareció engendrando las realidades primeras (el triunfo de Cronos y sus hermanos tras separar a sus padres). Pero este primer estado de la creación se manifestó indómito y brutal hasta el definitivo triunfo del orden y las leyes que rigen el universo (el gobierno de los Titanes hasta ser derrotados por Zeus y los dioses del Olimpo), lo que sería ya el momento de la aparición del mundo tal y como lo conocieron los griegos.

Como se ha visto, los Titanes representan un periodo de la concepción griega sobre el génesis, pero son también su paralelo espiritual: las pasiones descontroladas e irracionales que en ocasiones salen de nuestro interior para luchar contra el consciente.

Toisón de oro

Véase Vellocino de oro.

Tonel

A l igual que el jarrón y el pozo, el tonel es un símbolo cuyo sentido principal deriva del hecho de ser continente. Como todos los recipientes, se asocia a los principios femeninos, de fertilidad y de abundancia. Si además de ello tenemos en cuenta que el tonel ha tenido por principal misión albergar al vino, encontramos el resultado final de una simbología eminentemente positiva, relacionada con la prosperidad y felicidad.

Esto no evita que uno de los castigos míticos del Hades griego, el de las Danaides (condenadas por haberse negado a sus maridos la noche de bodas, algo que se entiende como un pecado contra natura), consistiera en pasar la eternidad intentando rellenar un tonel sin fondo.

Tonsura

A feitarse la cabeza es una señal de servidumbre para un buen número de civilizaciones. La razón es que el cabello siempre se ha asociado a la fuerza vital y renunciar a él implica renunciar a la propia vida y someterse como lo hacen los esclavos ante sus amos.

Pese a ello, los primeros ascetas del Mediterráneo oriental adoptaron esta simbología como muestra de humildad y sumisión a Dios. Posteriormente, a partir del siglo VI de nuestra era, el cristianismo haría de la tonsura una señal de dignidad para los clérigos (se distinguían así de los monjes, el clero regular, que conservaba todavía la tonsura completa). Esta práctica, además del sentido visto, toma el de la corona y rememora en cierta forma la corona de espinas de Cristo, ya que el único cabello que se afeita es el de la coronilla.

■ **Referencias cruzadas**: *véanse* también Cabello y Corona.

Torbellino

Véase Tempestad.

Tormenta

Véase Tempestad.

Toro

L a naturaleza de este impresionante bóvido conduce a un simbolismo cuyo eje principal es la fuerza y bravura del animal. Se le considera por ello una imagen de la energía salvaje, primitiva y casi indómita, lo que a su vez conduce a identificarle con los dioses más poderosos, que poseen el control sobre esas fuerzas de la tierra. Establecida esta asociación, muchos soberanos y castas guerreras tomaron la cornamenta de este animal

como emblema, intentando hacer suyo un simbolismo aplicado a los dioses y que reforzaría su posición en la sociedad. Todas estas ideas se ven apuntaladas por la similitud existente entre la curvatura de los cuernos del bóvido y la forma de los astros celestes, grandes atributos divinos. Por este motivo, pinturas rupestres norteafricanas, escenas egipcias, grecolatinas e hindúes, entre muchas otras, ponen frecuentemente en relación las astas del toro con el Sol o la Luna.

Otro punto muy importante del simbolismo del toro es la fertilidad. Este animal manifiesta un fogoso ímpetu sexual, lo que, unido a las ideas de fuerza y poder, engendra una identificación con las energías creadoras de la naturaleza. Estas fuerzas, que pueden presentar su lado creador y dador de vida o destructor, constituyen la característica más significativa del sentido que se dio al toro desde las riberas del Mediterráneo hasta India.

En Egipto encontramos cómo Osiris, dios de los muertos, se encarna en el toro Apis para personificar a la divinidad de la fecundidad. Del mismo modo, las representaciones de muslos de toro son símbolo de fertilidad. Asociaciones muy semejantes aparecen tanto en la cultura minoica como en la hindú (relacionado con Indra y Shiva en su aspecto más sexual) o en la antigua Persia (situaban el origen de las plantas y animales del mundo en las partes despedazadas de un toro sacrificado por Mitra). Esa relación con la fecundidad y la vida también condujo a que en otros lugares el toro se asociara a la lluvia y el agua, principios fértiles por excelencia.

El toro, identificado con los valores más importantes de la naturaleza, se convirtió en un propicio animal de sacrificio. Los cultos de Cibeles y Mitra, de origen oriental, llevaron esta costumbre a Roma y, desde ella, a todo el Mediterráneo. También las luchas rituales entre hombres y toros (ya visibles en el arte minoi-

co) representaron la voluntad humana de dominar las grandes fuerzas de la naturaleza.

En la civilización griega, la interpretación dominante recogió el sentido de la violencia ciega y descontrolada. Por ello, dioses como Dionisos o Poseidón tuvieron al toro entre sus atributos. La tradición cristiana heredó esta simbología, haciendo del toro un símbolo de las perversiones (recordemos la fogosidad vinculada a él). Pese a ello, existe alguna representación aislada en la que, al igual que se había hecho con los dioses de la Antigüedad, Cristo y Dios tienen a este animal como emblema.

■ **Referencias cruzadas**: *véase* también Tauro.

Torre

Este tipo de construcción ha sido considerado tradicionalmente una forma de comunicación entre el cielo y la tierra. Es un simbolismo similar al de las montañas y se basa en la idea de que la proximidad física con el cielo facilitará un acercamiento espiritual entre hombres y dioses. Esto es lo que subyace en las pirámides egipcias, los zigurats mesopotámicos y las catedrales góticas. Sin embargo, esa voluntad de elevación está condenada al fracaso si en ella predomina la soberbia y el orgullo, como queda reflejado en la narración bíblica sobre la torre de Babel.

Pero la torre también ha sido siempre un buen refugio defensivo, por lo que en

Toro

El combate entre hombres y toros se entiende simbólicamente como la lucha por intentar dominar las grandes fuerzas de la naturaleza.

Torre

Al igual que las montañas, se consideran un vínculo entre cielo y tierra.

Toros en el agua (detalle), Cuyp.

Tortuga

Estos reptiles, cuyo cuerpo está recubierto por un duro caparazón, ya poblaban el mundo antes de la aparición de los dinosaurios. Simbólicamente constituyen una referencia fundamental en varias cosmogonías.

varias leyendas se la ha empleado como referencia a lugares aislados y de difícil acceso. Así, las frecuentes narraciones populares en las que un héroe sortea multitud de adversidades hasta hacerse con el premio que esconde la torre, pueden tomarse por una alegoría de la recompensa obtenida por los duros procesos de elevación espiritual.

En otras ocasiones el aislamiento de la torre alude a retiros ascéticos; pero del mismo modo puede referirse a su idea antagónica, un distanciamiento orgulloso del mundo (la conocida imagen de la torre de marfil). También se pueden reseñar leyendas que hablan de mujeres aisladas de todo trato con los hombres (voluntaria o involuntariamente) en estas construcciones; es el caso de la griega Dánae (aunque aquí Zeus burló su aislamiento convirtiéndose en lluvia). Por ello, las torres herméticas, completamente cerradas, sin un solo vano en sus muros, se convirtieron en símbolo de virginidad. El cristianismo muestra un buen ejemplo con la torre de David, emblema de la Virgen. Sólo queda mencionar que en esta última religión la torre se empleó también como símbolo de la Iglesia, edificio de fieles que les protege y acerca a su señor.

■ **Referencias cruzadas**: *véanse* también Babel, torre de y Eje del mundo.

Tortuga

El mundo oriental es el que ha prestado una mayor atención a estos animales. Allí la forma de su caparazón se puso en comparación con la bóveda celeste, lo que haría de su abdomen la tierra y de las patas el soporte del mundo (mayas e indios norteamericanos también realizaron este paralelismo). Esa imagen, un todo estable compuesto por partes diferenciadas, aparece por todo Oriente en forma de tortugas que soportan el universo, el trono celestial, la isla de los Inmortales o el monte central del mundo. La

arquitectura se hizo eco de ello representando a estos animales bajo los pilares de algunos templos, costumbre que pasaría a la cristiandad durante la Edad Media (el pórtico de la Sagrada Familia de Barcelona aún conserva esta imagen).

Hoy en día la longevidad de las tortugas (pueden superar el centenar de años) sigue siendo motivo de asombro y es esta característica la que condujo a que se hiciera de ellas un frecuente símbolo de inmortalidad. Por ello se la representa en tumbas y constituye uno de los elementos tradicionales de los elixires de juventud. Por el mismo principio, el Guerrero Negro es la tortuga china emblema de fortaleza y resistencia que figura, junto al dragón, en el estandarte del ejército imperial.

Y la longevidad, sobre todo en Oriente, es también sabiduría. Esta relación simbólica se ve favorecida por los misteriosos dibujos del caparazón de la tortuga (que se han intentado interpretar), la forma de replegarse sobre sí misma y su actitud tranquila y sosegada.

En el mundo occidental el simbolismo de este reptil nace de la Antigüedad clásica, donde se le asoció, por su fecundidad y relación con las aguas, con la fertilidad. En Egipto, por ejemplo, las imágenes sobre la medición de las vitales crecidas del Nilo suelen mostrar dos tortugas; y en la mitología grecolatina Afrodita (la Venus romana, diosa de la sensualidad y fertilidad nacida de las aguas) tiene la tortuga entre sus atributos. También se halla junto a Hermes, y es que una curiosa leyenda narra que este dios griego (Mercurio en Roma) construyó con un caparazón la primera caja de resonancia de las liras. La tortuga también se empleó, por la famosa comparación con una casa que nos acompaña por doquier, como símbolo de las virtudes hogareñas.

Su condición natural, a medio camino de la tierra y las aguas, condujo a que en América se ligara a las fuerzas internas de ambos medios, por lo que en algún mito se menciona como dios benéfico que regala los secretos de la naturaleza a los hombres.

Tótem

El tótem es un ser tutelar (una planta, animal o fuerza de la naturaleza) ligado de una forma especial a un individuo. Cuando esta práctica existe, la elección del tótem no debe venir nunca determinada por grupo social alguno, ni siquiera por la familia, ya que el objetivo perseguido es una identificación total entre individuo y tótem. La creencia que subyace bajo esta práctica es la de una íntima relación entre el hombre y el medio que le rodea. Dicha relación puede conllevar una serie de tabúes, como prohibiciones en la comida o la vestimenta. La veneración a los tótem se suele plasmar a través de rituales, danzas u objetos como pueden ser los famosos postes totémicos de algunos indios norteamericanos.

Trébol

Esta planta agarradera, de crecimiento rápido y vigoroso, presenta generalmente hojas trifoliadas (dividas en tres partes). Como los tréboles de más de tres hojas son extremadamente inusuales, se ha considerado que el de cuatro es símbolo de buena suerte, mientras que el de cinco anticiparía un matrimonio y el de seis sería un augurio de desgracias.

El arte cristiano, que representó profusamente el trébol en la arquitectura medieval, empleó su imagen, por motivos obvios, como símbolo de la Trinidad.

Trece

En el mundo occidental este número viene profundamente marcado por ser el producto de la adición de la unidad al 12 (símbolo de la perfección y totalidad). Así, con el paso que implica el 13, el conjunto perfecto se rompe y comienzan a proliferar las desgracias. Los babilonios recogieron este sentido de forma casi literal, empleándole para referirse a la destrucción de lo perfecto. Las leyendas griegas también reflejan esta idea al asociar la muerte de Filipo de Macedonia al hecho de haber colocado su estatua, la decimotercera, entre otras 12 dedicadas a los dioses del Olimpo. Simbolismos semejantes reflejan la tradición judeocristiana con los 13 capítulos del Apocalipsis, 13 comensales en la Última Cena o 13 espíritus del mal en la cábala.

Pese a todo, en ocasiones la adición que supera la unidad de la docena es algo deseado y propiciado por los dioses, por lo que este número constituiría un refuerzo de la perfección que ya antes existía (así se mencionan tanto a Zeus como a Odiseo en algunos mitos griegos).

En el continente americano se registra un uso completamente diferente de este número, ya que allí los aztecas lo emplearon como unidad fundamental de los ciclos temporales, el mismo sentido que generalmente suele tener el siete.

■ **Referencias cruzadas**: *véase* también Doce.

Tres

La gran carga simbólica de este número suele aludir a la perfección y al orden de lo acabado. Aunque es complicado de desentrañar, es probable que este sentido se le haya dado por ser el resultado de la suma de la unidad y la dualidad (representante de la reconciliación de lo absoluto y lo dual). Otros estudiosos señalan, sin embargo, que el sentido del tres deriva del conjunto vital básico (padre, madre e hijo). Sin embargo, en otras ocasiones se considera que el simbolismo de este número debe ligarse a que con él

Tótem

Bajo esta palabra se designa a la planta, animal o fenómeno natural que ejerce de guardián y protector de una persona.

Trébol

De la buena suerte del trébol de cuatro hojas a las desgracias del de seis, pasando por el matrimonio si tiene cinco.

13

Trece

Este número, asociado desde la Antigüedad a sentidos malignos, constituye el quebranto de la perfección de la docena.

3

Tres

Aunque es difícil encontrar motivos unívocos para ello, el tres es, sin duda alguna, el número más empleado para crear explicaciones del mundo.

Triángulo

Forma geométrica que recibe todo el simbolismo del número tres.

Tridente

Sentidos asociados al mar, al tres y al rayo se unen en esta arma, ligada tradicionalmente a dioses como el famoso Poseidón o la menos conocida Chalchiutlicue.

se rompe el equilibrio inmóvil que puede representar la pareja.

Sea como fuere, el tres se convierte en el esquema básico de comprensión del mundo. Así, en el mundo físico se observan tríadas como cielo, tierra y subsuelo; agua, tierra y fuego; o plantas, animales y aves. Por esta razón es por lo que la división social en tres clases es la que más predomina a la hora de estructurar sociedades.

También en lo espiritual (las tres virtudes teologales cristianas) y en lo divino (Isis, Osiris y Horus entre los egipcios; la Trinidad cristiana) van a predominar las tríadas que poco a poco acabaron por inundar también los relatos míticos, cuentos y la literatura de todo el mundo. La representación gráfica de este número, el triángulo, comparte su significado.

■ **Referencias cruzadas**: *véase* también Triángulo.

Tríada

Véase Tres.

Triángulo

El triángulo, la representación gráfica del tres, va a ser empleado como símbolo del orden perfecto, generalmente en una profunda asociación con las divinidades creadoras. Cuando esta relación quiere recalcarse claramente, será el triángulo equilátero el empleado. Así, en numerosas tradiciones, la mayor manifestación de los grandes dioses, la luz, ha sido representada a través de esta figura geométrica. Tanto por ello como por el concepto teológico de la Trinidad, el arte cristiano ha recurrido frecuentemente al triángulo en asociación con Dios.

Pero esta figura también ha sido muy empleada como símbolo de género. Aunque los papeles se invierten en algunas culturas, lo más frecuente es identificar a

lo femenino, por la forma del pubis, con el triángulo invertido.

Otra identificación frecuente de los triángulos es con fuego y agua. De esta forma, el que descansa sobre su base se ha empleado en alguna ocasión como símbolo del fuego (asciende de la base al cielo) y el invertido del agua (cae de cielo a tierra). La combinación simbólica de estos dos elementos es lo que origina el conocido símbolo del sello de Salomón (también llamado escudo de David).

■ **Referencias cruzadas**: *véanse* también Hexagrama, Ojo y Tres.

Tridente

La lanza de tres puntas, un arma antigua y especialmente útil para la pesca, en ocasiones se ha confundido, voluntaria o involuntariamente, con las representaciones gráficas del rayo en manos de un dios. Pese a ello, la interpretación principal del tridente viene dada por su vinculación al mar y al número tres.

Por el primer motivo, aparece como atributo de poder por excelencia de seres marinos como Poseidón (dios griego del mar), Neptuno (su equivalente romano), Anfítrite (mujer de Poseidón), las Nereidas (ninfas del Mediterráneo) o Chalchiutlicue (diosa del mar azteca). Como se señaló anteriormente, puede establecerse un cierto paralelismo entre el tridente que acompaña a estos dioses y el rayo que empuñan sus homólogos celestes.

La vertiente violenta e irracional del griego Poseidón justifica que en el cristianismo el tridente quedara en manos de aquel que encarna todos los males, Satán. Aparte de este demonio, también los monstruos marinos y las representaciones de Cristo como pescador de hombres pueden acompañarse de esta arma.

La influencia del simbolismo del número tres se hace patente en el tridente de

Shiva, expresión de su poder sobre pasado, presente y futuro. También el *teriratna* puede adquirir una forma gráfica muy similar al tridente; este concepto, que podría traducirse por «las tres joyas», representa los tres pilares fundamentales que constituyen la esperanza de salvación del budista.

■ **Referencias cruzadas**: *véase* también Tres.

Trigo

Este cereal, cultivado desde la Prehistoria en las zonas templadas, ha constituido un elemento fundamental de la dieta de las civilizaciones occidentales y del Próximo Oriente. Por esa importancia vital casi todas las sociedades lo consagraron a algún dios. De esta forma, el trigo comenzó a aparecer en los rituales y entre los atributos de sus divinidades protectoras, pero también como símbolo de fertilidad y de los dones que el cielo había entregado a los hombres (por ello el cristianismo hace del pan el símbolo del cuerpo de Cristo, regalo divino para borrar los pecados de la humanidad).

Otro punto de gran importancia simbólica es el renacimiento cíclico de este cereal, el círculo eterno entre grano y espiga, que llevó a que se tomara por imagen alegórica de muerte y resurrección. Por este motivo los egipcios lo asociaron a Osiris y el arte cristiano medieval lo empleó para aludir a la resurrección de Cristo; es un papel similar al que en Oriente tenía el arroz y en América el maíz.

■ **Referencias cruzadas**: *véanse* también Arroz, Espiga, Grano, Maíz y Pan.

Trinidad

Véase Tres.

Trono

El *trono* no es más que un asiento con gradas y ornamentos que pretende reflejar el poder y la superioridad de quien lo ocupa. Su origen se sitúa en el simbolismo dado a la elevación; a través del trono, situado casi siempre sobre una tarima, una persona es elevada sobre los demás hasta convertirlo en intermediario entre lo superior, los dioses, y lo terreno, los hombres. Pero no sólo han sido personas las poseedoras de tronos; su simbolismo también se ha aplicado a los dioses y así se atestigua en numerosas tradiciones. El primer ejemplo puede verse en el budismo, donde el trono junto a la higuera (el mítico árbol de Bodhi) es el trono de su profeta. En el cristianismo, el Apocalipsis narra cómo al final de los tiempos aparecerá sobre los cielos el trono de Dios y en otros momentos se habla de la Virgen como trono de sabiduría. En el arte bizantino aparece otra referencia: el trono vacío como símbolo de Dios. Por último, en el Islam se menciona frecuentemente a Alá como «señor del trono».

Como muchos soberanos han intentado revestir su poder de connotaciones divinas, en más de una ocasión se han empleado estatuas de dioses como trono. Esta forma de ilustrar el soporte que los dioses dan a los monarcas se ejemplifica

Trigo

Tanto la espiga como el grano y el pan aluden en última instancia al simbolismo del trigo.

Trono

La elevación que el trono ofrece al soberano implica una mediación entre los dioses y los hombres.

Paisaje en verano, Valkenborch.

claramente en la tradición egipcia, donde la diosa Isis era el trono de los faraones.

Trueno

Véase Rayo.

Tumba

Tumba

Las conocidas pirámides de Egipto no dejan de ser una tumba elevada que pretende facilitar el contacto entre el cielo y el difunto.

La existencia de tumbas siempre constituye una manifestación de creencias en el más allá, en la vida después de la muerte. Su misión es favorecer esa nueva vida, la transición de la esencia del individuo a su nuevo estado. Por ello, es muy frecuente que la voluntad de acercar los difuntos al cielo se haya plasmado físicamente en la construcción de tumbas elevadas (pirámides o monumentos megalíticos).

Túmulo

Véase Tumba.

Túnica

La túnica ha sido empleada como símbolo del alma, de su pureza y de su sencillez.

Túnica

La forma en la que esta sencilla vestimenta cubre el cuerpo ha sido tomada eventualmente como símbolo del alma, de su pureza y de su sencillez. Pese a ello, los motivos y el color de la túnica pueden matizar considerablemente su significado. También es muy frecuente que su simbolismo proceda del dueño de la prenda. Así, la representación de la túnica del emperador romano era tomada por símbolo de la perfección y rectitud que él personificaba.

Turbante

Turbante

Este tocado consiste en una larga tela que rodea la cabeza.

El turbante, al igual que casi todos los tocados, constituye una reminiscencia del simbolismo de la corona (*véanse* Corona y Sombrero). Por ello, hititas, babilonios, egipcios, hindúes y árabes lo emplearon. Pero el devenir histórico de esta prenda viene marcado por un personaje: Mahoma, profeta del Islam que hizo del turbante uno de sus grandes atributos. Gracias a ello, en todo el mundo islámico se convirtió en una de las más elevadas muestras de distinción. Prueba de ello es que incluso Alá y sus ángeles son descritos con turbantes; un significativo relato narra cómo Adán, al salir del Paraíso y dejar la corona que allí vestía, recibió del arcángel san Gabriel un turbante con el que cubrir su cabeza. De esta forma, el turbante se ha convertido en una vestimenta tradicional de las sociedades musulmanas, hasta el punto de que las diferentes formas de vestirlo y sus colores (el blanco es el más preciado, aunque se dice que los que entran en el Paraíso reciben uno verde) esconden significados especiales. En el mundo cristiano, pese a que los combatientes que regresaban de las cruzadas lo pusieron de moda en los ambientes cortesanos de los siglos XIV y XV, el turbante se emplea como símbolo distintivo de los musulmanes.

■ **Referencias cruzadas:** *véanse* también Corona y Sombrero.

Isaías (detalle de la Capilla Sixtina), Miguel Ángel.

U

Umbral

La parte inferior de una puerta, el umbral, es un tradicional símbolo de transición, de cambio de un estado a otro. Éste es el lugar concreto en el que se efectúa el paso y por ello ha sido sacralizado en varias culturas. En ocasiones cruzarlo puede estar prohibido o limitado a unos pocos. Así mismo, es frecuente, y esto constituye una figura típica de mitos, cuentos y leyendas, que para atravesarlo sea necesario contar con una serie de requisitos físicos o espirituales.

El umbral sagrado, cuando forma parte de un edificio, suele aparecer adornado y cuidado, de forma que todo su aspecto resalte su función (recordemos el aspecto de la entrada a iglesias y catedrales, por ejemplo). Sin embargo, esto no evita que lugares de la naturaleza, como la ribera de un río o las lindes de un bosque, reciban toda su carga simbólica y se conviertan también en verdaderos umbrales.

■ **Referencias cruzadas**: *véase* también Puerta.

Unicornio

La fama de este animal mítico (en cuya existencia se creyó hasta el siglo XVII) se extiende por todas las culturas euroasiáticas, desde China (donde fue emblema de varios emperadores) hasta Europa. Se le describe como un ser veloz y valiente, generalmente de color blanco y, aunque en principio se dijo que su cuerpo era de cabra, asno o rino-

Doncella con unicornio, Rafael.

ceronte, se consolidó su representación como caballo. Su elemento característico: el cuerno que le nace de la frente.

Desde la Edad Media se le ha tratado como símbolo de pureza y virginidad. Así, las leyendas populares sostenían que sólo las doncellas (mujeres vírgenes) podían acercarse a él y tocarle. Por este motivo la mayor parte de las imágenes medievales de unicornios aparecen junto a doncellas (ocasionalmente se les ve dormir en su regazo, pues se decía que en él se calmaban y relajaban). Esa asociación condujo a que también la Virgen y el signo zodiacal de Virgo tuvieran entre sus atributos a este ser. Una muestra más de la consideración que se le otorgaba es la creencia generalizada de que el cuerno de unicornio era la mejor protección contra los envenenamientos, pues cambiaba de color ante la comida corrupta.

Como se acaba de ver, se conoce bastante bien el simbolismo asociado a

Unicornio

Según las leyendas medievales, este animal fabuloso, símbolo de pureza, sólo se dejaba capturar por las doncellas.

1

Uno

Símbolo de los dioses creadores y del origen del movimiento, el uno no siempre ha sido considerado un número más.

Urraca

Esta ave muestra una cierta preferencia por los campos abiertos, las zonas arbustivas y las tierras agrícolas. Por ello, es una vieja compañera de los hombres, quienes, partiendo de sus costumbres, desarrollaron un amplio simbolismo acerca de ella.

este animal mítico; pero otra cosa es averiguar de dónde procede. Hay quien apunta que el origen es la similitud entre el rayo y el cuerno, lo que vendría a ofrecer una imagen del poder de lo espiritual. Otra posibilidad es que el cuerno evoque la potencia y fuerza que tradicionalmente se asocia a las astas de los animales, pero que, al estar situada sobre la mente, identificaría la fuerza derivada de lo racional. Por último, algunos estudiosos han visto en el cuerno una imagen fálica que aludiría a la fecundidad y fertilidad de la mente. Sea cual fuere la explicación más cercana a la realidad, es obvio que el color blanco es una forma universal de recalcar su pureza.

■ **Referencias cruzadas**: *véanse* también Blanco y Cuerno.

Uno

L a unidad, el todo sin partes diferenciables, ha sido considerado en algunas culturas un número «diferente». Así, en la tradición clásica no se le estimó con la misma categoría que al resto de cifras.

Simbólicamente el uno se identificó con las divinidades o con las fuerzas responsables de las creaciones primeras, con los principios que habían dado el salto de la unidad a la multiplicidad, con el origen del movimiento.

Uraeus

Véase Serpiente.

Urna

Véase Tumba.

Uroboros

Véase Serpiente.

Urraca

E n Occidente resultó muy llamativo la forma en que esta ave captura y esconde continuamente los objetos brillantes que quedan a su alcance. Por ello, en un principio se la asoció al robo y, por extensión, acabó empleándose como símbolo de todos los pecados. Como consecuencia de ello, se la consideró un animal funesto y, puesto que desde la Antigüedad las aves se han asociado a las almas de los difuntos (*véase* Aves), se la tomó por augurio de muerte prematura.

Otra peculiaridad de la urraca que despertó interpretaciones simbólicas es su canto, ruidoso y constante. En la antigua Grecia se decía que las Piérides, tras perder un concurso de canto con las musas, fueron convertidas en las parlanchinas, orgullosas y envidiosas urracas. Del mismo modo, esta ave era símbolo de Dionisos, dios del vino y, por tanto, de la locuacidad provocada por él.

Pese a ello, en Asia se tomó el canto del ave de una forma mucho más positiva. Según las tradiciones populares era un reflejo de alegría que atraía buena suerte. En ocasiones también fue interpretado como símbolo de sabiduría, por lo que leyendas vietnamitas hablan de urracas que enseñan a los hombres los secretos de la elocuencia y la justicia. En China, la dinastía manchú tomó a esta ave por emblema, pero también allí se registra una curiosa tradición popular, que decía que si una mujer era infiel a su marido, el espejo que éste le había regalado se convertiría en urraca e iría a contárselo todo al burlado esposo.

■ **Referencias cruzadas**: *véase* también Aves.

Uva

Véanse Racimo de uvas, Vid y Vino.

Alrededores de Rhenen, Cuyp.

V

Vaca

El ganado vacuno constituye uno de los primeros grupos animales en ser domesticados. En todas las sociedades, incluyendo las agrícolas, se convirtieron en una importantísima fuente de sustento. Por ello las hembras se consagraron como símbolo de fertilidad, maternidad, vida y abundancia. Todo ello las puso en relación simbólica con la Luna y la tierra (grandes símbolos de fertilidad), lo que generó asociaciones muy visibles tanto en el arte sumerio como en el indio. Por el mismo motivo, los germanos la relacionaron con el agua (otro gran símbolo de vida) en figuraciones como la que afirmaba que el cielo guardaba su lluvia fecundante en una piel de vaca.

Y como símbolo de vida, se asoció también al más allá. Tanto germanos como hindúes, por ejemplo, sostuvieron que este animal facilitaba el paso de los muertos de una vida a otra. Este principio conduce a que en otras ocasiones la vaca represente incluso a los grandes seres creadores. Los germanos también creyeron que en los primeros tiempos del génesis, fue ella la mujer del primer ser nacido del hielo derretido. En Egipto la vaca se tomó por madre del Sol, a quien transmite durante la noche el principio vital para que nunca muera; se consagró a la diosa Hathor (diosa de la fertilidad, el amor y la belleza), quien simbólicamente alimentaba con su esencia al faraón y a quien se representaba con cabeza de vaca. Por todo ello, los *ahot,* amuletos formados por una cabeza de vaca con el Sol entre los cuernos, se emplearon para propiciar la fertilidad de las mujeres.

La divinidad de las vacas pervive aún hoy en día en culturas como la hindú, donde es un sagrado símbolo de fecundidad y se asocia a casi todos los dioses. Junto con el toro representa la unión de los principios activo y pasivo.

■ **Referencias cruzadas:** *véase* también Toro.

Valle

En buena medida, el valle toma significado simbólico por su gran antagonista geográfico: la montaña. Así, en el arte chino, compone una alegoría del yin (valle; principio femenino) y el yang (montaña; principio masculino).

Se puede afirmar que, en general, las imágenes de valles constituyen una referencia al descenso, lo que podría tomarse como caída en las profundidades oscuras del individuo. Sin embargo, tanto el Islam como el taoísmo chino han em-

Vaca

La vaca, dadora de vida, cuando toma el color blanco se convierte, tanto para hindúes como para budistas, en un símbolo tradicional de sabiduría.

Valle

Este espacio profundo, encajonado entre las montañas, puede tomarse tanto por símbolo de descenso nocivo como de profundidad espiritual.

24

Veinticuatro

Este número plasma la unión simbólica de dos conjuntos perfectos.

Vela

La llama a punto de extinguirse es una de las alegorías más empleadas para reflejar la cercanía de la muerte.

pleado este simbólico descenso como algo positivo, como un proceso de profundización espiritual. El taoísmo lo recalcó señalando que es este lugar el que recibe el agua (sabiduría) que viene de las alturas. Para finalizar, el valle es un tradicional símbolo de abundancia, pues las grandes civilizaciones agrícolas encontraron sus mejores tierras en ellos.

■ **Referencias cruzadas**: *véanse* también Abismo y Montaña.

Vara

Véanse Bastón y Rama.

Vaso

Véanse Copa y Jarrón.

Vegetación

Indudablemente, la vegetación es la mayor manifestación de la vida, la fertilidad y la abundancia de la tierra por lo que sus ciclos han servido para mostrar procesos de muerte y resurrección. Desde la Prehistoria, la voluntad de los hombres por influir en ella, de ganarse su bondad y sus recursos, se ha manifestado a través de innumerables ritos, con formas muy diversas, pero que casi siempre culminan en torno a las grandes fechas que marcan los solsticios. Además, la asimilación de lo vegetal a lo humano ha conducido a la identificación de su esencia con divinidades femeninas (como las griegas Hera y Deméter).

Veinticuatro

Las 24 horas del día, los 24 ancianos del Apocalipsis y las 24 clases de sacerdotes de la Biblia, los 24 radios de la rueda del Karma, las 24 estrellas extrazodiacales de los caldeos... Su sentido proviene de la unión de dos conjuntos perfectos (*véase* Doce). Es, por tanto, un concepto que pretende lograr la armonía entre los principios duales y absolutos que organizan el mundo. Esta idea se refleja con claridad en la división caldea de 12 estrellas australes y 12 boreales, o en las 12 horas diurnas y las 12 nocturnas.

■ **Referencias cruzadas**: *véase* también Doce.

Vela

Las velas, construidas desde la Prehistoria con cualquier material que proporcionara una buena iluminación, suelen tomar dos caminos simbólicos. El primero de ellos sería interpretarla como referencia a la luz (sabiduría), por lo que la vela en conjunto representaría el conocimiento al que accede el individuo. La otra posibilidad es centrar la atención en el inevitable proceso de agotamiento de la lumbre y en el carácter ascensional de la llama. Bajo este prisma la vela se convierte en alegoría de la vida y de la muerte, relacionando en ocasiones la ascensión de su llama al viaje que harán las almas. Numerosas personificaciones de la muerte tienen este objeto entre sus atributos.

■ **Referencias cruzadas**: *véanse* también Antorcha, Candelabro, Menorá, Lámpara y Luz.

Velamen

La lona que impulsa una nave fue tomada en el Egipto faraónico por símbolo del viento y del impulso que genera una acción. A partir de ello se empleó también para su paralelo espiritual, por lo que en el arte occidental ocasionalmente alude al Espíritu Santo, aliento que inspira las acciones de los justos.

Además, por la impredecibilidad del viento, desde la Antigüedad acompaña a las personificaciones de la fortuna.

■ **Referencias cruzadas**: *véase* también Nave.

Vello

Véase Cabello.

Vellocino de oro

Según la mitología griega, el vellocino de oro constituye el objetivo en las aventuras de Jasón y sus compañeros, los argonautas. En él se unen los sentidos del oro y el carnero, generando una magnificación del poder de la inocencia, de las fuerzas naturales que no han sido ensuciadas por el hombre. Así, el vellocino de oro es un símbolo de gran elevación espiritual (se recalca al hacerlo pender de un árbol similar al Árbol de la Vida). Pero como ningún logro trascendente es gratuito, un dragón, el subconsciente y los miedos del héroe, se convierten en la principal amenaza para alcanzarlo. De esta imagen mítica medieval se creó la del toisón de oro, emblema de la orden homónima, fundada en 1429 con el objetivo de proteger a la Iglesia cristiana.

■ **Referencias cruzadas**: *véanse* también Cordero, Oro y Tesoro.

Velo

La tradición de velar la propia imagen tras una tela suele interpretarse como símbolo de prudencia y de renuncia al mundo, algo que suele implicar en mayor o menor medida ideas de castidad. Este sentido es el que tienen, por ejemplo, los velos que se imponen a las novicias en las órdenes monásticas o el que debía vestirse en periodos de luto.

Pero el velo también se ha empleado como alusión al conocimiento. Ya nuestro lenguaje ofrece «desvelar» con el sentido de descubrimiento intelectual, pero las religiones cristiana e hindú nos ofrecen ejemplos similares y muy significativos: en ambas, el desvelamiento del cuerpo de los mensajeros divinos (Cristo desnudo en la cruz) son alegorías del conocimiento ofrecido por los dioses. También entre los egipcios la revelación de luz, el conocimiento, es producto de la retirada del velo que cubre a la diosa Isis.

De la misma forma, en el Islam, Alá tiene 70.000 velos sobre sí mismo para no cegar a los seres que lo contemplan y sólo los santos y los ángeles serían capaces de dirigirle la mirada tras haber levantado alguno de ellos. Así, tras la muerte, el velo diferencia a los elegidos de los condenados y el velo de las mujeres se interpreta no sólo como símbolo de recato, sino también como reserva de su realidad última a sus maridos. La interpretación más negativa del velo hace de él un engaño, un ocultamiento de la realidad, una imagen de ignorancia. Sólo la tradición cristiana, incluyendo su liturgia, lo ha empleado con este sentido.

Venado

Véase Ciervo.

Venda

Cuando las vendas se imponen sobre los ojos de un sujeto, nos encontramos ante dos posibilidades. Tomando un sentido positivo, puede ser una referencia a la imparcialidad, forma en la que aparece en las personificaciones de diosas de la justicia como la griega Temis o sus alegorías modernas y contemporáneas. También Cupido, que lanza sus flechas sin fijarse en la condición de sus objetivos, suele representarse con los ojos vendados.

Velamen

Las velas de un barco, que recogen la fuerza del viento, son desde el tiempo de los faraones la plasmación del principio que origina el movimiento.

Vellocino de oro

Vellón (lana) de oro de Crisómalo, carnero alado que se sacrificó a Zeus, después de haber servido al dios Hermes.

Velo

Aunque el mundo occidental prácticamente sólo conoce el velo como elemento que oculta y esconde una realidad, el oriental lo ha empleado en una rica y compleja relación con la sabiduría.

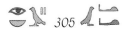

Venda

Los ojos vendados pueden representar tanto la imparcialidad como la incapacidad de comprender la realidad.

Venera

Es una concha semicircular de dos piezas, una plana y otra muy curvada, empleada desde la Edad Media como atributo de Santiago el Mayor y de sus peregrinos.

Venus y Cupido,
Fragonard.

Venus

El segundo planeta del sistema solar se ha identificado en todo el orbe con los ciclos vitales de la naturaleza.

Pero esto puede ser también un símbolo de ceguera del espíritu o de la razón. Así, los cristianos representaron a la personificación de la sinagoga (al judaísmo) como una mujer con los ojos vendados. Los masones también recurrieron a esta imagen para representar a todos aquellos que no se habían iniciado en sus saberes.

Venera

*D*esde la Edad Media es el atributo por excelencia de Santiago el Mayor y de todos los que peregrinaban a su tumba, en Santiago de Compostela. A partir del Renacimiento comenzó a identificar a todos los peregrinos cristianos, fuera cual fuera el destino de sus viajes. En el mundo clásico las conchas habían estado identificadas con Venus y Afrodita, por lo que su simbolismo estaba cargado de ideas de sensualidad y fertilidad. Además, al ser un elemento acuático, se relacionaba con la acción purificadora del agua. Fertilidad y purificación, dos elementos presentes en el significado de los peregrinajes cristianos, concebidos como vía para la expiación de los pecados y, por lo tanto, como renacimiento espiritual en vida.

Apoyándose en esos conceptos la concha de la vieira, la venera, comenzó a aparecer en los sepulcros de los primeros cristianos. En torno al siglo X de nuestra era, con el auge de la peregrinación a la tumba del apóstol Santiago, surgen las primeras representaciones en las que la venera es ya un elemento que identifica tanto al apóstol como a sus peregrinos. Con el transcurrir de los siglos esta unión se afianzó.

■ **Referencias cruzadas**: *véanse* también Agua, Concha y Peregrino.

Venus

*E*l planeta Venus fue asimilado en la tradición grecolatina a la diosa del mismo nombre. Este planeta constituye el objeto celeste más brillante desde la Tierra después de la Luna y el Sol aunque sólo es visible unas horas antes del amanecer (recibe los apelativos «estrella de la mañana» o «lucero del alba») o después del ocaso. Por ello se ha ligado generalmente a los ciclos de la naturaleza, e incluso en algunas culturas ha recibido un cierto papel de intermediario entre dioses y hombres. La religión azteca ofrece una buena muestra de esta simbología al emparejarle con el dios Quetzalcoatl, señor de la vida y la muerte. Para los indios cora (México), el astro matutino forma parte de trinidad suprema y divina, junto con la Luna y el Sol. Por su parte, los mayas le consideraban el hermano mayor del Sol, ya que le antecede en la aparición. En la Antigüedad clásica la relación con los ciclos naturales, los responsables de la fertilidad y el renacimiento del medio, acabó conduciendo a una cierta identificación con el amor, la belleza y la voluptuosidad. El camino seguido por esta interpretación es igual tanto para el planeta como para la diosa romana que le da nombre (asimilada a la Afrodita griega). En Occidente se han impuesto acepciones benéficas en relación con su papel de anunciadora de la renovación del día. «Estrella matutina» es una de las imágenes que se refieren a María.

Verde

*É*ste es el color que ofrece un predominio indiscutible en las muestras de vida vegetal. Por ello y por sus virtudes psicológicas (le atribuyen propiedades sedantes) el verde es vida, inmortalidad, esperanza...

Ha sido el color asociado a los paraísos terrenales, como muestran tanto la cristiandad como el Islam. Ejemplo de ello es que en el Medioevo cristiano la salvación eterna se representó a través de cruces pin-

tadas en este color. En el Islam la simbología del verde cobra un valor extremo, quizá magnificado porque el origen geográfico de esta religión se sitúa en zonas donde el agua y la vida vegetal son extremadamente preciados. Así, el verde es el color de la salvación, asociado generalmente al profeta, símbolo de todas sus riquezas. Es también el color de los turbantes de los que entran en el Paraíso, por lo que el verde de las banderas de los ejércitos islámicos recuerda a los soldados cuál será el afortunado destino de los caídos.

Pero todos los valores vistos pueden ser pervertidos hasta representar su opuesto simbólico, lo que explica que el mundo cristiano medieval empleara este color para los ojos de Satán y para muchos de sus animales demoníacos. El verde también presenta frecuentes asociaciones con el rojo, mostrándose con ellos el dualismo entre vida y fuego, fertilidad y acción, lo femenino y lo masculino. Ésta es la razón que explica las sorprendentes representaciones chinas en las que el verde se asocia al rayo. Los mismos motivos han conducido a varios pueblos africanos a señalar que el verde tiene su origen en el rojo.

Verracos

Véase Jabalí.

Vestido

*L*a vestimenta, una necesidad básica del individuo, tiene una serie de significados simbólicos derivado de la oposición a la desnudez y de las características concretas de cada prenda. El desnudo, el estado natural del hombre, se ha asimilado tradicionalmente a la esencia de la humanidad, y por ello, el vestido se puede considerar la forma en que ésta se manifiesta hacia el exterior; constituye una prefiguración de lo que el individuo es. Pero como

se ha mencionado, los colores, materiales, formas y usos condicionan completamente cualquier simbolismo. Todas estas consideraciones tienden a crear arquetipos sociales o profesionales.

Viaje

*L*as grandes referencias míticas y literarias hacen del viaje algo que va mucho más allá de un mero desplazamiento físico. Tiende a erigirse como la acción desarrollada en pos de un objetivo, pero acción que se lleva a cabo siempre por etapas, poco a poco; este tipo de viaje constituiría un paralelo de los procesos de búsqueda y aprendizaje espiritual. Pero el significado simbólico de esta acción depende del grado de dificultades que se manifiesten por el camino, que se traducirían en los problemas encontrados para conseguir un logro. El medio por el que se desarrolla el viaje también guarda su importancia. Así, los viajes al interior de la Tierra (Julio Verne, Virgilio o Dante) plantean una penetración en los secretos esotéricos del cosmos.

Una idea muy similar a las expuestas son los frecuentes tránsitos de las almas de un mundo al otro. Estas concepciones, muy visibles en las religiones budista y egipcia, plantean un necesario proceso de purificación hasta que el alma se encuentra en condiciones de alcanzar su destino final (generalmente el Paraíso). Las sucesivas reencarnaciones del alma en la tierra, como las que el budismo describe en el viaje hacia el nirvana, toman un significado idéntico al descrito.

Aunque toda esta simbología cobró plasmaciones no sólo literarias sino también terrenales con las grandes peregrinaciones del Islam y la cristiandad, hoy en día el viaje ha perdido su sentido original en las sociedades occidentales. Queda tan sólo como un mero reto físico y deportivo o como actividad que po-

Verde

El gran color de la vida, la naturaleza y la esperanza.

Vestido

Su forma y color suelen reflejar arquetipos sociales o profesionales.

Viaje

Todo viaje mítico o literario suele plantear una serie de paralelismos espirituales bastante evidentes.

Vid

La hoja de parra, que tantas veces hemos visto como único vestido de Adán y Eva, es un símbolo de inmortalidad propio de los pueblos mesopotámicos.

Vidrieras

Conjunto de cristales coloreados y traslúcidos con los que se componían los motivos que decoraban los vanos de los templos cristianos.

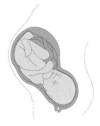

Vientre

La maternidad, fecundidad y bondad son las características más asociadas al vientre.

---

sibilita el encuentro y contacto con otras culturas.

■ **Referencias cruzadas**: *véase* también Peregrinación.

Víbora

Véase Serpiente.

Vid

Sus propiedades, la simbología asociada al vino y la gran importancia económica que jugó en muchas sociedades han hecho que la vid se convierta en símbolo tanto de vida como de prosperidad, frecuentemente asociado a los dioses (Osiris entre los egipcios, Dionisos en Grecia y Baco para los romanos).

Ya en los pueblos mesopotámicos la vid aparecía ligada a la noción de inmortalidad. El judaísmo reelaboró estos significados al hacer de la vid un símbolo de su pueblo y de la protección que Yahvé les ofrecía. Estas concepciones llegaron siglos después con el cristianismo, donde este arbusto se identificó con Cristo y donde, en su liturgia, se hizo del vino un símbolo de su sangre.

■ **Referencias cruzadas**: *véanse* también Racimo de uvas y Vino.

Vidrieras

Las bellas vidrieras polícromas, que alcanzaron su máximo esplendor durante el gótico, juegan con el simbolismo de las gemas, la luz y la Jerusalén celestial. Como sucede en casi todas las religiones, el cristianismo identificó al Sol con Dios, fuente de toda vida e iluminación. Así, los rayos de luz que penetraban en el templo no tenían otro origen que el Señor, y su descomposición en colores, provocada por las vidrieras, pretendía rememorar la

---

plenitud de colores que se disfrutará en la Jerusalén celestial, la ciudad en la que, al final de la historia, Dios vivirá entre los hombres.

Para completar el simbolismo de la vidriera debemos mencionar la participación que propicia entre la luz y los personajes que en ellas se representan. El sentido simbólico de esa luminosidad no es otro que la identificación con la naturaleza divina (*véase* Luz).

■ **Referencias cruzadas**: *véanse* también Jerusalén celestial y Luz.

Vieira

Véase Venera.

Vientre

El vientre, la sede del embarazo, es un símbolo popular de protección y fecundidad, por lo que resulta un atributo muy resaltado en las representaciones de diversas diosas madre. Pese a ello, en algunos relatos esta parte del cuerpo humano tiene un sentido opuesto, ya que si estas diosas pueden dar la vida también pueden quitarla, lo que conduce a míticas degluciones que hacen regresar a los individuos a ese vientre original. En Occidente, el vientre, por oposición al corazón o la cabeza, se ha considerado tradicionalmente un foco de pasiones instintivas. Sin embargo, las tradiciones orientales hacen de él el lugar donde la vida se manifiesta con mayor fuerza.

Vino

La simbología del vino se hace muy presente en todos los pueblos del Mediterráneo, donde la vid fue uno de los grandes cultivos de sus economías. Sus significados proceden de sus virtudes embriagadoras, del sentimiento de exaltación que genera y de la similitud del color del tinto con el de la sangre. Todo ello hizo del vino una bebida identificada con la esencia de la vida, elixir de vitalidad e incluso inmortalidad. Por motivos fáciles de imaginar, ocasionalmente esta bebida se ha considerado vehículo de conocimientos superiores y revelados por los dioses.

Pese a jugar un importante papel en multitud de culturas (como la griega, latina o taoísta) es la tradición hebraica la que nos ha legado su interpretación principal. Allí se empleó como símbolo de la alegría y de los dones otorgados por Yahvé a los hombres, y en el Nuevo Testamento cristiano pasó a representar la sangre de Cristo

■ **Referencias cruzadas**: *véanse* también Racimo de uvas y Vid.

Virgen

La virginidad y sus poseedoras, las vírgenes, son un tradicional símbolo de inocencia, de potencialidad no desarrollada que en muchas culturas se ha asimilado directamente a la pureza. Es por ello por lo que tantas religiones y mitologías emplean la figura de las vírgenes, principalmente consagrándolas a los dioses y haciéndolas receptoras de sus poderes divinos. Esta simbología también guarda una cierta relación con la del sacrificio, ya que la renuncia a la vida que engendra la mujer, a su fecundidad, constituye una pérdida muy importante para el colectivo social. Aunando estos sentidos, cuando se tuvo que elegir a vírgenes que consagrar a los dioses (como las vírgenes del Sol incas) se optó por las mujeres más bellas y perfectas; el sacrificio realizado era mayor y también su recompensa. Todos estos sentidos aparecen recogidos en la Virgen de la religión cristiana.

Virginidad

Véase Virgen.

Virgo

*E*l 23 de agosto y el 22 de septiembre constituyen los límites de este signo, el sexto del zodiaco, que tiene por elemento a la tierra y se identifica con Mercurio y con el jade. Este periodo del año es el que precede al equinoccio de otoño, el momento de la recolección, que da paso a tierras que, como si fueran vírgenes, recogen nuevas siembras. Por ello, esta etapa del zodiaco toma por imagen la fecundidad de la Virgen, la Madre Tierra y sus capacidades creadoras. En el zodiaco egipcio todas estas consideraciones se recogieron identificando el signo con Isis, diosa de la fertilidad y la maternidad. Algunas representaciones simbólicas de este signo toman como elementos esenciales el número seis (es el sexto del zodiaco), por lo que pueden aparecer frecuentemente imágenes del hexagrama o sello de Salomón. Las virtudes que se asocian al signo son las propias de los trabajos agrícolas: constancia, disciplina y pragmatismo.

Volcán

Véase Montaña.

Vuelo

*E*ste *imposible* fue siempre soñado por los hombres. Se halla el simbolismo del ascenso, del acercamiento a los dioses celestes. Sin embargo, también es la concepción del vuelo como símbolo de ambiciones vanas e imposibles, e incluso como característica de poderes demoníacos que actúan contra natura.

■ **Referencias cruzadas**: *véase* también Alas.

La Anunciación, Fra Angelico.

Virgen

La virginidad de la mujer, la renuncia a su fecundidad, ante todo es un sacrificio de gran importancia no sólo para el individuo, sino también para el grupo social.

Vino

Elixir de inmortalidad, esencia vital y sangre de los dioses; el vino, por sus propiedades y color, ha desarrollado un fuerte simbolismo.

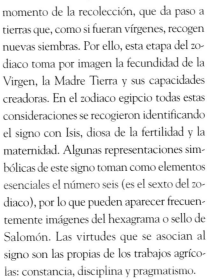

Virgo

Este signo del zodiaco viene determinado por el periodo que comprende, que se corresponde con la recolección agrícola y la nueva siembra.

La leyenda de santa Lucía, Master.

Yin-yang

Concepto fundamental del taoísmo cuya representación más evidente es el *ta ki*, un círculo subdividido en dos secciones de diferentes colores (la oscura es el yin y la clara el yang), cada una con un punto del color opuesto en su interior.

Yoni

El triángulo invertido es en la tradición hindú el símbolo del yoni.

Yugo

Instrumento de madera que une a los animales y los guía al tirar del carro, arado o molino.

Yunque

Prisma de hierro empleado en la forja.

Y

Yantra

Véase Hexagrama.

Yegua

Véase Caballo.

Yin-yang

El yín y el yang son los dos principios opuestos que componen el universo concebido por el taoísmo chino. Sus relaciones son de mutua alternancia, influencia y dependencia. Su presencia se manifiesta en todos los órdenes de la vida y el mundo, y parte de la escisión de la unidad original. El origen de estos términos parece derivar de los aplicados a la umbría y a la solana del valle. La zona de sombra sería el yin, principio femenino, húmedo, pasivo, terrestre y vinculado a la línea discontinua. El yang provendría de la solana y se erige como principio masculino, seco, activo, celeste y representado por la línea continua.

Yoni

La cultura hindú recurre, al igual que lo hace la taoísta, a la existencia de un dualismo fundamental relacionado con las potencias creadoras del universo.

Nos estamos refiriendo al yoni y al linga. El primero de ellos es el principio femenino, creador de vida, pasivo y receptivo; se identifica con el órgano sexual femenino y su símbolo es el triángulo invertido.

■ **Referencias cruzadas**: *véase* también Linga.

Yugo

Con él se emparejaban forzosamente bueyes, o cualquier otro animal de tiro, para conducirlos en su trabajo, por lo que desde la Antigüedad se empleó su imagen como alusión a las obligaciones, el sometimiento y la servidumbre. Las interpretaciones positivas que ha recibido hacen de él una alusión al control sobre la parte animal de nosotros mismos, a la unión feliz y deseada y al respeto a las normas.

Yunque

Este objeto fundamental de la forja recibe un simbolismo que deriva de su relación con el martillo. Cuando aparecen las dos herramientas juntas, es muy probable que nos encontremos ante una identificación del martillo con los elementos activos y masculinos y del yunque con lo femenino y pasivo. Pese a ello, las imágenes del yunque suelen ser empleadas predominantemente en referencia a su fortaleza, a la virtud de mantener la propia apariencia y no modificarse ante los golpes.

■ **Referencias cruzadas**: *véanse* también Herrero y Martillo.

Zafiro

El *sentido* simbólico que ha recibido esta piedra preciosa deriva de su color, el azul. Gracias a ello se comenzó a sostener la creencia de que esta gema podía obtenerse la protección celeste. Se adjudican al zafiro propiedades curativas. En algunos lugares de la cristiandad incluso se llegó a asociar a la pureza y luz divina.

■ **Referencias cruzadas**: *véase* también Azul.

Zapato

Esta *prenda* de vestir, tan común y conocida, tiene un simbolismo rico y variado a lo largo del mundo. El contacto con la tierra, continuo e inevitable para el zapato, es el motivo por el que en numerosas sociedades al entrar en espacios a los que se asimilaba una cierta elevación espiritual, el individuo debía descalzarse.

■ **Referencias cruzadas**: *véase* también Pie.

Zarza

El *Antiguo* Testamento relata cómo Yahvé se apareció a Moisés en la forma de una zarza ardiendo. Partiendo de ello, el cristianismo ha empleado esta imagen como atributo del profeta y como manifestación de la presencia divina. En la Edad Media proliferó la asociación de la zarza a la Virgen, ya que ésta fue fecundada sin perder la virginidad al igual que el arbusto divino arde sin consumirse.

Moisés ante la zarza ardiendo (detalle), Feti.

Zigurat

Los *zigurats* son la máxima expresión de la arquitectura mesopotámica. Construidos con fines religiosos, su forma es la de una torre o una pirámide escalonada. Su sentido simbólico es muy similar al de la torre y la montaña. El recuerdo de estas construcciones inspiró las narraciones bíblicas sobre la conocida torre de Babel.

■ **Referencias cruzadas**: *véanse* también Montaña, Pirámide y Torre.

Zodíaco

Símbolo *complejo* y casi universal de los procesos cíclicos de vida y muerte.

Zorro

Estos *mamíferos*, parientes cercanos de los perros domésticos, son tradicionales enemigos de los ganados. El zorro es un cazador ágil, sagaz y mortal, por lo que su simbología se ha vinculado casi universalmente a la astucia y también es símbolo de la mentira, la avaricia y la lascivia. En la Edad Media fue asociado con el diablo.

Zafiro

Piedra preciosa de color azul, que puede tallarse y es casi tan dura como el diamante. Sus variedades más valiosas son propias del sudeste asiático.

Zapato

Viajes y viajeros, receptor de la carga sensual del pie... el zapato ha generado un extenso y variado simbolismo.

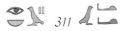

Bibliografía

Aghion, I., Barbillon, C. y Lissarrague, F., *Héroes y dioses de la Antigüedad*, Madrid: Alianza, 1998.

Alciato, A., *Emblemas*, Madrid: Akal, 1985.

Alonso Fernández-Checa, José Felipe, *Diccionario de alquimia, cábala, simbología*, Madrid: Trigo, 1995.

Alvar, J. y otros, *Héroes, semidioses y daimones*, Madrid: Clásicos, 1989.

Alvar, Manuel, *Símbolos y mitos*, Madrid: Consejo Superior de Investigaciones Científicas, 1990.

Atienza, Juan G., *Los saberes alquímicos: diccionario de pensadores, símbolos y principios*, Madrid: Temas de Hoy, 1995.

Auola, Raimon, *Las estatuas vivas: ensayo sobre arte y simbolismo*, Barcelona: Obelisco, 1995.

Beigbeder, Olivier, *Léxico de los símbolos*, Madrid: Encuentros, 1955.

—, *La simbología*, Barcelona: Oikos-Tau, 1971.

Biederman, Hans, *Diccionario de símbolos*, Barcelona: Paidós, 1993.

Bruce-Mitford, Miranda, *El libro ilustrado de signos y símbolos*, Barcelona: Blume, 2001.

Burckhardt, Titus, *Símbolos*, Barcelona: José J. de Olañeta, 1982.

Carmona Muela, Juan, *Iconografía cristiana*, Madrid: Istmo, 1998.

—, *Iconografía clásica*, Madrid: Istmo, 2000.

Cirlot, Juan Eduardo, *Diccionario de símbolos*, Madrid: Siruela, 1997.

Cooper, J. C., *Diccionario de símbolos*, México: G. Gili, 2000.

Champeaux, Gérard de, *Introducción a los símbolos*, Madrid: Encuentros, 1984.

Chevalier, J. y Gheerbrant, A., *Diccionario de los símbolos*, Barcelona: Herder, 1986.

Deneb, León, *Diccionario de símbolos*, Madrid: Biblioteca nueva, 2001.

Duchet-Suchaux, G. y Pastoreau, M., *La Biblia y los santos*, Madrid: Alianza, 1996.

Eberhard, Wolfram, *Dictionnaire des symboles chinois*, París: Seghers, 1984.

Eliade, Mircea, *Tratado de historia de las religiones*, Madrid: Cristiandad, 1987.

Elias, Norbert, *Teoría del símbolo: un ensayo de antropología cultural*, Barcelona: Península, 1994.

Escartín Gual, Montserrat, *Diccionario de símbolos literarios*, Barcelona: PPU, 1996.

Ferré, Jean, *Diccionario de símbolos masónicos*, Kompás, 1998.

Fontana, David, *El lenguaje secreto de los símbolos*, Madrid: Debate, 1993.

Frutiger, Adrián, *Signos, símbolos, marcas, señales*, Barcelona: Gustavo Gili, 1981.

Fullcanelli, *El misterio de las catedrales*, Barcelona: Plaza y Janés, 1990.

García Gual, C., *Introducción a la mitología griega*, Madrid: Alianza, 1992.

Gómez Pantoja, Joaquín, *Diccionario de personajes históricos griegos y romanos*, Madrid: Istmo, 1998.

Grossato, Alessandro, *El libro de los símbolos: metamorfosis de los humanos entre Oriente y Occidente*, Barcelona: Grijalbo Mondadori, 2000.

Guénon, René, *Símbolos fundamentales de la ciencia sagrada*, Buenos Aires: Eudeba, 1984.

—, *El simbolismo de la cruz*, Barcelona: Obelisco, 1987.

Hall, James, *Diccionario de temas y símbolos artísticos*, Madrid: Alianza, 1987.

Hami, Jean, *Mitos, ritos y símbolos: los caminos hacia lo invisible*, Palma de Mallorca: José J. de Olañeta, 1999.

Leroi-Gourham, André, *Símbolos, mitos y creencias de la Prehistoria*, Madrid: Istmo, 1984.

López Torrijos, Rosa, *La mitología en la pintura española del Siglo de Oro*, Madrid: Cátedra, 1995.

Lurker, Manfred, *El mensaje de los símbolos: mitos, culturas y religiones*, Barcelona: Herder, 1992.

—, *Diccionario de imágenes y símbolos de la Biblia*, Córdoba: El Almendro, 1994.

Mariño Ferro, Xosé Ramón, *El simbolismo animal*, Madrid: Encuentro, 1996.

Morales y Marín, José Luis, *Diccionario de iconología y simbología*, Madrid: Taurus, 1984.

Murga, Purificación, *Símbolos*, Madrid: Rioduero, 1983.

Panofsky, E., *Estudios sobre iconología*, Madrid: Alianza, 1972.

—, *El significado de las artes visuales*, Madrid: Alianza, 1979.

Pérez-Rioja, José Antonio, *Diccionario de símbolos y mitos: las ciencias y las artes en su expresión figurada*, Madrid: Tecnos, 1992.

Pernety, Dom Antoine-Joseph, *Diccionario mito-herméticos*, Barcelona: Índigo, 1993.

Pillard-Verneuil, Maurice, *Dictionnaire des symboles, emblèmes et attributs*, París: Renouard.

Revilla, Federico, *Diccionario de iconografía y simbología*, Madrid: Cátedra, 1990.

Ripa, C., *Iconología*, Madrid: Akal, 1988.

Todorov, Tzvetan, *Teorías del símbolo*, Caracas: Monte Ávila, 1993.

Vorágine, Santiago de la, *La leyenda dorada*, Madrid: Alianza, 1982.